아름다운샘
A~ssam

기본기를 다지는
문제기본서 하이 매쓰
Hi Math
고등 수학(하)

이창주 지음

[기본+유형]

- 교과서 개념을 다지는 기본편
- 학교시험 완벽대비 유형편

샘

[아샘 Hi] 검수 및 검토하신 선생님들

【서울】 권경택, 김도훈, 김명후, 김세철, 김영재, 김정효, 김태연, 박성철, 박정선, 박정한, 박준열, 서동혁, 송경섭, 양해조, 유민정, 유영호, 윤인영, 이재웅, 이창환, 장석진, 정효석, 최하나

【인천】 김성수, 김성욱, 정승기, 차승훈

【경기】 구대우, 김대성, 김대용, 김선덕, 김선옥, 김성현, 김영규, 김윤경, 김장현, 남재일, 박민서, 박종회, 신명섭, 오태경, 이대영, 이선미, 이창범, 이한진, 이한철, 임봉환, 장 민, 장순식, 장용준, 정근욱, 정순모, 홍영표, 홍인기

【대전】 강준규, 고지훈, 김덕한, 김선아, 김성운, 김윤태, 김태규, 김홍래, 박교석, 박교현, 박상신, 박수연, 성진욱, 손지원, 양상규, 오완균, 우홍제, 원종혜, 유재율, 이관희, 이광열, 이주호, 이준상, 이찬복, 임성묵, 임지혜, 정대영, 조용호, 차기원, 최고은, 최원제, 최의설, 최종민, 홍승완

【충남】 임봉철, 최원경

【충북】 강명헌, 김대호, 김선경, 김재광, 김재원, 김정태, 김종화, 김혁수, 김혜연, 김호경, 노은경, 노은미, 박순제, 박시현, 박형근, 백원재, 변남균, 송기복, 신유리, 양세경, 염명호, 오동근, 오일영, 오현진, 원정호, 이정환, 이혜리, 이흔철, 임동윤, 임재석, 장난영, 장도리, 장효식, 정선혜, 조연화, 조영의, 조윤정, 주혜진, 한상호, 함종화

【울산】 곽석환, 김병섭, 김수영, 김윤근, 남성일, 문준호, 성수경, 송병근, 이길호, 이민혁, 조용득

【경남】 강현숙, 김동재, 김일용, 남창혁, 박건주, 박영남, 박임수, 박찬국, 배종진, 손봉기, 송창근, 오주영, 유지민, 윤성욱, 이광호, 이희경, 정성목, 조주영, 주기호, 차현근, 탁언숙, 한희광, 허정민, 홍주연, 황정욱

【경북】 김병진, 김희열, 윤기원

【광주】 정다원

【전남】 김은경

【전북】 강성주, 고석채, 고은미, 김민수, 김순기, 김 억, 김용철, 김전수, 김종오, 김종호, 김차순, 문 욱, 박일용, 박종화, 박충기, 반석구, 서준석, 안영엽, 이경근, 이희진, 임태빈, 장미현, 정미라, 조효진, 최재완, 홍대의

[아샘 Hi] 검토하신 선생님들

【서울】 고수환, 구수해, 김도규, 김병규, 김순태, 김효건, 민병조, 박주완, 배재형, 백은화, 선 철, 신우진, 양철웅, 오종훈, 우미영, 유승우, 윤여균, 윤재춘, 윤현웅, 이경주, 이상훈, 이창석, 이창용, 임규철, 임노길, 임다혜, 정진우, 조영혜, 주종대, 지광근, 차현남

【인천】 김국련, 김용근, 김지원, 김태윤, 장효근, 정효진, 조성철, 최수빈

【경기】 김양진, 김유성, 김지윤, 문재웅, 송명준, 윤희용, 이명희, 이승천, 이승현, 전종태, 정윤교, 정장선, 조 욱, 최경희

【강원】 전대윤, 최수남

【대전】 김귀식, 김명구, 김중만, 박연실, 양상규, 오완균, 윤석주, 장윤희, 황재인

【세종】 조성윤

【충남】 김보람

【충북】 채주병

【부산】 김성빈, 김영해, 김 훈, 이경덕, 최재원, 최재혁

【울산】 김용래

【경남】 김민채, 김재현, 권병국, 배종우, 우하람

【대구】 구정모, 김영배, 김지영, 이태형, 최진혁

【경북】 이성국, 정효진

【광주】 구남용, 임태관

【전남】 강춘기, 편기석, 함영호

【전북】 김병화, 김성혁, 성준우, 안형진, 양형준, 유현수, 이춘우

아샘 Hi 시리즈

❖ 아샘 Hi Math

- 수학(상)
- 수학(하)
- 수학 I
- 수학 II
- 확률과 통계
- 미적분
- 기하

❖ 아샘 Hi High

- 수학(상)
- 수학(하)
- 수학 I
- 수학 II
- 확률과 통계
- 미적분

A~ssam 아름다운샘

기본기를 다지는
문제기본서 하이 매쓰

Hi Math

고등 **수학**(하)

수학의 자신감

역시! 믿고 보는 아샘 하이매쓰와 함께...

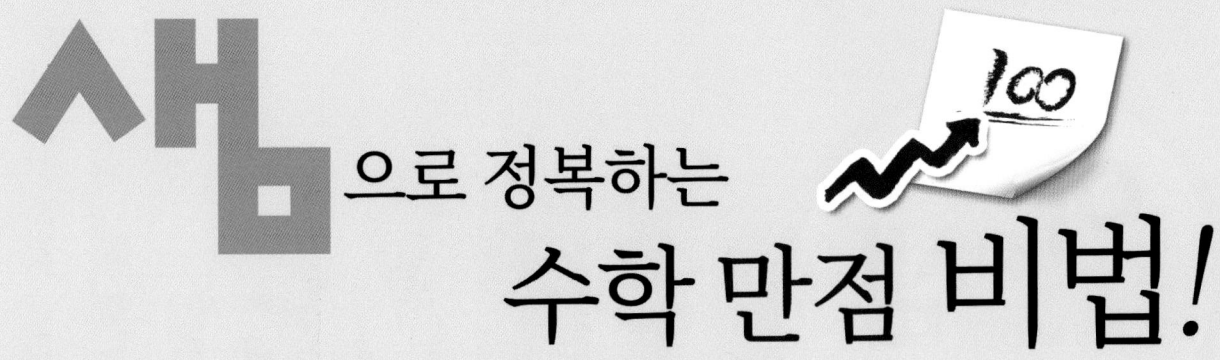

샘으로 정복하는
수학 만점 비법!

수학의 샘으로 기본기를 충실히!

수학 기본서 '수학의 샘'은 자세한 개념 설명으로 수학의
원리를 쉽게 이해할 수 있는 교재입니다. 최고의 기본서
수학의 샘으로 수학의 기본기를 충실히 다질 수 있습니다.

아샘으로 학교 시험에
대한 자신감을!

충분한 기본 문제, 학교 시험에 자주 출제되는
문제를 수록하여 구성한 교재입니다.
유형별 문제기본서 '아샘'으로 학교 시험에
대한 자신감을 가질 수 있습니다.

아샘으로 최고난도 문제에
대한 자신감을!

중간 난이도 수준의 문제부터 심화 문제까지
충분히 수록하여 구성한 교재입니다.
출제빈도가 높은 최상위권 유형을 충분히 연습하여
학교 시험 100점을 자신하게 됩니다.

□ **대표저자** : 이창주(前 한영고, EBS·강남구청 강사, 7차 개정 교과서 집필위원), 이명구(한영고, 수학의 샘, 수학의 뿌리-3점짜리 시리즈, 전국 모의고사 집필위원)

□ **편집 및 연구** : 박상원, 전신영, 박호형, 모규리, 문민호, 이창민, 구소영

□ **일러스트 출처** : 1쪽_좌, 2쪽, 3쪽_상, 4쪽_상 designed by freepik.com

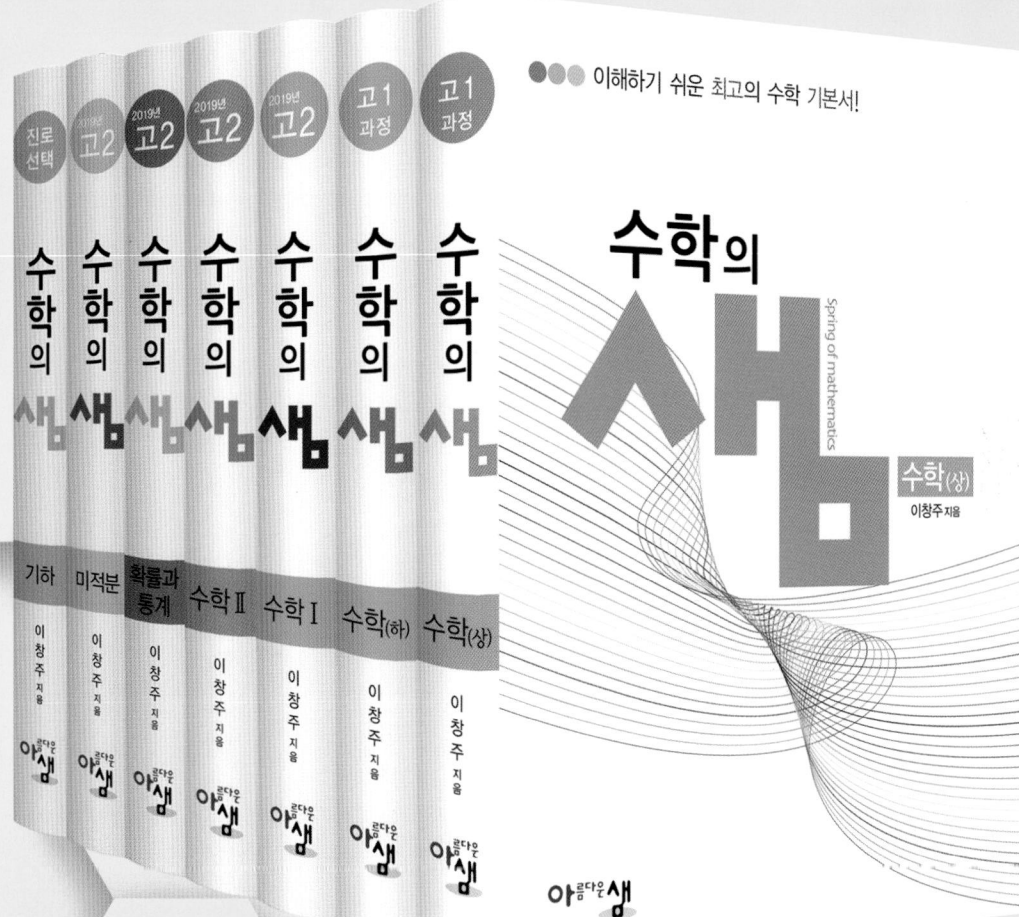

Hi Math
고등 수학 (하)

"아름다운 샘 Hi Math는?"

Hi Math의 특징

개념기본서 「수학의 샘」과 연계된 문제기본서

개념기본서 「수학의 샘」에서 익힌 수학적 개념을 적용하여 문제 연습을 할 수 있는 문제기본서입니다. 단원의 구성과 순서가 동일하여 「수학의 샘」의 개념과 「Hi Math」의 문제를 연계하여 공부할 수 있습니다.

수학의 기본을 다지는 문제기본서

처음으로 문제집을 공부하거나 기본기가 부족하다고 생각하는 학생을 위한 교재입니다. 기본 연산의 충분한 반복 연습, 알기 쉽게 체계적으로 분류된 유형별 문항 연습이 가능합니다.

기본 문제 수가 많은 문제기본서

이 교재의 구성은 [개념 정리] + [기본 문제] + [유형 문제] + [쌤이 시험에 꼭 내는 문제]입니다. 특히, [기본 문제]를 많이 수록하여 확실하게 개념 이해를 할 수 있도록 하였습니다.

내신 성적 2등급까지 책임지는 문제기본서

학교 시험 및 모의고사 등에 자주 출제되는 문제들을 분석하여 그 문제들을 위주로 수록한 교재입니다. 효율적인 문제 유형별 해법을 제시하여 시험 대비에 적합하며 시험에 대한 자신감을 갖게 합니다.

> 수학의 기본 실력을 탄탄히 쌓아 고등 수학에 자신감을 가질 수 있도록
> **기본 개념을 많이 연습할 수 있는 문제**
> **학교 시험을 완벽 대비할 수 있는 문제**
> 들을 수록하여 충분히 문제 연습을 할 수 있도록 만든 문제기본서입니다.

Hi Math의 구성

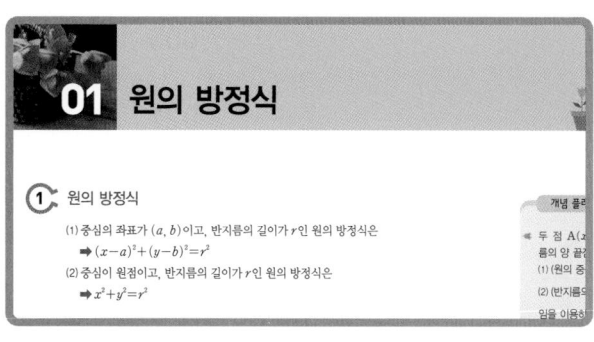

● **개념 정리**

교과서 내용을 꼼꼼하게 분석하여 각 단원의 중요 핵심 개념을 한눈에 볼 수 있도록 정리하였습니다. 보충설명이 필요한 부분은 개념플러스에서 추가하여 제시하였습니다.

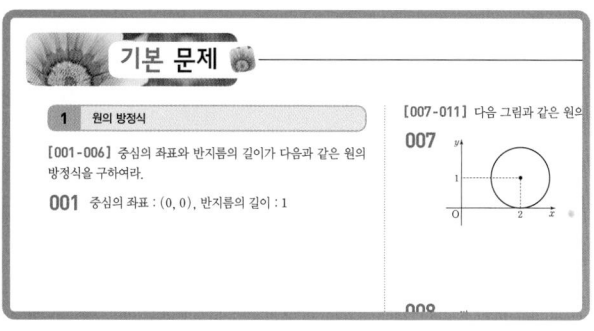

● **기본 문제**

수학의 기본을 다지는 계산 문제, 개념 이해 문제입니다. 단원의 핵심 개념에 해당하는 문제들을 충분히 반복 연습할 수 있도록 많은 문제들을 수록하였습니다.

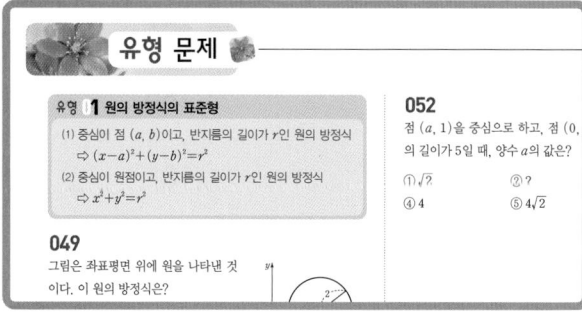

● **유형 문제**

학교 시험의 출제 경향을 치밀하게 분석하여 그 유형을 분류한 후, 해법을 제시하였습니다. 다양한 문제를 연습할 수 있도록 구성하였고, 시험에서 출제 비율이 높은 문항에는 '중요' 표시를 하였습니다.

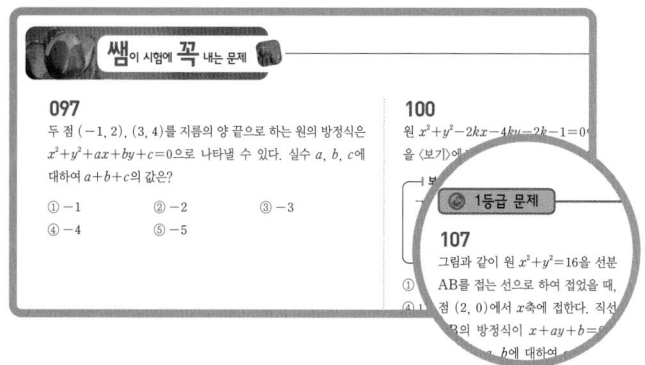

● **쌤이 시험에 꼭 내는 문제**

학교 시험에 꼭 나오는 단골 문제들을 선별하여 구성하였습니다. 자주 출제되는 유형의 문제들을 집중적으로 풀어볼 수 있도록 하였고, 만점을 위한 '1등급 문제'도 수록하였습니다.

차례

01 원의 방정식

01 원의 방정식

1 원의 방정식

(1) 중심의 좌표가 (a, b)이고, 반지름의 길이가 r인 원의 방정식은

➡ $(x-a)^2+(y-b)^2=r^2$

(2) 중심이 원점이고, 반지름의 길이가 r인 원의 방정식은

➡ $x^2+y^2=r^2$

2 좌표축에 접하는 원의 방정식

(1) x축에 접하고, 중심의 좌표가 (a, b)인 원의 방정식은

➡ $(x-a)^2+(y-b)^2=b^2$

(2) y축에 접하고, 중심의 좌표가 (a, b)인 원의 방정식은

➡ $(x-a)^2+(y-b)^2=a^2$

3 원의 방정식의 일반형

원의 방정식 $x^2+y^2+Ax+By+C=0$ $(A^2+B^2-4C>0)$에서

(1) 중심의 좌표 : $\left(-\dfrac{A}{2}, -\dfrac{B}{2}\right)$

(2) 반지름의 길이 : $\dfrac{\sqrt{A^2+B^2-4C}}{2}$

4 공통현의 방정식 [교육과정 응용]

두 원 $x^2+y^2+Ax+By+C=0$, $x^2+y^2+A'x+B'y+C'=0$이 서로 다른 두 점에서 만날 때, 공통현의 방정식은

➡ $(x^2+y^2+Ax+By+C)-(x^2+y^2+A'x+B'y+C')=0$

즉, $(A-A')x+(B-B')y+(C-C')=0$

개념 플러스

◀ 두 점 $A(x_1, y_1)$, $B(x_2, y_2)$를 지름의 양 끝점으로 하는 원의 방정식

(1) (원의 중심)$=(\overline{AB}$의 중점)

(2) (반지름의 길이)$=\dfrac{1}{2}\overline{AB}$

임을 이용하여 구한다.

◀ 좌표축에 접하는 원의 반지름의 길이는 원의 중심의 좌표를 이용하여 구할 수 있다.

◀ 원이 지나는 세 점의 좌표가 주어진 경우에는 원의 방정식의 일반형 $x^2+y^2+Ax+By+C=0$ 을 이용하여 푼다.

◀ 두 원
$x^2+y^2+Ax+By+C=0$,
$x^2+y^2+A'x+B'y+C'=0$
의 두 교점을 지나는 원의 방정식은
$(x^2+y^2+Ax+By+C)$
$+k(x^2+y^2+A'x+B'y+C')=0$
(단, $k\neq-1$)
한편, $k=-1$이면 두 원의 교점을 지나는 직선의 방정식(공통현의 방정식)이 된다.

기본 문제

1 **원의 방정식**

[001-006] 중심의 좌표와 반지름의 길이가 다음과 같은 원의
방정식을 구하여라.

001 중심의 좌표 : $(0, 0)$, 반지름의 길이 : 1

002 중심의 좌표 : $(1, 1)$, 반지름의 길이 : 3

003 중심의 좌표 : $(-2, 3)$, 반지름의 길이 : 4

004 중심의 좌표 : $(-1, -5)$, 반지름의 길이 : 6

005 중심의 좌표 : $(-6, 3)$, 반지름의 길이 : 9

006 중심의 좌표 : $(3, -7)$, 반지름의 길이 : 10

[007-011] 다음 그림과 같은 원의 방정식을 구하여라.

007
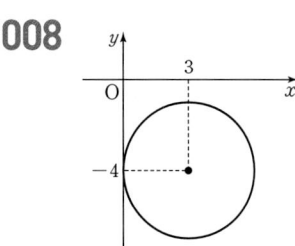

008
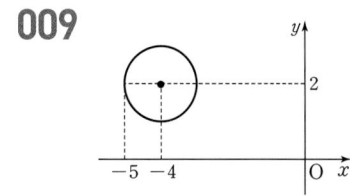

009
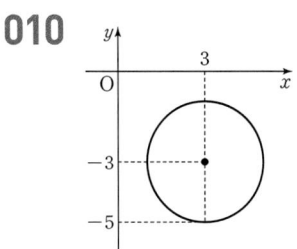

010
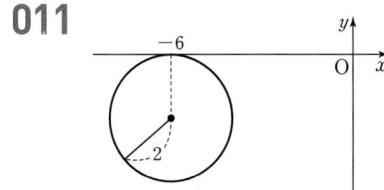

011

[012-014] 다음 원의 방정식이 나타내는 원의 중심의 좌표와 반지름의 길이를 구하여라.

012 $x^2+y^2=4$

013 $(x-3)^2+(y-4)^2=16$

014 $(x+2)^2+(y-1)^2=3$

[015-018] 다음 원의 방정식이 나타내는 원을 좌표평면 위에 나타내어라.

015 $x^2+y^2=4$

016 $(x+1)^2+y^2=1$

017 $x^2+(y-3)^2=25$

018 $(x-2)^2+(y-3)^2=9$

[019-022] 다음 그림은 선분 AB를 지름으로 하는 원이다. 원의 방정식을 구하여라.

019
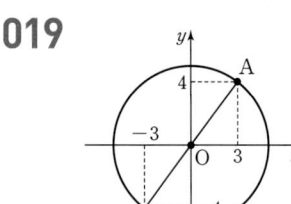

020
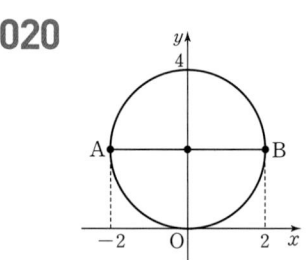

021
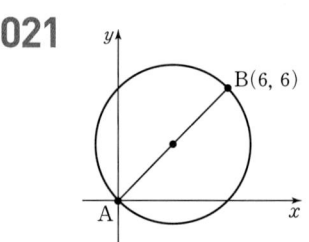

022
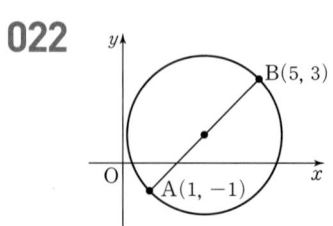

[023-024] 다음과 같은 원의 방정식을 구하여라.

023 중심의 좌표가 $(-2, 3)$이고, 점 $(0, 2)$를 지나는 원

024 중심의 좌표가 $(3, 1)$이고, 점 $(1, -1)$을 지나는 원

[025-029] 다음과 같은 원의 방정식을 구하여라.

025 중심의 좌표가 $(5, 5)$이고, x축과 y축에 동시에 접하는 원

026 중심의 좌표가 $(4, -2)$이고, x축에 접하는 원

027 중심의 좌표가 $(-3, 5)$이고, x축에 접하는 원

028 중심의 좌표가 $(-3, -2)$이고, y축에 접하는 원

029 중심의 좌표가 $(4, -8)$이고, y축에 접하는 원

[030-032] 다음 원의 방정식을 $x^2+y^2+ax+by+c=0$의 꼴로 나타내어라.

030 $(x-2)^2+y^2=1$

031 $x^2+(y-5)^2=4$

032 $(x+3)^2+(y-2)^2=13$

[033-036] 다음 원의 방정식을 완전제곱식을 이용하여 $(x-a)^2+(y-b)^2=c$의 꼴로 나타내어라.

033 $x^2+4x+y^2+3=0$

034 $x^2+y^2-6y+8=0$

035 $x^2+y^2-2x+8y+1=0$

036 $x^2+y^2+6x-2y=0$

기본 문제

[037-041] 다음 방정식이 나타내는 원의 중심의 좌표와 반지름의 길이를 구하여라.

037 $x^2+2x+y^2-3=0$

038 $x^2+y^2+4y+3=0$

039 $x^2+y^2+6x-2y+6=0$

040 $x^2+y^2+2x-4y+1=0$

041 $x^2+y^2-4x-2y-20=0$

[042-043] 다음 원의 방정식이 나타내는 원의 둘레의 길이 l과 넓이 S를 구하여라.

042 $x^2+y^2-8x+10y+32=0$

043 $x^2+y^2+6x-12y+29=0$

[044-048] 다음 원의 방정식을 좌표평면 위에 나타내어라.

044 $x^2+y^2-6x-16=0$

045 $x^2+y^2-4y-12=0$

046 $x^2+y^2-6x-2y-10=0$

047 $x^2+y^2-2x+2y-7=0$

048 $x^2+y^2+10x+8y+31=0$

유형 문제

유형 **01** 원의 방정식의 표준형

(1) 중심이 점 (a, b)이고, 반지름의 길이가 r인 원의 방정식
 $\Rightarrow (x-a)^2+(y-b)^2=r^2$

(2) 중심이 원점이고, 반지름의 길이가 r인 원의 방정식
 $\Rightarrow x^2+y^2=r^2$

049

그림은 좌표평면 위에 원을 나타낸 것이다. 이 원의 방정식은?

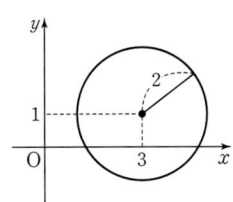

① $(x-3)^2+(y-1)^2=2$
② $(x-1)^2+(y-3)^2=2$
③ $(x-3)^2+(y-1)^2=4$
④ $(x-1)^2+(y-3)^2=4$
⑤ $(x-3)^2+(y-1)^2=\sqrt{2}$

중요
050

원 $(x-3)^2+(y+1)^2=4$와 중심이 같고 점 $(3, -2)$를 지나는 원이 점 $(a, 0)$을 지날 때, a의 값은?

① 1 　　　　② 2 　　　　③ 3
④ 4 　　　　⑤ 5

051

점 $(1, -4)$를 중심으로 하는 원이 점 $(3, -1)$을 지날 때, 이 원의 반지름의 길이를 구하여라.

052

점 $(a, 1)$을 중심으로 하고, 점 $(0, -2)$를 지나는 원의 반지름의 길이가 5일 때, 양수 a의 값은?

① $\sqrt{2}$ 　　　　② 2 　　　　③ $2\sqrt{2}$
④ 4 　　　　⑤ $4\sqrt{2}$

053

원 $(x+a)^2+(y-1)^2=4$의 중심과 원 $(x-2)^2+(y-b)^2=6$의 중심을 각각 P, Q라 하면 $\overline{PQ}$의 중점 M의 좌표가 M$(-1, -3)$일 때, 상수 a, b에 대하여 $a+b$의 값을 구하여라.

054

중심의 좌표가 $(-3, 1)$이고, 반지름의 길이가 2인 원이 x축과 만나는 두 점을 A$(\alpha, 0)$, B$(\beta, 0)$이라 할 때, $\alpha\beta$의 값을 구하여라.

두 점 A, B를 지름의 양 끝점으로 하는 원의 방정식은
(1) (원의 중심)$=(\overline{AB}$의 중점)
(2) (반지름의 길이)$=\dfrac{1}{2}\overline{AB}$

임을 이용하여 구한다.

055

두 점 A$(-2, -4)$, B$(6, 2)$를 지름의 양 끝점으로 하는 원의 방정식은?

① $(x-2)^2+(y+1)^2=25^2$
② $(x+2)^2+(y+1)^2=5^2$
③ $(x-2)^2+(y-1)^2=5^2$
④ $(x-2)^2+(y-1)^2=25^2$
⑤ $(x-2)^2+(y+1)^2=5^2$

056

다음 두 원의 중심을 지름의 양 끝점으로 하는 원의 방정식을 구하여라.

$$x^2+y^2=1, \quad (x-2)^2+(y+4)^2=20$$

057

두 점 A$(-3, 0)$, B$(k, 0)$을 지름의 양 끝점으로 하는 원의 방정식이 $(x+a)^2+(y+b)^2=4$일 때, $a+b+k$의 값을 구하여라. (단, $k>0$)

(1) 중심이 x축 위에 있는 원의 방정식
$\Rightarrow (x-a)^2+y^2=r^2$
(2) 중심이 y축 위에 있는 원의 방정식
$\Rightarrow x^2+(y-a)^2=r^2$
(3) 중심이 직선 $y=x$ 위에 있는 원의 방정식
$\Rightarrow (x-a)^2+(y-a)^2=r^2$

058

중심이 x축 위에 있고, 두 점 A$(0, -1)$, B$(2, 3)$을 지나는 원의 방정식을 구하여라.

059

중심이 직선 $y=x$ 위에 있고, 두 점 $(1, -1)$, $(-1, 3)$을 지나는 원의 중심의 좌표를 (p, q)라 할 때, $p+q$의 값을 구하여라.

060

중심이 직선 $y=x+1$ 위에 있고, 두 점 $(1, 6)$, $(-3, 2)$를 지나는 원의 중심의 좌표를 (a, b)라 할 때, $a+b$의 값은?

① 1   ② 2   ③ 3
④ 4   ⑤ 5

유형 04 원의 방정식의 일반형

원의 방정식
$$x^2+y^2+Ax+By+C=0 \ (A^2+B^2-4C>0)$$
에서

(1) 중심의 좌표 : $\left(-\dfrac{A}{2},\ -\dfrac{B}{2}\right)$

(2) 반지름의 길이 : $\dfrac{\sqrt{A^2+B^2-4C}}{2}$

061

원 $x^2+y^2+2x-4y-4=0$의 중심의 좌표를 $(a,\ b)$, 반지름의 길이를 r라 할 때, $a+b+r$의 값은?

① 1   ② 2   ③ 3

④ 4   ⑤ 5

062

원 $x^2+y^2-4x+6y+12=0$과 중심이 같고, 점 $(3,\ -1)$을 지나는 원의 넓이는?

① 5π ② 6π ③ 7π

④ 8π ⑤ 9π

063

두 원 $x^2-7x+y^2-9y+30=0$, $x^2-4x+y^2=21$이 있다. 이 두 원의 중심 사이의 거리를 구하여라.

064

원 $x^2+y^2+2kx-ky+3k=0$의 중심의 좌표가 $(-4,\ 2)$일 때, 이 원의 둘레의 길이는?

① $3\sqrt{2}\pi$ ② $4\sqrt{2}\pi$ ③ $5\sqrt{2}\pi$

④ $6\sqrt{2}\pi$ ⑤ $7\sqrt{2}\pi$

065

방정식 $x^2+y^2-6x+2y+k+1=0$이 원을 나타내도록 하는 실수 k의 값의 범위는?

① $k>3$ ② $3<k<6$ ③ $k>9$

④ $k<9$ ⑤ $3<k<9$

066

원 $x^2+y^2+2ax-4ay+10a-10=0$의 넓이를 최소가 되게 하는 상수 a의 값을 구하여라.

유형 **05** 세 점을 지나는 원의 방정식

① 구하는 원의 방정식을 $x^2+y^2+Ax+By+C=0$으로 놓는다.

② 원이 지나는 점의 좌표를 각각 대입하여 A, B, C에 대한 방정식을 세운다.

③ ②의 방정식을 연립하여 세 상수 A, B, C의 값을 구한다.

067

세 점 $A(0, 0)$, $B(1, -2)$, $C(2, 1)$을 지나는 원의 방정식을 $x^2+y^2+ax+by+c=0$이라 할 때, 세 상수 a, b, c에 대하여 $a+b+c$의 값을 구하여라.

068

세 점 $A(0, 0)$, $B(-2, 0)$, $C(2, 4)$를 꼭짓점으로 하는 삼각형 ABC의 외접원의 넓이는?

① 8π ② 10π ③ 12π

④ 14π ⑤ 16π

069

다음 세 직선으로 만들어지는 삼각형의 외접원의 중심의 좌표를 (a, b), 반지름의 길이를 r라 할 때, $a+b+r^2$의 값을 구하여라.

$$x-y+2=0, \quad x+y-4=0, \quad x+2y-4=0$$

유형 **06** x축 또는 y축에 접하는 원의 방정식

(1) x축에 접하고, 중심의 좌표가 (a, b)인 원의 방정식
$$\Rightarrow (x-a)^2+(y-b)^2=b^2$$

(2) y축에 접하고, 중심의 좌표가 (a, b)인 원의 방정식
$$\Rightarrow (x-a)^2+(y-b)^2=a^2$$

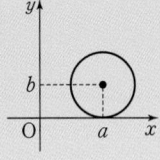 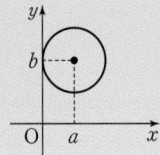

070

중심이 $(-1, 2)$이고, x축에 접하는 원의 방정식은?

① $x^2+y^2-2x-4y+3=0$

② $x^2+y^2-2x+4y+3=0$

③ $x^2+y^2-2x+4y+1=0$

④ $x^2+y^2+2x-4y+1=0$

⑤ $x^2+y^2+2x-4y+2=0$

071

중심이 $(5, 6)$이고, y축에 접하는 원이 점 $(1, k)$를 지나게 되는 모든 k의 값의 합은?

① 3 ② 6 ③ 9

④ 12 ⑤ 15

072

중심의 좌표가 $(a, 1)$이고, y축에 접하는 원이 점 $(2, 3)$을 지날 때, a의 값을 구하여라.

073

원 $x^2+y^2-2x+8y=0$과 중심이 같고, x축에 접하는 원의 반지름의 길이를 구하여라.

074

중심이 직선 $y=x-1$ 위에 있고, 점 $(1, 2)$를 지나며 x축에 접하는 원의 방정식은?

① $(x-2)^2+(y-3)^2=4$
② $(x-3)^2+(y-2)^2=4$
③ $(x+2)^2+(y+3)^2=4$
④ $(x+2)^2+(y-3)^2=4$
⑤ $(x+3)^2+(y+2)^2=4$

075

다음 세 조건을 만족하는 원의 방정식을 모두 구하여라.

㈎ 중심이 직선 $y=x+1$ 위에 있다.
㈏ y축에 접한다.
㈐ 점 $(1, 3)$을 지난다.

유형 07 x축과 y축에 동시에 접하는 원의 방정식

반지름의 길이가 r이고 x축과 y축에 동시에 접하는 원
(1) 중심이 제1사분면 ⇨ $(x-r)^2+(y-r)^2=r^2$
(2) 중심이 제2사분면 ⇨ $(x+r)^2+(y-r)^2=r^2$
(3) 중심이 제3사분면 ⇨ $(x+r)^2+(y+r)^2=r^2$
(4) 중심이 제4사분면 ⇨ $(x-r)^2+(y+r)^2=r^2$

076

점 $(1, 2)$를 지나고, x축과 y축에 동시에 접하는 두 원의 반지름의 길이의 합은?

① 5　　　　② 6　　　　③ 7
④ 8　　　　⑤ 9

077

중심이 직선 $y=-x+6$ 위에 있고, x축과 y축에 동시에 접하는 원의 넓이는?

① 4π　　　　② 6π　　　　③ 8π
④ 9π　　　　⑤ 10π

078

원 $x^2+y^2-6x+2ay+13-b=0$이 x축과 y축에 동시에 접할 때, 두 양수 a, b에 대하여 $a+b$의 값을 구하여라.

유형 **08** 원 밖의 한 점과 원 위의 점 사이의 거리

원 밖의 한 점 P와 원 위의 점
사이의 거리의
(1) 최댓값 ⟹ $\overline{PO}+\overline{OB}=d+r$
(2) 최솟값 ⟹ $\overline{PO}-\overline{OA}=d-r$

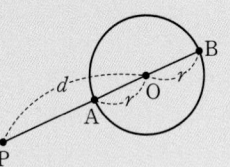

079

원 $(x-2)^2+(y-2)^2=4$ 위의 임의의 점 $P(x, y)$와 원점 O
에 대하여 $\overline{OP}$의 길이의 최솟값과 최댓값의 합은?

① $2\sqrt{2}$ ② 4   ③ $3\sqrt{2}$
④ $4\sqrt{2}$ ⑤ 8

080

원 $(x+2)^2+(y+1)^2=1$ 위의 점을 P,
원 $(x-1)^2+(y-3)^2=4$ 위의 점을 Q라 할 때, 선분 PQ의 최
댓값과 최솟값의 합을 구하여라.

081

점 A(8, 6)에서 원 $x^2+y^2=9$ 위의 점 P까지의 거리가 정수가
되는 점 P의 개수를 구하여라.

유형 **09** 두 원의 위치 관계 [교육과정 응용]

두 원의 반지름의 길이를 각각 r, r', 중심 사이의 거리를 d
라 하면 두 원의 위치 관계에 따른 r, r', d 사이의 관계식은
다음과 같다.

두 원의 위치 관계	그림	관계식
한 원이 다른 원의 외부에 있다.		$r+r'<d$
외접한다.		$r+r'=d$
서로 다른 두 점에서 만난다.		$\lvert r-r' \rvert<d<r+r'$
내접한다.		$\lvert r-r' \rvert=d$
한 원이 다른 원의 내부에 있다.		$\lvert r-r' \rvert>d$

082

원 $x^2+y^2=1$이 원 $(x+4)^2+(y-3)^2=r^2$의 외부에 있을 때,
양수 r의 값의 범위를 구하여라.

083

두 원 $(x+1)^2+(y+3)^2=9$, $(x-2)^2+(y-1)^2=r^2$이 접하
도록 하는 모든 양수 r의 값의 합을 구하여라.

084

두 원 $(x+1)^2+(y-2)^2=4$, $(x-3)^2+(y+a)^2=9$가 서로
다른 두 점에서 만나도록 하는 정수 a의 개수를 구하여라.

유형 **10** 두 원의 교점을 지나는 원의 방정식

[교육과정 응용]

> 두 원
> $x^2+y^2+Ax+By+C=0$, $x^2+y^2+A'x+B'y+C'=0$의
> 두 교점을 지나는 원의 방정식은
> $x^2+y^2+Ax+By+C$
> $\qquad +k(x^2+y^2+A'x+B'y+C')=0$ (단, $k \neq -1$)

085

두 원 $x^2+y^2+2x=0$, $x^2+y^2-2x+4y-2=0$의 두 교점과 점 $(1, 1)$을 지나는 원의 방정식은?

① $(x-1)^2+(y-3)^2=4$

② $(x-1)^2+(y-4)^2=9$

③ $(x-3)^2+(y+4)^2=29$

④ $(x-2)^2+(y-4)^2=10$

⑤ $(x-3)^2+(y-3)^2=8$

086

두 원 $x^2+y^2=1$, $x^2+y^2=4x$의 두 교점과 점 $(0, 2)$를 지나는 원의 넓이를 구하여라.

087

두 원 $x^2+y^2+6x-3y+7=0$, $x^2+y^2-2=0$의 두 교점과 점 $(2, 1)$을 지나는 원의 중심이 직선 $y=ax+2$ 위에 있을 때, 상수 a의 값을 구하여라.

유형 **11** 두 원의 교점을 지나는 직선의 방정식

[교육과정 응용]

> 두 원
> $x^2+y^2+Ax+By+C=0$, $x^2+y^2+A'x+B'y+C'=0$의
> 두 교점을 지나는 직선(공통현)의 방정식은
> $x^2+y^2+Ax+By+C-(x^2+y^2+A'x+B'y+C')=0$

088

두 원 $x^2+y^2=16$, $x^2+y^2-2x-5y-3=0$의 두 교점을 지나는 직선이 점 $(a, 3)$을 지날 때, a의 값은?

① -2 ② -1 ③ 0

④ 1 ⑤ 2

089

두 원 $x^2+y^2+2x-1=0$, $x^2+y^2-2x+4y-3=0$의 두 교점을 지나는 직선에 수직이고, 점 $(-4, 8)$을 지나는 직선의 방정식을 구하여라.

090

두 원 $x^2+y^2=9$, $(x-1)^2+(y+2)^2=4$의 공통현의 중점의 좌표를 (a, b)라 할 때, $a-b$의 값을 구하여라.

 유형 문제

유형 12 공통현의 길이 [교육과정 응용]

반지름의 길이가 r인 원 O의 중심에서 두 원 O, O'의 공통현 사이의 거리가 d일 때, 공통현의 길이를 l이라 하면
$$l = 2\sqrt{r^2 - d^2}$$

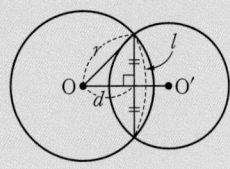

091 (중요)

두 원 $x^2 + y^2 = 4$, $x^2 + y^2 + 3x - 4y + 1 = 0$의 공통현의 길이는?

① $\sqrt{2}$ ② $\sqrt{3}$ ③ $\sqrt{5}$

④ $2\sqrt{2}$ ⑤ $2\sqrt{3}$

092

두 원 $C : x^2 + y^2 = 4$, $C' : x^2 + y^2 + 2x - 4 = 0$의 공통현을 $\overline{AB}$라 할 때, 원 C'의 중심 O'에 대하여 삼각형 O'AB의 넓이를 구하여라.

093

두 원 $x^2 + y^2 - 2y - 8 = 0$, $x^2 + y^2 - x + k = 0$의 공통현의 길이가 $2\sqrt{5}$가 되도록 하는 모든 상수 k의 값의 합을 구하여라.

유형 13 자취의 방정식 [교육과정 응용]

① 주어진 조건을 만족하는 점의 좌표를 (x, y)로 놓는다.
② 주어진 조건에서 x, y 사이의 관계식을 구한다.

참고 아폴로니오스의 원

두 점 A, B에 대하여 $\overline{AP} : \overline{BP} = m : n \ (m \neq n)$을 만족시키는 점 P의 자취
⇨ 선분 AB를 $m : n$으로 내분하는 점과 외분하는 점을 지름의 양 끝점으로 하는 원

094

두 정점 $A(-2, 0)$, $B(2, 0)$에 대하여 $\overline{AP}^2 + \overline{BP}^2 = 40$을 만족시키는 점 P가 그리는 도형의 길이를 구하여라.

095 (중요)

그림과 같이 좌표평면 위의 두 점 $A(-3, 0)$, $B(3, 0)$에 대하여 $\overline{AP} : \overline{BP} = 2 : 1$을 만족하는 점 $P(x, y)$의 자취의 방정식이 $(x-a)^2 + (y-b)^2 = r^2$이다. 이 때, $a+b+r$의 값은? (단, a, b는 상수, $r > 0$)

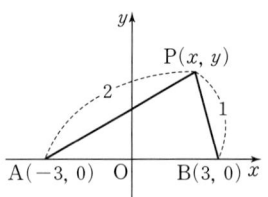

① 3 ② 6 ③ 9

④ 12 ⑤ 15

096

점 $(3, 2)$와 원 $(x-1)^2 + (y+2)^2 = 4$ 위의 점을 이은 선분의 중점의 자취의 길이를 구하여라.

쌤이 시험에 **꼭** 내는 문제

097

두 점 $(-1, 2)$, $(3, 4)$를 지름의 양 끝으로 하는 원의 방정식은 $x^2+y^2+ax+by+c=0$으로 나타낼 수 있다. 실수 a, b, c에 대하여 $a+b+c$의 값은?

① -1 　　　　② -2 　　　　③ -3

④ -4 　　　　⑤ -5

098

직선 $y=2x+k$가 원 $(x+2)^2+(y+3)^2=18$의 둘레를 이등분할 때, 상수 k의 값은?

① -2 　　　　② -1 　　　　③ 0

④ 1 　　　　⑤ 2

099

원 $x^2+y^2-2x+4y+k=0$이 y축에 접할 때, 상수 k의 값은?

① 3 　　　　② 4 　　　　③ 5

④ 6 　　　　⑤ 7

100

원 $x^2+y^2-2kx-4ky-2k-1=0$에 대한 설명 중 옳은 것만을 〈보기〉에서 있는 대로 고른 것은? (단, k는 실수이다.)

┤ 보기 ├

ㄱ. 원은 점 $(-1, 0)$을 지난다.

ㄴ. 원의 중심은 직선 $y=2x$ 위에 있다.

ㄷ. 원은 x축과 서로 다른 두 점에서 만난다.

① ㄱ 　　　　② ㄷ 　　　　③ ㄱ, ㄴ

④ ㄴ, ㄷ 　　　　⑤ ㄱ, ㄴ, ㄷ

101

중심이 직선 $y=x-1$ 위에 있고, x축에 접하는 원이 점 $(1, 2)$를 지날 때, 이 원의 반지름의 길이를 구하여라.

102

그림과 같이 원 밖의 한 점 $\mathrm{A}(-3, a)$에서 원 $x^2+y^2=4$ 위의 동점 P까지의 최단 거리가 3일 때, a의 값은? (단, $a>0$)

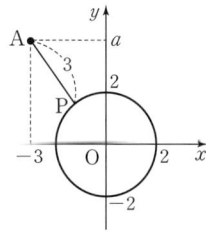

① 1 　　　　② 2

③ 3 　　　　④ 4

⑤ 5

103

원 $x^2+y^2=1$ 위의 한 점 $P(a, b)$에 대하여
$\sqrt{(a-4)^2+(b-3)^2}$의 최솟값을 구하여라.

104

두 원 $x^2+y^2-4x=0$, $x^2+y^2-6x-2y+8=0$의 두 교점과
점 $(1, 0)$을 지나는 원의 반지름의 길이는?

① $\dfrac{1}{2}$　　　② 1　　　③ $\dfrac{\sqrt{10}}{2}$

④ 2　　　⑤ $\dfrac{5}{2}$

105

두 원 $(x-3)^2+(y+1)^2=2$, $(x-2)^2+y^2=4$의 교점을 지나
는 직선이 점 $(2, a)$를 지날 때, a의 값은?

① -3　　　② -2　　　③ -1

④ 0　　　⑤ 1

106

두 원 $x^2+y^2-2x-4y+1=0$, $x^2+y^2-6x+5=0$의 공통현
의 길이를 구하여라.

107

그림과 같이 원 $x^2+y^2=16$을 선분
AB를 접는 선으로 하여 접었을 때,
점 $(2, 0)$에서 x축에 접한다. 직선
AB의 방정식이 $x+ay+b=0$일
때, 상수 a, b에 대하여 $a+b$의 값
을 구하여라.

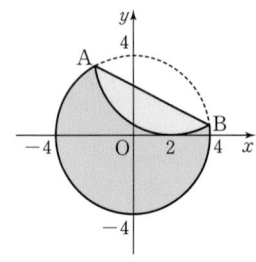

108

두 점 $A(-1, 0)$, $B(4, 0)$에 대하여 $\overline{AP} : \overline{BP}=3 : 2$를 만족
하는 점 P의 자취의 방정식을 구하여라.

02 원과 직선

02 원과 직선

1 원과 직선의 위치 관계

(1) 원 $x^2+y^2+Ax+By+C=0$과 직선 $y=mx+n$을 연립하여 만든 x에 대한 이차방정식의 판별식을 D라 하면

① $D>0$ ➡ 서로 다른 두 점에서 만난다.

② $D=0$ ➡ 한 점에서 만난다. (접한다.)

③ $D<0$ ➡ 만나지 않는다.

(2) 반지름의 길이가 r인 원의 중심에서 직선까지의 거리를 d라 하면

① $d<r$ ➡ 서로 다른 두 점에서 만난다.

② $d=r$ ➡ 한 점에서 만난다. (접한다.)

③ $d>r$ ➡ 만나지 않는다.

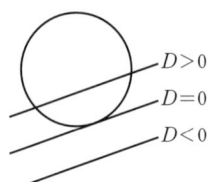

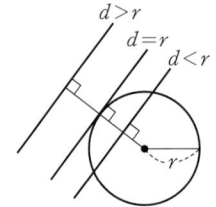

> **개념 플러스**
>
> ◀ 원과 직선이 만나서 생기는 현의 길이는 다음 두 가지의 원의 성질을 이용하여 구한다.
> ① 원의 중심에서 현에 내린 수선은 그 현을 수직이등분한다.
> ② 현의 수직이등분선은 그 원의 중심을 지난다.
>
> ◀ 접선의 길이
> : $\sqrt{d^2-r^2}$
>
>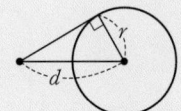

2 원의 접선의 방정식

(1) 기울기가 m인 접선의 방정식

원 $x^2+y^2=r^2$에 접하고, 기울기가 m인 직선의 방정식

➡ $y=mx\pm r\sqrt{m^2+1}$

(2) 원 위의 점에서의 접선의 방정식

원 $x^2+y^2=r^2$ 위의 점 $\mathrm{P}(x_1,\ y_1)$에서의 접선의 방정식

➡ $x_1x+y_1y=r^2$

> 참고 중심이 원점이 아닌 원 위의 점에서의 접선의 방정식
>
> ➡ 원의 중심과 접점을 지나는 직선이 접선과 서로 수직임을 이용한다.

> ◀ 원에 접하고 기울기가 m인 직선은 항상 2개이다.
>
> ◀ 원 $(x-a)^2+(y-b)^2=r^2$ 위의 점 $\mathrm{P}(x_1,\ y_1)$에서의 접선의 방정식은
> $(x_1-a)(x-a)+(y_1-b)(y-b)$
> $=r^2$

3 원 밖의 한 점이 주어진 접선의 방정식

다음 두 가지 방법 중에서 한 가지를 이용하여 구한다.

(1) 접점의 좌표를 이용 ➡ $(x_1,\ y_1)$

① 접점을 $\mathrm{P}(x_1,\ y_1)$이라 놓고, 구한 접선의 방정식에 주어진 점을 대입한다.

② 점 $(x_1,\ y_1)$을 원의 방정식에 대입한다.

③ ①, ②에서 구한 두 식을 연립하여 푼다.

(2) 접선의 기울기를 이용 ➡ m

① 접선의 기울기를 m이라 하면 이 접선이 원 밖의 점 $(a,\ b)$를 지나므로 구하는 접선의 방정식은

$$y-b=m(x-a) \quad \cdots\cdots \text{㉠}$$

② 접선과 원의 중심 사이의 거리를 구한 후 이 값과 원의 반지름의 길이가 같음을 이용하여 m의 값을 구한다.

③ m의 값을 ㉠에 대입하여 접선의 방정식을 구한다.

> ◀ 원 밖의 한 점에서 원에 그을 수 있는 접선은 항상 2개 존재한다.

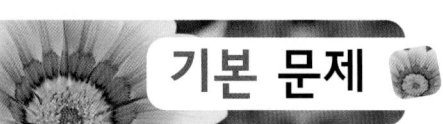

기본 문제

1	원과 직선의 위치 관계

[001-003] 원과 직선의 위치 관계가 다음과 같을 때, □ 안에 등호 또는 부등호를 써넣어라. (단, D는 원의 방정식과 직선의 방정식을 연립하여 얻은 이차방정식의 판별식, d는 원의 중심에서 직선까지의 거리, r는 원의 반지름의 길이이다.)

001

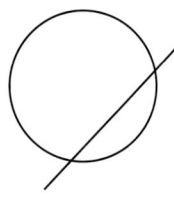

$d \,\square\, r$
$D \,\square\, 0$

002

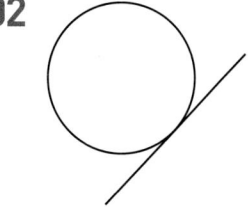

$d \,\square\, r$
$D \,\square\, 0$

003

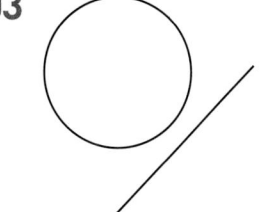

$d \,\square\, r$
$D \,\square\, 0$

[004-006] 원 O와 직선 l의 방정식이 다음과 같을 때, 점과 직선 사이의 거리를 이용하여 교점의 개수를 구하여라.

004 $O : x^2 + y^2 = 5,\ l : x - y + 2 = 0$

005 $O : x^2 + y^2 = 4,\ l : 2x - y + 2\sqrt{5} = 0$

006 $O : x^2 + y^2 - 2x + 4y = 0,\ l : y = \dfrac{1}{2}x + 5$

[007-009] 원 O와 직선 l의 방정식이 다음과 같을 때, 이차방정식의 판별식을 이용하여 위치 관계를 말하여라.

007 $O : x^2 + y^2 = 10,\ l : y = 3x - 1$

008 $O : x^2 + y^2 = 2,\ l : y = -x - 2$

009 $O : (x+1)^2 + (y-1)^2 = 9,\ l : 2x - y - 6 = 0$

[010-012] 원 $x^2+y^2=4$와 직선 $x+y-k=0$의 위치 관계가 다음과 같을 때, 상수 k의 값 또는 범위를 구하여라.

010 서로 다른 두 점에서 만난다.

011 접한다.

012 만나지 않는다.

[013-014] 그림과 같이 반지름의 길이가 3, 원의 중심에서 직선 l 사이의 거리가 5인 원과 직선이 있다.

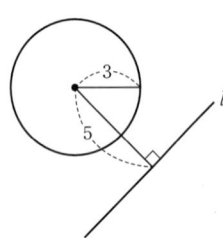

013 원 위의 임의의 점 A와 직선 l 사이의 거리의 최솟값을 구하여라.

014 원 위의 임의의 점 A와 직선 l 사이의 거리의 최댓값을 구하여라.

015 그림과 같이 반지름의 길이가 6, 원의 중심에서 직선 l 사이의 거리가 3인 원과 직선이 있다. 원 위의 임의의 점 A와 직선 l 사이의 거리의 최댓값을 구하여라.

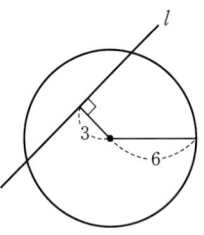

[016-018] 다음 그림과 같이 주어진 원에 대하여 원 밖의 점 A에서 그은 접선 AH의 길이를 구하여라.

016

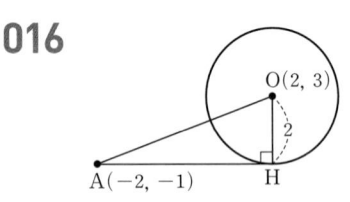

017

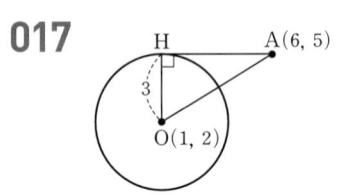

018

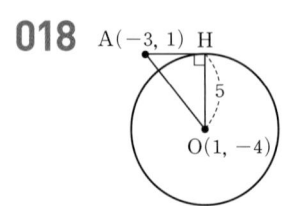

2 접선의 방정식

[019-022] 다음 원에 접하고 주어진 조건에 맞는 접선의 방정식을 구하여라.

019 $x^2+y^2=9$ [기울기 : 2]

020 $x^2+y^2=4$ [기울기 : -3]

021 $x^2+y^2=1$ [기울기 : $\sqrt{3}$]

022 $x^2+y^2=10$ [기울기 : 3]

[023-025] 그림에서 주어진 조건에 맞는 접선의 방정식을 구하여라.

023

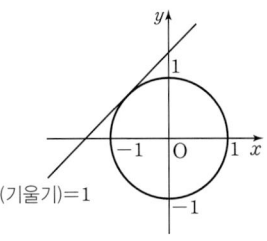

024

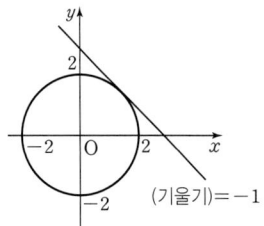

025

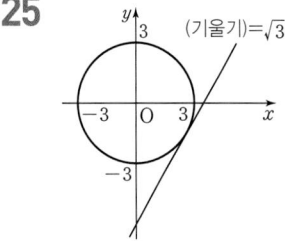

[026-029] 다음 원에 접하고 [ ] 안의 점을 지나는 접선의 방정식을 구하여라.

026 $x^2+y^2=16$ [점 $(4, 0)$]

027 $x^2+y^2=25$ [점 $(3, -4)$]

028 $x^2+y^2=10$ [점 $(1, -3)$]

029 $x^2+y^2=17$ [점 $(-4, 1)$]

[030-032] 그림에서 주어진 접선의 방정식을 구하여라.

030

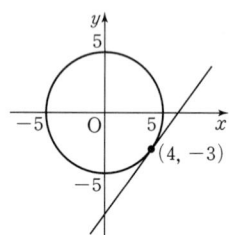

031

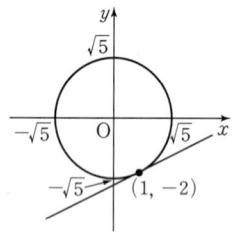

032

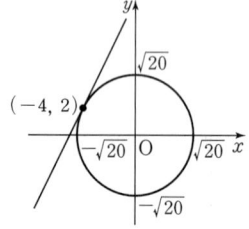

[033-034] 원 밖의 점 $(4, 0)$에서 원 $x^2+y^2=8$에 그은 접선의 방정식을 구하는 과정이다. □ 안에 알맞은 것을 써넣어라.

033 원과 직선의 접점의 좌표를 이용

접점을 $P(x_1, y_1)$이라 하면 구하는 접선의 방정식은
$x_1 x + y_1 y = 8$ ...... ㉠
접선 ㉠이 점 $(4, 0)$을 지나므로
$4x_1 = 8$
$\therefore x_1 = \boxed{}$
점 $P(x_1, y_1)$은 원 $x^2+y^2=8$ 위의 점이므로
$x_1^2 + y_1^2 = 8$ ...... ㉡
$x_1 = \boxed{}$를 ㉡에 대입하면 $y_1^2 = 4$
$\therefore y_1 = \boxed{}$ 또는 $y_1 = \boxed{}$
따라서 접점의 좌표는 $\boxed{}$ 또는 $\boxed{}$이므로
이것을 ㉠에 대입하여 접선의 방정식을 구하면
$\boxed{}$ 또는 $\boxed{}$

034 접선의 기울기를 이용

점 $(4, 0)$을 지나는 접선의 기울기를 m이라 하면 접선의 방정식은
$\boxed{}$
이 직선이 원 $x^2+y^2=8$에 접하므로 원의 중심 $(0, 0)$과 직선 사이의 거리는 반지름의 길이 $\sqrt{8}$과 같다. 즉,
$\dfrac{|0-0-4m|}{\sqrt{m^2+(-1)^2}} = \boxed{}$
$|-4m| = \boxed{}\sqrt{m^2+1}$
양변을 제곱하여 정리하면
$8m^2 = 8,\ m^2 = 1$
$\therefore m = \boxed{}$ 또는 $m = \boxed{}$
$m = \boxed{}$일 때, 접선의 방정식은 $\boxed{}$
$m = \boxed{}$일 때, 접선의 방정식은 $\boxed{}$

유형 문제

유형 01 원과 직선의 위치 관계 (접할 때)

(1) 원의 방정식과 직선의 방정식을 연립한 이차방정식의 판별식을 D라 할 때
$\Rightarrow D=0$

(2) 원의 중심과 직선 사이의 거리를 d, 반지름의 길이가 r라 할 때
$\Rightarrow d=r$

035

직선 $x+y-4=0$과 원 $x^2+(y-a)^2=4$가 한 점에서 만나도록 하는 상수 a의 모든 값의 합은?

① 4   ② 5   ③ 6

④ 7   ⑤ 8

036 중요

직선 $x+y+k=0$이 원 $x^2+y^2-2x+2y=0$에 접할 때, 상수 k의 값을 구하여라.

037

점 $(3, 0)$에서 x축에 접하면서 직선 $4x-3y+12=0$에 접하는 원은 두 개가 있다. 이 두 원의 넓이의 차를 구하여라.

유형 02 원과 직선의 위치 관계 (서로 다른 두 점에서 만날 때)

(1) 원의 방정식과 직선의 방정식을 연립한 이차방정식의 판별식을 D라 할 때
$\Rightarrow D>0$

(2) 원의 중심과 직선 사이의 거리를 d, 반지름의 길이가 r라 할 때
$\Rightarrow d<r$

038 중요

원 $(x+1)^2+(y-2)^2=5$와 직선 $y=2x+k$가 서로 다른 두 점에서 만나게 되는 정수 k의 개수를 구하여라.

039

원 $x^2+y^2=4$와 직선 $y=2x+k$가 만나도록 하는 상수 k의 최솟값은?

① $-4\sqrt{2}$ ② -5 ③ $-2\sqrt{5}$

④ $-2\sqrt{3}$ ⑤ -2

040

원 $x^2+y^2=r^2$ $(r>0)$이 직선 $2x+y=4$와 제1사분면에서 만나게 되는 r의 값의 범위를 $\alpha\le r<\beta$라 할 때, $5\alpha\beta$의 값을 구하여라.

유형 **03** 원과 직선의 위치 관계 (만나지 않을 때)

(1) 원의 방정식과 직선의 방정식을 연립한 이차방정식의 판별식을 D라 할 때
$\Rightarrow D < 0$
(2) 원의 중심과 직선 사이의 거리를 d, 반지름의 길이가 r라 할 때
$\Rightarrow d > r$

041

원 $x^2 + y^2 = r^2$과 직선 $3x + 4y = 10$이 만나지 않도록 하는 반지름의 길이 r의 값의 범위가 $a < r < b$일 때, $a^2 + b^2$의 값은?

① 3   ② 4   ③ 5

④ 6   ⑤ 7

042

원 $(x-a)^2 + (y-2)^2 = 8$과 직선 $y = x + 2$가 만나지 않기 위한 양의 정수 a의 최솟값을 구하여라.

043

직선 $y = x + k$가 두 원 $x^2 + y^2 = 4$와 $x^2 + (y-8)^2 = 4$ 사이를 지나도록 하는 k의 값의 범위가 $a < k < b$일 때, $b - a$의 값을 구하여라.

유형 **04** 현의 길이

반지름의 길이가 r인 원의 중심에서 d만큼 떨어진 현의 길이를 l이라 하면
$$l = 2\sqrt{r^2 - d^2}$$

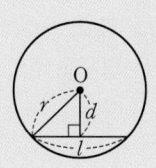

044

그림과 같이 중심의 좌표가 $(-3, 1)$이고, 반지름의 길이가 2인 원이 x축과 만나는 두 점을 $A(\alpha, 0)$, $B(\beta, 0)$이라 할 때, $\alpha\beta$의 값을 구하여라.

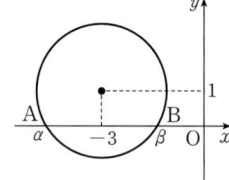

045

원 $(x+1)^2 + y^2 = 25$와 직선 $y = 3x - 2$의 두 교점을 A, B라 할 때, 선분 AB의 길이를 구하여라.

046

직선 $3x - 4y = k$와 원 $x^2 + y^2 = 25$가 만나서 생기는 현의 길이가 6일 때, 양수 k의 값을 구하여라.

유형 **05** 접선의 길이

원 밖의 한 점 P에서 원에 그은 접선의 접점을 Q라 하면

$$\overline{PQ}=\sqrt{\overline{OP}^2-\overline{OQ}^2}$$

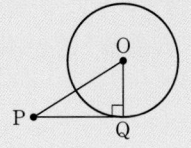

047

원 $x^2+y^2=1$ 밖의 점 A(3, 1)에서 원에 접선을 그었을 때, 점 A에서 접점까지의 거리는?

① 3   ② 4   ③ 5
④ 6   ⑤ 7

중요
048

점 P(4, 1)에서 원 $(x+1)^2+(y-2)^2=a$에 그은 접선의 접점을 Q라 하면 $\overline{PQ}=4$일 때, 상수 a의 값을 구하여라.

049

원 $x^2+y^2-2x+4y-11=0$의 중심을 A라 하고, 원 밖의 점 P(-2, 3)에서 이 원에 그은 접선의 접점을 T라 할 때, 삼각형 APT의 넓이를 구하여라.

유형 **06** 원 위의 점과 직선 사이의 거리

원의 중심 O와 직선 l 사이의 거리를 d, 원의 반지름의 길이를 r라 할 때, 원 위의 점과 직선 사이의 거리의 최댓값을 M, 최솟값을 m이라 하면

$$M=d+r, \ m=d-r$$

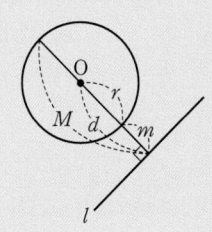

050

원 $x^2+y^2=16$ 위의 점과 직선 $3x-4y+40=0$ 사이의 거리의 최솟값은?

① 1   ② 2   ③ 3
④ 4   ⑤ 5

중요
051

원 $x^2+y^2-2x+6y+2=0$ 위의 한 점에서 직선 $y=x+6$에 이르는 거리의 최댓값을 M, 최솟값을 m이라 할 때, M^2+m^2의 값을 구하여라.

052

두 점 A(4, 0), B(0, 4)와 원 $x^2+y^2=4$ 위의 임의의 점 P에 대하여 삼각형 ABP의 넓이의 최댓값을 구하여라.

유형 07 기울기가 주어진 접선의 방정식

원 $x^2+y^2=r^2$에 접하고, 기울기가 m인 접선의 방정식은
$$y=mx\pm r\sqrt{m^2+1}$$

참고 원 $(x-a)^2+(y-b)^2=r^2 \ (r>0)$에 접하고 기울기가 m인 직선의 방정식
$$\Rightarrow y-b=m(x-a)\pm r\sqrt{m^2+1}$$

053
원 $x^2+y^2=16$에 접하고, 직선 $2x+y+3=0$에 평행한 직선의 방정식은?

① $y=-2x\pm 4$
② $y=-2x\pm 4\sqrt{5}$
③ $y=-2x\pm 10$
④ $y=\dfrac{1}{2}x\pm 4$
⑤ $y=\dfrac{1}{2}x\pm 4\sqrt{5}$

054
중요

직선 $x+2y=4$에 수직이고, 원 $x^2+y^2=4$에 접하는 직선의 방정식은 $y=ax+b$이다. 이때, 두 상수 a, b에 대하여 ab의 값은? (단, $b>0$)

① 4
② 5
③ 6
④ $3\sqrt{5}$
⑤ $4\sqrt{5}$

055
기울기가 2인 직선이 원 $x^2+y^2=5$와 제2사분면에서 접할 때, 이 직선과 x축과 y축으로 둘러싸인 삼각형의 넓이를 구하여라.

056
원 $x^2+y^2=16$과 제2사분면에서 접하고, x축과 양의 방향으로 $60°$의 각을 이루는 접선의 방정식을 구하여라.

057
원 $x^2+y^2=4$에 접하며 y절편이 $2\sqrt{5}$인 두 직선의 기울기의 곱을 구하여라.

058
기울기가 3이고, 원 $(x-1)^2+(y+1)^2=25$에 접하는 직선은 두 개가 존재한다. 이 두 직선의 y절편의 합은?

① -10
② -8
③ -6
④ -4
⑤ -2

유형 **08** 접점이 주어진 접선의 방정식

원 $x^2+y^2=r^2$ 위의 점 $P(x_1, y_1)$에서의 접선의 방정식은
$$x_1 x + y_1 y = r^2$$

059

원 $x^2+y^2=4$ 위의 점 $(1, \sqrt{3})$에서의 접선의 방정식이
$x+ay+b=0$일 때, 두 상수 a, b에 대하여 a^2+b^2의 값은?

① 16   ② 19   ③ 22

④ 25   ⑤ 28

060

원 $x^2+y^2=20$ 위의 점 (a, b)에서의 접선의 기울기가 $\dfrac{1}{3}$일 때, ab의 값을 구하여라.

061

그림과 같이 원 $x^2+y^2=10$ 위의 점 $(1, -3)$에서의 접선이 x축, y축과 만나서 이루는 삼각형 AOB의 넓이는?

① 16   ② $\dfrac{50}{3}$

③ $\dfrac{52}{3}$ ④ 18

⑤ $\dfrac{56}{3}$

062

원 $x^2+y^2=5^2$ 위의 점 $(-4, 3)$을 지나고 이 점에서의 접선에 수직인 직선의 방정식을 구하여라.

063

원 $x^2+y^2=5$ 위의 두 점 $(2, 1)$, $(1, -2)$ 위에서 각각 그은 두 접선의 교점의 좌표가 (a, b)일 때, ab의 값을 구하여라.

064

원 $(x-3)^2+(y+1)^2=8$ 위의 점 $(5, 1)$에서의 접선의 방정식은?

① $y=-x+3$ ② $y=-x+6$ ③ $y=-2x+8$

④ $y=x+3$ ⑤ $y=x+6$

유형 09 원 밖의 한 점이 주어진 접선의 방정식

① 접점을 $P(x_1, y_1)$이라 놓고, 구한 접선의 방정식에 주어진 점을 대입한다.

② 점 (x_1, y_1)을 원의 방정식에 대입한다.

참고 원 $x^2+y^2=r^2$ 밖의 한 점 $P(\alpha, \beta)$에서 원에 그은 접선의 두 접점을 각각 A, B라 할 때, 직선 AB의 방정식

$\Rightarrow \alpha x+\beta y=r^2$

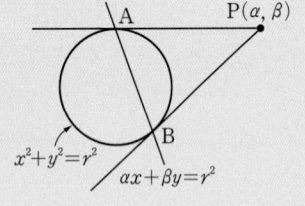

065

원 $x^2+y^2=5$ 밖의 점 $(1, 3)$에서 이 원에 그은 접선의 방정식을 모두 고르면? (정답 2개)

① $-2x+5y=5$ ② $-x+2y=5$ ③ $x+2y=5$

④ $2x+y=5$ ⑤ $3x+2y=5$

066

점 $(1, 2)$에서 원 $x^2+y^2=4$에 그은 접선의 방정식은 $4x+ay=b$ 또는 $cx+y=d$이다. 상수 a, b, c, d에 대하여 $ac-bd$의 값은?

① -20 ② -16 ③ -12

④ -8 ⑤ -4

067

점 $(4, 0)$에서 원 $x^2+y^2=4$에 그은 두 접선의 방정식의 기울기가 m_1, m_2일 때, m_1m_2의 값은?

① $-\dfrac{1}{9}$ ② $-\dfrac{1}{7}$ ③ $-\dfrac{1}{5}$

④ $-\dfrac{1}{3}$ ⑤ -1

068

원 $x^2+y^2=5$ 밖의 점 $(3, 1)$에서 이 원에 그은 두 접선과 y축으로 둘러싸인 삼각형의 넓이를 S라 할 때, $4S$의 값은?

① 41 ② 42 ③ 43

④ 44 ⑤ 45

069

점 $P(2, 5)$에서 원 $x^2+y^2=6$에 그은 두 접선의 접점들을 지나는 직선의 방정식이 $ax+by-6=0$일 때, $a+b$의 값은?

(단, a, b는 상수)

① 5 ② 6 ③ 7

④ 8 ⑤ 9

070

원 $x^2+y^2=k$와 직선 $x+y=k$가 접할 때, 양수 k의 값은?

① 1   ② 2   ③ 3

④ 4   ⑤ 5

071

원 $(x-1)^2+(y-2)^2=1$이 직선 $2x-y+a=0$과 만나도록 하는 정수 a의 개수는?

① 1   ② 2   ③ 3

④ 4   ⑤ 5

072

직선 $y=mx+5$가 원 $x^2+y^2=1$과 서로 만나지 않을 때, 실수 m의 값의 범위는 $\alpha<m<\beta$이다. $\beta-\alpha$의 값을 구하여라.

073

그림과 같이 원 $(x-4)^2+(y-2)^2=9$가 직선 $y=ax$와 x축과 각각 두 점에서 만난다. 원과 x축으로 둘러싸인 부분의 넓이를 S_1, 원과 직선 $y=ax$로 둘러싸인 부분의 넓이를 S_2라 할 때, $S_1=S_2$가 성립하도록 하는 상수 a의 값은? (단, $a\neq0$)

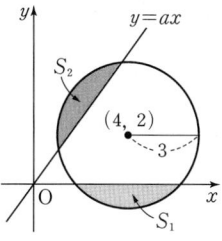

① 3   ② 2   ③ $\dfrac{3}{2}$

④ $\dfrac{4}{3}$ ⑤ $\dfrac{5}{4}$

074

직선 $y=-2x+a$와 원 $x^2+y^2-4x-2y-4=0$이 만나서 생기는 현의 길이가 4일 때, 양수 a의 값은?

① 6   ② 7   ③ 8

④ 9   ⑤ 10

075

좌표평면 위에 원 $(x-2)^2+(y-2)^2=r^2$과 원 밖의 점 $A(6, 4)$가 있다. 점 A에서 원에 그은 두 접선이 서로 $60°$의 각을 이룰 때, r^2의 값을 구하여라.

076

원 $x^2+y^2-2x+2y-7=0$ 위의 점 P에서 직선 $x+y+8=0$에 이르는 거리의 최댓값과 최솟값의 곱은?

① 21   ② 22   ③ 23

④ 24   ⑤ 25

077

원 $x^2+y^2=5$ 위의 점 $(2, -1)$에서의 접선과 x축 및 y축으로 둘러싸인 삼각형의 넓이를 구하여라.

078

원 $x^2+y^2=n^2$의 제1사분면 위의 점 (a_n, b_n)에서의 접선의 y절편이 $(n+1)^2$이라 할 때, $b_1 \times b_2 \times b_3 \times \cdots \times b_{10}$의 값을 구하여라.

079

원 $x^2+y^2=16$에 접하고 직선 $2x-y+3=0$과 서로 수직으로 만나는 직선이 점 $(2, a)$를 지날 때, 양수 a의 값은?

① $\sqrt{5}-1$ ② $\sqrt{5}+1$ ③ $2\sqrt{5}$

④ $2\sqrt{5}-1$ ⑤ $2\sqrt{5}+1$

080

그림과 같이 원 $x^2+y^2=5$ 내부의 두 점 $(-1, 0)$, $(0, 1)$과 원 위의 한 점 P가 만드는 삼각형의 넓이가 1이 되는 점 P의 개수를 구하여라.

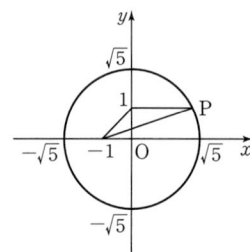

081

점 $A(0, a)$에서 원 $x^2+(y+2)^2=9$에 그은 두 접선이 수직이 되도록 하는 모든 상수 a의 값의 합을 구하여라.

03 도형의 이동

03 도형의 이동

1 평행이동

(1) 점의 평행이동

점 $P(x, y)$를 x축의 방향으로 a만큼, y축의 방향으로 b만큼 평행이동한 점 P'은 $P'(x+a, y+b)$이다. 즉,

$$(x, y) \xrightarrow[\text{평행이동}]{x축:a, \, y축:b} (x+a, y+b)$$

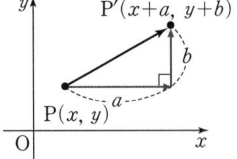

(2) 도형의 평행이동

방정식 $f(x, y)=0$이 나타내는 도형을 x축의 방향으로 a만큼, y축의 방향으로 b만큼 평행이동한 도형의 방정식은

$$f(x-a, y-b)=0$$

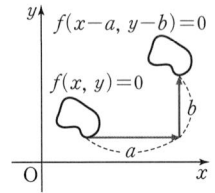

2 대칭이동

(1) 점의 대칭이동

① x축에 대한 대칭이동 : $(x, y) \longrightarrow (x, -y)$

② y축에 대한 대칭이동 : $(x, y) \longrightarrow (-x, y)$

③ 원점에 대한 대칭이동 : $(x, y) \longrightarrow (-x, -y)$

④ 직선 $y=x$에 대한 대칭이동 : $(x, y) \longrightarrow (y, x)$

(2) 도형의 대칭이동

방정식 $f(x, y)=0$이 나타내는 도형을

① x축에 대한 대칭이동 : $f(x, -y)=0$

② y축에 대한 대칭이동 : $f(-x, y)=0$

③ 원점에 대한 대칭이동 : $f(-x, -y)=0$

④ 직선 $y=x$에 대한 대칭이동 : $f(y, x)=0$

3 점에 대한 대칭이동

(1) 점 $P(x, y)$를 점 $A(a, b)$에 대하여 대칭이동한 점 P'은 $P'(2a-x, 2b-y)$

(2) 도형 $f(x, y)=0$을 점 $A(a, b)$에 대하여 대칭이동한 도형의 방정식은

$$f(2a-x, 2b-y)=0$$

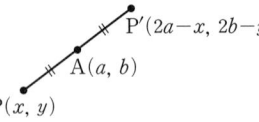

4 직선에 대한 대칭이동

점 $P(x, y)$를 직선 $y=ax+b$에 대하여 대칭이동한 점 $P'(x', y')$을 구할 때에는 다음 조건을 이용한다.

(1) 선분 PP'의 중점 $\left(\dfrac{x+x'}{2}, \dfrac{y+y'}{2}\right)$은 직선 $y=ax+b$ 위에 있다.

(2) 직선 $y=ax+b$와 직선 PP'은 수직으로 만난다. 즉, 직선 PP'의 기울기를 m이라 하면 $am=-1$이다.

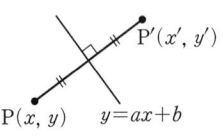

정답 및 해설 020쪽

1 점의 평행이동

[001-002] 점 $(3, 4)$를 다음과 같이 평행이동한 점의 좌표를 구하여라.

001 x축의 방향으로 3

002 x축의 방향으로 -9

[003-004] 점 $(1, 6)$을 다음과 같이 평행이동한 점의 좌표를 구하여라.

003 y축의 방향으로 2

004 y축의 방향으로 -2

[005-007] 점 $(-2, 4)$를 다음과 같이 평행이동한 점의 좌표를 구하여라.

005 x축의 방향으로 1, y축의 방향으로 3

006 x축의 방향으로 2, y축의 방향으로 -4

007 x축의 방향으로 -5, y축의 방향으로 -2

[008-010] 평행이동 $(x, y) \longrightarrow (x+4, y-5)$에 의하여 다음 점이 옮겨지는 점의 좌표를 구하여라.

008 $(0, 0)$

009 $(-4, 5)$

010 $(1, 6)$

[011-013] 평행이동 $(x, y) \longrightarrow (x-3, y+6)$에 의하여 다음 점이 옮겨지는 점의 좌표를 구하여라.

011 $(1, 1)$

012 $(5, -2)$

013 $(-1, -3)$

[014-015] 다음에서 m 또는 n의 값을 구하여라.

014 $(1, 2) \xrightarrow[\text{평행이동}]{x축 방향 : m} (5, 2)$

015 $(6, 2) \xrightarrow[\text{평행이동}]{y축 방향 : n} (6, -3)$

[016-018] 다음에서 m, n의 값을 구하여라.

016 $(3, 4) \xrightarrow[\text{평행이동}]{x\text{축 방향}: m, y\text{축 방향}: n} (5, 8)$

017 $(1, -1) \xrightarrow[\text{평행이동}]{x\text{축 방향}: m, y\text{축 방향}: n} (-4, 2)$

018 $(-2, 5) \xrightarrow[\text{평행이동}]{x\text{축 방향}: m, y\text{축 방향}: n} (-5, 1)$

[019-022] 평행이동 $(x, y) \longrightarrow (x+m, y+n)$에 의하여 다음과 같이 점이 옮겨진다. m, n의 값을 구하여라.

019 $(0, 0) \longrightarrow (3, 7)$

020 $(3, -6) \longrightarrow (2, -1)$

021 $(0, 2) \longrightarrow (2, -3)$

022 $(-3, 5) \longrightarrow (-7, -8)$

[023-024] 평행이동 $(x, y) \longrightarrow (x-2, y+2)$에 의하여 다음 점으로 옮겨지는 점의 좌표를 구하여라.

023 $(3, 1)$

024 $(-5, -6)$

---

2 도형의 평행이동

[025-027] 직선 $x+2y=0$을 다음과 같이 평행이동한 직선의 방정식을 구하여라.

025 x축의 방향으로 1

026 y축의 방향으로 -2

027 x축의 방향으로 2, y축의 방향으로 3

[028-030] 원 $x^2+y^2=9$를 다음과 같이 평행이동한 원의 방정식을 구하여라.

028 x축의 방향으로 -3

029 y축의 방향으로 4

030 x축의 방향으로 2, y축의 방향으로 -5

[031-032] 곡선 $y=2x^2+1$을 다음과 같이 평행이동한 곡선의 방정식을 구하여라.

031 x축의 방향으로 1

032 x축의 방향으로 -2, y축의 방향으로 6

[033-037] 평행이동 $(x,\ y)\longrightarrow(x+3,\ y-1)$에 의하여 다음 도형이 옮겨지는 도형의 방정식을 구하여라.

033 $x-3y-5=0$

034 $4x+y-5=0$

035 $x^2+y^2=9$

036 $(x+1)^2+(y-4)^2=16$

037 $y=x^2+3$

3 점의 대칭이동

[038-039] 그림에서 점 B, C, D는 점 A를 각각 x축, y축, 원점에 대하여 대칭이동한 것이다. 점 B, C, D의 좌표를 구하여라.

038

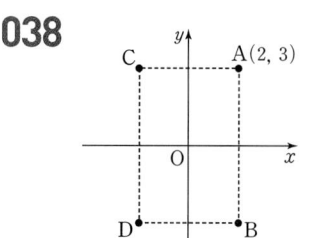

039

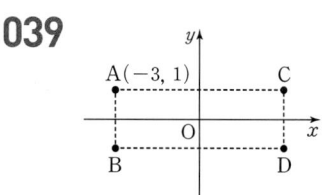

[040-041] 그림에서 점 B, C는 점 A를 각각 직선 $y=x$, $y=-x$에 대하여 대칭이동한 것이다. 점 B, C의 좌표를 구하여라.

040

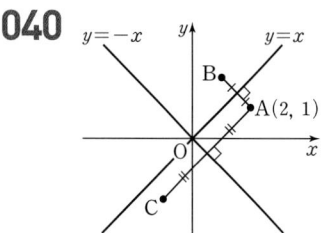

041

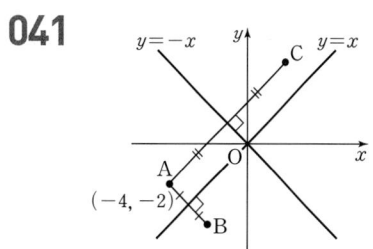

[042-046] 점 $(2, -5)$를 다음 점 또는 직선에 대하여 대칭이동한 점의 좌표를 구하여라.

042 x축

043 y축

044 원점

045 직선 $y=x$

046 직선 $y=-x$

---

4 도형의 대칭이동

[047-048] 다음 도형을 x축에 대하여 대칭이동한 도형의 방정식을 구하여라.

047 $y=2x+3$

048 $(x+1)^2+(y-2)^2=1$

[049-050] 다음 도형을 y축에 대하여 대칭이동한 도형의 방정식을 구하여라.

049 $3x-y+2=0$

050 $y=x^2-x+2$

[051-052] 다음 도형을 원점에 대하여 대칭이동한 도형의 방정식을 구하여라.

051 $y=x+1$

052 $(x-5)^2+(y-2)^2=4$

[053-054] 다음 도형을 직선 $y=x$에 대하여 대칭이동한 도형의 방정식을 구하여라.

053 $x-2y+3=0$

054 $(x+4)^2+(y+6)^2=1$

[055-057] 다음에서 a, b, c, d의 값을 구하여라.

055 점 $A(4, 6)$을 x축의 방향으로 1만큼, y축의 방향으로 -3만큼 평행이동하면 점 $B(a, b)$가 되고, 점 B를 x축에 대하여 대칭이동하면 점 $C(c, d)$가 된다.

056 직선 $4x+3y-1=0$을 x축의 방향으로 -2만큼, y축의 방향으로 5만큼 평행이동하면 직선 $4x+ay+b=0$이 되고, 이 평행이동한 직선을 원점에 대하여 대칭이동하면 직선 $4x+cy+d=0$이 된다.

057 그림과 같이 점 $A(-2, 1)$이고, 선분 AB의 중점 M의 좌표가 $M(0, 2)$일 때, 점 B의 좌표를 구하여라.

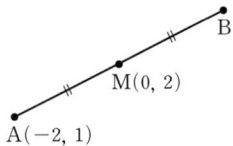

유형 01 점의 평행이동

점 $P(x, y)$를 x축의 방향으로 a만큼, y축의 방향으로 b만큼 평행이동한 점을 P'이라 하면 $P'(x+a, y+b)$이다.
즉, $(x, y) \longrightarrow (x+a, y+b)$

058

점 $(2, -1)$을 x축의 방향으로 1만큼, y축의 방향으로 2만큼 평행이동한 점의 좌표를 (p, q)라 할 때, $p-q$의 값은?

① -2　　　　② -1　　　　③ 0
④ 1　　　　⑤ 2

중요
059

점 (a, b)를 x축의 방향으로 -2만큼, y축의 방향으로 3만큼 평행이동한 점의 좌표는 $(0, -3)$이다. 이때, $a+b$의 값을 구하여라.

060

점 $(1, 5)$를 x축의 방향으로 a만큼, y축의 방향으로 $a+1$만큼 평행이동시키면 점 $(b, 2)$로 옮겨질 때, $a+b$의 값은?
(단, a는 상수)

① -10　　　　② -9　　　　③ -8
④ -7　　　　⑤ -6

중요
061

점 $(2, a)$를 x축의 방향으로 1만큼, y축의 방향으로 -2만큼 평행이동한 점이 직선 $y=-2x+1$ 위에 있을 때, a의 값은?

① -5　　　　② -4　　　　③ -3
④ -2　　　　⑤ -1

062

평행이동 $(x, y) \longrightarrow (x+a, x+b)$에 의하여 점 $(3, 4)$가 점 $(1, 1)$로 옮겨질 때, 점 $(4, 2)$로 옮겨지는 점의 좌표는?

① $(2, 3)$　　　　② $(3, 2)$　　　　③ $(4, 4)$
④ $(5, 4)$　　　　⑤ $(6, 5)$

063

점 $(1, -3)$을 점 $(-3, -1)$로 옮기는 평행이동에 의하여 점 (a, b)가 원점 $(0, 0)$으로 옮겨질 때, $a+b$의 값을 구하여라.

유형 02 직선의 평행이동

직선 $y=mx+n$을 x축의 방향으로 a만큼, y축의 방향으로 b만큼 평행이동한 직선의 방정식은
$y-b=m(x-a)+n$, 즉 $y=mx-ma+n+b$

064

평행이동 $(x, y) \longrightarrow (x+2, y-3)$에 의하여 직선 $2x+y-3=0$을 평행이동시키면 점 $(4, k)$를 지난다. 이때, k의 값은?

① -5 ② -4 ③ -3

④ -2 ⑤ -1

065

직선 $3x+y-5=0$을 x축의 방향으로 1만큼, y축의 방향으로 n만큼 평행이동하면 직선 $3x+y-1=0$이 된다. 이때, 상수 n의 값을 구하여라.

066

점 $(1, 3)$을 점 $(4, 2)$로 옮기는 평행이동에 의하여 직선 $y=3x+1$이 직선 $y=ax+b$로 옮겨질 때, $a+b$의 값은?
(단, a, b는 상수)

① -10 ② -9 ③ -8

④ -7 ⑤ -6

067

직선 $3x+ay-1=0$을 x축의 방향으로 2만큼, y축의 방향으로 3만큼 평행이동한 직선이 옮겨지기 전의 직선과 일치하였다. 이때, 상수 a의 값을 구하여라.

068

직선 $x-y+3=0$을 x축의 방향으로 m만큼, y축의 방향으로 -1만큼 평행이동한 직선과 x축 및 y축으로 둘러싸인 부분의 넓이가 18일 때, m의 값은? (단, $m>2$)

① 4 ② 5 ③ 6

④ 7 ⑤ 8

069

평행이동 $(x, y) \longrightarrow (x+2, y-1)$에 의하여 직선 l이 직선 $x-2y+1=0$으로 이동될 때, 직선 l의 방정식은?

① $x-2y-3=0$ ② $x-2y+5=0$

③ $x+2y-3=0$ ④ $x+2y+5=0$

⑤ $2x-y-3=0$

유형 **03** 곡선의 평행이동

(1) 원 $x^2+y^2=r^2$을 x축의 방향으로 m만큼, y축의 방향으로 n만큼 평행이동한 원의 방정식은
$$(x-m)^2+(y-n)^2=r^2$$

(2) 곡선 $y=ax^2+bx+c$를 x축의 방향으로 m만큼, y축의 방향으로 n만큼 평행이동한 곡선의 방정식은
$$y-n=a(x-m)^2+b(x-m)+c$$

참고 원의 평행이동은 원의 중심의 평행이동으로, 포물선의 평행이동은 꼭짓점의 평행이동으로 생각할 수 있다.

070
곡선 $y=x^2-2x-8$을 x축의 방향으로 1만큼, y축의 방향으로 3만큼 평행이동하였더니 곡선 $y=x^2+ax+b$와 일치하였다. 이때, 상수 a, b에 대하여 $a+b$의 값을 구하여라.

071
이차함수 $y=2x^2-1$의 그래프를 x축의 방향으로 m만큼, y축의 방향으로 n만큼 평행이동한 그래프의 꼭짓점이 $(-1, 2)$일 때, mn의 값을 구하여라.

072
평행이동 $(x, y) \longrightarrow (x-a, y+3)$에 의하여 원 $x^2+y^2=1$을 평행이동한 원의 중심에서 원점까지의 거리가 5가 되었다. 이때, 양수 a의 값은?

① 1   ② 2   ③ 3
④ 4   ⑤ 5

073
점 $(2, 2)$가 점 $(5, -1)$로 옮겨지는 평행이동에 의하여 원 $(x-3)^2+(y+3)^2=9$가 원 $(x+a)^2+(y+b)^2=9$로 옮겨질 때, $a+b$의 값은?

① 0   ② 1   ③ 2
④ 3   ⑤ 4

074
원 $(x+1)^2+(y+4)^2=4$를 x축의 방향으로 m만큼, y축의 방향으로 $2m$만큼 평행이동한 원이 x축과 y축에 동시에 접한다고 할 때, 상수 m의 값을 구하여라.

075
원 $x^2+y^2=4$를 x축의 방향으로 m만큼, y축의 방향으로 2만큼 평행이동시키면 직선 $y=-x+2\sqrt{2}$와 한 점에서 만난다. 이때, 양수 m의 값은?

① 2   ② $2\sqrt{2}$ ③ $4\sqrt{2}$
④ $2\sqrt{2}-1$ ⑤ $4\sqrt{2}-2$

유형 **04** 점의 대칭이동

점 (x, y)를 대칭이동한 점의 좌표
(1) x축에 대한 대칭이동 $\Rightarrow (x, -y)$
(2) y축에 대한 대칭이동 $\Rightarrow (-x, y)$
(3) 원점에 대한 대칭이동 $\Rightarrow (-x, -y)$
(4) 직선 $y=x$에 대한 대칭이동 $\Rightarrow (y, x)$

076

점 $(2, -4)$를 x축에 대하여 대칭이동시킨 후에 다시 원점에 대하여 대칭이동시킨 점의 좌표를 구하여라.

077

점 $\mathrm{P}(2, 1)$을 x축에 대하여 대칭이동한 점을 Q, 원점에 대하여 대칭이동한 점을 R라 할 때, 세 점 P, Q, R를 꼭짓점으로 하는 삼각형 PQR의 넓이는?

① 2   ② 4   ③ 6
④ 8   ⑤ 10

078

점 $\mathrm{A}(6, 2)$를 직선 $y=x$에 대하여 대칭이동한 점을 P, 원점에 대하여 대칭이동한 점을 Q라 할 때, 직선 PQ의 방정식이 $y=ax+b$라 한다. 이때, 상수 a, b에 대하여 ab의 값은?

① 1   ② 2   ③ 4
④ 6   ⑤ 8

유형 **05** 직선의 대칭이동

직선 $ax+by+c=0$을 다음에 대하여 대칭이동하면
(1) x축 : $ax-by+c=0$
(2) y축 : $-ax+by+c=0$
(3) 원점 : $-ax-by+c=0$
(4) 직선 $y=x$: $ay+bx+c=0$

079

직선 $2x-3y+1=0$을 x축에 대하여 대칭이동한 직선이 점 $(-5, a)$를 지날 때, 상수 a의 값을 구하여라.

080

직선 $2x+y+1=0$을 원점에 대하여 대칭이동한 후, 다시 직선 $y=x$에 대하여 대칭이동한 도형의 방정식은?

① $x-y-7=0$ ② $x-y+5=0$ ③ $x-2y-1=0$
④ $x+2y-1=0$ ⑤ $x-3y+1=0$

081

직선 $2x+y-2=0$과 이 직선을 x축, y축, 원점에 대하여 대칭이동한 네 개의 직선에 의하여 둘러싸인 사각형의 넓이는?

① 2   ② 3   ③ 4
④ 5   ⑤ 6

⭐중요
082

직선 $2x-3y-1=0$을 원점에 대하여 대칭이동한 후, 다시 직선 $y=x$에 대하여 대칭이동하였더니 원 $(x-1)^2+(y-a)^2=5$의 넓이를 이등분하였다. 이때, 상수 a의 값은?

① 1　　　　② $\sqrt{2}$　　　　③ $\sqrt{3}$

④ 2　　　　⑤ $\sqrt{5}$

083

직선 $3x-4y+a=0$을 x축에 대하여 대칭이동하였더니 원 $(x-1)^2+(y+1)^2=1$에 접했다. 이때, 양수 a의 값을 구하여라.

084

점 A$(1, -2)$를 지나는 직선 l을 y축에 대하여 대칭이동한 다음, 직선 $y=x$에 대하여 대칭이동하였더니 다시 점 A를 지나는 직선이 되었다. 직선 l의 방정식은?

① $y=-x-1$　　② $y=x-3$　　③ $y=2x-4$

④ $y=3x-5$　　⑤ $y=4x-6$

유형 06 곡선의 대칭이동

원 $(x-a)^2+(y-b)^2=r^2$을 다음에 대하여 대칭이동하면

(1) x축 : $(x-a)^2+(y+b)^2=r^2$

(2) y축 : $(x+a)^2+(y-b)^2=r^2$

(3) 원점 : $(x+a)^2+(y+b)^2=r^2$

(4) 직선 $y=x$: $(y-a)^2+(x-b)^2=r^2$

참고 ① 포물선의 꼭짓점은 대칭이동된 포물선의 꼭짓점으로 옮겨진다.

② 원의 중심은 대칭이동된 원의 중심으로 옮겨진다.

③ 대칭이동하여도 포물선의 폭, 원의 반지름의 길이는 변하지 않는다.

085

원 $(x-1)^2+(y+2)^2=1$을 원점에 대하여 대칭이동한 후, 다시 직선 $y=x$에 대하여 대칭이동한 도형의 방정식은?

① $(x-2)^2+(y+1)^2=1$　　② $(x+2)^2+(y-1)^2=1$

③ $(x-2)^2+(y-1)^2=1$　　④ $(x-1)^2+(y+2)^2=1$

⑤ $(x+1)^2+(y-2)^2=1$

086

원 $x^2+y^2-4x+6y+12=0$을 원점에 대하여 대칭이동한 후, 다시 y축에 대하여 대칭이동한 원의 중심의 좌표는?

① $(1, 3)$　　② $(1, -3)$　　③ $(2, 3)$

④ $(2, -3)$　　⑤ $(2, 4)$

⭐중요
087

원 $(x-2)^2+(y-4)^2=6$을 x축, y축에 대하여 대칭이동한 원의 중심을 각각 A, B라 할 때, $\overline{AB}$의 길이를 구하여라.

088

원 $(x-1)^2+(y-2)^2=4$의 중심을 A라 하고, 이 원을 x축에 대하여 대칭이동, 직선 $y=x$에 대하여 대칭이동시킨 원의 중심을 각각 B, C라 할 때, $\triangle$ABC의 넓이를 구하여라.

089 중요

원 $x^2+(y-1)^2=9$를 직선 $y=x$에 대하여 대칭이동한 원에 직선 $y=x-k$가 접한다고 할 때, 양수 k의 값은?

① $3\sqrt{2}$ ② $1+\sqrt{2}$ ③ $1+2\sqrt{2}$
④ $1+3\sqrt{2}$ ⑤ $2+3\sqrt{2}$

090

포물선 $y=x^2+ax+b$를 x축에 대하여 대칭이동하였더니 꼭짓점이 $(-1, 2)$인 포물선이 되었다. 이때, $a+b$의 값을 구하여라.

유형 07 평행이동과 대칭이동

평행이동, 대칭이동을 두 번 이상 하는 문제는 따로따로 단계별로 이동된 점이나 도형을 구해 나가면 된다.

091 중요

한 점 A$(-1, 2)$를 x축의 방향으로 α만큼, y축의 방향으로 β만큼 평행이동한 후, 다시 직선 $y=x$에 대하여 대칭이동하였더니 점 A와 일치하였다. 이때, $\alpha\beta$의 값은? (단, α, β는 상수)

① -15 ② -12 ③ -9
④ -6 ⑤ -3

092

점 P$(a, 4)$를 x축의 방향으로 -3만큼, y축의 방향으로 -2만큼 평행이동한 후, 다시 원점에 대하여 대칭이동한 점의 좌표가 $(5, b)$일 때, a^2+b^2의 값은?

① 4 ② 6 ③ 8
④ 10 ⑤ 12

093

직선 $y=x+3$을 x축에 대하여 대칭이동한 후, y축의 방향으로 k만큼 평행이동하면 점 $(3, 4)$를 지난다. 이때, k의 값을 구하여라.

094

직선 $3x+ay+b=0$을 y축에 대하여 대칭이동한 직선과 직선 $y=x$에 대하여 대칭이동한 후, y축의 방향으로 a만큼 평행이동한 직선의 교점이 $(2, 2)$일 때, $a+b$의 값을 구하여라.

(단, a, b는 상수이다.)

095

원 $x^2+y^2=1$을 x축, y축의 방향으로 각각 3, -2만큼 평행이동한 후, x축에 대하여 대칭이동하였더니 원 $(x-a)^2+(y-b)^2=1$이 되었다. 이때, ab의 값은?

① 2   ② 4   ③ 6
④ 8   ⑤ 10

096

곡선 $y=x^2-2$를 x축에 대하여 대칭이동한 후, y축의 방향으로 a만큼 평행이동하면 직선 $y=2x+1$에 접하게 된다. 이때, 상수 a의 값은?

① -2 ② -1 ③ 0
④ 1   ⑤ 2

좌표평면 위의 두 점 A, B와 직선 l 위의 점 P에 대하여 점 A를 직선 l에 대하여 대칭이동한 점을 A′이라 하면

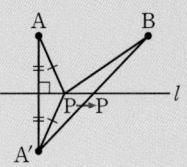

$\Rightarrow \overline{AP}+\overline{BP}=\overline{A'P}+\overline{BP}\geq\overline{A'B}$

$\Rightarrow \overline{AP}+\overline{BP}$의 최솟값은 $\overline{A'B}$

097

두 점 A$(2, 3)$, B$(6, 1)$이 있다. 점 P가 x축 위에 있을 때, $\overline{AP}+\overline{BP}$의 최솟값은?

① $\sqrt{6}$ ② $2\sqrt{2}$ ③ $2\sqrt{3}$
④ $4\sqrt{2}$ ⑤ $4\sqrt{3}$

098

좌표평면 위의 두 점 A$(-1, 2)$, B$(5, 4)$와 x축 위의 점 P에 대하여 삼각형 ABP의 둘레의 길이의 최솟값은 $a\sqrt{2}+b\sqrt{10}$이다. 이때, 정수 a, b에 대하여 $a+b$의 값을 구하여라.

099

두 정점 A$(-3, 1)$, B$(2, 5)$와 직선 $y=x$ 위를 움직이는 점 P에 대하여 $\overline{AP}+\overline{BP}$의 최솟값을 구하여라.

점 $P(x, y)$를 점 $A(a, b)$에 대하여 대칭이동한 점을 P'이라 하면 점 A는 $\overline{PP'}$의 중점임을 이용한다.

100

점 $A(1, 0)$을 점 $P(2, 4)$에 대하여 대칭이동한 점의 좌표가 $A'(a, b)$일 때, $a+b$의 값은?

① 5   ② 7   ③ 9

④ 11   ⑤ 13

중요
101

원 $(x-3)^2+(y+2)^2=4$를 점 $P(1, 2)$에 대하여 대칭이동하였더니 $(x-a)^2+(y-b)^2=4$가 되었다. 이때, 상수 a, b의 합 $a+b$의 값을 구하여라.

102

점 (a, b)를 점 $(3, 2)$에 대하여 대칭이동한 점을 $P(p, q)$라 하자. 점 (a, b)가 직선 $y=2x+1$ 위를 움직일 때 점 $P(p, q)$가 움직이는 도형의 방정식은?

① $y=x-5$ ② $y=x-7$ ③ $y=2x-5$

④ $y=2x-7$ ⑤ $y=2x-9$

점 $P(x, y)$를 직선 $l : y=mx+n$에 대하여 대칭이동한 점을 $P'(x', y')$이라 하면
(1) $\overline{PP'}$의 중점 M이 직선 l 위에 있다.
(2) $\overline{PP'} \perp l \Rightarrow$ (기울기의 곱)$=-1$

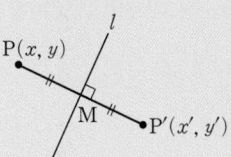

중요
103

점 $A(3, 4)$를 직선 $x-y+5=0$에 대하여 대칭이동한 점을 $A'(a, b)$라 한다. 이때, ab의 값을 구하여라.

104

원 $(x+5)^2+(y+3)^2=5$와 원 $x^2+y^2-14x+44=0$이 직선 $y=ax+b$에 대하여 대칭일 때, 상수 a, b에 대하여 ab의 값은?

① -10 ② -9 ③ -8

④ -7 ⑤ -6

105

원 $x^2+y^2-8x-2y+16=0$을 직선 $y=x+1$에 대하여 대칭이동한 원의 방정식을 구하여라.

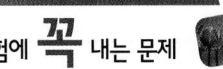

106

평행이동 $(x, y) \longrightarrow (x+a, y-1)$에 의하여 점 $(3, b)$가 점 $(-1, -2)$로 옮겨질 때, $a+b$의 값은?

① -5 ② -3 ③ 0
④ 3 ⑤ 5

107

직선 $3x+2y-1=0$을 x축의 방향으로 k만큼, y축의 방향으로 1만큼 평행이동하여 얻은 직선이 점 $(0, 3)$을 지날 때, 상수 k의 값은?

① 1 ② 2 ③ 3
④ 4 ⑤ 5

108

원 $(x-2)^2+(y+1)^2=5$를 x축의 방향으로 -3만큼, y축의 방향으로 2만큼 평행이동하였더니 원 $x^2+y^2+ax+by+c=0$이 되었다. 이때, 상수 a, b, c에 대하여 $a+b+c$의 값은?

① -5 ② -4 ③ -3
④ -2 ⑤ -1

109

직선 $2x+y-a=0$을 x축의 방향으로 3만큼, y축의 방향으로 -1만큼 평행이동하면 원 $x^2+y^2-2x+4y+4=0$의 넓이를 이등분할 때, 상수 a의 값을 구하여라.

110

직선 $x-2y+3=0$을 x축에 대하여 대칭이동한 직선에 평행하고, 점 $(4, -2)$를 지나는 직선의 방정식은?

① $x-2y=0$ ② $x+2y=0$ ③ $x+3y=0$
④ $x-y=0$ ⑤ $2x+y=0$

111

원 $(x+1)^2+(y-2)^2=8$을 직선 $y=x$에 대하여 대칭이동한 원에 직선 $y=x+k$가 접하도록 하는 모든 실수 k의 값의 합을 구하여라.

112

점 $(-2, 1)$을 y축에 대하여 대칭이동한 후, 직선 $y=x$에 대하여 대칭이동한 것을 x축의 방향으로 -2만큼 평행이동시켰더니 직선 $y=ax+1$ 위의 점이 되었다. 이때, 상수 a의 값은?

① -3 ② -1 ③ 1

④ 3 ⑤ 5

113

평행이동 $(x, y) \longrightarrow (x+2, y-1)$에 의하여 직선 $3x-y+a+1=0$을 평행이동한 후, 이 직선을 다시 y축에 대하여 대칭이동하였더니 원 $x^2+y^2-4x+2y=0$의 넓이를 이등분하였다. 이때, 상수 a의 값을 구하여라.

114

두 점 $A(2, 5)$, $B(3, 1)$에 대하여 점 A를 출발하여 y축 위의 점 P를 지나 점 B에 도달하는 거리의 최솟값을 구하여라.

115

두 이차함수 $y=x^2-2x+3$, $y=-x^2+10x-25$의 그래프가 점 (a, b)에 대하여 대칭일 때, $a+b$의 값을 구하여라.

1등급 문제

116

그림과 같이 좌표평면 위에 두 점 $A(1, 2)$, $B(2, 1)$이 있다. 점 P는 x축 위의 점이고, 점 Q는 y축 위의 점일 때, $\overline{AQ}+\overline{QP}+\overline{PB}$의 최솟값을 구하여라.

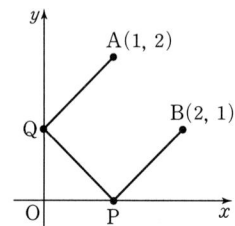

117

직선 $x+2y+3=0$을 직선 $x+y-1=0$에 대하여 대칭이동한 직선이 점 $(1, k)$를 지날 때, k의 값을 구하여라.

04 집합

04 집합

1 집합과 원소

(1) **집합** : 주어진 조건에 의하여 그 대상을 분명히 알 수 있는 것들의 모임
(2) **원소** : 집합을 이루고 있는 대상 하나하나
(3) **원소의 개수**

 ① 집합 A가 유한집합일 때, 집합 A의 원소의 개수를 기호 $n(A)$와 같이 나타낸다.
 ② 공집합은 원소가 없으므로 $n(\varnothing)=0$이다.

2 집합의 표현

(1) **원소나열법** : 집합에 속하는 모든 원소를 기호 { } 안에 나열하는 방법
(2) **조건제시법** : 집합에 속하는 원소들의 공통된 성질을 조건으로 제시하는 방법
(3) **벤 다이어그램** : 그림과 같이 도형 안에 원소를 적어 집합을 나타낸 그림

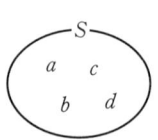

3 부분집합

$x\in A$인 모든 원소 x에 대하여 $x\in B$일 때, 집합 A를 집합 B의 부분집합이라 하고
$$A\subset B \ (\text{또는 } B\supset A)$$
로 나타내며
 '집합 A는 집합 B에 포함된다.' (또는 '집합 B는 집합 A를 포함한다.')
고 말한다.

4 서로 같은 집합

(1) 두 집합 A, B의 원소가 같을 때, A와 B는 서로 같다고 하며 이것을
$$A=B$$
 와 같이 나타낸다.
(2) $A=B \Longleftrightarrow A\subset B$이고 $B\subset A$

5 진부분집합

두 집합 A, B에 대하여 $A\subset B$이고 $A\neq B$일 때, A를 B의 진부분집합이라고 한다.

기본 문제

1 집합과 원소

[001-006] 다음 중 집합인 것은 ○, 집합이 아닌 것은 ×를 표시하여라.

001 10보다 작은 짝수의 모임　　　　　（　　）

002 키가 큰 사람들의 모임　　　　　　（　　）

003 8의 약수의 모임　　　　　　　　（　　）

004 수학 성적이 뛰어난 학생들의 모임　（　　）

005 우리 학교 학급 반장들의 모임　　　（　　）

006 1과 2 사이에 있는 자연수의 모임　（　　）

[007-012] 20의 약수의 집합을 A, 4의 배수의 집합을 B라 할 때, 다음 ☐ 안에 기호 $\in$, $\notin$ 중 알맞은 것을 써넣어라.

007 $1 \square A$

008 $4 \square A$

009 $6 \square A$

010 $10 \square B$

011 $12 \square B$

012 $20 \square B$

2 집합의 표현

[013-015] 다음 집합을 원소나열법으로 나타내어라.

013 $A=\{x \mid x$는 2의 배수$\}$

014 $B=\{x \mid x$는 15보다 작은 소수$\}$

015 $C=\{x \mid x$는 $5 \leq x \leq 12$인 홀수$\}$

[016-018] 다음 집합을 조건제시법으로 나타내어라.

016 $A=\{3, 6, 9, 12, \cdots\}$

017 $B=\{1, 2, 4, 8\}$

018 $C=\{4, 8, 12, 16, \cdots\}$

[019-020] 다음 집합을 벤 다이어그램으로 나타내어라.

019 $A = \{1, 2, 3, 4, 5\}$

020 $B = \{x \mid 1 < x < 5, x는 자연수\}$

[021-023] 10보다 작은 짝수의 집합을 A라 할 때, 집합 A를 다음 방법으로 나타내어라.

021 원소나열법

022 조건제시법

023 벤 다이어그램

---

3 집합의 원소의 개수

[024-029] 다음 집합이 유한집합이면 '유', 무한집합이면 '무', 유한집합이면서 공집합이면 '공'을 써넣어라.

024 $\{1, 2, 3, 4\}$　　　　　　(　　)

025 $\{11, 12, 13, \cdots, 99\}$　　　(　　)

026 $\{100, 101, 102, 103, \cdots\}$　(　　)

027 $\{x \mid x는 10보다 큰 짝수\}$　(　　)

028 $\{x \mid x는 |x| \leq 2인 정수\}$　(　　)

029 $\{x \mid x는 1보다 작은 자연수\}$　(　　)

[030-033] 다음을 구하여라.

030 $n(\varnothing)$

031 $n(\{0\})$

032 $n(\{a, b\})$

033 $n(\{x \mid x는 10 이상 20 이하의 홀수\})$

4 집합 사이의 포함 관계

[034-036] 두 집합 A, B의 포함 관계를 기호 $\subset$를 이용하여 나타내어라.

034 $A=\{2, 4\}$, $B=\{-4, -2, 0, 2, 4\}$

035 $A=\{x \,|\, x$는 3의 배수$\}$, $B=\{x \,|\, x$는 6의 배수$\}$

036 $A=\{x \,|\, x$는 5보다 작은 짝수$\}$, $B=\varnothing$

[037-038] 두 집합 A, B에 대하여 $A \subset B$가 되도록 $\square$ 안에 알맞은 것을 써넣어라.

037 $A=\{a, b\}$, $B=\{\square, \square, c, d\}$

038 $A=\{x \,|\, x$는 5의 약수$\}$,
    $B=\{1, 2, 3, \square, 7, 8, 10\}$

[039-040] 집합 $A=\{a \,|\, a$는 2의 약수$\}$라 할 때, 다음 물음에 답하여라.

039 집합 A의 부분집합 중 원소가 1개인 것을 모두 구하여라.

040 집합 A의 부분집합을 모두 구하여라.

[041-042] 집합 $B=\{b \,|\, b$는 9의 약수$\}$라 할 때, 다음 물음에 답하여라.

041 집합 B의 부분집합 중 원소가 2개인 것을 모두 구하여라.

042 집합 B의 부분집합을 모두 구하여라.

[043-047] 다음 두 집합 A, B 사이의 관계를 기호 $=$, $\neq$를 이용하여 나타내어라.

043 $A=\{1, 2, 5, 10\}$, $B=\{x \,|\, x$는 10의 약수$\}$

044 $A=\{x\,|\,x$는 4의 배수$\}$, $B=\{x\,|\,x$는 8의 배수$\}$

045 $A=\{1,\,2,\,3\}$, $B=\{x\,|\,x$는 4 미만의 자연수$\}$

046 $A=\{x\,|\,x$는 6의 약수$\}$,
$\quad\;\; B=\{x\,|\,x$는 $1\leq x<7$인 자연수$\}$

047 $A=\{x\,|\,x$는 10 이하의 홀수$\}$,
$\quad\;\; B=\{x\,|\,x$는 10 이하의 소수$\}$

[048-049] 집합 $A=\{1,\,2,\,4\}$라 할 때, 다음 물음에 답하여라.

048 집합 A의 부분집합을 모두 구하여라.

049 집합 A의 부분집합 중에서 두 원소 1, 2를 반드시 포함하는 집합을 모두 구하여라.

[050-053] 집합 $B=\{x\,|\,x$는 $|x|\leq1$인 정수$\}$라 할 때, 다음 물음에 답하여라.

050 집합 B의 부분집합을 모두 구하여라.

051 집합 B의 부분집합 중에서 두 원소 0, 1을 반드시 포함하는 집합을 모두 구하여라.

052 집합 B의 부분집합 중에서 원소 -1을 포함하지 않는 집합을 모두 구하여라.

053 집합 B의 진부분집합을 모두 구하여라.

유형 문제

유형 01 집합과 원소

(1) **집합** : 주어진 조건에 의하여 그 대상을 분명히 알 수 있는 것들의 모임

참고 '키가 큰', '아름다운', '좋은' 등의 표현은 분명한 표현이 아니므로 집합이 아니다.

(2) **원소** : 집합을 이루고 있는 대상 하나하나

(3) $a \in A \Longleftrightarrow a$는 집합 A의 원소이다.

$\Longleftrightarrow a$는 집합 A에 속한다.

$a \notin A \Longleftrightarrow a$는 집합 A의 원소가 아니다.

$\Longleftrightarrow a$는 집합 A에 속하지 않는다.

054

다음 중 집합인 것을 모두 고르면? (정답 3개)

① 키가 큰 야구선수의 모임

② 20보다 작은 홀수의 모임

③ 10보다 작은 자연수의 모임

④ 머리가 작은 학생의 모임

⑤ 60의 약수의 모임

055

〈보기〉에서 집합이 될 수 없는 것만을 있는 대로 고른 것은?

┤ 보기 ├

ㄱ. 3보다 크고 12보다 작은 홀수의 모임

ㄴ. 우리 반에서 손이 작은 학생의 모임

ㄷ. 1학년 3반에서 혈액형이 AB형인 학생들의 모임

ㄹ. 아름다운 옷들의 모임

① ㄱ, ㄴ   ② ㄴ, ㄷ   ③ ㄴ, ㄹ

④ ㄱ, ㄷ, ㄹ   ⑤ ㄴ, ㄷ, ㄹ

056

8보다 작은 자연수의 집합을 A라 할 때, 다음 중 옳지 않은 것은?

① $0 \notin A$ ② $1 \in A$ ③ $3 \in A$

④ $9 \in A$ ⑤ $10 \notin A$

057

12의 약수의 집합을 A라 할 때, 다음 □ 안에 알맞은 것을 차례로 적은 것은?

$$1 \,\square\, A \qquad 5 \,\square\, A \qquad 12 \,\square\, A$$

① $\in$, $\in$, $\in$ ② $\in$, $\notin$, $\in$ ③ $\notin$, $\in$, $\in$

④ $\in$, $\notin$, $\notin$ ⑤ $\notin$, $\in$, $\notin$

058

중요

방정식 $x^3 - x^2 - 2x = 0$의 해를 원소로 갖는 집합을 A라 할 때, 〈보기〉 중 옳은 것만을 있는 대로 고른 것은?

┤ 보기 ├

ㄱ. $0 \in A$ ㄴ. $1 \in A$

ㄷ. $2 \in A$ ㄹ. $3 \in A$

① ㄱ, ㄴ   ② ㄱ, ㄷ   ③ ㄱ, ㄹ

④ ㄴ, ㄹ   ⑤ ㄷ, ㄹ

유형 **02** 집합의 표현

(1) **원소나열법** : 집합에 속하는 모든 원소를 기호 { } 안에 나열하는 방법
(2) **조건제시법** : 집합에 속하는 원소들의 공통된 성질을 조건으로 제시하는 방법

참고 조건제시법은 제시하는 조건에 따라 다양하게 표현된다.

(3) **벤 다이어그램** : 원이나 사각형 같은 도형을 이용하여 집합을 그림으로 나타낸 것

059

20보다 작은 5의 배수의 집합을 원소나열법으로 바르게 나타낸 것은?

① $\{1, 5, 10\}$　　　　② $\{5, 10, 15\}$
③ $\{1, 5, 10, 15\}$　　④ $\{5, 10, 15, 20\}$
⑤ $\{1, 5, 10, 15, 20\}$

060

다음 중 집합 $\{x \mid x$는 6의 약수$\}$의 원소가 <u>아닌</u> 것은?

① 1　　　　② 2　　　　③ 3
④ 4　　　　⑤ 6

061

다음 중 조건제시법과 원소나열법이 서로 맞지 <u>않는</u> 것은?

① $\{x \mid x$는 9의 약수$\}=\{1, 3, 9\}$
② $\{2, 4, 6\}=\{x \mid x$는 6 이하의 짝수$\}$
③ $\{x \mid x$는 10보다 작은 소수$\}=\{2, 3, 5, 7\}$
④ $\{x \mid x$는 2의 배수$\}=\{2, 4, 6, \cdots, 998\}$
⑤ $\{50, 51, 52, \cdots\}=\{x \mid x$는 50 이상의 자연수$\}$

062

그림과 같이 벤 다이어그램으로 표현된 집합 A를 조건제시법으로 바르게 나타낸 것은?

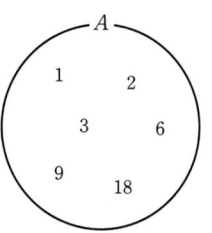

① $A=\{x \mid x$는 2의 배수$\}$
② $A=\{x \mid x$는 9의 약수$\}$
③ $A=\{x \mid x$는 18의 약수$\}$
④ $A=\{x \mid x$는 18 이하인 자연수$\}$
⑤ $A=\{x \mid x$는 20보다 작은 3의 배수$\}$

063

벤 다이어그램에 대하여 다음 중 옳은 것을 모두 고르면? (정답 2개)

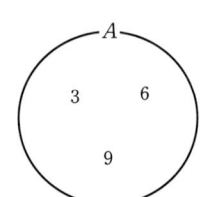

① $A=\{3, 6, 9\}$
② $4 \in A$
③ $A=\{x \mid x$는 1보다 큰 9의 약수$\}$
④ $6 \notin A$
⑤ $A=\{x \mid x$는 9 이하의 3의 배수$\}$

064

두 집합 $A=\{1, 2\}$, $B=\{0, 1\}$일 때, 집합 $X=\{a+b \mid a \in A, b \in B\}$를 원소나열법으로 나타내어라.

유형 **03** 원소의 개수

(1) **유한집합** : 원소의 개수가 유한인 집합
(2) **무한집합** : 원소의 개수가 무한히 많은 집합
(3) **공집합**($\varnothing$) : 원소가 하나도 없는 집합
(4) 유한집합 A의 원소의 개수는 $n(A)$로 나타낸다.

065

다음 중 유한집합이 <u>아닌</u> 것은?

① $\{x \mid x$는 홀수$\}$

② $\{x \mid x$는 7보다 작은 11의 배수$\}$

③ $\{x \mid x$는 100 이하의 짝수$\}$

④ $\{x \mid x$는 $2 < x < 9$인 자연수$\}$

⑤ $\{x \mid x$는 5의 배수 중 두 자리의 자연수$\}$

066

다음 중 무한집합인 것을 모두 고르면? (정답 2개)

① $\{1, 3, 5, 7, 9, \cdots\}$ ② $\{x \mid x$는 18의 약수$\}$

③ $\{x \mid x$는 짝수$\}$ ④ $\{x \mid x$는 15 미만의 홀수$\}$

⑤ $\{3, 6, 9, 12, \cdots, 99\}$

067

다음 중 공집합인 것을 모두 고르면? (정답 2개)

① $\{0\}$

② $\{x \mid x$는 $2 < x < 4$인 짝수$\}$

③ $\{x \mid x$는 한 자리의 자연수$\}$

④ $\{x \mid x$는 1보다 작은 자연수$\}$

⑤ $\{x \mid x$는 $10 \leq x \leq 11$인 홀수$\}$

068

두 집합 A, B에 대하여

$A = \{2, \{3, 5\}\}, B = \{x \mid x$는 12의 약수$\}$

일 때, $n(A) + n(B)$의 값은?

① 6 ② 7 ③ 8

④ 9 ⑤ 10

069

다음 중 옳지 <u>않은</u> 것은?

① $n(\{0\}) = 1$ ② $n(\varnothing) = 0$ ③ $n(\{3\}) = 3$

④ $n(\{1\}) = 1$ ⑤ $n(\{\varnothing\}) = 1$

070

두 집합

$A = \{x \mid x$는 15보다 작은 3의 배수$\}$,

$B = \{x \mid x$는 n 이하의 자연수$\}$

에 대하여 $n(A) + n(B) = 11$일 때, 자연수 n의 값을 구하여라.

유형 04 부분집합

집합 A의 모든 원소가 집합 B의 원소일 때, 집합 A는 집합 B의 부분집합이라 하고, $A \subset B$와 같이 나타낸다.

071

집합 $A = \{2, 3, 4, 5\}$일 때, 다음 중 집합 A의 부분집합이 <u>아닌</u> 것은?

① $\varnothing$ ② $\{4\}$ ③ $\{2, 4\}$

④ $\{2, 3, 4\}$ ⑤ $\{2, 3, 6\}$

072

집합 $A = \{1, 3, 9\}$의 부분집합 중 원소의 개수가 2인 것은 모두 몇 개인가?

① 1   ② 2   ③ 3

④ 4   ⑤ 5

073

두 집합 A, B에 대하여 $A = \{1, 2, 4\}$이고 $A \subset B$일 때, 다음 중 집합 B가 될 수 있는 집합은?

① $\varnothing$ ② $\{1, 2\}$ ③ $\{1, 2, 4, 8\}$

④ $\{2, 4, 6, 8\}$ ⑤ $\{4, 8, 12, \cdots\}$

074

두 집합 $A = \{1, 3, 9\}$, $B = \{x \mid x$는 18의 약수$\}$의 포함 관계를 벤 다이어그램으로 옳게 나타낸 것은?

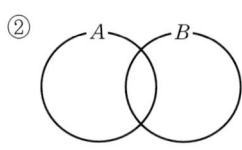

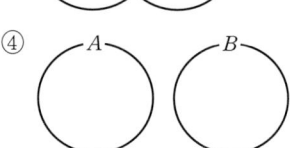

075

두 집합 $A = \{2, 4, 6, 8\}$, $B = \{x \mid x$는 □보다 작은 자연수$\}$에 대하여 $A \subset B$가 성립한다. □ 안에 들어갈 수 있는 최소의 자연수를 구하여라.

076

세 집합 $A = \{x \mid x$는 4의 약수$\}$, $B = \{x \mid x$는 8의 약수$\}$,
$C = \{x \mid x$는 16의 약수$\}$일 때, 세 집합 A, B, C의 포함 관계로 옳은 것은?

① $A \subset B \subset C$ ② $A \subset C \subset B$

③ $B \subset A \subset C$ ④ $B \subset C \subset A$

⑤ $C \subset B \subset A$

유형 05 부분집합의 성질

(1) 공집합 $\varnothing$은 모든 집합의 부분집합이다.
(2) 임의의 집합 A는 A 자신의 부분집합이다.

077

다음 중 옳은 것을 모두 고르면? (정답 2개)

① $\{1, 2, 3\} \subset \{1, 2, 3, 4\}$

② $\varnothing \subset \{2, 4\}$

③ $\{0\} \subset \varnothing$

④ $\{1, 2\} \not\subset \{2, 1\}$

⑤ $\{\varnothing\} \not\subset \{0, \varnothing\}$

078

집합 $A = \{x \mid x$는 8의 약수$\}$일 때, 〈보기〉에서 옳은 것만을 있는 대로 골라라.

┤보기├

ㄱ. $\varnothing \subset A$　　　　ㄴ. $1 \in A$　　　　ㄷ. $\{6\} \subset A$

ㄹ. $\{4\} \in A$　　　　ㅁ. $A \subset A$

079

집합 $A = \{0, \varnothing, \{\varnothing\}\}$일 때, 다음 중 옳지 <u>않은</u> 것은?

① $\varnothing \in A$　　　② $\varnothing \subset A$　　　③ $\{\varnothing\} \in A$

④ $\{\varnothing\} \subset A$　　　⑤ $\{0\} \in A$

유형 06 포함 관계를 만족시키는 미지수 구하기

(1) $A \subset B \iff x \in A$이면 $x \in B$
(2) $A \subset B$이고 $B \subset C$이면 $A \subset C$이다.

080

두 집합

$\quad A = \{x \mid x$는 3 이하의 자연수$\}$, $B = \{1, 2, a, 6\}$

에 대하여 $A \subset B$일 때, 상수 a의 값은?

① 1　　　　　　② 2　　　　　　③ 3

④ 4　　　　　　⑤ 5

081

두 집합

$\quad A = \{1, 3, 5\}$, $B = \{1, 2, a, b\}$

에 대하여 $A \subset B$일 때, 두 상수 a, b의 합 $a+b$의 값을 구하여라.

082

두 집합 $A = \{6, a, a+1\}$, $B = \{3, 4, 6\}$에 대하여 $A \subset B$일 때, 상수 a의 값을 구하여라.

083

세 집합

$A=\{2, 3\}$, $B=\{2, a, 4\}$, $C=\{2, a, b, 5\}$

에 대하여 $A \subset B$이고 $B \subset C$일 때, 자연수 a, b의 합 $a+b$의 값을 구하여라.

084

두 집합 $A=\{a-1, a^2+3, 10\}$, $B=\{a^2+1, 2\}$에 대하여 $B \subset A$가 성립할 때, 실수 a의 값을 구하여라.

중요

085

다음과 같은 세 집합 A, B, C에 대하여 $A \subset B \subset C$가 성립하도록 하는 정수 a의 모든 값의 합은?

$A=\{x \mid x \geq 3\}$, $B=\{x \mid x > a\}$, $C=\{x \mid x > -2\}$

① -4 ② -2 ③ 0

④ 2 ⑤ 4

유형 07 서로 같은 집합

$A=B \Longleftrightarrow A \subset B$이고 $B \subset A$

086

다음 중 두 집합 A, B에 대하여 $A=B$인 것은? (정답 2개)

① $A=\{2, 3, 4\}$, $B=\{3, 4, 2\}$

② $A=\{x \mid x는 6의 약수\}$, $B=\{1, 3, 4, 6\}$

③ $A=\{x \mid x는 4 이하의 자연수\}$, $B=\{0, 1, 2, 3, 4\}$

④ $A=\{x \mid x는 2의 배수\}$, $B=\{2, 4, 6, 8, \cdots\}$

⑤ $A=\{1, 3, 6, 9\}$, $B=\{x \mid x는 9의 약수\}$

중요

087

두 집합 $A=\{1, a, 5\}$, $B=\{1, 3, b\}$에 대하여 $A \subset B$이고 $B \subset A$일 때, 두 상수 a, b에 대하여 $a+b$의 값을 구하여라.

088

두 집합 $A=\{x \mid x는 8의 약수\}$, $B=\{1, a, a+2, 8\}$에 대하여 $A \subset B$이고 $B \subset A$일 때, 상수 a의 값은?

① 1 ② 2 ③ 3

④ 4 ⑤ 5

유형 08 진부분집합

(1) 집합 A의 진부분집합
$\Rightarrow$ 집합 A의 부분집합 중에서 A를 제외한 모든 집합
(2) 집합 A가 집합 B의 진부분집합이다.
$\Rightarrow$ $A \subset B$이고 $A \ne B$이다.

089

집합 $A = \{a, b, c\}$에 대하여 $B \subset A$이고 $B \ne A$인 집합 B를 모두 구하여라.

090

다음 중 집합 $A = \{1, 2, \{1, 2\}\}$의 진부분집합으로 옳지 <u>않은</u> 것은?

① $\varnothing$ ② $\{1, 2\}$ ③ $\{1, \{1, 2\}\}$
④ $\{2, \{1, 2\}\}$ ⑤ $\{1, 2, \{1, 2\}\}$

중요
091

두 집합 $A = \{x \mid x$는 5 이하의 자연수$\}$, $B = \{1, a, 4, b\}$에 대하여 B가 A의 진부분집합일 때, 두 상수 a, b에 대하여 $a + b$의 최댓값은? (단, $a \ne b$)

① 8   ② 9   ③ 10
④ 11   ⑤ 12

유형 09 부분집합의 개수 [교육과정 外]

원소의 개수가 n인 집합에 대하여
(1) 부분집합의 개수 $\Rightarrow 2^n$
(2) 특정한 원소 m개를 포함하는 (또는 포함하지 않는) 부분집합의 개수 $\Rightarrow 2^{n-m}$
(3) 진부분집합의 개수 $\Rightarrow 2^n - 1$

092

집합 $A = \{x \mid x$는 8의 약수$\}$에 대하여 집합 A의 원소의 개수를 a, 집합 A의 부분집합의 개수를 b라 할 때, $a + b$의 값은?

① 17   ② 18   ③ 19
④ 20   ⑤ 21

093

집합 $A = \{x \mid x$는 n 이하의 자연수$\}$의 진부분집합의 개수가 63일 때, 자연수 n의 값을 구하여라.

094

집합 $A = \{x \mid x$는 5 이상 20 이하의 3의 배수$\}$이고, 집합 A의 부분집합 X는 $\{12, 15\} \subset X$를 만족한다. 이때, 집합 X의 개수는?

① 2   ② 4   ③ 8
④ 16   ⑤ 32

유형 문제

095

집합 $A=\{2, 4, 6, 8\}$의 부분집합 중 원소 2, 8을 반드시 포함하지 않는 부분집합의 개수를 구하여라.

096 중요

집합 $A=\{a, b, c, d, e\}$의 부분집합 중 원소 a, c는 반드시 포함하고, 원소 d는 포함하지 않는 부분집합의 개수는?

① 2   ② 3   ③ 4
④ 5   ⑤ 6

097

집합 $A=\{1, 2, 3, 4, 5, 6\}$의 부분집합 중 원소 3 또는 6을 포함하는 집합의 개수는?

① 16   ② 24   ③ 32
④ 48   ⑤ 64

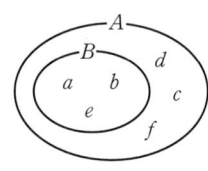

유형 10 $A \subset X \subset B$를 만족시키는 집합 X의 개수

$A \subset X \subset B$를 만족시키는 집합 X의 개수는 집합 B의 부분집합 중 집합 A의 모든 원소를 반드시 원소로 갖는 집합의 개수이다.

098

$\{1, 3\} \subset X \subset \{1, 3, 5, 7\}$을 만족시키는 집합 X의 개수는?

① 1   ② 2   ③ 3
④ 4   ⑤ 5

099

그림과 같은 벤 다이어그램의 두 집합 A, B에 대하여 $B \subset X \subset A$를 만족시키는 집합 X 중에서 c를 포함하지 않는 집합의 개수는?

① 2   ② 4   ③ 8
④ 12   ⑤ 16

100 중요

두 집합 $A=\{1, 2, 3, \cdots, n\}$, $B=\{3, 5\}$에 대하여 $B \subset X \subset A$를 만족시키는 집합 X의 개수가 32일 때, n의 값을 구하여라.

쌤이 시험에 **꼭** 내는 문제

101

〈보기〉 중 집합인 것은 모두 몇 개인가?

┤ 보기 ├

ㄱ. 6에 가까운 자연수의 모임

ㄴ. 일주일의 각 요일들의 모임

ㄷ. 예술을 사랑하는 사람들의 모임

ㄹ. 가장 작은 자연수의 모임

ㅁ. 우리 동아리에서 착한 학생들의 모임

① 1개   ② 2개   ③ 3개
④ 4개   ⑤ 5개

102

〈보기〉 중 옳은 것만을 있는 대로 고른 것은?

┤ 보기 ├

ㄱ. $n(\{1, 2, 3\}) - n(\{1, 2\}) = 1$

ㄴ. $A = \{\varnothing, 1, 2\}$이면 $n(A) = 2$

ㄷ. $n(\{x \mid x \text{는 2보다 작은 짝수}\}) = \varnothing$

① ㄱ   ② ㄱ, ㄴ   ③ ㄱ, ㄷ
④ ㄴ, ㄷ   ⑤ ㄱ, ㄴ, ㄷ

103

다음 중 $\{3, 4\} \subset X \subset \{1, 2, 3, 4\}$를 만족시키는 집합 X가 될 수 없는 것은?

① $\{3, 4\}$ ② $\{1, 2, 3\}$ ③ $\{1, 3, 4\}$
④ $\{2, 3, 4\}$ ⑤ $\{1, 2, 3, 4\}$

104

두 집합 $A = \{-5, 0, 4, 6\}$, $B = \{x \mid -a < x < a\}$에 대하여 $A \subset B$를 만족시키는 자연수 a의 최솟값은?

① 4   ② 5   ③ 6
④ 7   ⑤ 8

105

집합 $A = \{\varnothing, a, b, \{a, b\}\}$에 대하여 〈보기〉 중 옳은 것의 개수는?

┤ 보기 ├

ㄱ. $\varnothing \in A$ ㄴ. $\varnothing \subset A$ ㄷ. $A \subset A$

ㄹ. $\{a, b\} \in A$ ㅁ. $\{a, b\} \subset A$

① 1   ② 2   ③ 3
④ 4   ⑤ 5

106

두 집합 $A = \{2, 4, 8\}$, $B = \{x, x+4, y\}$에 대하여 $A = B$일 때, $x - y$의 값을 구하여라. (단, x, y는 정수)

107

두 집합 $A=\{3, a-1, a^2\}$, $B=\{3, 4, a^2-3\}$에 대하여 $A \subset B$이고 $B \subset A$일 때, 상수 a의 값을 구하여라.

108

집합 $A=\{1, 2, \{3, 4, 5\}\}$에 대하여 집합 A의 원소의 개수를 a, 부분집합의 개수를 b라 할 때, $b-a$의 값은?

① 5   ② 18   ③ 27
④ 32   ⑤ 44

109

집합 $A=\{x \mid x$는 15의 약수$\}$일 때, 집합 A의 부분집합 중 1은 포함하고, 5는 포함하지 않는 집합의 개수는?

① 1   ② 2   ③ 3
④ 4   ⑤ 5

110

두 집합 $A=\{1, 2, 3, \cdots, n\}$, $B=\{2, 4\}$에 대하여 다음 두 조건을 모두 만족시키는 집합 X의 개수가 31일 때, 자연수 n의 값을 구하여라.

> (가) $B \subset X$
> (나) $X \subset A$, $A \neq X$

1등급 문제

111

공집합이 아닌 집합 $A=\{x \mid a<x<b, x$는 정수$\}$에 대하여 $A \subset \{1, 2, 3, 4\}$가 성립하도록 하는 정수 a, b의 순서쌍 (a, b)의 개수를 구하여라.

112

집합 $S=\left\{1, \dfrac{1}{2}, \dfrac{1}{2^2}, \dfrac{1}{2^3}, \dfrac{1}{2^4}\right\}$의 공집합이 아닌 서로 다른 부분집합을 A_1, A_2, A_3, $\cdots$, A_{31}이라 하자. 이때, 각각의 집합 A_1, A_2, A_3, $\cdots$, A_{31}에서 크기가 최소인 원소를 하나씩 뽑아 이들을 모두 더한 값을 구하여라.

05 집합의 연산

05 집합의 연산

1 교집합과 합집합

두 집합 A, B에 대하여

(1) 교집합 : $A \cap B = \{x \mid x \in A$ 그리고 $x \in B\}$

(2) 합집합 : $A \cup B = \{x \mid x \in A$ 또는 $x \in B\}$

2 서로소

두 집합 A, B 사이에 공통인 원소가 하나도 없을 때, 즉

$$A \cap B = \varnothing$$

일 때, 집합 A와 집합 B는 서로소라고 한다.

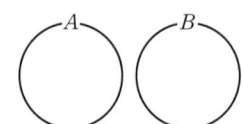

3 여집합과 차집합

전체집합 U와 두 부분집합 A, B에 대하여

(1) 여집합 : $A^C = \{x \mid x \in U$이고 $x \notin A\}$

(2) 차집합 : $A - B = \{x \mid x \in A$이고 $x \notin B\}$

4 집합의 연산법칙

세 집합 A, B, C에 대하여 다음 법칙이 성립한다.

(1) 교환법칙 : $A \cup B = B \cup A$, $A \cap B = B \cap A$

(2) 결합법칙 : $(A \cup B) \cup C = A \cup (B \cup C)$,

$\qquad (A \cap B) \cap C = A \cap (B \cap C)$

(3) 분배법칙 : $A \cup (B \cap C) = (A \cup B) \cap (A \cup C)$,

$\qquad A \cap (B \cup C) = (A \cap B) \cup (A \cap C)$

(4) 드 모르간의 법칙 : $(A \cup B)^C = A^C \cap B^C$,

$\qquad (A \cap B)^C = A^C \cup B^C$

5 유한집합의 원소의 개수

(1) 합집합의 원소의 개수

두 유한집합 A, B에 대하여

① $n(A \cup B) = n(A) + n(B) - n(A \cap B)$

② $A \cap B = \varnothing$이면 $n(A \cup B) = n(A) + n(B)$

(2) 여집합과 차집합의 원소의 개수

전체집합 U의 두 부분집합 A, B에 대하여

① $n(A^C) = n(U) - n(A)$

② $n(A - B) = n(A) - n(A \cap B) = n(A \cup B) - n(B)$

1 집합의 연산

[001-002] 다음 두 집합 A, B를 벤 다이어그램으로 나타내고, $A \cup B$를 구하여라.

001 $A=\{1, 2, 5, 6\}$, $B=\{2, 5, 8, 11\}$

002 $A=\{2, 6, 10\}$, $B=\{1, 4, 7\}$

[003-004] 다음 두 집합 A, B를 벤 다이어그램으로 나타내고, $A \cap B$를 구하여라.

003 $A=\{3, 4, 5, 6, 7\}$, $B=\{1, 3, 6, 9\}$

004 $A=\{-2, 1, 4\}$, $B=\{x \,|\, x$는 4의 약수$\}$

[005-008] 벤 다이어그램의 두 집합 A, B에 대하여 다음 집합을 구하여라.

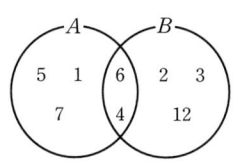

005 A

006 B

007 $A \cup B$

008 $A \cap B$

[009-012] 다음 두 집합 A, B에 대하여 $A \cup B$를 구하여라.

009 $A=\{1, 3, 5, 7\}$, $B=\{2, 3, 5, 7\}$

010 $A=\{a, c, e\}$, $B=\{b, c, d, e\}$

011 $A=\{x \,|\, x$는 6의 약수$\}$, $B=\{2, 4, 6\}$

012 $A=\varnothing$, $B=\{0, 2, 4, 6\}$

[013-016] 다음 두 집합 A, B에 대하여 $A \cap B$를 구하여라.

013 $A=\{2, 3, 4\}$, $B=\{1, 3, 5\}$

014 $A=\{a, b, c\}$, $B=\{a, c, e, g\}$

015 $A=\{1, 2, 3, 4, 6, 12\}$, $B=\{x \,|\, x$는 홀수$\}$

016 $A=\{x \,|\, x$는 5의 배수$\}$, $B=\varnothing$

[017-018] 두 집합 A, B가
$A=\{1, 2, 4, 7\}$, $A\cap B=\{4, 7\}$,
$A\cup B=\{1, 2, 3, 4, 5, 7, 9\}$
를 만족시킬 때, 다음 물음에 답하여라.

017 벤 다이어그램에 원소를 써넣어라.

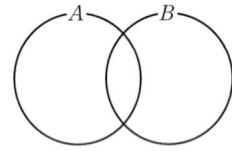

018 집합 B를 구하여라.

[019-023] 세 집합
$A=\{x|x$는 15의 약수$\}$,
$B=\{x|x$는 10보다 작은 홀수$\}$,
$C=\{5, 10, 15, 20\}$
에 대하여 벤 다이어그램을 이용하여 다음 집합을 구하여라.

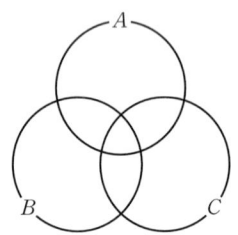

019 $A\cap B$

020 $A\cup B$

021 $B\cap C$

022 $B\cup C$

023 $A\cap B\cap C$

[024-027] 다음 두 집합 A, B가 서로소인 것은 ○, 아닌 것은 ×를 표시하여라.

024 $A=\{1, 2, 3\}$, $B=\{x|x$는 6의 약수$\}$ ( )

025 $A=\{x|x$는 홀수$\}$, $B=\{x|x$는 짝수$\}$ ( )

026 $A=\{a, b, c, d, e\}$, $B=\{f, g, h, i, j\}$ ( )

027 $A=\{x|x$는 20의 약수$\}$,
$B=\{1, 2, 3, 4, 5, \cdots\}$ ( )

[028-030] 전체집합 $U=\{x|x$는 10 이하의 자연수$\}$의 부분집합이 다음과 같을 때, 각 집합의 여집합을 구하여라.

028 $A=\{1, 3, 5, 7, 9\}$

029 $B=\{2, 3, 5, 7\}$

030 $C=\{x|x$는 5의 배수$\}$

[031-032] 다음 두 집합 A, B에 대하여 $A-B$, $B-A$를 각각 구하여라.

031 $A=\{1, 3, 5\}$, $B=\{1, 2, 3, 4\}$

032 $A=\{x\,|\,x$는 10보다 작은 짝수$\}$,
$\quad\quad B=\{2, 3, 5, 7\}$

[033-037] 전체집합 U의 두 부분 집합 A, B에 대한 벤 다이어그램을 보고 다음 집합을 구하여라.

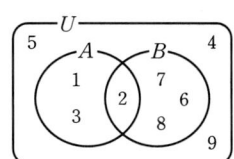

033 A^C

034 B^C

035 $A-B$

036 $(A\cup B)^C$

037 $(A\cap B)^C$

[038-041] 전체집합 $U=\{3, 4, 5, 6, 7, 8\}$의 두 부분집합 $A=\{3, 5, 7\}$, $B=\{5, 6, 8\}$에 대하여 다음 집합을 구하여라.

038 $A\cup B$

039 $A\cap B$

040 $A^C\cup B^C$

041 $A^C\cap B^C$

2   유한집합의 원소의 개수

[042-046] 두 유한집합 A, B에 대하여 다음 물음에 답하여라.

042 $n(A)=3$, $n(B)=6$, $n(A\cap B)=1$일 때, $n(A\cup B)$를 구하여라.

043 $n(A)=16$, $n(B)=7$, $n(A\cap B)=5$일 때, $n(A\cup B)$를 구하여라.

044 $n(A)=13$, $n(B)=10$, $n(A\cup B)=20$일 때, $n(A\cap B)$를 구하여라.

045 $n(A)=25$, $n(B)=14$, $n(A\cup B)=32$일 때, $n(A\cap B)$를 구하여라.

046 $n(A)=6$, $n(B)=14$, $A\cap B=\varnothing$일 때, $n(A\cup B)$를 구하여라.

[047-050] 전체집합 U의 두 부분집합 A, B에 대하여 다음 물음에 답하여라.

047 $n(U)=10$, $n(A)=6$일 때, $n(A^C)$를 구하여라.

048 $n(U)=24$, $n(B^C)=13$일 때, $n(B)$를 구하여라.

049 $n(A)=6$, $n(A \cap B)=2$일 때, $n(A-B)$를 구하여라.

050 $n(A)=8$, $n(A \cup B)=17$일 때, $n(B-A)$를 구하여라.

3 **집합의 연산에 대한 성질**

[051-053] 전체집합 U의 서로 다른 세 부분집합 A, B, C에 대하여 다음 $\square$ 안에 알맞은 것을 써넣어라.

051 $A \cup (B \cap C)=(A \cup B)\ \square\ (A \cup C)$,
$A \cap (B \cup C)=(A \cap B)\ \square\ (A \cap C)$

052 $A \cup \varnothing = \square$, $A \cap \varnothing = \square$
$A \cup U = \square$, $A \cap U = \square$

053 $U^C = \square$, $\varnothing^C = \square$
$A \cup A^C = \square$, $A \cap A^C = \square$

[054-056] 다음을 간단히 하여라.

054 $A \cup (A \cap B)$

055 $A \cap (A \cup B)$

056 $(A \cup B) \cap A^C$

[057-060] 전체집합 U의 두 부분집합 A, B 사이에 $A \subset B$ 인 포함 관계가 성립할 때, $\square$ 안에 알맞은 것을 써넣어라.

057 $A \cap B = \square$

058 $A \cup B = \square$

059 $A - B = \square$

060 $B^C\ \square\ A^C$

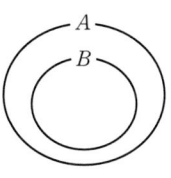

  **유형 문제**

유형 01 교집합과 합집합

두 집합 A, B에 대하여

(1) **교집합** : $A \cap B = \{x \mid x \in A$ 그리고 $x \in B\}$

(2) **합집합** : $A \cup B = \{x \mid x \in A$ 또는 $x \in B\}$

(3) $(A \cap B) \subset A \subset (A \cup B)$

$(A \cap B) \subset B \subset (A \cup B)$

참고 $A \subset B$이면 $A \cap B = A$, $A \cup B = B$

061

두 집합 $A = \{1, 2, 3, 4, 5\}$, $B = \{x \mid x$는 12의 약수$\}$일 때, 집합 $A \cup B$는?

① $\{1, 2\}$　　　　　　　② $\{1, 2, 3, 4\}$

③ $\{1, 2, 3, 4, 5\}$　　　④ $\{1, 2, 3, 4, 5, 6\}$

⑤ $\{1, 2, 3, 4, 5, 6, 12\}$

062

두 집합

$A = \{x \mid x$는 12의 약수$\}$,

$B = \{x \mid x$는 15의 약수$\}$

일 때, 벤 다이어그램의 색칠한 부분에 해당하는 집합은?

① $\{1\}$　　　② $\{1, 3\}$　　　③ $\{3, 5\}$

④ $\{1, 2, 5\}$　　　⑤ $\{1, 3, 5\}$

063

두 집합 A, B에 대하여

$A = \{3, 5, 6, 7\}$

$B = \{x \mid x$는 15 이하의 3의 배수$\}$

일 때, 벤 다이어그램에서 색칠한 부분이 나타내는 집합의 모든 원소의 합을 구하여라.

중요

064

두 집합 A, B의 포함 관계가 벤 다이어그램과 같을 때, 다음 중 옳은 것은?

① $A \cap B = A$　　　② $A \cup B = A$

③ $A \cap B = \varnothing$　　　④ $(A \cup B) \subset B$

⑤ $A \subset (A \cap B)$

065

공집합이 아닌 두 부분집합 A, B에 대하여 다음 중 옳지 <u>않은</u> 것은?

① $A \cup B = B \cup A$　　　② $(A \cap B) \subset B$

③ $A \cap \varnothing = A$　　　④ $A \cup A = A$

⑤ $(A \cap B) \subset (A \cup B)$

066

세 집합 A, B, C에 대하여 $A \subset B \subset C$일 때, 〈보기〉에서 옳은 것만을 있는 대로 고른 것은?

┤ 보기 ├

ㄱ. $A \cap B = B$　　　　ㄴ. $A \cup C = C$

ㄷ. $A \cup B = B$　　　　ㄹ. $A \cap C = B$

① ㄱ, ㄴ　　② ㄱ, ㄷ　　③ ㄴ, ㄷ

④ ㄱ, ㄴ, ㄷ　　⑤ ㄴ, ㄷ, ㄹ

유형 02 조건을 만족시키는 집합 구하기

두 집합 A, B와 원소 a에 대하여

(1) $a \in (A \cap B)$ $\Rightarrow$ $a \in A$이고 $b \in B$

(2) $a \in (A \cup B)$ $\Rightarrow$ $a \in A$ 또는 $b \in B$

067

두 집합 $A = \{1, 2, a, 5\}$, $B = \{b, 4\}$에 대하여 $A \cap B = \{2, 4\}$
일 때, 두 상수 a, b에 대하여 $a + b$의 값은?

① 2 ② 4 ③ 6

④ 8 ⑤ 10

068

두 집합 $A = \{2, 2a+1, 4\}$, $B = \{3, 5, 3a+1\}$에 대하여
$A \cup B = \{2, 3, 4, 5, 7\}$일 때, 상수 a의 값을 구하여라.

069

두 집합 A, B에 대하여

$A = \{1, 2, 3, 4\}$, $A \cap B = \{1, 2\}$,

$A \cup B = \{1, 2, 3, 4, 5, 6\}$

일 때, 집합 B는?

① $\{1, 2, 3, 5\}$ ② $\{1, 2, 5, 6\}$

③ $\{1, 3, 4, 5\}$ ④ $\{1, 3, 4, 6\}$

⑤ $\{2, 3, 4, 5\}$

유형 03 서로소

두 집합 A, B에 대하여
$A \cap B = \varnothing$일 때,
A와 B는 서로소라고 한다.

참고 $A \cap \varnothing = \varnothing$이므로 공집합($\varnothing$)은
모든 집합과 서로소이다.

070

다음 중 두 집합 A, B가 서로소인 것은?

① $A = \{x \mid x > -2\}$, $B = \{x \mid x > -3\}$

② $A = \{x \mid x > 1\}$, $B = \{x \mid x < 3\}$

③ $A = \{x \mid x \geq 0\}$, $B = \{x \mid x < 0\}$

④ $A = \{x \mid x$는 홀수$\}$, $B = \{x \mid x$는 소수$\}$

⑤ $A = \{x \mid x$는 3의 배수$\}$, $B = \{x \mid x$는 5의 배수$\}$

071

다음 중 집합 $A = \{3, 5\}$와 서로소가 <u>아닌</u> 집합은?

① $B = \varnothing$ ② $C = \{-5, -3\}$

③ $D = \{0, 1, 2\}$ ④ $E = \{x \mid x$는 10의 약수$\}$

⑤ $F = \{x \mid x$는 2의 배수$\}$

072

집합 $A = \{1, 2\}$이고, $A \cup B = \{1, 2, 3, 4, 5\}$일 때, 집합 A와
서로소인 집합 B의 모든 원소의 합을 구하여라.

유형 04 여집합과 차집합

전체집합 U의 두 부분집합 A, B에 대하여

(1) 여집합 : $A^C = \{x \mid x \in U$이고 $x \notin A\}$

(2) 차집합 : $A - B = \{x \mid x \in A$이고 $x \notin B\}$

073

전체집합 U의 두 부분집합 A, B가 벤 다이어그램과 같을 때, 집합 $(A \cup B)^C$은?

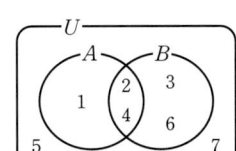

① $\{1\}$　　　　② $\{2, 4\}$

③ $\{3, 5\}$　　　④ $\{5, 7\}$

⑤ $\{1, 4, 5\}$

074

전체집합 $U = \{x \mid x$는 6 이하의 자연수$\}$의 두 부분집합 $A = \{2, 3, 5\}$, $B = \{2, 4, 6\}$에 대하여 집합 $B \cap A^C$의 모든 원소의 합을 구하여라.

075

세 집합 $A - \{1, 2, 3\}$, $B = \{2, 3, 4\}$, $C = \{3, 4, 5\}$에 대하여 집합 $A - (B - C)$는?

① $\{1\}$　　　　② $\{3\}$　　　　③ $\{1, 2\}$

④ $\{1, 3\}$　　　⑤ $\{2, 3\}$

076

집합 $A = \{1, 2, 3, 4\}$일 때, $X \subset A$, $A - X = \{1, 4\}$를 만족시키는 집합 X의 모든 원소들의 합을 구하여라.

077

두 집합 $A = \{1, 2, 3, a+1\}$, $B = \{4, 5, a\}$에 대하여 $A - B = \{1, 2\}$일 때, 집합 $A \cap B$는? (단, a는 상수이다.)

① $\{3\}$　　　　② $\{4\}$　　　　③ $\{3, 4\}$

④ $\{2, 3, 4\}$　　⑤ $\{2, 3, 4, 5\}$

078

전체집합 $U = \{x \mid x$는 6 이하의 자연수$\}$의 두 부분집합 $A = \{a, a+2\}$, $B = \{x \mid x$는 4의 약수$\}$에 대하여 $A - B = \varnothing$일 때, 집합 A^C을 구하여라. (단, a는 상수이다.)

유형 05 차집합의 성질과 드 모르간의 법칙

전체집합 U의 두 부분집합 A, B에 대하여

(1) 차집합의 성질

　① $A-B=A\cap B^C$

　② $A-A=\varnothing$, $A-\varnothing=A$

　③ $A-B\ne B-A$

　참고　대칭차집합

　　　$\Rightarrow (A-B)\cup(B-A)=(A\cup B)-(A\cap B)$

(2) 드 모르간의 법칙

　① $(A\cup B)^C=A^C\cap B^C$

　② $(A\cap B)^C=A^C\cup B^C$

079

전체집합 U의 두 부분집합 A, B에 대하여 집합 $A-B$와 서로 같은 것은?

① $A\cap B^C$　　　　② $A\cup B^C$　　　　③ $A^C\cap B$

④ $A^C\cup B$　　　　⑤ $A^C\cap B^C$

080

전체집합 $U=\{2, 3, 4, 5, 6\}$의 두 부분집합 $A=\{2, 3, 6\}$, $B=\{3, 4, 5\}$에 대하여 집합 $(A-B)^C$은?

① $\{3\}$　　　　② $\{1, 2\}$　　　　③ $\{4, 5\}$

④ $\{3, 4, 5\}$　　　　⑤ $\{1, 2, 4, 5\}$

081

전체집합 $U=\{1, 2, 3, 4, 5, 6\}$의 두 부분집합 A, B에 대하여 $A=\{1, 2, 3\}$이고, $A\cap B=\{3\}$, $A^C\cap B^C=\{5\}$를 만족시키는 집합 B를 구하여라.

082

전체집합 $U=\{x\,|\,x$는 5 이하의 자연수$\}$와 두 집합 A, B에 대하여 $A\subset U$, $B\subset U$이고 $A\cap B^C=\{1, 5\}$, $A^C\cap B=\{4\}$, $A\cap B=\{2\}$일 때, 집합 $A^C\cap B^C$을 구하여라.

083

두 집합 A, B에 대하여

　$B=\{2, 4, 7, 9\}$, $(A-B)\cup(B-A)=\{1, 3, 5, 7, 9\}$

일 때, 집합 A의 모든 원소의 합은?

① 14　　　　② 15　　　　③ 16

④ 17　　　　⑤ 18

084

전체집합 $U=\{1, 2, 3, 4, 5\}$의 세 부분집합 $A=\{1, 2, 3, 4\}$, $B=\{1, 2\}$, $C=\{1, 3, 5\}$에 대하여 연산 ▲를

　$A▲B=(A-B)\cup(B-A)$

라 할 때, 집합 $(A▲B)▲C$의 모든 원소의 합을 구하여라.

유형 06 집합의 연산법칙과 성질

전체집합 U의 세 부분집합 A, B, C에 대하여

(1) **집합의 연산법칙**

① 교환법칙 : $A \cup B = B \cup A$, $A \cap B = B \cap A$

② 결합법칙 : $(A \cup B) \cup C = A \cup (B \cup C)$,

$\qquad\qquad (A \cap B) \cap C = A \cap (B \cap C)$

③ 분배법칙 : $A \cup (B \cap C) = (A \cup B) \cap (A \cup C)$,

$\qquad\qquad A \cap (B \cup C) = (A \cap B) \cup (A \cap C)$

(2) **집합의 성질**

① $A \cup A^C = U$,

$\quad A \cap A^C = \varnothing$

② $(A^C)^C = A$

③ $U^C = \varnothing$, $\varnothing^C = U$

④ $A \subset B$이면 $B^C \subset A^C$

⑤ $U - A = A^C$

⑥ $A - B = A \cap B^C$

085

전체집합 U의 부분집합 A에 대하여 다음 중 옳지 <u>않은</u> 것은?

① $(A^C)^C = A$ 　　② $U^C = \varnothing$ 　　③ $A \cap A^C = \varnothing$

④ $A \cup A^C = U$ 　　⑤ $U - A = \varnothing$

086

전체집합 U의 부분집합 A와 집합 A의 부분집합 B에 대하여 〈보기〉에서 옳은 것만을 있는 대로 골라라. (단, $U \neq A \neq B$)

┤ 보기 ├

ㄱ. $(A^C)^C = U$ 　　　　　ㄴ. $A \cap B^C = \varnothing$

ㄷ. $A \cup B^C = U$ 　　　　　ㄹ. $A^C \cup B^C = B^C$

087

두 집합

$\qquad A = \{1, 2, 3, 4\}$, $B = \{3, 4, 5\}$

에 대하여 집합 $A \cap (A^C \cup B)$의 모든 원소의 합을 구하여라.

088

벤 다이어그램에서 집합 $(A \cap B^C) \cup (A \cap C^C)$의 모든 원소의 합을 구하여라.

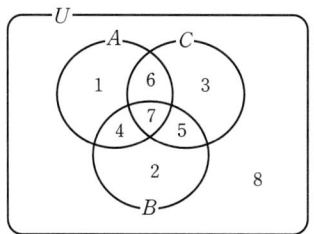

089

자연수 n의 배수의 집합을 A_n이라 할 때, 다음 중 집합 $(A_3 \cup A_8) \cap A_{36}$과 같은 집합은?

① A_3 　　② A_6 　　③ A_{12}

④ A_{24} 　　⑤ A_{36}

090

벤 다이어그램에서 색칠한 부분을 나타내는 집합은? (단, U는 전체집합이다.)

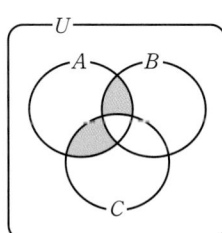

① $A \cap (B \cup C) - (B \cap C)$

② $A \cup (B \cup C)^C - (B \cap C)$

③ $A \cap (B \cap C)^C - (B \cup C^C)$

④ $A \cup (B \cap C) - (B \cup C)^C$

⑤ $A \cap (B \cap C^C)^C$

분배법칙, 차집합의 성질 등 집합의 연산법칙과 집합의 성질
을 이용하여 주어진 식을 간단히 한다.

091

전체집합 U의 두 부분집합 A, B에 대하여 집합 $A \cap (A-B)^C$
을 간단히 하면?

① $A-B$ ② $B-A$ ③ $A \cap B$
④ $A^C \cap B^C$ ⑤ $A^C \cup B^C$

092

전체집합 U의 공집합이 아닌 서로 다른 두 부분집합 A, B에 대
하여 다음 중 집합 $(A \cup B)^C \cup (A^C \cap B)$와 같은 것은?

① $\varnothing$ ② A^C ③ B
④ B^C ⑤ U

093

전체집합 U의 두 부분집합 A, B에 대하여 집합
$A-\{(A-B) \cup (A-B^C)\}$을 간단히 하면?

① $\varnothing$ ② A ③ B
④ $A^C \cup B$ ⑤ U

전체집합 U의 두 부분집합 A, B 사이에 $A \subset B$인 포함 관
계가 성립할 때, 다음과 같이 여러 가지로 표현할 수 있다.
$$A \subset B \Longleftrightarrow A \cup B = B \Longleftrightarrow A \cap B = A$$
$$\Longleftrightarrow A-B = \varnothing \Longleftrightarrow A \cap B^C = \varnothing$$
$$\Longleftrightarrow A^C \cup B = U$$

094

서로 다른 두 집합 A, B에 대하여 $A \cap B = A$일 때, 집합 A와
집합 B의 포함 관계를 벤 다이어그램으로 바르게 나타낸 것은?

① 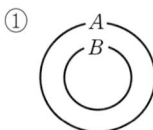 ②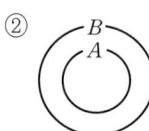

③ 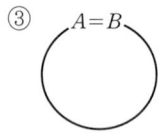 ④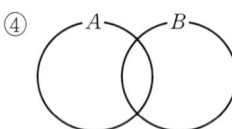

⑤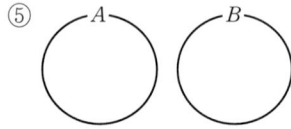

095

전체집합 U의 두 부분집합 A, B의
포함 관계가 그림과 같은 관계를 나타
내는 것이 **아닌** 것은?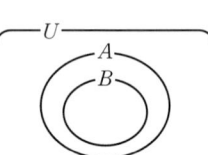

① $A \cap B = B$ ② $A \cup B = A$
③ $A^C \cap B^C = A^C$ ④ $A^C \subset B^C$
⑤ $A^C \cup B = U$

096

두 집합 $A=\{1, 2, a\}$, $B=\{4, b\}$에 대하여 $A \cup B = A$가 성립
할 때, 두 상수 a, b에 대하여 $a+b$의 최댓값을 구하여라.

097

전체집합 U의 두 부분집합 A, B가 $A^C \cup (A \cap B) = B$를 만족
시킬 때, 다음 중 옳은 것은?

① $A \subset B$ ② $B \subset A$ ③ $A = B$

④ $A \cap B = \varnothing$ ⑤ $A \cup B = U$

중요 098

전체집합 U의 공집합이 아닌 두 부분집합 A, B에 대하여
$\{(A-B) \cup (A \cap B)\} - B = \varnothing$이 성립할 때, 다음 중 옳은 것은?

① $A \subset B$ ② $B \subset A$ ③ $A \cap B = \varnothing$

④ $A \cap B^C = U$ ⑤ $A \cup B^C = \varnothing$

099

두 집합 $A = \{1, 2, a^2+2\}$, $B = \{3, a, a+1\}$에 대하여
$(A \cup B) \cap (A^C \cap B)^C = B$가 성립할 때, 상수 a의 값을 구하
여라.

유형 **09** 집합의 연산과 부분집합의 개수

두 집합 A, B에 대하여 $n(A) = p$, $n(B) = q$일 때,
$A \subset X \subset B$를 만족시키는 집합 X의 개수
⇨ 2^{q-p} (단, $p < q$)

참고 $A \subset X \subset B \Longleftrightarrow A \subset X$이고 $X \subset B$
                $\Longleftrightarrow$ 집합 X는 집합 A의 모든 원소를 포
                    함하고, 집합 B의 부분집합이다.

100

전체집합 $U = \{1, 2, 3, 4, 5\}$에 대하여 $\{2, 3\} \cap A = \varnothing$을 만족시
키는 U의 부분집합 A의 개수를 구하여라.

중요 101

두 집합 $A = \{1, 2, 3, 4\}$, $B = \{3, 4, 5, 6\}$에 대하여
$$(A-B) \subset X \subset (A \cup B)$$
를 만족시키는 집합 X의 개수를 구하여라.

102

두 집합 $A = \{a, b, f\}$, $B = \{a, b, c, d, e\}$에 대하여 $A \cap X = A$
이고 $(A \cup B) \cap X = X$를 만족시키는 집합 X의 개수는?

① 2   ② 4   ③ 8

④ 16   ⑤ 32

유형 **10** 교집합과 합집합의 원소의 개수

두 유한집합 A, B에 대하여

(1) $n(A \cup B) = n(A) + n(B) - n(A \cap B)$

특히, $A \cap B = \varnothing$이면 $n(A \cup B) = n(A) + n(B)$

(2) $n(A \cap B) = n(A) + n(B) - n(A \cup B)$

참고 세 유한집합 A, B, C에 대하여

$n(A \cup B \cup C) = n(A) + n(B) + n(C)$
$\qquad - n(A \cap B) - n(B \cap C)$
$\qquad - n(C \cap A) + n(A \cap B \cap C)$

103

두 집합 A, B에 대하여

$\qquad n(A) = 13, \ n(B) = 9, \ n(A \cup B) = 16$

일 때, $n(A \cap B)$의 값은?

① 2 ② 3 ③ 4
④ 5 ⑤ 6

104

두 집합 A, B에 대하여

$\qquad n(A) = 15, \ n(B) = 11, \ A \cap B = \varnothing$

일 때, $n(A \cup B)$의 값을 구하여라.

105

두 집합 A, B에 대하여

$\qquad n(A) = 20, \ n(A \cup B) = 24, \ n(A \cap B) = 9$

일 때, $n(B)$의 값을 구하여라.

106

벤 다이어그램에서
$n(U) = 35$, $n(A) = 14$,
$n(B) = 16$, $n(A \cap B) = 5$일 때, 색
칠한 부분의 원소의 개수를 구하여라.

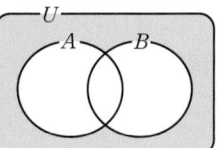

107

전체집합 U의 두 부분집합 A, B에 대하여 $n(U) = 40$, $n(A) = 33$, $n(B) = 25$일 때, $n(A \cap B)$의 최댓값을 M, 최솟값을 m이라 하자. 이때, $M + m$의 값은?

① 39 ② 41 ③ 43
④ 45 ⑤ 47

108

세 집합 A, B, C에 대하여 $A \cap B = \varnothing$이고 $n(A) = 5$, $n(B) = 4$, $n(C) = 3$, $n(A \cup C) = 7$, $n(B \cup C) = 5$일 때, $n(A \cup B \cup C)$의 값을 구하여라.

유형 **11** 여집합과 차집합의 원소의 개수

전체집합 U의 두 부분집합 A, B에 대하여

(1) $n(A^C)=n(U)-n(A)$

(2) $n(A-B)=n(A)-n(A\cap B)=n(A\cup B)-n(B)$

109

두 집합 A, B에 대하여

$$n(A)=13,\ n(B)=10,\ n(A\cup B)=21$$

일 때, $n(A-B)$의 값은?

① 3 ② 5 ③ 7

④ 9 ⑤ 11

110

전체집합 U의 두 부분집합 A, B에 대하여

$$n(U)=10,\ n(A)=5,\ n(B)=3,\ n(A\cup B)=8$$

일 때, $n(A^C\cup B^C)$의 값을 구하여라.

111

벤 다이어그램에서
$n(U)=50,\ n(A)=30,$
$n(B)=23,\ n(A-B)=15$일 때,
색칠한 부분의 원소의 개수를 구하여라.

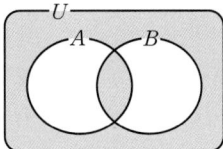

112

전체집합 U의 두 부분집합 A, B에 대하여

$$n(U)=30,\ n(A-B)=10,\ n(A^C\cap B^C)=6$$

일 때, $n(B)$의 값을 구하여라.

113

전체집합 U의 두 부분집합 A, B에 대하여

$$n(U)=40,\ n(A\cup B)=34,\ n(A\cap B)=12,\ n(B^C)=15$$

일 때, $n(A)$의 값은?

① 21 ② 23 ③ 25

④ 27 ⑤ 29

중요 **114**

전체집합 U의 두 부분집합 A, B에 대하여

$$n(U)=30,\ n(A^C\cap B^C)=12,\ n(B^C)=18$$

일 때, $n(A\cap B^C)$의 값을 구하여라.

유형 12 집합의 활용

원소의 개수에 대한 활용문제는
① 집합을 설정한다.
② 벤 다이어그램에 원소의 개수를 적어 보거나 공식
$n(A \cup B) = n(A) + n(B) - n(A \cap B)$를 이용한다.

115

어느 반 학생 40명을 대상으로 글짓기와 포스터 그리기의 희망자 수를 조사하였다. 그 결과 글짓기는 27명, 포스터 그리기는 10명이었고, 글짓기와 포스터 그리기를 모두 희망한 학생 수는 4명이었다. 글짓기 또는 포스터 그리기를 희망한 학생 수는?

① 27   ② 30   ③ 33
④ 36   ⑤ 39

중요 116

하연이네 반 학생들에게 A, B 두 문제를 풀게 하였더니 A문제를 푼 학생은 18명, B문제를 푼 학생은 23명이고 적어도 한 문제를 푼 학생은 30명이었다. 이때, 두 문제를 모두 푼 학생 수는?

① 7   ② 10   ③ 11
④ 12   ⑤ 13

117

어떤 학교의 운동부에는 야구부와 배구부가 있다. 야구부, 배구부에 속해 있는 학생은 각각 30명, 25명이고 양쪽에 다 속해 있는 학생 수는 15명이다. 야구부에만 속해 있는 학생 수는?

① 10   ② 15   ③ 20
④ 30   ⑤ 40

118

100 이하의 자연수 중에서 3의 배수 또는 5의 배수인 수의 개수는?

① 43   ② 44   ③ 45
④ 46   ⑤ 47

119

30명의 학생을 대상으로 방과 후 수업 선택 과목을 조사했더니 영어를 선택한 학생이 20명, 수학을 선택한 학생이 18명이다. 영어와 수학을 모두 선택한 학생 수를 k명이라 할 때, k의 최댓값과 최솟값의 합의 값을 구하여라.

쌤이 시험에 꼭 내는 문제

120
세 집합

$A=\{1, 3, 4\}, B=\{2, 3, 4, 5\},$
$C=\{x \mid x는 4보다 작은 자연수\}$

에 대하여 집합 $A \cup (B \cap C)$는?

① $\{2, 3\}$ ② $\{2, 3, 4\}$ ③ $\{3, 4, 5\}$

④ $\{1, 2, 3, 4\}$ ⑤ $\{1, 2, 3, 4, 5\}$

121
두 집합 $A=\{a, 3, 4\}, B=\{b, b+1, 9\}$에 대하여
$A \cap B=\{2, c\}$일 때, 세 상수 a, b, c의 합 $a+b+c$의 값을 구하여라. (단, $c \neq 2$)

122
두 집합 $A=\{x \mid 1 \leq x \leq a\}, B=\{x \mid x > 6\}$에 대하여 A, B가 서로소일 때, 정수 a의 최댓값은?

① 2   ② 3   ③ 4

④ 5   ⑤ 6

123
집합 $A=\{1, 2, 3, 4, 5\}$에 대하여 $\{3, 5\} \cap X=\{3, 5\}$이고,
$X \cup A=A$를 만족시키는 집합 X의 개수는?

① 4   ② 6   ③ 8

④ 10   ⑤ 16

124
전체집합 $U=\{1, 2, 3, 4, 5, 6\}$의 세 부분집합 $A=\{1, 2, 3\},$
$B=\{3, 4, 5\}, C=\{2, 4, 6\}$에 대하여 집합 $(A^C \cap B)-C$는?

① $\{1\}$ ② $\{5\}$ ③ $\{1, 3\}$

④ $\{3, 5\}$ ⑤ $\{1, 3, 5\}$

125
두 집합 $A=\{3, 6, a\}, B=\{6, 9, b+2\}$에 대하여
$(A-B) \cup (B-A)=\varnothing$일 때, 상수 a, b의 합 $a+b$의 값을 구하여라.

126

전체집합 U의 공집합이 아닌 서로 다른 두 부분집합 A, B에 대하여 집합 $(A-B) \cup (A-B^C)$과 같은 집합은?

① $\varnothing$　　　　② A　　　　③ B
④ $A \cap B$　　　⑤ $A \cup B$

127

두 집합 A, B에 대하여 $\{(A \cap B) \cup (A-B)\} \cap B = B$가 성립할 때, 다음 벤 다이어그램 중 집합 A, B의 포함 관계를 옳게 나타낸 것은?

① 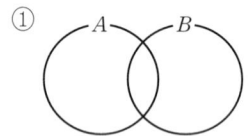　　②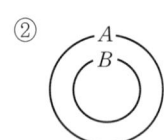

③ 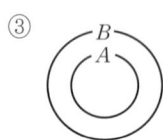　　④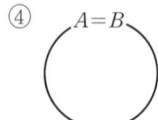

⑤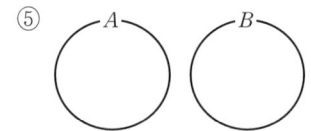

128

전체집합 U의 두 부분집합 A, B에 대하여
$$A \cap B^C = A, \ n(A) = 8, \ n(B) = 12$$
일 때, $n(A \cup B)$의 값을 구하여라.

129

어떤 학급의 학생 수가 40명이다. 그 중 어제 축구 중계를 시청한 학생 수는 23명, 야구 중계를 시청한 학생 수는 25명, 축구나 야구 중계를 시청한 학생 수는 33명이라고 한다. 이때, 축구와 야구 중계를 모두 시청한 학생 수를 구하여라.

1등급 문제

130

세 집합 A, B, C에 대하여
$$n(A) = 14, \ n(B) = 16, \ n(C) = 19,$$
$$n(A \cap B) = 10, \ n(A \cap B \cap C) = 5$$
일 때, $n(C - (A \cup B))$의 최솟값을 구하여라.

131

두 집합 $A = \{1, 2, 3, 4\}$, $B = \{4, 5\}$에 대하여
$$(A \cup B) \cap X = X, \ (A \cap B^C) \cup X = X$$
를 모두 만족하는 집합 X를 각각 X_1, X_2, $\cdots$, X_n이라 하고, 집합 X_n의 원소의 총합을 $S(X_n)$이라 하자. 이때, $S(X_1) + S(X_2) + \cdots + S(X_n)$의 값을 구하여라.

06 명제

06 명제

① 명제

(1) **명제** : 참, 거짓을 판별할 수 있는 문장이나 식

(2) **명제의 부정**

명제 p에 대하여 'p가 아니다.'를 명제 p의 부정이라 하고, 기호로 $\sim p$와 같이 나타낸다.

① p : 참 ➡ $\sim p$: 거짓, p : 거짓 ➡ $\sim p$: 참

② $\sim p$의 부정은 p이다. 즉, $\sim(\sim p)=p$이다.

(3) **조건과 진리집합**

① 조건 : 전체집합 U의 원소 x에 따라 참과 거짓을 판별할 수 있는 문장이나 식

② 진리집합 : 조건이 참이 되게 하는 전체집합 U의 모든 원소의 집합

③ 조건의 부정 : 조건 p에 대하여 'p가 아니다.'를 p의 부정이라 하고, 기호로 $\sim p$와 같이 나타낸다.

(4) **'모든'과 '어떤'이 들어 있는 명제**

전체집합 U에서 정의된 조건 p의 진리집합을 P라 할 때,

① 명제 '모든 x에 대하여 p'는 $P=U$이면 참이고 $P \neq U$이면 거짓이다.

② 명제 '어떤 x에 대하여 p'는 $P \neq \varnothing$이면 참이고 $P=\varnothing$이면 거짓이다.

② 명제의 역과 대우

(1) **명제의 역과 대우**

명제 $p \longrightarrow q$에 대하여

① 역 : $q \longrightarrow p$

② 대우 : $\sim q \longrightarrow \sim p$

$$
\begin{array}{ccc}
\boxed{p \to q} & \xleftrightarrow{\ \text{역}\ } & \boxed{q \to p} \\
& \text{대우} & \\
\boxed{\sim p \to \sim q} & \xleftrightarrow{\ \text{역}\ } & \boxed{\sim q \to \sim p}
\end{array}
$$

(2) **명제의 대우의 참과 거짓**

① 명제 $p \longrightarrow q$가 참이면 그 대우 $\sim q \longrightarrow \sim p$도 참이다.

② 명제 $p \longrightarrow q$가 거짓이면 그 대우 $\sim q \longrightarrow \sim p$도 거짓이다.

③ 필요조건과 충분조건

(1) **필요조건과 충분조건**

명제 $p \longrightarrow q$가 참일 때, 즉 $p \Longrightarrow q$일 때

① p는 q이기 위한 충분조건

② q는 p이기 위한 필요조건

(2) **필요충분조건**

명제 $p \longrightarrow q$와 그 역 $q \longrightarrow p$가 모두 참일 때, 즉 $p \Longrightarrow q$이고 $q \Longrightarrow p$일 때, 이것을 기호로 $p \Longleftrightarrow q$와 같이 나타내고 p는 q이기 위한 필요충분조건이라고 한다.

개념 플러스

◀ 명제 p가 참이면 그 부정 $\sim p$는 거짓이고, 명제 p가 거짓이면 그 부정 $\sim p$는 참이다.

◀ 두 조건 p, q에 대하여
(1) 조건 'p 또는 q'의 부정
 ⇨ '$\sim p$이고 $\sim q$'
(2) 조건 'p이고 q'의 부정
 ⇨ '$\sim p$ 또는 $\sim q$'

◀ '어떤'과 '모든'이 들어 있는 명제의 부정
(1) '모든 x에 대하여 $p(x)$'의 부정
 ⇨ '어떤 x에 대하여 $\sim p(x)$'이다.
(2) '어떤 x에 대하여 $p(x)$'의 부정
 ⇨ '모든 x에 대하여 $\sim p(x)$'이다.

◀ 명제가 참임을 직접 증명하기 어려울 때에는 대우가 참임을 증명한다.

◀ **삼단논법**
세 조건 p, q, r에 대하여 $p \Longrightarrow q$이고 $q \Longrightarrow r$이면 $p \Longrightarrow r$이다. 즉, 세 조건 p, q, r의 진리집합을 각각 P, Q, R라 할 때, $P \subset Q$이고 $Q \subset R$이면 $P \subset R$이다.

◀ **필요조건, 충분조건의 진리집합**
두 조건 p, q를 만족하는 집합을 각각 P, Q라 할 때,
(1) $p \Longrightarrow q$이면 $P \subset Q$
(2) $q \Longrightarrow p$이면 $Q \subset P$
(3) $p \Longleftrightarrow q$이면 $P=Q$

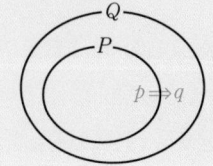

기본 문제

1 명제와 조건

001 명제인 것만을 〈보기〉에서 있는 대로 골라라.

┤ 보기 ├

ㄱ. 24는 3의 배수이다.

ㄴ. $x=3x+2$

ㄷ. $2^3<3^2$

ㄹ. 2는 작은 수이다.

ㅁ. 정삼각형의 세 변의 길이는 같다.

ㅂ. 딸기는 맛있다.

[002-004] 다음 명제인 것을 찾고, 그 명제의 참, 거짓을 판별하여라.

002 2는 8의 약수이다.

003 30은 약수가 많다.

004 $3+4=12$

[005-007] 다음 명제의 부정을 말하여라.

005 9는 소수이다.

006 $2x+6=2(3+x)$

007 $2<5$

[008-009] 전체집합 $U=\{x\,|\,x$는 정수$\}$에 대하여 다음 조건의 진리집합을 구하여라.

(단, 조건 p, q의 진리집합을 각각 P, Q라고 한다.)

008 $p : x^2=4$

009 $q : x^2-4x+3=0$

[010-014] 다음 조건의 부정을 말하여라.

010 $-2\leq x\leq 3$

011 a는 소수이다.

012 $x=2$ 또는 $x=6$

013 $a=-5$이고 $b=-1$

014 $x<4$ 또는 $x>9$

[015-017] 전체집합 $U=\{-2, -1, 0, 1, 2\}$에서 두 조건 '$p : x^2 \leq 1, q : x \geq 0$'에 대하여 다음 조건의 진리집합을 구하여라.

015 $\sim p$

016 p 또는 q

017 p이고 q

[018-021] 전체집합 U에서 두 조건 p, q의 진리집합을 각각 P, Q라 할 때, 다음 조건의 진리집합을 벤 다이어그램으로 나타내어라.

018 p 또는 q

019 p이고 $\sim q$

020 $\sim p$이고 q

021 $\sim p$이고 $\sim q$

---

2 **명제 $p \longrightarrow q$**

[022-023] 다음 명제의 가정과 결론을 말하여라.

022 $x=3$이면 $2x-6=0$이다.

023 a가 6의 배수이면 a는 3의 배수이다.

024 전체집합 U에서 두 조건 p, q의 진리집합이 각각 P, Q이고 명제 '$p \longrightarrow q$'가 참일 때, 〈보기〉에서 옳은 것만을 있는 대로 골라라.

┤ 보기 ├
ㄱ. $P \subset Q$ ㄴ. $P \cap Q = P$
ㄷ. $P \cap Q = Q$ ㄹ. $P \cup Q = P$
ㅁ. $P \cup Q = Q$ ㅂ. $P - Q = \varnothing$
ㅅ. $P \cup Q^C = U$ ㅇ. $P^C \cup Q = U$

[025-028] 전체집합 U에서 세 조건 p, q, r 각각의 진리집합 P, Q, R의 포함 관계가 그림과 같을 때, 다음 명제 중 참인 것에는 ○표, 거짓인 것에는 ×표를 하여라.

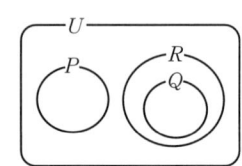

025 $p \longrightarrow r$ (   )

026 $q \longrightarrow \sim p$ (   )

027 $r \longrightarrow q$ (   )

028 $\sim r \longrightarrow \sim q$ (   )

[029-032] 다음 명제의 참, 거짓을 말하여라.

029 모든 실수 a에 대하여 $a^2 \le 0$이다.

030 모든 실수 x에 대하여 $1 < x \le 3$이다.

031 어떤 이등변삼각형은 정삼각형이다.

032 어떤 실수 x에 대하여 $x^2 + 3 < 3x$이다.

[033-035] 다음 명제의 부정을 말하여라.

033 모든 실수 x에 대하여 $x + 5 \le 7$이다.

034 어떤 실수 x에 대하여 $x^2 - 9 > 0$이다.

035 어떤 자연수 n에 대하여 n^2은 짝수이다.

---

3 명제의 역과 대우

[036-037] 다음 명제의 역을 구하여라.

036 $x = 3$이면 $x^2 = 9$이다.

037 n이 8의 약수이면 n은 4의 약수이다.

[038-040] 다음 명제의 대우를 구하여라.

038 $a = b$이면 $ac = bc$이다.

039 $xy > 0$이면 $x > 0$이고 $y > 0$이다.

040 n이 짝수이면 n은 4의 배수이다.

[041-043] 두 조건 p, q에 대하여 다음 명제가 참일 때, 반드시 참인 명제를 〈보기〉에서 골라라.

┤ 보기 ├
ㄱ. $\sim q \longrightarrow \sim p$ ㄴ. $\sim p \longrightarrow \sim q$
ㄷ. $\sim q \longrightarrow p$ ㄹ. $p \longrightarrow \sim q$

041 $p \longrightarrow q$

042 $\sim p \longrightarrow q$

043 $q \longrightarrow p$

4 필요조건, 충분조건, 필요충분조건

[044-049] 다음에서 조건 p는 조건 q이기 위한 어떤 조건인지 말하여라. (단, x, y는 실수이다.)

044 $p : x>0$이고 $y>0$,
$q : xy>0$

045 $p : (x+5)(x-2)=0$,
$q : x-2=0$

046 $p : x^2=16$,
$q : x=4$

047 $p : \square$ABCD는 마름모,
$q : \square$ABCD는 사다리꼴

048 $p : \overline{\text{AB}}/\!/\overline{\text{DC}}$이고 $\overline{\text{AB}}=\overline{\text{DC}}$인 사각형,
$q : \square$ABCD는 평행사변형

049 $p : |x-3|=1$,
$q : x^2-6x+8=0$

[050-053] 전체집합 U에서 두 조건 p, q의 진리집합을 각각 P, Q라 할 때, 다음을 항상 만족하는 진리집합의 포함 관계로 옳은 것을 〈보기〉에서 골라라.

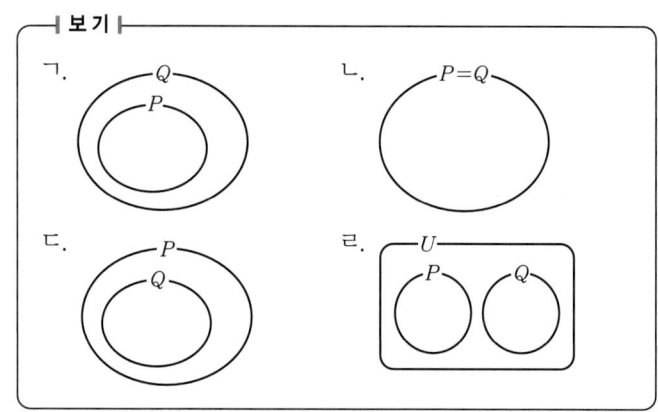

050 p는 q이기 위한 충분조건

051 p는 q이기 위한 필요조건

052 q는 p이기 위한 필요충분조건

053 p는 $\sim q$이기 위한 충분조건

유형 문제

유형 01 명제

명제 : 참, 거짓을 판별할 수 있는 문장이나 식

054

다음 중 명제인 것은?

① 장미는 예쁘다.

② 새롬이는 키가 크다.

③ $x+2=5$

④ $2+3=6$

⑤ 5^{100}은 큰 수이다.

055

다음 식 또는 문장 중에서 명제가 <u>아닌</u> 것은?

① n이 짝수이면 $n+1$은 홀수이다.

② $3x+6=3(2+x)$

③ 모든 정삼각형은 서로 합동이다.

④ $5x-10<0$

⑤ 엇각의 크기는 항상 같다.

056

x가 실수일 때, 명제인 것만을 <보기>에서 있는 대로 고른 것은?

┤ 보기 ├

ㄱ. $x^2+1\geq0$

ㄴ. $x^2-4=0$

ㄷ. $x^2=4$이면 $x=-2$이다.

ㄹ. $x^2+4=0$인 x가 존재한다.

① ㄱ   ② ㄱ, ㄴ   ③ ㄴ, ㄹ

④ ㄷ, ㄹ   ⑤ ㄱ, ㄷ, ㄹ

유형 02 명제와 조건의 부정

(1) 명제의 부정

  명제 p에 대하여

  ① p의 부정 ⇨ $\sim p$ (p가 아니다.)

  ② p : 참 ⇨ $\sim p$: 거짓

  ③ $\sim(\sim p)=p$

(2) 조건의 부정

  ① '$x>a$'의 부정 ⇨ '$x\leq a$'

  ② '$x=a$'의 부정 ⇨ '$x\neq a$'

  ③ '또는'의 부정 ⇨ '이고'

  ④ '이고'의 부정 ⇨ '또는'

참고   조건 : 문자의 값에 따라 참, 거짓이 결정되는 문장이나 식

057

다음 명제 중 그 부정이 참인 것은?

① p : $\sqrt{(-2)^2}=2$

② q : $4\notin\{1, 3, 5\}$

③ r : $(-3)+1>1+(-3)$

④ s : 3은 9와 27의 공약수이다.

⑤ t : $\sqrt{2}$는 무리수이다.

058

다음 중 조건 '$x\leq-4$ 또는 $x>2$'의 부정은?

① $-4\leq x<2$

② $-4<x\leq2$

③ $x<-4$이고 $x\geq2$

④ $x\leq-4$ 또는 $x>2$

⑤ $x\leq-4$이고 $x>2$

059

두 조건 $p : -1<x\leq2$, $q : 0<x\leq1$에 대하여 조건 '$\sim p$ 또는 q'의 부정은?

① $-1<x<0$ 또는 $1\leq x\leq2$

② $-1<x\leq0$ 또는 $1<x\leq2$

③ $-1<x<0$ 또는 $1<x\leq2$

④ $-1<x\leq0$ 또는 $1\leq x<2$

⑤ $-1<x\leq0$ 또는 $1\leq x\leq2$

유형 03 진리집합

두 조건 p, q의 진리집합을 각각 P, Q라 할 때,
(1) $\sim p$의 진리집합 $\Rightarrow P^C$
(2) 'p 또는 q'의 진리집합 $\Rightarrow P \cup Q$
(3) 'p이고 q'의 진리집합 $\Rightarrow P \cap Q$

060

전체집합 $U=\{1, 2, 3, 4, 5\}$에 대하여 조건 p가

$p : x^2-x+3=3x$

일 때, 조건 p를 만족하는 집합은?

① $\{1\}$ ② $\{3\}$ ③ $\{1, 3\}$
④ $\{1, 2, 3\}$ ⑤ $\{1, 3, 5\}$

061

전체집합 $U=\{1, 2, 3, 4, 5\}$에 대하여 조건 '$|x|<3$'의 진리집합은?

① $\{1, 2\}$ ② $\{0, 1, 2\}$
③ $\{1, 2, 3\}$ ④ $\{3, 4, 5\}$
⑤ $\{-2, -1, 0, 1, 2\}$

062

$U=\{1, 2, 3, \cdots, 10\}$을 전체집합으로 하는 조건
'$p : x<4$ 또는 $x \geq 7$'에 대하여 조건 $\sim p$의 진리집합의 모든 원소의 합을 구하여라.

063

전체집합 $U=\{1, 2, 3, 4, 5, 6\}$에 대하여 두 조건
$p : 2 \leq x<5$, $q : 3<x<6$의 진리집합이 각각 P, Q일 때, 조건
'p이고 q'의 진리집합을 구하여라.

064

전체집합 $U=\{x \mid 1 \leq x \leq 10, x$는 자연수$\}$에서 정의된 두 조건
p, q가 '$p : x$는 짝수, $q : x$는 3의 배수'일 때, 조건 '$\sim p$이고
q'를 만족하는 집합은?

① $\{6\}$ ② $\{3, 9\}$ ③ $\{3, 6, 9\}$
④ $\{2, 4, 8, 10\}$ ⑤ $\{2, 4, 6, 8, 10\}$

065

전체집합이 실수 전체의 집합인 두 조건

$p : x+2>0$, $q : x-5>0$

의 진리집합을 각각 P, Q라 할 때, 다음 중 조건 '$-2<x \leq 5$'
의 진리집합을 나타낸 것은?

① $P \cup Q^C$ ② $P \cap Q^C$ ③ $P \cap Q$
④ $P^C \cap Q$ ⑤ $P^C \cup Q^C$

유형 **04** 거짓인 명제의 반례

전체집합 U에 대하여 두 조건 p, q의 진리집합을 각각 P, Q라 할 때, 명제 $p \longrightarrow q$가 거짓임을 보이는 반례는 오른쪽 벤 다이어그램에서 색칠한 부분, 즉 $P-Q=P \cap Q^C$의 원소이다.

066

다음 중 명제 '3의 배수이면 4의 배수이다.'가 거짓임을 보이는 반례로 알맞은 수는?

① 8   ② 12   ③ 15
④ 24   ⑤ 36

067 (중요)

두 조건 p, q의 진리집합을 각각 P, Q라 할 때, 명제 $p \longrightarrow q$가 거짓임을 보이려면 반례를 찾으면 된다. 다음 중 그 반례가 속하는 집합은?

① $P \cap Q$ ② $Q-P$ ③ $P-Q$
④ $P^C \cup Q$ ⑤ $P^C \cup Q^C$

068

다음 두 조건 p, q에 대하여 명제 'p이면 q이다.'가 거짓임을 보이는 반례가 될 수 있는 x의 값이 속하는 집합은?

$$p : \{x \mid -2 < x \le 2\}, \quad q : \{x \mid 0 < x \le 4\}$$

① $\{x \mid x < -2\}$ ② $\{x \mid -2 < x \le 0\}$
③ $\{x \mid 0 \le x < 2\}$ ④ $\{x \mid 2 < x \le 4\}$
⑤ $\{x \mid x \ge 4\}$

유형 **05** 명제의 참, 거짓

(1) 어떤 명제가 거짓임을 보이려면 ⇨ 명제의 반례를 찾는다.
(2) 반례가 생각나지 않을 경우 명제가 참임을 증명할 수 있는지 살펴본다.

069

다음 중 참인 명제는?

① 모든 소수는 홀수이다.
② 12의 약수는 6의 약수이다.
③ 모든 원은 서로 합동이다.
④ $ac=bc$이면 $a=b$이다.
⑤ 2는 4와 6의 공약수이다.

070

x, y, z가 실수일 때, 다음 중 거짓인 명제는? (정답 2개)

① 마름모는 평행사변형이다.
② $x^2=x$이면 $x=0$이다.
③ x가 4의 배수이면 x는 2의 배수이다.
④ $x+y=0$이면 $x=0$이고 $y=0$이다.
⑤ $x=y$이면 $xz=yz$이다.

071

다음 명제 중에서 참인 것은? (단, x, y, a, b는 실수이다.)

① $a+b\sqrt{2}=0$이면 $a=b=0$이다.
② $x=1$이면 $x^2=1$이다.
③ $a+b>0$이면 $a>0$이고 $b>0$이다.
④ $x+y=0$이면 $x^2+y^2=0$이다.
⑤ $xy>0$이면 $x>0$이고 $y>0$이다.

유형 06 명제 $p \longrightarrow q$

두 조건 p, q의 진리집합을 각각 P, Q라 할 때
(1) $P \subset Q$이면 $p \longrightarrow q$는 참
(2) $P \not\subset Q$이면 $p \longrightarrow q$는 거짓

072

전체집합 $U = \{x \,|\, x$는 10보다 작은 자연수$\}$에서 두 조건

$$p : x는 10의 약수, \quad q : x는 3의 배수$$

에 대하여 다음 명제 중 참인 것은?

① $p \longrightarrow q$ ② $q \longrightarrow p$ ③ $\sim p \longrightarrow q$

④ $q \longrightarrow \sim p$ ⑤ $\sim q \longrightarrow p$

073

두 조건 $p : 2 \le x \le 5$, $q : -3 < x - a < 3$에 대하여 명제 $p \longrightarrow q$가 참이 되도록 하는 실수 a의 값의 범위는?

① $0 < a < 5$ ② $1 \le a \le 5$ ③ $2 < a < 5$

④ $2 \le a \le 5$ ⑤ $3 < a \le 6$

074

두 조건 '$p : x < 1$ 또는 $x \ge 2$, $q : a < x \le 4a$'에 대하여 명제 '$\sim p \longrightarrow q$'가 참이 되게 하는 실수 a의 값의 범위를 $m \le a < n$이라 할 때, $2m + n$의 값을 구하여라.

유형 07 명제와 집합의 관계

두 조건 p, q의 진리집합을 각각 P, Q라 할 때
(1) 명제 $p \longrightarrow q$가 참 $\Rightarrow P \subset Q$
(2) $P \subset Q$ $\Rightarrow$ 명제 $p \longrightarrow q$가 참

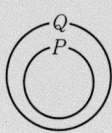

075

두 조건 p, q의 진리집합을 각각 P, Q라 하고 명제 $p \longrightarrow q$가 참일 때, 다음 중 항상 옳은 것은? (단, U는 전체집합이다.)

① $P \cap Q = \varnothing$ ② $P \cap Q = Q$ ③ $P \cup Q = Q$

④ $P = Q$ ⑤ $P \cup Q = U$

076

전체집합 U에서 두 조건 p, q의 진리집합을 각각 P, Q라 하고 명제 $p \longrightarrow \sim q$가 참일 때, 다음 중 항상 옳은 것은?

① $P \subset Q$ ② $Q \subset P^{C}$ ③ $Q \subset P$

④ $P \cup Q = P$ ⑤ $P \cap Q = Q$

077

두 조건 p, q의 각각의 진리집합 P, Q에 대하여 $P \cap Q = P$인 관계가 성립할 때, 다음 중 항상 참인 명제는?

① $p \longrightarrow q$ ② $p \longrightarrow \sim q$ ③ $q \longrightarrow p$

④ $\sim p \longrightarrow q$ ⑤ $\sim q \longrightarrow p$

078

전체집합 U에서 두 조건 p, q의 진리집합을 각각 P, Q라 할 때, $P^C \cup Q^C = U$가 성립한다. 다음 중 항상 참인 명제는?

① $p \longrightarrow q$ ② $q \longrightarrow p$ ③ $\sim p \longrightarrow q$

④ $p \longrightarrow \sim q$ ⑤ $\sim p \longrightarrow \sim q$

중요
079

전체집합 U에서 세 조건 p, q, r의 진리집합을 각각 P, Q, R라 할 때, 세 집합 P, Q, R 사이의 관계는 벤 다이어그램과 같다. 다음 중 참인 명제는?

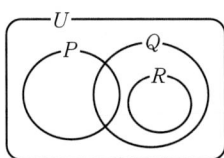

① $q \longrightarrow r$ ② $p \longrightarrow \sim r$ ③ $(p$이고 $q) \longrightarrow r$

④ $(p$ 또는 $r) \longrightarrow q$ ⑤ $\sim q \longrightarrow p$

080

세 조건 p, q, r의 진리집합을 각각 P, Q, R라 할 때, 세 집합 P, Q, R가 $P \cup Q = P$, $Q \cap R = R$를 만족한다. 다음 중 반드시 참인 명제가 <u>아닌</u> 것은?

① $q \longrightarrow p$ ② $r \longrightarrow p$ ③ $r \longrightarrow q$

④ $\sim p \longrightarrow \sim r$ ⑤ $\sim r \longrightarrow \sim p$

081

명제 '모든 학생은 안경을 쓰고 있다.'의 부정은?

① 모든 학생은 안경을 쓰고 있지 않다.

② 안경을 쓰고 있는 학생은 없다.

③ 안경을 쓰고 있지 않은 학생은 없다.

④ 어떤 학생은 안경을 쓰고 있다.

⑤ 어떤 학생은 안경을 쓰고 있지 않다.

082

명제 '어떤 x에 대하여 $2 \leq x < 3$이다.'의 부정은?

① 모든 x에 대하여 $x \leq 2$ 또는 $x \geq 3$이다.

② 모든 x에 대하여 $x < 2$ 또는 $x \geq 3$이다.

③ 어떤 x에 대하여 $x < 2$ 또는 $x \geq 3$이다.

④ 어떤 x에 대하여 $x \leq 2$이고 $x \geq 3$이다.

⑤ 모든 x에 대하여 $2 \leq x \leq 3$이다.

083

전체집합 U에서의 조건 p에 대하여 명제 '모든 x에 대하여 p이다.' 가 거짓일 때, 다음 중 참인 명제는?

① 모든 x에 대하여 $\sim p$이다.
② 어떤 x에 대하여 $\sim p$이다.
③ p를 만족하는 x는 없다.
④ p를 만족하는 x는 있다.
⑤ 전체집합 U의 원소 x는 p를 만족하지 않는다.

084

전체집합 $U=\{1, 2, 3, 4, 5\}$이고, $x \in U$, $y \in U$일 때, 다음 중 참이 <u>아닌</u> 것은?

① 모든 x에 대하여 $x+3<9$이다.
② 어떤 x에 대하여 $x^2=9$이다.
③ 어떤 x에 대하여 $x^2-4>0$이다.
④ 모든 x, y에 대하여 $x^2+y^2<52$이다.
⑤ 어떤 x, y에 대하여 $x^2+y^2<2$이다.

085

x, y가 실수일 때, 다음 중 참인 명제는? (정답 2개)

① 어떤 x와 모든 y에 대하여 $x^2+y^2>0$이다.
② 모든 x와 모든 y에 대하여 $x^2+y^2>0$이다.
③ 어떤 x와 모든 y에 대하여 $x^2<y^2+1$이다.
④ 모든 x와 어떤 y에 대하여 $x^2 \geq y^2+1$이다.
⑤ 모든 x와 어떤 y에 대하여 $x^2 \leq y^2+1$이다.

유형 09 명제의 역과 대우

(1) 명제가 참이면 그 대우도 참이다.
(2) 명제가 참인 경우 역이 반드시 참인 것은 아니다.

086

다음은 명제 '$x<\sqrt{2}$이면 $x^2<2$이다.' 의 역과 대우이다.

> 역 : $x^2 \square 2$이면 $x<\sqrt{2}$이다.
>
> 대우 : $x^2 \square 2$이면 $x \geq \sqrt{2}$이다.

이때, 위의 $\square$ 안에 알맞은 부등호를 차례대로 적은 것은?

① $>$, $<$ ② $>$, $\leq$ ③ $<$, $\leq$
④ $<$, $\geq$ ⑤ $>$, $>$

087

다음 명제의 역이 참인 것은? (단, x, a, b, c는 실수이다.)

① $x \leq 3$이면 $3x<9$이다.
② 세 변의 길이가 a, b, c인 삼각형에서 $a^2+b^2=c^2$이면 직각삼각형이다.
③ 두 삼각형이 합동이면 넓이가 같다.
④ $x+2=5$이면 $x<4$이다.
⑤ $x>0$이면 $x^2>0$이다.

088

명제 '정사면체는 네 개의 면이 모두 정삼각형이다.' 의 대우를 바르게 나타낸 것은?

① 정사면체는 네 개의 면이 모두 정삼각형이 아니다.
② 네 개의 면이 모두 정삼각형이 아니면 정사면체가 아니다.
③ 정사면체가 아니면 네 개의 면은 모두 정삼각형이 아니다.
④ 정사면체가 아니면 네 개의 면 중 정삼각형이 아닌 면이 있다.
⑤ 네 개의 면 중 정삼각형이 아닌 면이 있으면 정사면체가 아니다.

089

명제 $\sim p \longrightarrow q$가 참일 때, 다음 중 반드시 참인 명제는?

① $q \longrightarrow p$ ② $\sim p \longrightarrow \sim q$ ③ $q \longrightarrow \sim p$

④ $\sim q \longrightarrow \sim p$ ⑤ $\sim q \longrightarrow p$

090

다음 명제의 대우가 거짓인 것은? (단, x, a, b는 실수이다.)

① $x > 2$이면 $x^2 \geq 4$이다.

② x가 8의 약수이면 x는 16의 약수이다.

③ $a > b$이면 $a^2 > b^2$이다.

④ $x = 3$이면 $x^2 = 9$이다.

⑤ 12와 18의 최대공약수는 짝수이다.

⭐중요 091

명제 '실수 x에 대하여 $x^2 + ax - 2 \neq 0$이면 $x \neq 1$이다.' 가 참일 때, 상수 a의 값을 구하여라.

유형 10 삼단논법

세 조건 p, q, r에 대하여
'$p \Longrightarrow q$이고 $q \Longrightarrow r$'이면 '$p \Longrightarrow r$'
이다. 즉, 세 조건 p, q, r의 진리집합을 각각 P, Q, R라 할 때,
'$P \subset Q$이고 $Q \subset R$'이면 '$P \subset R$'이다.

참고 주어진 명제를 이용하여 논리적 참, 거짓을 확인하는 문제는 주어진 명제의 '대우', '삼단논법' 등을 이용하여 해결한다.

⭐중요 092

세 조건 p, q, r에 대하여 두 명제 $p \longrightarrow \sim q$와 $\sim q \longrightarrow r$가 모두 참일 때, 다음 중 항상 참인 명제는?

① $p \longrightarrow q$ ② $p \longrightarrow r$ ③ $q \longrightarrow r$

④ $q \longrightarrow p$ ⑤ $r \longrightarrow p$

093

명제 $\sim q \longrightarrow \sim p$와 $q \longrightarrow \sim r$가 참일 때, 다음 명제 중 반드시 참이라고 할 수 <u>없는</u> 것은?

① $p \longrightarrow \sim r$ ② $r \longrightarrow \sim q$ ③ $p \longrightarrow q$

④ $\sim p \longrightarrow r$ ⑤ $r \longrightarrow \sim p$

094

세 조건 p, q, r의 공집합이 아닌 진리집합을 각각 P, Q, R라 하면

$$P \cap Q = P, \quad Q \cap R = \varnothing, \quad P \cup Q \cup R \neq U$$

가 성립한다. 다음 명제 중 반드시 참이라고 할 수 <u>없는</u> 것은?

① $p \longrightarrow q$ ② $\sim q \longrightarrow r$ ③ $p \longrightarrow \sim r$

④ $r \longrightarrow \sim q$ ⑤ $r \longrightarrow \sim p$

095

전체집합 U에서 세 조건 p, q, r의 진리집합을 각각 P, Q, R라 하고, 두 명제 $p \longrightarrow q$, $r \longrightarrow \sim q$가 모두 참일 때, 〈보기〉에서 옳은 것을 모두 골라라.

┤ 보기 ├

ㄱ. $P-Q=\varnothing$　　　ㄴ. $P \cap R^C = P$　　　ㄷ. $(P \cap R)^C = Q$

096

다음 세 명제가 모두 참일 때, 바르게 유도된 결론은?

(개) A이면 B이다.
(내) A가 아니면 C이다.
(대) D가 아니면 C가 아니다.

① B가 아니면 D이다.　　　② C이면 B가 아니다.
③ D이면 B가 아니다.　　　④ C이면 B이다.
⑤ B이면 D이다.

097

A, B, C 세 학생은 독서실에 갈 때, 다음 규칙을 반드시 지킨다고 할 때, 옳은 추론은?

(개) A가 독서실에 가면 B도 독서실에 간다.
(내) A가 독서실에 가지 않으면 C가 독서실에 간다.

① A가 독서실에 가야만 B도 독서실에 간다.
② C가 독서실에 가면 B는 독서실에 가지 않는다.
③ B가 독서실에 가지 않으면 C가 독서실에 간다.
④ A가 독서실에 가면 C가 독서실에 가지 않는다.
⑤ A가 독서실에 가지 않으면 B도 독서실에 가지 않는다.

명제 $p \longrightarrow q$가 참일 때, 즉 $p \Longrightarrow q$일 때
(1) p는 q이기 위한 충분조건이다.
(2) q는 p이기 위한 필요조건이다.

098

x, y가 실수일 때, 다음 중 조건 p는 조건 q이기 위한 필요조건이지만 충분조건은 <u>아닌</u> 것은?

① $p : x \geq 1$이고 $y \geq 1$　　　$q : xy \geq 1$
② $p : x^2 = xy$　　　$q : x = y$
③ $p : x, y$는 유리수　　　$q : xy$는 유리수
④ $p : x^2 + y^2 = 0$　　　$q : x = 0$이고 $y = 0$
⑤ $p : x = y$　　　$q : x^2 = y^2$

099

x, y가 실수일 때, 조건 p는 조건 q이기 위한 충분조건이지만 필요조건이 <u>아닌</u> 것을 〈보기〉에서 있는 대로 고른 것은?

┤ 보기 ├

ㄱ. $p : x > 0$ 또는 $y > 0$　　　$q : x + y > 0$
ㄴ. △ABC에 대하여
　　$p : \angle A = 90°$　　　$q : $△ABC는 직각삼각형
ㄷ. $p : 0 < x \leq 2$　　　$q : 0 < x \leq \sqrt{2}$

① ㄱ　　　② ㄴ　　　③ ㄷ
④ ㄱ, ㄴ　　　⑤ ㄴ, ㄷ

100

실수 x에 대하여 두 조건
$$p : x - a \neq 0, \quad q : x^2 + 2x - 3 \neq 0$$
에서 p는 q이기 위한 필요조건일 때, 모든 실수 a의 값의 합을 구하여라.

101

실수 x에 대하여 두 조건

$$p : -1 < x < 1, \quad q : x \geq 2 \text{ 또는 } x \leq a$$

에서 p는 $\sim q$이기 위한 충분조건일 때, 실수 a의 값의 범위는?

① $a > 2$　　　　② $1 < a \leq 2$　　　③ $0 < a < 1$

④ $-1 \leq a < 0$　　⑤ $a \leq -1$

중요
102

실수 x에 대하여 두 조건 p, q는

$$p : 1 < x < 3, \quad q : -1 \leq x - a \leq 2$$

이다. 이때, p는 q이기 위한 충분조건이 되도록 하는 정수 a의 개수를 구하여라.

103

$-2 \leq x \leq 4$이기 위한 충분조건이 $|x| \leq a$이고, 필요조건이 $|x| \leq b$일 때, a의 최댓값과 b의 최솟값의 합을 구하여라.

(단, a, b는 양수이다.)

유형 12 필요충분조건

명제 $p \longrightarrow q$와 그 역 $q \longrightarrow p$가 모두 참일 때, 즉 $p \Longrightarrow q$이고 $q \Longrightarrow p$일 때, 이것을 기호로 $p \Longleftrightarrow q$와 같이 나타내고 p는 q이기 위한 필요충분조건이라고 한다.

104

두 실수 x, y에 대하여 ㈎, ㈏에 알맞은 것은?

Ⅰ. $x \geq 0$이고 $y \geq 0$는 $xy \geq 0$이기 위한 ㈎ 조건이다.

Ⅱ. $x^2 + y^2 = 0$은 $|x| + |y| = 0$이기 위한 ㈏ 조건이다.

	㈎	㈏		㈎	㈏
①	충분	필요	②	충분	필요충분
③	필요	충분	④	필요	필요충분
⑤	필요충분	필요			

105

$a = 0$, $b = 0$이기 위한 필요충분조건인 것을 〈보기〉에서 있는 대로 고른 것은? (단, a, b는 실수이고, $i = \sqrt{-1}$이다.)

┤ 보 기 ├

ㄱ. $a + b + abi = 0$　　　　ㄴ. $a + b\sqrt{2} = 0$

ㄷ. $a^2 + ab + b^2 = 0$　　　ㄹ. $|a| + |b| = 0$

① ㄱ, ㄹ　　　　② ㄱ, ㄴ, ㄷ　　　③ ㄱ, ㄴ, ㄹ

④ ㄱ, ㄷ, ㄹ　　　⑤ ㄴ, ㄷ, ㄹ

중요
106

양의 실수 a와 b에 대하여 두 집합 A, B가

$$A = \{x \mid (x-a)(x+a) \leq 0\},$$
$$B = \{x \mid |x-1| \leq b\}$$

이다. 이때, $A \cap B = \varnothing$이기 위한 필요충분조건은?

① $a - b < 1$　　　② $a - b > 1$　　　③ $a + b = 1$

④ $a + b < 1$　　　⑤ $a + b > 1$

유형 문제

유형 **13** 필요, 충분, 필요충분조건과 진리집합

두 조건 p, q의 진리집합을 각각 P, Q라 할 때,

(1) p는 q이기 위한 충분조건

　$p \Longrightarrow q$이면 $P \subset Q$

(2) p는 q이기 위한 필요조건

　$q \Longrightarrow p$이면 $Q \subset P$

(3) p는 q이기 위한 필요충분조건

　$p \Longleftrightarrow q$이면 $P = Q$

107

두 조건 p, q의 진리집합을 각각 P, Q라 할 때, $P \subset Q$가 성립한다. 다음 중 옳은 것은? (정답 2개)

① p는 q이기 위한 필요조건이다.
② p는 q이기 위한 충분조건이다.
③ q는 p이기 위한 필요조건이다.
④ q는 p이기 위한 충분조건이다.
⑤ p는 q이기 위한 필요충분조건이다.

108

전체집합 U에 대하여 세 조건 p, q, r의 진리집합을 각각 P, Q, R라 할 때, P, Q, R 사이의 관계가 벤 다이어그램과 같다. 다음 중 옳은 것은?

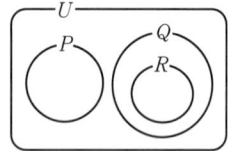

① p는 q이기 위한 충분조건이다.
② r는 $\sim p$이기 위한 필요조건이다.
③ q는 $\sim r$이기 위한 필요조건이다.
④ q는 $\sim p$이기 위한 충분조건이다.
⑤ r는 q이기 위한 필요충분조건이다.

중요 109

두 조건 p, q의 진리집합을 각각 P, Q라 하고, p가 $\sim q$이기 위한 충분조건일 때, 두 집합 P, Q 사이의 관계로 옳은 것은?
(단, U는 전체집합이다.)

① $P \cup Q^C = U$ 　② $P \cap Q^C = Q^C$ 　③ $P^C \cap Q^C = \varnothing$
④ $P^C \cup Q = Q$ 　⑤ $P \cap Q = \varnothing$

110

세 조건 p, q, r의 진리집합을 각각 P, Q, R라 하자. p는 $\sim q$이기 위한 충분조건, $\sim r$는 $\sim q$이기 위한 필요조건일 때, 다음 중 항상 옳은 것은?

① $P \subset R$ 　②$(P^C \cup Q) \subset R$ 　③$Q^C \subset R$
④ $P \cap R = \varnothing$ 　⑤$(P \cup R) \subset Q^C$

111

전체집합 U에 대하여 두 조건 p, q의 진리집합을 각각 P, Q라 할 때, $(P-Q) \cup Q = P$가 성립한다. 이때, 다음 중 옳은 것은?
(단, $P \neq Q$)

① p는 q이기 위한 필요조건이다.
② q는 p이기 위한 필요조건이다.
③ p는 q이기 위한 충분조건이다.
④ q는 p이기 위한 필요충분조건이다.
⑤ p는 q이기 위한 아무 조건도 아니다.

112

네 조건 p, q, r, s의 진리집합을 각각 P, Q, R, S라 할 때, 다음 네 집합의 포함 관계

　　$P \subset R$, 　$R \subset Q$, 　$Q \subset S$, 　$S \subset R$

가 동시에 성립한다. 다음 ㈎, ㈏에 알맞은 단어를 차례대로 나열한 것은?

p는 q이기 위한 　㈎ 　조건이고, r는 s이기 위한 　㈏ 　조건이다.

① 필요, 충분 　　　　② 충분, 필요
③ 필요, 필요충분 　　④ 충분, 필요충분
⑤ 필요충분, 필요충분

113
조건 '$p : x^2 - 5x + 6 = 0$'에 대하여 p의 진리집합을 P라 할 때, 다음 중 옳은 것은?

① $P = \varnothing$　　　　　　② $P = \{3\}$
③ $\{2\} \subset P$　　　　　　④ $P \subset \{-1, 1, 3\}$
⑤ $P = \{x \mid x$는 실수$\}$

114
명제 '$-2 \le x \le a$이면 $x \le 2$이다.'가 참이 되도록 하는 실수 a의 값의 범위는?

① $a > 2$　　　　② $a \ge 2$　　　　③ $-2 < a < 2$
④ $-2 \le a \le 2$　　　⑤ $a \le -2$

115
전체집합 U에 대하여 두 조건 p, q의 진리집합을 각각 P, Q라 히지. 명제 $p \longrightarrow \sim q$가 참일 때, 다음 중 옳은 것은?

① $P \subset Q$　　　　② $Q \subset P$　　　　③ $Q^C \subset P$
④ $P - Q = P$　　　　⑤ $P \cap Q^C = U$

116
명제 '$0 < x < 1$인 모든 실수 x에 대하여 $-1 < x - a < 1$이다.'가 참이 되기 위한 실수 a의 값의 범위를 구하여라.

117
다음 중 역은 참이고 대우는 거짓인 명제는? (단, x, y는 실수이다.)

① 정사각형은 직사각형이다.
② 10의 배수는 5의 배수이다.
③ $x > 1$이고 $y > 1$이면 $x + y > 2$이다.
④ $x \ne 0$이고 $y \ne 0$이면 $x + y \ne 0$이다.
⑤ $xy > 0$이면 $x > 0$이고 $y > 0$이다.

118
전체집합 U에서 세 조건 p, q, r의 진리집합을 각각 P, Q, R라 하고, 두 명제 $\sim q \longrightarrow \sim p$, $r \longrightarrow \sim q$가 모두 참일 때, 다음 중 옳지 <u>않은</u> 것은?

① $P \subset Q$　　　　② $P \subset R$　　　　③ $P \subset R^C$
④ $Q \subset R^C$　　　⑤ $R \subset P^C$

119

네 조건 p, q, r, s에 대하여

$$\sim q \longrightarrow \sim p, \quad r \longrightarrow \sim q, \quad \sim s \longrightarrow r$$

가 모두 참일 때, 다음 명제 중 반드시 참인 것은?

① $p \longrightarrow s$ ② $p \longrightarrow \sim s$ ③ $s \longrightarrow p$

④ $s \longrightarrow \sim r$ ⑤ $q \longrightarrow p$

120

조건 p는 조건 q이기 위한 필요충분조건인 것만을 〈보기〉에서 있는 대로 고른 것은? (단, x, y, z는 0이 아닌 실수이다.)

┤ 보기 ├

ㄱ. $p : x+y=xy$ $q : \dfrac{1}{x}+\dfrac{1}{y}=1$

ㄴ. $p : 0<x<y$ $q : 0<\dfrac{1}{y}<\dfrac{1}{x}$

ㄷ. $p : (x-y)(y-z)(z-x)=0$ $q : x=y=z$

① ㄱ   ② ㄷ   ③ ㄱ, ㄴ

④ ㄴ, ㄷ   ⑤ ㄱ, ㄴ, ㄷ

121

두 조건 p, q의 진리집합을 각각

$$P=\{x \mid x \geq a\},$$
$$Q=\{x \mid -1 \leq x \leq 2, \ x \geq 4\}$$

라고 하고, p는 q이기 위한 필요조건일 때, 상수 a의 최댓값을 구하여라.

1등급 문제

122

실수 x에 대하여 네 조건 p, q, r, s가

$$p : x \leq a, \quad q : x \leq -3, \quad r : x \geq 5, \quad s : x \geq b$$

일 때, p는 q이기 위한 충분조건이고, r는 s이기 위한 필요조건이다. a의 최댓값을 M, b의 최솟값을 N이라 할 때, $M+N$의 값을 구하여라.

123

두 조건 a, b에 대하여 $\langle a, b \rangle$를

$$\langle a, b \rangle = \begin{cases} 1 & (a\text{가 } b\text{이기 위한 충분조건이지만 필요} \\ & \text{조건이 아닐 때}) \\ 0 & (a\text{가 } b\text{이기 위한 필요충분조건일 때}) \\ -1 & (a\text{가 } b\text{이기 위한 필요조건이지만 충분} \\ & \text{조건이 아닐 때}) \end{cases}$$

로 정의한다. 세 집합 A, B, X에 대하여 조건 p, q, r가 다음과 같을 때, $\langle p, q \rangle - 2\langle q, r \rangle - 3\langle r, p \rangle$의 값을 구하여라.

$p : X \subset (A \cap B)$

$q : X \subset (A \cup B)$

$r : X \subset A$ 또는 $X \subset B$

07 명제의 증명

07 명제의 증명

1 정의와 정리

(1) **정의** : (수학에 나오는) 어떤 용어의 뜻을 명확하게 정한 문장

(2) **증명** : 어떤 명제가 참임을 밝히는 것

(3) **정리** : (수학적으로) 증명된 명제 중에서 여러 성질들을 증명할 때 기본이 되는 명제

개념 플러스

2 대우를 이용한 증명

명제 $p \longrightarrow q$가 참임을 증명할 때, 그 명제의 대우 $\sim q \longrightarrow \sim p$가 참임을 보여도 된다.

$\sim q \longrightarrow \sim p$: 참 ➡ $p \longrightarrow q$: 참

◀ 명제 $p \longrightarrow q$가 참이면 그 대우 $\sim q \longrightarrow \sim p$도 참이다. 역으로 대우 $\sim q \longrightarrow \sim p$가 참이면 처음의 명제 $p \longrightarrow q$도 참이다. 따라서 어떤 명제를 증명할 때에는 그 대우를 증명해도 된다.

3 귀류법

명제 p가 참임을 증명할 때, 명제의 부정 $\sim p$가 거짓임을 보여도 된다.

$\sim p$: 거짓 ➡ p : 참

4 절대부등식

(1) **부등식의 성질**

임의의 세 실수 a, b, c에 대하여

① $a > b$, $b > c$이면 $a > c$

② $a > b$이면 $a + c > b + c$, $a - c > b - c$

③ $a > b$, $c > 0$이면 $ac > bc$, $\dfrac{a}{c} > \dfrac{b}{c}$

④ $a > b$, $c < 0$이면 $ac < bc$, $\dfrac{a}{c} < \dfrac{b}{c}$

(2) **절대부등식**

① 절대부등식 : 문자를 포함한 부등식에서 그 문자에 어떤 실수를 대입하여도 항상 성립하는 부등식

② 조건부등식 : 미지수가 어떤 특정한 범위의 실수값을 가질 때에만 성립하는 부등식

(3) **산술평균과 기하평균**

$a > 0$, $b > 0$일 때,

$\dfrac{a+b}{2} \geq \sqrt{ab}$ (단, 등호는 $a = b$일 때 성립)

◀ 실수 a, b, c에 대하여

(1) $a^2 + 2ab + b^2 \geq 0$
(단, 등호는 $a + b = 0$일 때 성립)

(2) $a^2 - 2ab + b^2 \geq 0$
(단, 등호는 $a - b = 0$일 때 성립)

(3) $a^2 + b^2 + c^2 - ab - bc - ca \geq 0$
(단, 등호는 $a = b = c$일 때 성립)

(4) $|a| + |b| \geq |a + b|$,
$|a| - |b| \leq |a - b|$

◀ 등호가 포함된 절대부등식을 증명할 때에는 특별한 말이 없더라도 등호가 성립하는 조건을 찾는다.

기본 문제

1 정의와 정리

[001-004] 다음 명제를 '정의'와 '정리'로 구별하여라.

001 다각형의 외각의 크기의 합은 360°이다. (   )

002 0°보다 크고 90°보다 작은 각을 예각이라고 한다.

(   )

003 두 직선이 한 점에서 만날 때, 맞꼭지각의 크기는 서로 같다. (   )

004 직각삼각형은 한 내각의 크기가 직각인 삼각형이다.

(   )

2 증명

[005-006] 다음 명제를 증명하는 과정이다. ▢ 안에 알맞은 것을 써넣어라.

005 다음은 명제 '정삼각형 ABC의 세 내각의 크기는 같다.' 를 증명하는 과정이다.

┤증명├

$\overline{BC}$의 중점을 M이라 하고
$\overline{AM}$을 그으면
$\overline{AB}=\overline{AC}$, $\overline{BM}=\overline{CM}$, $\overline{AM}$은
공통이므로
$\triangle ABM \equiv \triangle ACM$ (SSS 합동)
따라서 $\overline{AB}=\overline{AC}$이면
$\angle B=$▢ ······ ㉠
마찬가지로 $\overline{BC}=$▢이면
$\angle B=$▢ ······ ㉡
㉠, ㉡에서 $\angle A = \angle B = \angle C$이다.

006 다음은 명제 '$\overline{AB} /\!/ \overline{CD}$, $\overline{AB}=\overline{CD}$일 때, $\overline{AM}=\overline{CM}$, $\overline{BM}=\overline{DM}$이다.'를 증명하는 과정이다.

┤증명├

$\triangle ABM$과 $\triangle CDM$에서
$\overline{AB} /\!/ \overline{CD}$이므로
$\angle MAB=$▢ (∵ 엇각)
······ ㉠
$\angle MBA = \angle MDC$ (∵ 엇각)
······ ㉡
가정에 의하여 ▢ ······ ㉢
㉠, ㉡, ㉢에 의해
$\triangle ABM \equiv \triangle CDM$ (ASA 합동)
∴ $\overline{AM}=$▢, $\overline{BM}=\overline{DM}$

[007-009] 대우를 이용하는 증명법으로 다음 명제가 참임을 증명할 때, 주어진 명제 대신 증명하는 명제를 써라.

007 a가 6의 배수이면 a는 3의 배수이다.

008 $a+b$가 자연수가 아니면 a 또는 b는 자연수가 아니다.

009 자연수 n에 대하여 n^2이 짝수이면 n도 짝수이다.

[010-011] 다음 명제를 증명하는 과정이다. ☐ 안에 알맞은 것을 써넣어라.

010 다음은 명제 'mn이 홀수이면 m과 n도 홀수이다.'가 참임을 그 대우를 이용하여 증명하는 과정이다.

┤ 증명 ├

명제의 ☐가 'm 또는 n이 짝수이면 mn이 짝수이다.'이므로

$m=2a$, $n=2b+1$ (a는 자연수, b는 0 또는 자연수)로 놓으면

$mn=2a(2b+1)=2(2ab+a)$

즉, mn은 ☐이다.

따라서 명제 'mn이 홀수이면 m과 n도 홀수이다.'는 ☐이다.

011 다음은 명제 '$\sqrt{5}$는 무리수이다.'가 참임을 귀류법을 이용하여 증명하는 과정이다.

┤ 증명 ├

$\sqrt{5}$가 유리수라고 ☐하면

$\sqrt{5}=\dfrac{n}{m}$ ($m\neq0$이고 m, n은 서로소인 정수)인 m, n이 존재한다.

$\sqrt{5}=\dfrac{n}{m}$의 양변을 ☐하면

$5=\dfrac{n^2}{m^2}$ ∴ $n^2=5m^2$ ……㉠

따라서 n^2이 5의 배수이므로 n도 5의 배수이다.

$n=5k$ (k는 정수)로 놓고 ㉠에 대입하면

$(5k)^2=5m^2$ ∴ $m^2=5k^2$

m^2이 5의 ☐이므로 m도 5의 배수이다.

따라서 m, n이 ☐라는 ☐에 모순이므로 $\sqrt{5}$는 유리수가 아니다. 즉, $\sqrt{5}$는 무리수이다.

3 부등식의 기본 성질

012 임의의 세 실수 a, b, c에 대하여 $a>b$, $c>0$일 때, 〈보기〉에서 옳은 것만을 있는 대로 골라라.

┤ 보기 ├

ㄱ. $a+c>b+c$ ㄴ. $a-c<b-c$

ㄷ. $ac>bc$ ㄹ. $\dfrac{a}{c}>\dfrac{b}{c}$

ㅁ. $ac<bc$ ㅂ. $\dfrac{a}{c}<\dfrac{b}{c}$

4 기본적인 절대부등식

013 다음은 a, b가 실수일 때, $(a+b)^2\geq4ab$임을 증명하는 과정이다. ☐ 안에 알맞은 것을 써넣어라.

┤ 증명 ├

$(a+b)^2-4ab=a^2-2ab+b^2=(a-b)^2\;\boxed{}\;0$

∴ $(a+b)^2\;\boxed{}\;4ab$ (단, 등호는 ☐일 때 성립)

014 절대부등식인 것을 〈보기〉에서 있는 대로 골라라.
(단, a, b, c는 실수이다.)

┤ 보기 ├

ㄱ. $a^2\geq0$ ㄴ. $|a|\geq0$

ㄷ. $a+5>0$ ㄹ. $a^2+2ab+b^2>0$

ㅁ. $(a-b)^2\geq0$ ㅂ. $|a+b|\geq0$

ㅅ. $|a-2|\geq0$ ㅇ. $a^2-3<a^2$

ㅈ. $(a-b)^2+(b-c)^2+(c-a)^2\geq0$

5   산술평균과 기하평균의 관계

[015-016] $a>0$일 때, 다음 식의 최솟값을 구하여라.

015 $a+\dfrac{1}{a}$

016 $2a+\dfrac{8}{a}$

[017-019] $a>0,\ b>0$일 때, 다음 식의 최솟값을 구하여라.

017 $\dfrac{b}{a}+\dfrac{a}{b}$

018 $4a+\dfrac{1}{2a}+3$

019 $\left(a+\dfrac{1}{b}\right)\left(b+\dfrac{4}{a}\right)$

[020-021] 두 양수 $a,\ b$에 대하여 $ab=16$일 때, 나음의 최솟값을 구하여라.

020 $a+b$

021 $2a+2b$

6   항상 성립하는 절대부등식

022   6개의 함수 $f_1(x),\ f_2(x),\ \cdots,\ f_6(x)$의 그래프가 다음 과 같다.

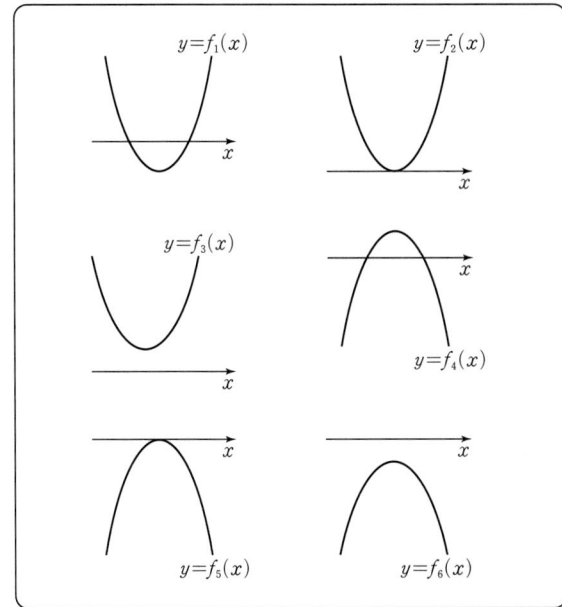

절대부등식인 것을 〈보기〉에서 있는 대로 골라라.

┤ **보기** ├

ㄱ. $f_1(x)>0$ ㄴ. $f_2(x)\geq0$
ㄷ. $f_3(x)>0$ ㄹ. $f_4(x)<0$
ㅁ. $f_5(x)\geq0$ ㅂ. $f_6(x)<0$

023   절대부등식인 것을 〈보기〉에서 있는 대로 골라라.

┤ **보기** ├

ㄱ. $x^2+x+1>0$ ㄴ. $-a^2+1>2a$
ㄷ. $x^2+2x+3>0$ ㄹ. $-x^2+3x-5<0$
ㅁ. $4a^2+3a+5>0$ ㅂ. $x^2-6x+10>0$
ㅅ. $-x^2+2x+5>0$ ㅇ. $x^2+4x>-4$

유형 01 정의, 정리, 증명

(1) 정의 : 어떤 용어의 뜻을 명확하게 정한 문장
(2) 정리 : 증명된 명제 중에서 여러 성질들을 증명할 때 기본이 되는 명제

024

다음 중 용어의 정의가 옳지 <u>않은</u> 것은?

① 빗변 : 직각삼각형에서 직각의 대변
② 예각삼각형 : 한 내각의 크기가 예각인 삼각형
③ 평행사변형 : 두 쌍의 대변이 각각 평행한 사각형
④ 직사각형 : 네 내각의 크기가 같은 사각형
⑤ 원 : 평면에서 한 점으로부터 일정한 거리에 있는 점들의 모임

025

다음 중 '정리'가 <u>아닌</u> 것은?

① 삼각형의 세 내각의 크기의 합은 $180°$이다.
② 정삼각형의 한 내각의 크기는 $60°$이다.
③ 이등변삼각형의 두 밑각의 크기는 같다.
④ 부채꼴의 호의 길이와 중심각의 크기는 정비례한다.
⑤ 모양과 크기가 똑같아서 완전히 포개어지는 두 도형은 합동이다.

026

다음은 '두 직선이 한 점에서 만날 때 생기는 맞꼭지각의 크기는 서로 같다.'에 대한 증명 과정이다.

┤ 증명 ├

$\angle a$와 ⟨가⟩ 는 서로 맞꼭지각이다.

이때, $\angle a + \angle b =$ ⟨나⟩ ,

$\angle b + \angle c =$ ⟨다⟩

$\therefore \angle a =$ ⟨라⟩

위의 증명에서 ⟨가⟩, ⟨나⟩, ⟨다⟩, ⟨라⟩에 알맞은 것을 순서대로 적은 것은?

① $\angle b$, $90°$, $90°$, $\angle b$
② $\angle b$, $180°$, $180°$, $\angle b$
③ $\angle c$, $90°$, $90°$, $\angle c$
④ $\angle c$, $180°$, $180°$, $\angle c$
⑤ $\angle c$, $360°$, $360°$, $\angle c$

유형 02 대우를 이용한 증명

명제 'p이면 q이다.'가 참임을 직접 증명할 수 없을 때, 명제의 대우인 '$\sim q$이면 $\sim p$이다.'가 참임을 증명한다.

027

명제 '$x+y$가 홀수이면 x 또는 y가 홀수이다.'가 참임을 증명하는 대신에 증명해도 되는 명제는?

① $x+y$가 짝수이면 x와 y도 짝수이다.
② x 또는 y가 홀수이면 $x+y$도 홀수이다.
③ x와 y가 모두 짝수이면 $x+y$도 짝수이다.
④ x와 y 중에서 적어도 하나가 짝수이면 $x+y$도 짝수이다.
⑤ $x+y$가 짝수이면 x와 y 중에서 적어도 하나가 짝수이다.

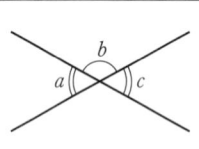

028

다음은 명제 '자연수 n에 대하여 n^2이 3의 배수이면 n이 3의 배수이다.'를 대우를 이용하여 참임을 증명한 것이다.

┤ 증명 ├

주어진 명제의 대우는
'자연수 n에 대하여 n이 3의 배수가 아니면 n^2도 3의 배수가 아니다.'
이므로 n이 3의 배수가 아니라고 가정하면 $n=3k+1$ 또는 $n=3k+2$ $(k=0, 1, 2, \cdots)$이다.

(i) $n=3k+1$일 때,
$n^2 = (3k+1)^2 = 3(3k^2+2k) +$ ⟨가⟩

(ii) $n=3k+2$일 때,
$n^2 = (3k+2)^2 = 3(3k^2+4k+1) +$ ⟨나⟩

(i), (ii)에 의하여 n^2은 3의 배수가 아니다.
따라서 주어진 명제의 대우가 참이므로 주어진 명제도 참이다.

위의 증명에서 ⟨가⟩+⟨나⟩의 값은?

① 1 ② 2 ③ 3
④ 4 ⑤ 5

029

다음은 명제 'a, b가 자연수일 때, ab가 짝수이면 a 또는 b가 짝수이다.' 를 증명한 것이다.

┤ 증명 ├

주어진 명제의 대우는

'a, b가 자연수일 때, a, b가 모두 홀수이면 ab도 홀수이다.'

이므로 여기서 a, b를

$a=2k+1$, $b=2l+1$ (k, l은 0 또는 자연수)

로 놓으면

$ab=(2k+1)(2l+1)$

$\quad=4kl+2k+2l+1$

$\quad=2(2kl+k+l)+1$

$2kl+k+l$은 0 또는 $\boxed{\text{(가)}}$ 이므로 ab는 $\boxed{\text{(나)}}$ 이다.

따라서 주어진 명제의 대우가 $\boxed{\text{(다)}}$ 이므로 주어진 명제도

$\boxed{\text{(다)}}$ 이다.

위의 증명에서 (가), (나), (다)에 알맞은 것을 순서대로 적은 것은?

① 짝수, 정수, 참
② 홀수, 짝수, 거짓
③ 홀수, 홀수, 거짓
④ 자연수, 짝수, 참
⑤ 자연수, 홀수, 참

030

다음 명제가 참임을 대우를 이용하여 증명하여라.

'두 실수 x, y에 대하여 $x+y \geq 2$이면 $(x+y)^2 \geq 4$이다.'

유형 03 귀류법

직접 증명이 어려울 때 결론을 부정하여 가정에 모순이 됨을 보인다.

031

다음은 두 자연수 a, b에 대하여 명제

'a, b가 서로소이면 a, b가 모두 짝수인 것은 아니다.' 가 참임을 증명한 것이다.

┤ 증명 ├

a와 b가 모두 $\boxed{\text{(가)}}$ 라고 가정하면

$a=2k$, $b=2l$ (k, l은 자연수)

로 나타낼 수 있다. 그러면 2는 a와 b의 $\boxed{\text{(나)}}$ 이다.

이것은 a와 b가 서로소라는 가정에 모순이다.

따라서 주어진 명제는 참이다.

위의 증명에서 (가), (나)에 알맞은 것을 순서대로 적은 것은?

① 짝수, 공배수
② 짝수, 공약수
③ 짝수, 서로소
④ 홀수, 공배수
⑤ 홀수, 공약수

032

다음은 $\sqrt{2}$ 가 무리수임을 이용하여 $5+\sqrt{2}$ 도 무리수임을 귀류법을 이용하여 증명한 것이다.

┤ 증명 ├

$5+\sqrt{2}$ 를 $\boxed{\text{(가)}}$ 라고 가정하면 $5+\sqrt{2}$ 와 -5는 $\boxed{\text{(나)}}$ 이고

$(5+\sqrt{2})+(-5)=\sqrt{2}$ 는 $\boxed{\text{(다)}}$ 이다.

그런데 이것은 $\sqrt{2}$ 가 $\boxed{\text{(라)}}$ 라는 사실에 모순이다.

따라서 $5+\sqrt{2}$ 는 $\boxed{\text{(마)}}$ 이다.

위의 증명에서 (가)~(마)에 알맞은 것을 순서대로 적은 것은?

① 무리수, 무리수, 무리수, 유리수, 유리수
② 유리수, 무리수, 무리수, 유리수, 무리수
③ 유리수, 유리수, 무리수, 무리수, 무리수
④ 유리수, 유리수, 유리수, 무리수, 무리수
⑤ 유리수, 유리수, 유리수, 유리수, 무리수

033

다음은 명제 '두 유리수 a, b에 대하여 $a+b\sqrt{2}=0$이면 $a=b=0$이다.'가 참임을 귀류법을 이용하여 증명한 것이다.

┤ 증명 ├

$b\neq0$이라고 가정하면 $a+b\sqrt{2}=0$에서

$$\sqrt{2}=-\frac{a}{b}$$

이때, $\sqrt{2}$는 ☐(가)☐ , $-\dfrac{a}{b}$는 ☐(나)☐ 이다.

즉, (무리수)=(유리수)가 되어 모순이므로 $b=0$

$b=0$을 $a+b\sqrt{2}=0$에 대입하면 $a=$ ☐(다)☐

따라서 유리수 a, b에 대하여 $a+b\sqrt{2}=0$이면 $a=b=0$이다.

위의 증명에서 (가), (나), (다)에 알맞은 것을 순서대로 적은 것은?

① 무리수, 유리수, 0
② 무리수, 유리수, 1
③ 유리수, 무리수, 0
④ 유리수, 무리수, 1
⑤ 유리수, 유리수, 0

034

다음은 명제 'n이 자연수일 때, n^2+2n이 4의 배수가 아니면 n은 2의 배수가 아니다.'가 참임을 귀류법을 이용하여 증명한 것이다.

┤ 증명 ├

n이 2의 배수라고 가정하면 $n=2k$ (k는 자연수)로 나타낼 수 있으므로

$n^2+2n=(2k)^2+2\cdot2k=4k^2+4k=4(\fbox{(가)})$ ······ ㉠

여기서 ㉠이 4의 배수이므로 n^2+2n은 4의 배수이다.

이것은 n^2+2n이 4의 배수가 아니라는 주어진 명제의 가정에 모순이다.

따라서 n은 ☐(나)☐ 가 아니다.

위의 증명에서 (가), (나)에 알맞은 것을 순서대로 적은 것은?

① k^2, 2의 배수
② k^2, 4의 배수
③ k^2+k, 2의 배수
④ k^2+k, 4의 배수
⑤ k^2+2k, 2의 배수

유형 **04** 부등식의 기본 성질

임의의 세 실수 a, b, c에 대하여

(1) $a>b$, $b>c$이면 $a>c$

(2) $a>b$이면 $a+c>b+c$, $a-c>b-c$

(3) $a>b$, $c>0$이면 $ac>bc$, $\dfrac{a}{c}>\dfrac{b}{c}$

(4) $a>b$, $c<0$이면 $ac<bc$, $\dfrac{a}{c}<\dfrac{b}{c}$

035

$a>b$일 때, 다음 중 옳지 <u>않은</u> 것은?

① $a+1>b+1$
② $a-2>b-2$
③ $\dfrac{a}{3}>\dfrac{b}{3}$
④ $-4b>-4a$
⑤ $a^2>b^2$

036 (중요)

세 실수 a, b, c에 대하여 〈보기〉에서 옳은 것만을 있는 대로 고른 것은?

┤ 보기 ├

ㄱ. $|a|\geq a$

ㄴ. $a<b$이면 $a^2<b^2$

ㄷ. $a>b$, $b>c$이면 $a>c$

ㄹ. $a<b<0$이면 $\dfrac{1}{a}<\dfrac{1}{b}$

① ㄱ
② ㄴ
③ ㄱ, ㄴ
④ ㄱ, ㄷ
⑤ ㄱ, ㄴ, ㄹ

037

$a>b$, $c\neq0$일 때, 다음 중 항상 옳은 것은?

① $a^2>b^2$ 　　② $\dfrac{1}{a}>\dfrac{1}{b}$ 　　③ $a+c>b+c$

④ $ac>bc$ 　　⑤ $\dfrac{a}{c}>\dfrac{b}{c}$

038

네 실수 a, b, c, d에 대하여 $a>b$, $c>d$일 때, 〈보기〉에서 옳은 것만을 있는 대로 고른 것은?

┤ 보기 ├

ㄱ. $a+c>b+d$ 　　ㄴ. $a-c>b-d$

ㄷ. $ac>bd$ 　　ㄹ. $\dfrac{a}{c}>\dfrac{b}{d}$

① ㄱ 　　② ㄴ 　　③ ㄹ

④ ㄱ, ㄷ 　　⑤ ㄱ, ㄷ, ㄹ

039

0이 아닌 세 실수 a, b, c에 대하여 〈보기〉에서 옳은 것만을 있는 대로 고른 것은?

┤ 보기 ├

ㄱ. $ac>bc$이면 $a>b$

ㄴ. $\dfrac{c^2}{a}>\dfrac{c^2}{b}$이면 $b>u$

ㄷ. $\dfrac{a}{c^2}>\dfrac{b}{c^2}$이면 $a>b$

① ㄱ 　　② ㄴ 　　③ ㄷ

④ ㄱ, ㄴ 　　⑤ ㄴ, ㄷ

유형 05 기본적인 절대부등식

세 실수 a, b, c에 대하여

(1) $a^2+2ab+b^2\geq0$ (단, 등호는 $a+b=0$일 때 성립한다.)

(2) $a^2-2ab+b^2\geq0$ (단, 등호는 $a-b=0$일 때 성립한다.)

(3) $a^2+b^2+c^2-ab-bc-ca\geq0$

(단, 등호는 $a=b=c$일 때 성립한다.)

(4) $|a|+|b|\geq|a+b|$, $|a|-|b|\leq|a-b|$

040

다음은 두 실수 a, b에 대하여 $a^2+ab+b^2\geq0$임을 증명한 것이다.

┤ 증명 ├

$a^2+ab+b^2=\left(a+\dfrac{b}{2}\right)^2+\boxed{\text{(가)}}$

이때, $\left(a+\dfrac{b}{2}\right)^2\geq0$, $\boxed{\text{(가)}}\geq0$이므로

$a^2+ab+b^2\geq0$이다.

단, 등호는 $\boxed{\text{(나)}}$일 때 성립한다.

위의 (가), (나)에 알맞은 것을 순서대로 적은 것은?

① $\dfrac{1}{4}b^2$, $a=b$ 　　② $\dfrac{1}{4}b^2$, $a=b=0$

③ $\dfrac{3}{4}b^2$, $a=b$ 　　④ $\dfrac{3}{4}b^2$, $a=b=0$

⑤ $\dfrac{3}{4}b^2$, $ab\geq0$

041

다음은 임의의 두 실수 a, b에 대하여 부등식 $|a+b|\leq|a|+|b|$를 증명한 것이다.

┤ 증명 ├

$(|a+b|)^2-(|a|+|b|)^2=2(\boxed{\text{(가)}})\leq0$

$\therefore (|a+b|)^2\leq(|a|+|b|)^2$

그런데 $|a+b|\boxed{\text{(나)}}0$, $|a|+|b|\boxed{\text{(다)}}0$이므로

$|a+b|\leq|a|+|b|$ (단, 등호는 $\boxed{\text{(라)}}$일 때 성립)

위의 증명에서 (가), (나), (다), (라)에 알맞은 것을 써넣어라.

042

다음 부등식 중 항상 성립하는 것을 〈보기〉에서 있는 대로 고른 것은? (단, a, b, x, y는 실수이다.)

┤ 보기 ├
ㄱ. $a^2+b^2+ab \geq 0$
ㄴ. $a^2-a+1>0$
ㄷ. $\sqrt{a+b}>\sqrt{a}+\sqrt{b}$ (단, $a>0$, $b>0$)

① ㄱ   ② ㄱ, ㄴ   ③ ㄱ, ㄷ
④ ㄴ, ㄷ   ⑤ ㄱ, ㄴ, ㄷ

043

다음은 네 실수 a, b, c, d에 대하여
$$(a^2+c^2)(b^2+d^2) \geq (ab+cd)^2$$
인 관계가 성립함을 증명한 것이다.

┤ 증명 ├
$(a^2+c^2)(b^2+d^2) = (\boxed{(가)})^2+(\boxed{(나)})^2$
이고 a, b, c, d는 실수이므로
$(\boxed{(나)})^2 \geq 0$
$\therefore (a^2+c^2)(b^2+d^2) \geq (ab+cd)^2$
이때, 등호는 $\boxed{(다)}$ 일 때 성립한다.

위의 증명에서 (가), (나), (다)에 알맞은 것을 순서대로 적은 것은?

① $ab-cd$, $ad+cd$, $ad=-bc$
② $ab+cd$, $ab-cd$, $ad=bc$
③ $ab+cd$, $ad-bc$, $ad=bc$
④ $ad-bc$, $ab+cd$, $ad=-cd$
⑤ $ad+bc$, $ad-bc$, $ad=bc$

044

모든 실수 x, y에 대하여 부등식 $x^2+4y^2 \geq kxy$가 항상 성립할 때, 실수 k의 최댓값을 구하여라.

유형 **06** 산술평균과 기하평균

$a>0$, $b>0$일 때
$$\frac{a+b}{2} \geq \sqrt{ab} \text{ (단, 등호는 } a=b \text{일 때 성립한다.)}$$

참고 (1) 두 식 A, B에 대하여 $A+B$의 값이 일정할 때, AB의 최댓값을 구할 수 있다.
(2) 두 식 A, B에 대하여 AB의 값이 일정할 때, $A+B$의 최솟값을 구할 수 있다.

045

$a>0$, $b>0$일 때, $\dfrac{3b}{a}+\dfrac{12a}{b}$의 최솟값을 구하여라.

046

$x>2$일 때, $x-2+\dfrac{16}{x-2}$의 최솟값을 구하여라.

047

$x>0$, $y>0$일 때, $x+y+\dfrac{1}{x}+\dfrac{9}{y}$의 최솟값은?

① 6   ② 7   ③ 8
④ 9   ⑤ 10

048

$a>0,\ b>0$일 때, $(a+2b)\left(\dfrac{1}{a}+\dfrac{2}{b}\right)$의 최솟값은?

① 6   ② 7   ③ 8

④ 9   ⑤ 10

049

$x>5$일 때, $x+\dfrac{9}{x-5}$는 $x=a$에서 최솟값 m을 갖는다. 이때, $a+m$의 값은?

① 7   ② 10   ③ 13

④ 16   ⑤ 19

050

$a+b=1$을 만족시키는 두 양수 $a,\ b$에 대하여 항상 $\dfrac{2}{a}+\dfrac{1}{2b}\geq k$가 성립할 때, 상수 k의 최댓값은?

① $\dfrac{5}{2}$ ② 3   ③ $\dfrac{7}{2}$

④ 4   ⑤ $\dfrac{9}{2}$

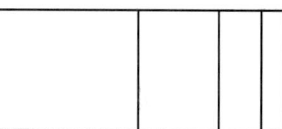

유형 07 산술평균과 기하평균의 활용

변하는 값을 각각 x, y로 놓고 주어진 값 또는 구하는 값을 $x+y$, xy로 나타내어 산술평균과 기하평균의 관계를 이용한다.

051

둘레의 길이가 80인 직사각형의 넓이의 최댓값을 구하여라.

052

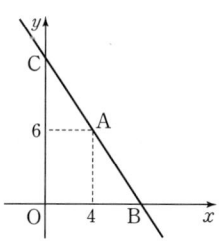

어떤 농부가 일정한 길이의 철망을 가지고 그림과 같이 네 개의 작은 직사각형으로 이루어진 가축우리를 만들려고 한다. 우리의 바깥쪽 직사각형의 가로, 세로의 길이 중 짧은 것이 70 m일 때, 우리 전체의 넓이가 최대라고 한다. 농부가 사용한 철망의 길이는?

① 600 m   ② 650 m   ③ 700 m

④ 750 m   ⑤ 800 m

053

좌표평면 위의 점 A$(4, 6)$을 지나는 직선 $\dfrac{x}{a}+\dfrac{y}{b}=1\ (a>0,\ b>0)$이 x축, y축과 만나는 점을 각각 B, C라 할 때, 삼각형 OBC의 넓이의 최솟값을 구하여라.

유형 08 항상 성립하는 이차부등식

판별식 $D=b^2-4ac$일 때
(1) $ax^2+bx+c>0$이 항상 성립 $\Rightarrow a>0, D<0$
(2) $ax^2+bx+c\geq0$이 항상 성립 $\Rightarrow a>0, D\leq0$
(3) $ax^2+bx+c<0$이 항상 성립 $\Rightarrow a<0, D<0$
(4) $ax^2+bx+c\leq0$이 항상 성립 $\Rightarrow a<0, D\leq0$

054

이차부등식 $x^2-kx+2k>0$이 모든 실수 x에 대하여 항상 성립하도록 하는 모든 정수 k의 값의 합을 구하여라.

055

두 함수 $f(x)=x^2+4$, $g(x)=2ax-3a$가 있다. 모든 실수 x에 대하여 이차부등식 $f(x)\geq g(x)$가 성립하도록 하는 정수 a의 최댓값은?

① 1   ② 2   ③ 4
④ 6   ⑤ 8

056

x에 대한 이차부등식 $ax^2+4x+a+3<0$이 절대부등식이 되도록 하는 실수 a의 값의 범위는?

① $a<-4$ ② $a\leq-4$ ③ $-4<a<4$
④ $a>-4$ ⑤ $a\geq-4$

유형 09 코시-슈바르츠의 부등식

a, b, x, y가 실수일 때,
$$(a^2+b^2)(x^2+y^2)\geq(ax+by)^2$$
$$\left(\text{단, 등호는 } \frac{x}{a}=\frac{y}{b}\text{일 때 성립한다.}\right)$$

057

네 실수 a, b, x, y에 대하여 $a^2+b^2=4$, $x^2+y^2=9$일 때, $ax+by$의 최댓값과 최솟값을 구하여라.

058

두 실수 x, y에 대하여 $x^2+y^2=5$를 만족할 때, $x+2y$의 최댓값을 M, 최솟값을 m이라고 한다. 이때, $M-m$의 값을 구하여라.

059

두 실수 a, b에 대하여 $\dfrac{a}{2}+\dfrac{b}{3}=\sqrt{13}$일 때, a^2+b^2의 최솟값은?

① 13   ② 23   ③ 26
④ 36   ⑤ 38

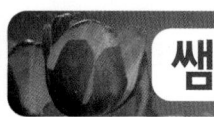 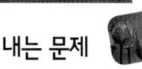
060

다음은 명제 '두 자연수 a, b에 대하여 a^2+b^2이 홀수이면 ab는 짝수이다.'를 대우를 이용하여 증명한 것이다.

┤ 증명 ├

주어진 명제의 대우는

'두 자연수 a, b에 대하여 ab가 홀수이면 a^2+b^2이 [(가)] 이다.'

ab가 홀수이면 a, b는 모두 [(나)]이므로

$a=2m+1$, $b=2n+1$ (m, n은 0 또는 자연수)로 놓으면

$a^2+b^2=(2m+1)^2+(2n+1)^2$

$\qquad = 2(2m^2+2n^2+2m+2n+1)$

이때, $2m^2+2n^2+2m+2n+1$은 자연수이므로 a^2+b^2은 [(다)]이다.

따라서 주어진 명제의 대우가 참이므로 주어진 명제도 참이다.

위의 증명에서 (가), (나), (다)에 알맞은 것을 순서대로 적은 것은?

① 홀수, 홀수, 홀수 ② 홀수, 짝수, 홀수

③ 짝수, 홀수, 홀수 ④ 짝수, 홀수, 짝수

⑤ 짝수, 짝수, 짝수

061

다음은 $\sqrt{6}$이 무리수임을 이용하여 $\sqrt{2}+\sqrt{3}$도 무리수임을 증명한 것이다.

┤ 증명 ├

$\sqrt{2}+\sqrt{3}$을 유리수라고 가정하면 어떤 유리수 r에 대하여 $\sqrt{2}+\sqrt{3}=r$이다.

이 등식의 양변을 제곱하면 $2+2\sqrt{6}+3=r^2$

$\therefore \sqrt{6}=\dfrac{r^2-5}{2}$ $\qquad$ ……㉠

이때, 유리수에 대하여 사칙연산을 한 수는 다시 유리수이므로 ㉠의 우변은 [(가)]이다.

이것은 $\sqrt{6}$이 [(나)]라는 사실에 모순이다.

따라서 $\sqrt{2}+\sqrt{3}$은 [(다)]이다.

위의 증명에서 (가), (나), (다)에 알맞은 것을 순서대로 적은 것은?

① 무리수, 유리수, 유리수

② 무리수, 유리수, 무리수

③ 유리수, 무리수, 유리수

④ 유리수, 무리수, 무리수

⑤ 유리수, 유리수, 무리수

062

네 양의 실수 a, b, c, d에 대하여 $\dfrac{a}{b}<\dfrac{c}{d}$가 성립할 때, 〈보기〉에서 옳은 것만을 있는 대로 고른 것은?

┤ 보기 ├

ㄱ. $a+d<b+c$

ㄴ. $\dfrac{a+c}{b+d}<\dfrac{c}{d}$

ㄷ. $\dfrac{c-a}{d-b}<\dfrac{c}{d}$

① ㄱ ② ㄴ ③ ㄷ

④ ㄱ, ㄴ ⑤ ㄱ, ㄷ

063

다음 부등식 중 항상 성립하는 것을 〈보기〉에서 있는 대로 고른 것은? (단, a, b, x, y는 실수이다.)

┤ 보기 ├

ㄱ. $a^2-ab+b^2 \geq 0$

ㄴ. $(a^2+b^2)(x^2+y^2) \geq (ax+by)^2$

ㄷ. $|a|+|b| \geq |a+b|$

① ㄱ ② ㄱ, ㄴ ③ ㄱ, ㄷ

④ ㄴ, ㄷ ⑤ ㄱ, ㄴ, ㄷ

064

두 양수 a, b에 대하여 〈보기〉에서 옳은 것만을 있는 대로 골라라.

┤ 보기 ├

ㄱ. $a+\dfrac{1}{a} \geq 2$

ㄴ. $b+\dfrac{4}{b} \geq 4$

ㄷ. $\dfrac{b}{2a}+\dfrac{4a}{b} \geq 8$

065

a가 양수일 때, $\left(a+\dfrac{4}{a}\right)\left(9a+\dfrac{1}{a}\right)$의 최솟값은?

① 46 ② 47 ③ 48

④ 49 ⑤ 50

066

우리 집의 벽면에 있는 2층 창문을 닦기 위해 사다리를 그림처럼 창고의 모서리와 벽면에 닿도록 놓으려 한다. 좌표는 원점으로부터 x축, y축 방향으로의 거리를 나타낸다고 할 때, 사다리와 x축, y축으로 둘러싸인 부분의 최소 넓이를 구하여라.

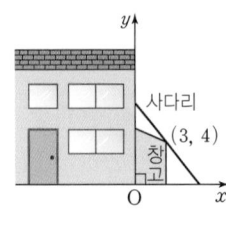

067

이차부등식 $2x^2+2ax+a+4>0$이 절대부등식이 되도록 하는 정수 a의 개수는?

① 4 ② 5 ③ 6

④ 7 ⑤ 8

068

x에 대한 부등식 $(a-1)x^2-2(a-1)x+1>0$이 항상 성립하도록 하는 실수 a의 값의 범위는?

① $1<a<2$ ② $1\le a<2$

③ $1<a\le 2$ ④ $a<1$ 또는 $a>2$

⑤ $a\le 1$ 또는 $a\ge 2$

069

네 양수 a, b, c, d에 대하여 $ac=2$, $bd=2$, $a+b=4$가 성립할 때, $c+d+2cd$의 최솟값은?

① 2 ② 3 ③ 4

④ 5 ⑤ 6

070

세 실수 a, b, x가 $a+\sqrt{2}b=3-x$, $a^2+b^2=9-x^2$을 만족시킬 때, x의 최댓값은?

① $\sqrt{5}$ ② $\sqrt{6}$ ③ $2\sqrt{2}$

④ 3 ⑤ $\sqrt{10}$

08 함수

08 함수

1. 함수

(1) 두 집합 X, Y에 대하여 X의 각 원소에 Y의 원소가 오직 하나씩 대응할 때, 이 대응 f를 X에서 Y로의 함수라 하고, 기호로 다음과 같이 나타낸다.

$$f : X \longrightarrow Y \text{ 또는 } X \xrightarrow{f} Y$$

(2) 집합 X에서 집합 Y로의 함수 f에 대하여

① X : 함수 f의 정의역

② Y : 함수 f의 공역

③ $\{f(x)|x \in X\}$: 함수 f의 치역 ← 치역 ⊂ 공역

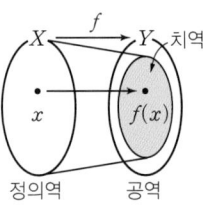

2. 함수의 그래프

함수 $f : X \longrightarrow Y$에서 정의역의 원소 x와 이에 대응하는 함숫값 $f(x)$의 순서쌍 전체의 집합 $\{(x, y)|y=f(x), x \in X\}$를 함수 f의 그래프라고 한다.

참고 함수 $y=f(x)$의 정의역과 공역의 원소가 모두 실수일 때, 함수의 그래프는 순서쌍 $(x, f(x))$를 좌표평면 위에 나타내어 그릴 수 있다.

3. 여러 가지 함수

(1) 일대일함수

함수 $f : X \longrightarrow Y$에서 X의 임의의 두 원소 x_1, x_2에 대하여

$$x_1 \neq x_2 \text{이면 } f(x_1) \neq f(x_2)$$

일 때, 함수 f를 X에서 Y로의 일대일함수라고 한다.

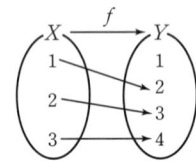

(2) 일대일대응

함수 $f : X \longrightarrow Y$에서

① 치역과 공역이 같고

② X의 임의의 두 원소 x_1, x_2에 대하여

$$x_1 \neq x_2 \text{이면 } f(x_1) \neq f(x_2)$$

일 때, 함수 f를 X에서 Y로의 일대일대응이라고 한다.

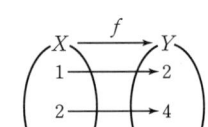

(3) 항등함수

정의역 X의 각 원소에 자기 자신이 대응하는 함수, 즉

$$f : X \longrightarrow X, f(x)=x \ (x \in X)$$

를 항등함수라고 한다.

(4) 상수함수

정의역 X의 모든 원소 x가 공역 Y의 한 원소에만 대응할 때, 즉

$$f : X \longrightarrow Y, f(x)=c \ (c \in Y, c\text{는 상수})$$

를 상수함수라고 한다.

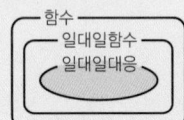

기본 문제

1 함수

[001-003] 함수 $f(x)=2x-3$에 대하여 다음 함숫값을 구하여라.

001 $f(0)$

002 $f(-3)$

003 $f\left(\dfrac{1}{2}\right)$

[004-006] 함수 $f(x)=\dfrac{4}{x}$에 대하여 다음 함숫값을 구하여라.

004 $f(1)$

005 $f(2)$

006 $f(-4)$

007 집합 X에서 Y로의 대응이 함수인 것만을 〈보기〉에서 있는 대로 골라라.

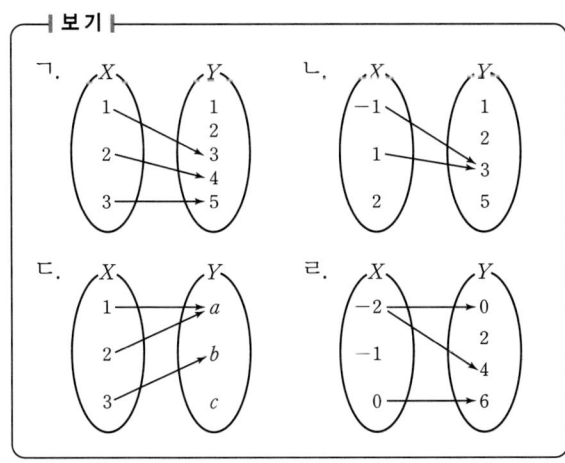

[008-011] 함수 $f:X \longrightarrow Y$가 그림과 같을 때, 다음을 구하여라.

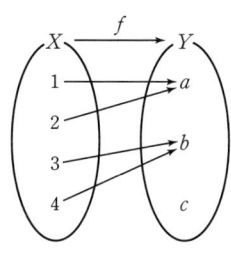

008 3에 대한 함숫값

009 정의역

010 공역

011 치역

[012-015] 정의역이 $\{-2, -1, 1, 2\}$일 때, 다음 함수 $f(x)$의 치역을 구하여라.

012 $f(x)=3x$

013 $f(x)=\dfrac{3}{x}$

014 $f(x)=x^2-2$

015 $f(x)=|x|$

[016-020] 집합 $X=\{1, 2, 3\}$에서 집합 $Y=\{3, 4, 5, 6, 7\}$
로의 함수 $f(x)=2x+1$에 대하여 다음 물음에 답하여라.

016 함수 f의 대응 관계를 나타내는
그림을 완성하여라.

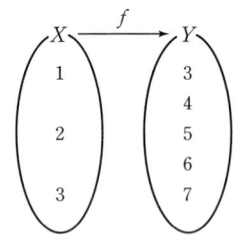

017 정의역을 구하여라.

018 공역을 구하여라.

019 $f(1)$의 값을 구하여라.

020 치역을 구하여라.

[021-023] 정의역 X가 다음과 같이 주어질 때, 함수
$f(x)=2x$의 그래프를 좌표평면 위에 나타내어라.

021 $X=\{-2,-1, 0, 1\}$

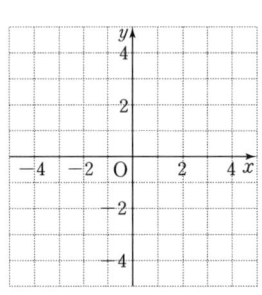

022 $X=\{x \mid -2 \leq x \leq 2\}$

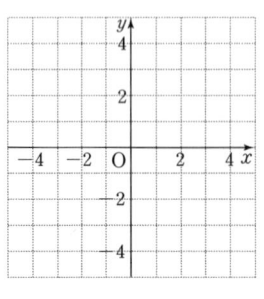

023 $X=\{x \mid x$는 모든 실수$\}$

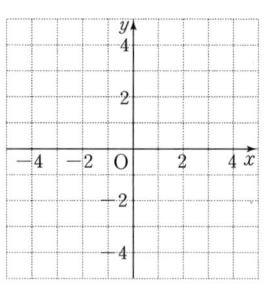

024 함수의 그래프인 것만을 〈보기〉에서 있는 대로 골라라.
(단, 정의역과 공역은 모두 실수 전체의 집합이다.)

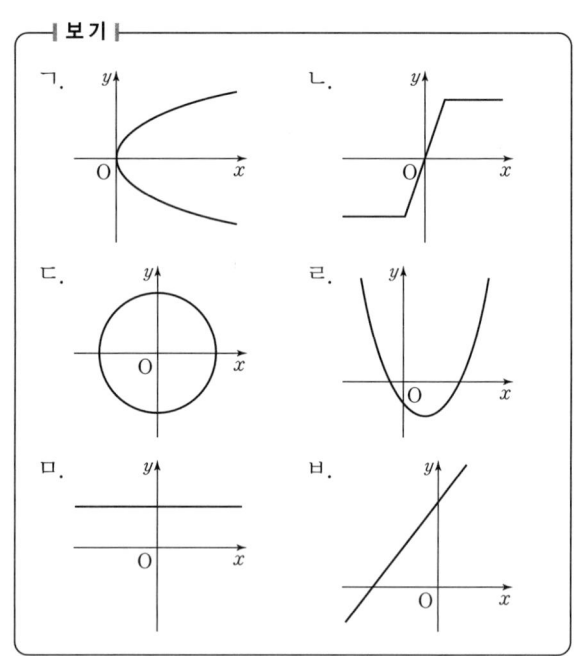

[025-026] 다음 물음에 답하여라.

025 함수 $f(x)=2x+a$에 대하여 $f(1)=3$일 때, 상수 a의
값을 구하여라.

026 함수 $f(x)=-x+a$에 대하여 $f(2)=5$일 때,
$f(-3)$의 값을 구하여라. (단, a는 상수이다.)

2 여러 가지 함수

[027-030] 함수 $f : X \longrightarrow Y$가 〈보기〉와 같을 때, 다음 물음에 답하여라.

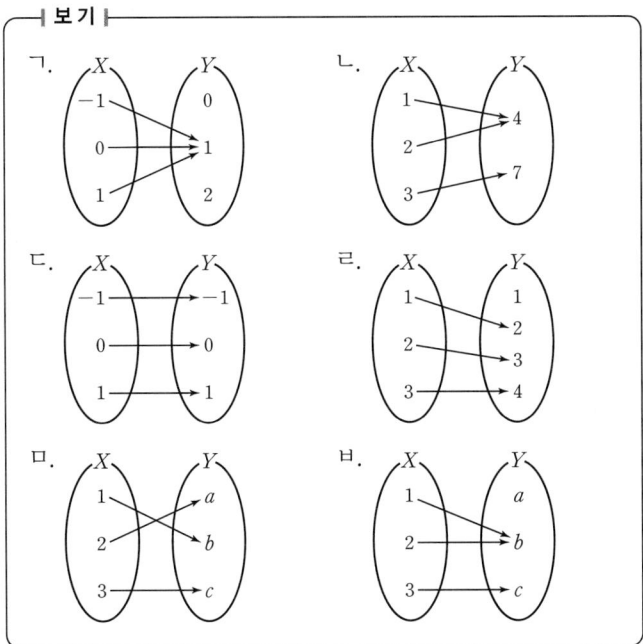

027 일대일함수를 모두 골라라.

028 일대일대응을 모두 골라라.

029 항등함수를 모두 골라라.

030 상수함수를 모두 골라라.

[031-034] 실수 전체의 집합에서 정의된 함수 $y=f(x)$의 그래프가 〈보기〉와 같을 때, 다음 물음에 답하여라.

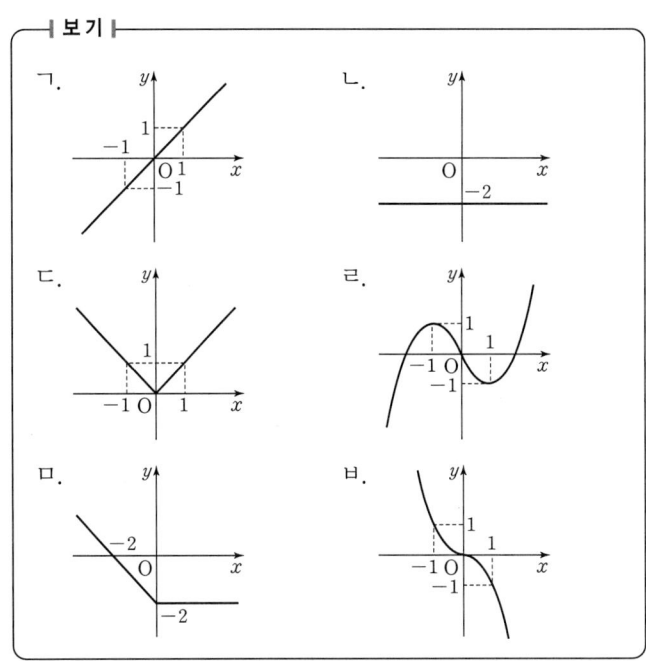

031 일대일함수를 모두 골라라.

032 일대일대응을 모두 골라라.

033 항등함수를 모두 골라라.

034 상수함수를 모두 골라라.

[035-038] 함수 $y=f(x)$의 식이 〈보기〉와 같을 때, 다음 물음에 답하여라.

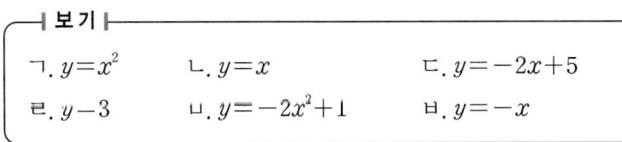

ㄱ. $y=x^2$ ㄴ. $y=x$ ㄷ. $y=-2x+5$
ㄹ. $y-3$ ㅁ. $y=-2x^2+1$ ㅂ. $y=-x$

035 일대일함수를 모두 골라라.

036 일대일대응을 모두 골라라.

037 항등함수를 모두 골라라.

038 상수함수를 모두 골라라.

유형 01 함수의 뜻과 그래프

두 집합 X, Y에 대하여 X의 각 원소에 Y의 원소가 오직 하나씩 대응할 때, 이 대응 f를 X에서 Y로의 함수라 하고, 기호로 다음과 같이 나타낸다.

$$f : X \longrightarrow Y \text{ 또는 } X \xrightarrow{f} Y$$

039

집합 X에서 집합 Y로의 대응이 함수인 것은 〈보기〉에서 모두 몇 개인가?

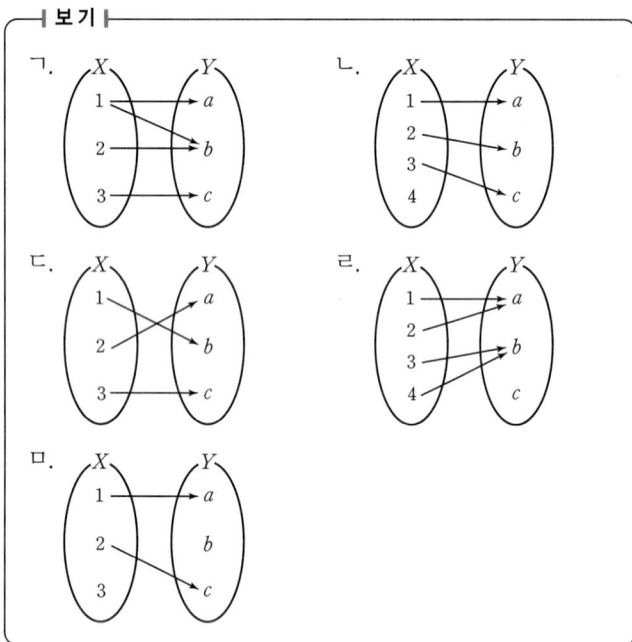

① 1개   ② 2개   ③ 3개
④ 4개   ⑤ 5개

040

두 집합 $X=\{-1, 0, 1\}$, $Y=\{2, 3, 4\}$에 대하여 X에서 Y로의 대응이 함수가 <u>아닌</u> 것은?

① $x \longrightarrow x+3$
② $x \longrightarrow 2x+2$
③ $x \longrightarrow x^2+2$
④ $x \longrightarrow x^2+x+2$
⑤ $x \longrightarrow x^3+3$

041

두 집합 $X=\{-1, 1, 2\}$, $Y=\{1, 2, 3, 4\}$에 대하여 X에서 Y로의 대응이 함수인 것만을 〈보기〉에서 있는 대로 골라라.

┤ 보기 ├

ㄱ. $x \longrightarrow x+2$

ㄴ. $x \longrightarrow x^2+2$

ㄷ. $x \longrightarrow |2x|-x$

042

두 집합 $X=\{1, 2, 3\}$, $Y=\{5, 7, 9\}$에 대하여 $f(x)=2x+a$가 X에서 Y로의 함수가 되도록 하는 상수 a의 값을 구하여라.

중요
043

다음 중 함수의 그래프인 것은?

(단, 정의역과 공역은 모두 실수 전체의 집합이다.)

①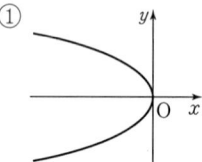
②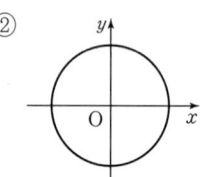
③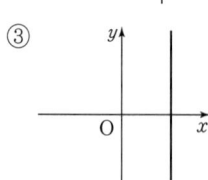
④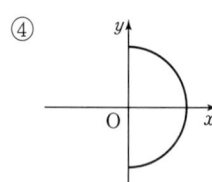
⑤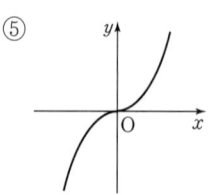

유형 **02** 함숫값 구하기

함수 $f(x)$에서 $f(k)$의 값 구하기
$\Rightarrow$ $f(x)$에 $x=k$를 대입하여 $f(k)$의 값을 구한다.

044

함수 $f(x)=3x+a$에 대하여 $f(4)=8$일 때, $f(5)$의 값은?
(단, a는 상수이다.)

① 5　　　　② 7　　　　③ 9
④ 11　　　　⑤ 13

045

함수 $f(x)=3x-1$에서 $f(2)=a$, $f(b)=-7$일 때, 두 상수 a, b에 대하여 $a-b$의 값을 구하여라.

046

함수 $f(x)=\dfrac{a}{x}$에 대하여 $f(2)=4$일 때, $f(1)+f(-4)$의 값은? (단, a는 상수이다.)

① 6　　　　② 7　　　　③ 8
④ 9　　　　⑤ 10

047

두 함수 $f(x)=2x$, $g(x)=-3x+b$에 대하여 $f(a)=-a+6$, $g(a)=2a$일 때, $a+b$의 값은?
(단, a, b는 상수이다.)

① 4　　　　② 6　　　　③ 8
④ 10　　　　⑤ 12

048 중요

함수 $f:R\longrightarrow R$가
$$f(x)=\begin{cases}2x-3 & (x\geq1)\\ -x & (x<1)\end{cases}$$
로 정의될 때, $f(3)+f(-1)$의 값을 구하여라.
(단, R는 실수 전체의 집합이다.)

049

실수 전체의 집합에서 함수 $f(x)$가
$$f(x)=\begin{cases}2\sqrt{x} & (x는 \text{ 유리수})\\ x^2 & (x는 \text{ 무리수})\end{cases}$$
와 같이 정의될 때, $f(5)+f(1-\sqrt{5})$의 값은?

① 1　　　　② $\sqrt{5}$　　　　③ 4
④ $2\sqrt{5}$　　　　⑤ 6

유형 03 정의역, 공역, 치역

집합 X에서 집합 Y로의 함수 f에 대하여
(1) X : 함수 f의 정의역
(2) Y : 함수 f의 공역
(3) $\{f(x)|x{\in}X\}$: 함수 f의 치역

050

함수 $f : X {\longrightarrow} Y$가 그림과 같을 때, 정의역, 공역, 치역의 집합을 각각 A, B, C라 하자. 이때, $A{\cup}B{\cup}C$의 모든 원소의 합을 구하여라.

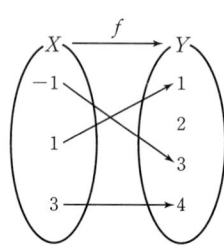

051

두 집합 $X=\{-1, 0, 1\}$, $Y=\{0, 1, 2, 3\}$에 대하여 함수 $f : X {\longrightarrow} Y$를 $f(x)=x^2$으로 정의할 때, 함수 f의 치역은?

(단, $x{\in}X$)

① $\{0, 1\}$ ② $\{1, 2, 3\}$ ③ $\{2, 3\}$
④ $\{1, 3\}$ ⑤ $\{0, 1, 2, 3\}$

052

함수 $y=2x-1$의 치역이 $\{-1, 1, 3\}$일 때, 정의역을 구하여라.

053

함수 $y=-2x$의 정의역이 $\{x|-1{\leq}x{\leq}3\}$일 때, 치역은 $\{y|a{\leq}y{\leq}b\}$라고 한다. 이때, $b-a$의 값은?

① -8 ② -4 ③ 0
④ 4 ⑤ 8

054

정의역이 $\{x|2{\leq}x{\leq}6\}$인 함수 $f(x)=ax+b$의 치역이 $\{y|-2{\leq}y{\leq}10\}$일 때, 두 상수 a, b에 대하여 $a+b$의 값은?

(단, $a>0$)

① -7 ② -6 ③ -5
④ -4 ⑤ -3

055

두 집합 $X=\{x|x$는 10 이하의 소수$\}$, $Y=\{y|y$는 정수$\}$에 대하여 함수 $f : X {\longrightarrow} Y$를

$$f(x)=\begin{cases} x^2-1 & (x{\leq}5) \\ x+2 & (x>5) \end{cases}$$

로 정의할 때, 함수 f의 치역의 모든 원소의 합을 구하여라.

유형 04 조건을 이용하여 함숫값 구하기

$f(x+y)=f(x)+f(y)$ 또는 $f(xy)=f(x)+f(y)$ 등의 조건이 주어졌을 때, $f(a)$의 값 구하기
⇨ 적당한 x, y의 값을 대입하여 $f(a)$의 값을 유도한다.

중요
056

함수 f가 임의의 두 실수 x, y에 대하여

$$f(x+y)=f(x)+f(y)$$

를 만족시킨다. $f(2)=3$일 때, $f(-2)$의 값을 구하여라.

057

두 양수 x, y에 대하여 함수 $f(x)$가

$$f(xy)=f(x)+f(y)$$

이고, $f(2)=1$일 때, $f(8)$의 값을 구하여라.

058

정수 전체의 집합에서 정의된 함수 $f(x)$가 다음 두 조건을 만족시킬 때, $f(10)$의 값을 구하여라.

⑺ $f(1)=2$
⑷ $f(x+y)-f(y)=f(x)+xy$

유형 05 서로 같은 함수

두 함수 f, g가 서로 같은 함수이면
(1) 두 함수 f, g의 정의역과 공역이 각각 같다.
(2) 정의역의 모든 원소 x에 대하여 $f(x)=g(x)$이다.

참고 함수 $y=f(x)$의 정의역과 공역이 주어지지 않는 경우
① 정의역 ⇨ 함수 $f(x)$가 정의되는 실수 전체의 집합
② 공역 ⇨ 실수 전체의 집합

059

집합 $X=\{-1, 0, 1\}$을 정의역으로 하는 〈보기〉의 두 함수 f, g에 대하여 $f=g$인 것만을 있는 대로 고른 것은?

┤ 보 기 ├
ㄱ. $f(x)=x$, $g(x)=x^3$
ㄴ. $f(x)=|x|$, $g(x)=x^2$
ㄷ. $f(x)=x-1$, $g(x)=-x+1$

① ㄱ 　　② ㄴ 　　③ ㄷ
④ ㄱ, ㄴ 　　⑤ ㄴ, ㄷ

중요
060

집합 $X=\{0, 1\}$을 정의역으로 하는 두 함수

$$f(x)=x^2-ax-6, g(x)=3x+b$$

에 대하여 $f=g$가 성립한다. 두 상수 a, b에 대하여 ab의 값을 구하여라.

061

실수를 원소로 갖는 집합 X가 정의역인 두 함수

$$f(x)=x^2, g(x)=x^3-2x$$

에 대하여 두 함수 $f(x)$와 $g(x)$가 서로 같도록 하는 집합 X의 개수를 구하여라. (단, $X \neq \varnothing$)

유형 06 일대일함수

함수 $f : X \longrightarrow Y$에서 정의역 X의 임의의 두 원소 x_1, x_2에 대하여

$\quad x_1 \neq x_2$이면 $f(x_1) \neq f(x_2)$

일 때, 함수 f를 일대일함수라고 한다.

참고 일대일함수의 그래프는 치역의 임의의 원소 k에 대하여 직선 $y=k$와 오직 한 점에서 만난다.

062

함수 $f : X \longrightarrow Y$가 〈보기〉와 같을 때, 정의역 X의 임의의 두 원소 x_1, x_2에 대하여 $x_1 \neq x_2$이면 $f(x_1) \neq f(x_2)$를 만족시키는 것만을 있는 대로 골라라.

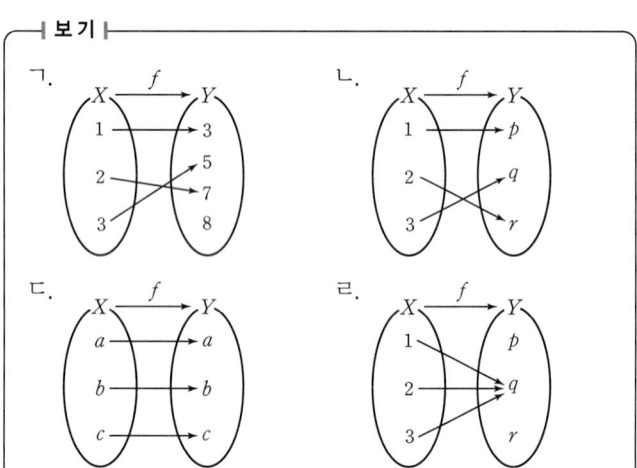

063

실수 전체의 집합에서 정의된 함수 $y=f(x)$가 다음과 같을 때, 주어진 조건을 만족시키는 것은?

정의역 X의 임의의 두 원소 x_1, x_2에 대하여
$x_1 \neq x_2$이면 $f(x_1) \neq f(x_2)$이다.

① $f(x)=1$　　② $f(x)=-x+3$　③ $f(x)=3x^2$
④ $f(x)=|x+1|$　⑤ $f(x)=x^2-2$

064 중요

실수 전체의 집합에서 정의된 함수 $f(x)$가

$$f(x)=\begin{cases} -3x+5 & (x \geq 0) \\ ax+5 & (x < 0) \end{cases}$$

일 때, 함수 $f(x)$가 일대일함수가 되도록 하는 실수 a의 값의 범위는?

① $a<0$　　　② $a \leq 0$　　　③ $a>0$
④ $a \geq 0$　　　⑤ $0<a<2$

065

집합 $S=\{x \,|\, x \geq 4\}$에 대하여 S에서 S로의 함수 $y=3x-4a$가 일대일함수가 되도록 하는 실수 a의 값의 범위는?

① $a \geq -2$　　② $-2<a<2$　　③ $a<2$
④ $a \leq 2$　　　⑤ $a \geq 2$

066 중요

집합 $X=\{x \,|\, x \geq k\}$에 대하여 함수

$\quad f : X \longrightarrow X, \ f(x)=x^2-4x$

가 일대일함수일 때, 실수 k의 최솟값을 구하여라.

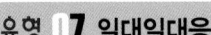

유형 07 일대일대응

함수 $f:X \longrightarrow Y$에서

(1) 치역과 공역이 같다.

(2) 정의역 X의 임의의 두 원소 x_1, x_2에 대하여

$\quad x_1 \neq x_2$일 때, $f(x_1) \neq f(x_2)$

이면 함수 f를 일대일대응이라고 한다.

참고 일대일대응의 그래프는 치역의 임의의 원소 k에 대하여 직선 $y=k$와 오직 한 점에서 만나고, (치역)=(공역)이다.

067

다음 중 일대일대응의 그래프인 것은?

(단, 정의역과 공역은 모두 실수 전체의 집합이다.)

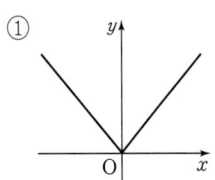
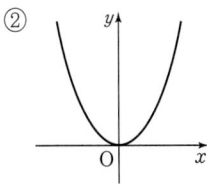
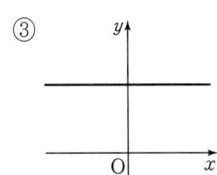
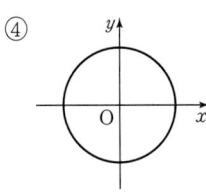
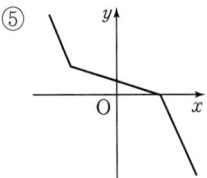

068

집합 $X=\{1, 2, 3, 4\}$에 대하여 X에서 X로의 함수 f가 다음 조건을 만족시킬 때, $f(1)-f(2)-f(3)$의 값을 구하여라.

(가) f는 일대일대응이다.

(나) $f(4)=3$

(다) $f(1)>f(2)>f(3)$

069

집합 $X=\{x \,|\, x \geq k\}$에 대하여 X에서 X로의 함수 $f(x)=3x+6$이 일대일대응일 때, 상수 k의 값은?

① -3 ② -1 ③ 1

④ 3 ⑤ 4

070

실수 전체의 집합에서 정의된 함수

$$f(x)=\begin{cases} 3x+2 & (x \geq 0) \\ ax+2 & (x < 0) \end{cases}$$

가 일대일대응이 되도록 하는 정수 a의 최솟값은?

① -2 ② -1 ③ 0

④ 1 ⑤ 2

071

두 집합 $X=\{x \,|\, x \geq 3\}$, $Y=\{y \,|\, y \geq 2\}$에 대하여 X에서 Y로의 함수 $f(x)=x^2-2x+a$가 일대일대응일 때, 상수 a의 값을 구하여라.

유형 **08** 항등함수와 상수함수

(1) 항등함수

함수 $f : X \longrightarrow X$에서 $f(x)=x$ $(x\in X)$

(2) 상수함수

함수 $f : X \longrightarrow Y$에서 $f(x)=c$ $(x\in X, c\in Y, c$는 상수$)$

072

집합 $X=\{x\,|\,x$는 자연수$\}$에 대하여 X에서 X로의 함수 f는 상수함수이다. $f(2)=3$일 때, 다음 식의 값을 구하여라.

$$f(1)+f(3)+f(5)+\cdots+f(99)$$

073

실수 전체의 집합에서 정의된 두 함수 f, g에 대하여 $f(x)$는 항등함수이고, $g(x)=-4$일 때, $f(10)+g(-1)$의 값은?

① 2   ② 4   ③ 6
④ 8   ⑤ 10

중요
074

실수 전체의 집합에서 정의된 두 함수 f, g에 대하여 $f(x)$는 항등함수이고, $g(x)$는 상수함수이다. $f(2)=g(2)$일 때, $f(3)+g(4)$의 값을 구하여라.

유형 **09** 함수의 개수

두 집합 X, Y의 원소의 개수가 각각 m, n일 때,

(1) X에서 Y로의 함수의 개수 ⇨ n^m

(2) X에서 Y로의 일대일함수의 개수

⇨ $n(n-1)(n-2)\cdots(n-m+1)$ (단, $n\geq m$)

(3) X에서 Y로의 일대일대응의 개수

⇨ $n(n-1)(n-2)\cdots 2\cdot 1$ (단, $n=m$)

(4) X에서 Y로의 상수함수의 개수 ⇨ n

075

두 집합 $X=\{1, 2, 3\}, Y=\{a, b, c\}$에 대하여 X에서 Y로의 함수의 개수를 p, 일대일대응의 개수를 q라 할 때, $p+q$의 값은?

① 27   ② 30   ③ 33
④ 36   ⑤ 39

중요
076

집합 $A=\{1, 2, 3, 4\}$에 대하여 A에서 A로의 함수 $y=f(x)$ 중에서 $f(1)=1$을 만족시키는 함수의 개수를 구하여라.

077

집합 $A=\{-1, 0, 1\}$일 때, A에서 A로의 함수 f에 대하여 $f(-x)=f(x)$를 만족시키는 함수 f의 개수를 구하여라.

078

두 집합 $X=\{1, 3, 5\}$, $Y=\{5, 11, 17\}$에 대하여
$f(x)=3x+a$가 X에서 Y로의 함수가 되도록 하는 상수 a의
값을 구하여라.

079

두 함수 $f(x)=2x-3$, $g(x)=x+2$에 대하여 $g(3)=a$일 때,
$f(a)$의 값은?

① 1   ② 3   ③ 5

④ 7   ⑤ 9

080

음이 아닌 정수 전체의 집합에서 함수 f를 다음과 같이 정의한다.

$$f(x)=\begin{cases} x+1 & (0\leq x\leq 4) \\ f(x-4) & (x>4) \end{cases}$$

이때, $f(3)+f(27)$의 값을 구하여라.

081

집합 $X=\{x\,|\,0\leq x\leq 2\}$를 정의역, 집합 $Y=\{y\,|\,1\leq y\leq 7\}$을 공
역으로 하는 함수 $f(x)=mx+2m-1$이 있다. 실수 m의 값의
범위를 구하여라. (단, $m>0$)

082

실수 전체의 집합 R에서 정의된 함수 f가 임의의 두 실수
a, b에 대하여
$$f(a+b)=f(a)+f(b)+3$$
을 만족시킬 때, $f(3)+f(-3)$의 값은?

① -6 ② -3 ③ 0

④ 3 ⑤ 6

083

집합 $X=\{a, 2\}$를 정의역으로 하는 두 함수
$$f(x)=x^2-3x+3, \quad g(x)=-2x+b$$
에 대하여 $f=g$가 성립한다. 두 상수 a, b에 대하여 $a+b$의
값은? (단, $a\neq 2$)

① 2   ② 3   ③ 4

④ 5   ⑤ 6

084

두 집합 $X=\{x \mid x \geq 1\}$, $Y=\{y \mid y \geq 5\}$에 대하여
X에서 Y로의 함수 $f(x)=2x+k$가 일대일함수가 되도록
하는 상수 k의 최솟값을 구하여라.

085

두 집합 $X=\{x \mid 0 \leq x \leq 1\}$, $Y=\{y \mid 1 \leq y \leq 3\}$에 대하여
X에서 Y로의 함수 $f(x)=ax+b$ $(a>0)$가 일대일대응일 때,
$f\left(\dfrac{1}{2}\right)$의 값은? (단, a, b는 상수이다.)

① 2   ② $\dfrac{5}{2}$ ③ 3

④ $\dfrac{7}{2}$ ⑤ 4

086

집합 $X=\{1, 3, 5\}$에 대하여 X에서 X로의 두 함수 f, g가
각각 항등함수, 상수함수이고, $f(1)=g(3)$일 때,
$f(5)+g(5)$의 값을 구하여라.

087

두 집합 $X=\{a, b, c\}$, $Y=\{1, 2, 3, 4\}$가 있다. X에서 Y로의
함수 $f : X \longrightarrow Y$ 중에서 x_1, $x_2 \in X$에 대하여 $x_1 \neq x_2$이면
$f(x_1) \neq f(x_2)$를 만족시키는 함수의 개수를 구하여라.

🎯 1등급 문제

088

집합 $X=\{1, 2, 3, 4\}$에서 X로의 함수 중에서 $f(1)<f(2)$를
만족시키는 일대일대응의 개수를 구하여라.

089

실수 전체의 집합에서 정의된 함수 $f(x)=a|x-1|+x-1$이
일대일대응이 되도록 하는 실수 a의 값의 범위를 구하여라.

09 합성함수와 역함수

09 합성함수와 역함수

1 합성함수

(1) 두 함수 $f : X \longrightarrow Y, g : Y \longrightarrow Z$에 대하여 집합 X의 각
원소 x에 집합 Z의 원소 $g(f(x))$를 대응시키는 함수를 f와
g의 합성함수라 하고, $g \circ f$와 같이 나타낸다. 즉,
$$g \circ f : X \longrightarrow Z, \ (g \circ f)(x) = g(f(x))$$

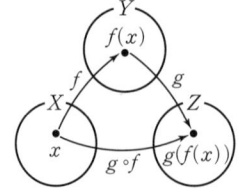

(2) 합성함수의 성질
세 함수 f, g, h에 대하여
① $f \circ g \neq g \circ f \longleftarrow$ 교환법칙이 성립하지 않는다.
② $f \circ (g \circ h) = (f \circ g) \circ h \longleftarrow$ 결합법칙이 성립한다.
③ $f : X \longrightarrow X$일 때, $f \circ I = I \circ f = f$ (단, I는 X에서의 항등함수)

개념 플러스

◀ 합성함수 $g \circ f$가 정의되려면 함수
f의 치역이 함수 g의 정의역의 부분
집합이어야 한다.

◀ 함수의 합성에서 결합법칙이 성립하
므로 세 함수의 합성에서 괄호를 생
략하여 $f \circ g \circ h$로 쓰기도 한다.

2 역함수

(1) 함수 $f : X \longrightarrow Y, y = f(x)$가 일대일대응일 때, 함수 f의
역함수가 존재하고, f^{-1}와 같이 나타낸다. 즉,
$$f^{-1} : Y \longrightarrow X, \ x = f^{-1}(y)$$

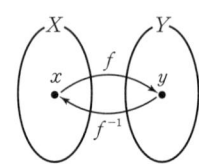

◀ 함수 f가 일대일대응이 아니면 Y에
서 X로의 대응이 함수가 아니므로
역함수가 정의되지 않는다.

(2) 역함수 구하는 순서
① 함수 $y = f(x)$가 일대일대응인지 확인한다.
② $y = f(x)$를 x에 대하여 풀어 $x = f^{-1}(y)$의 꼴로 나타낸다.
③ x와 y를 서로 바꾸어 $y = f^{-1}(x)$로 나타낸다.
④ 함수 $y = f(x)$의 정의역과 치역을 각각 역함수 $y = f^{-1}(x)$의 치역과 정의역으로 한다.

(3) 역함수의 성질
함수 $f : X \longrightarrow Y$가 일대일대응이면 역함수 $f^{-1} : Y \longrightarrow X$가 존재하고
① $f(a) = b \Longleftrightarrow f^{-1}(b) = a$
② $(f^{-1})^{-1} = f \longleftarrow$ 함수 f의 역함수의 역함수는 f이다.
③ $(f^{-1} \circ f)(x) = x \ (x \in X) \longleftarrow$ 집합 X에서의 항등함수
④ $(f \circ f^{-1})(y) = y \ (y \in Y) \longleftarrow$ 집합 Y에서의 항등함수

(4) 합성함수의 역함수
두 함수 $f : X \longrightarrow Y, g : Y \longrightarrow Z$가 일대일대응일 때,
$$(g \circ f)^{-1} = f^{-1} \circ g^{-1}$$

(5) 역함수의 그래프
함수 $y = f(x)$의 그래프와 그 역함수 $y = f^{-1}(x)$의 그래프는
직선 $y = x$에 대하여 대칭이다.

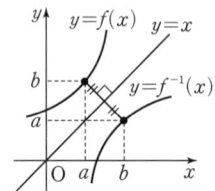

◀ 함수 f의 정의역 X는 역함수 f^{-1}
의 치역이고, 함수 f의 치역 Y는 역
함수 f^{-1}의 정의역이다.

◀ 두 함수 $f : X \longrightarrow Y, g : Y \longrightarrow X$
에 대하여
$(g \circ f)(x) = x, \ (f \circ g)(y) = y$
$\Longleftrightarrow g = f^{-1}$
(함수 f, g는 역함수 관계이다.)

◀ 함수 $y = f(x)$의 그래프가 점
(a, b)를 지나면 역함수
$y = f^{-1}(x)$의 그래프는 점 (b, a)
를 지난다.

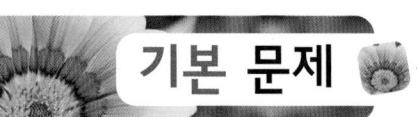

1 합성함수

[001-007] 두 함수 $f:X \longrightarrow Y$, $g:Y \longrightarrow X$가 그림과 같을 때, 다음을 구하여라.

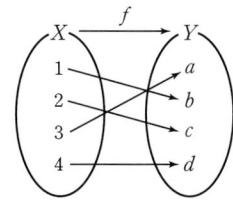 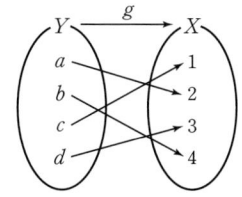

001 $g(f(3))$

002 $(g \circ f)(1)$

003 $(f \circ g)(a)$

004 $(g \circ f)(x)=1$을 만족시키는 x의 값

005 $(f \circ g)(x)=c$를 만족시키는 x의 값

006 $g \circ f$의 치역

007 $f \circ g$의 치역

[008-012] 두 함수 $f(x)=x+1$, $g(x)=2x$에 대하여 다음을 구하여라.

008 $(g \circ f)(1)$

009 $(f \circ g)(-2)$

010 $(f \circ f)(6)$

011 $(g \circ f)(x)$

012 $(f \circ g)(x)$

[013-015] 세 함수 $f(x)=3x+1$, $g(x)=x-1$, $h(x)=x^2+2$에 대하여 다음을 구하여라.

013 $((f \circ g) \circ h)(2)$

014 $f((g \circ h)(1))$

015 $(f \circ (g \circ h))(x)$

2 역함수

[016-017] 함수 $f : X \longrightarrow Y$가 〈보기〉와 같을 때, 다음 물음에 답하여라.

┤ 보기 ├

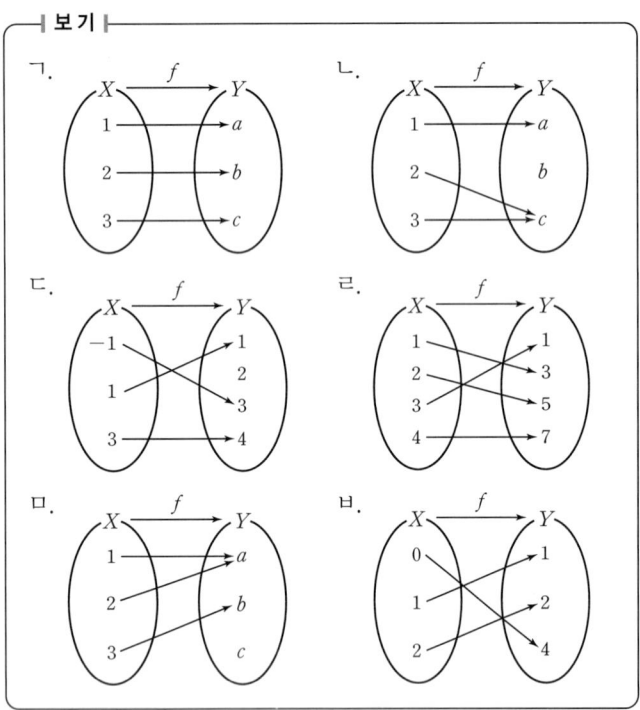

016 일대일대응을 모두 골라라.

017 역함수 f^{-1}가 존재하는 것을 모두 골라라.

018 실수 전체의 집합에서 정의된 함수의 그래프가 〈보기〉와 같을 때, 역함수가 존재하는 것만을 있는 대로 골라라.

┤ 보기 ├

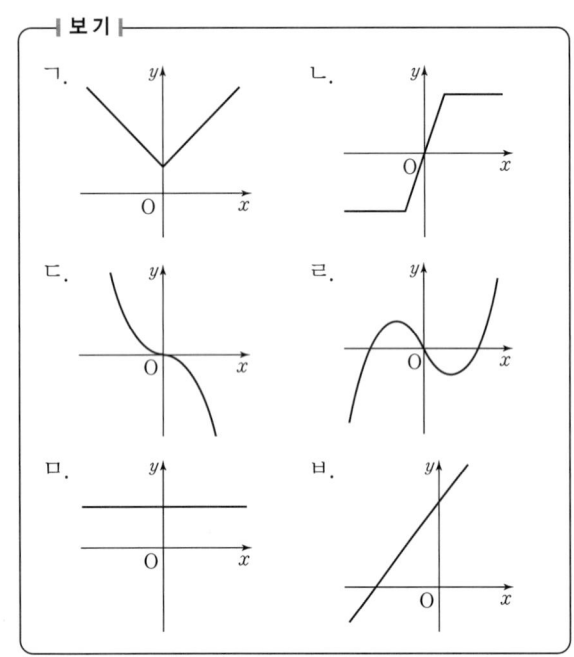

[019-023] 함수 $f : X \longrightarrow Y$가 그림과 같을 때, 다음을 구하여라.

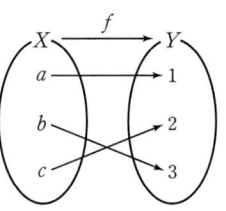

019 $f^{-1}(2)$

020 $f^{-1}(y)=a$를 만족시키는 y의 값

021 f^{-1}의 치역

022 $(f^{-1} \circ f)(b)$

023 $(f \circ f^{-1})(3)$

[024-025] 함수 $f(x)=-x+3$에 대하여 다음 등식을 만족시키는 상수 a, b의 값을 구하여라.

024 $f^{-1}(1)=a$

025 $f^{-1}(b)=7$

[026-028] 다음 함수의 역함수를 구하여라.

026 $f(x)=x+5$

027 $f(x)=-2x+1$

028 $f(x)=\dfrac{1}{2}x-4$

[029-031] 다음 함수의 역함수의 정의역과 치역을 구하여라.

029 $y=2x-5$ (정의역 : $\{x\,|\,x\geq0\}$)

030 $y=-x+3$ (정의역 : $\{x\,|\,x\geq1\}$)

031 $y=\dfrac{1}{2}x+2$ (정의역 : $\{x\,|\,x\geq2\}$)

[032-038] 두 함수 $f:X\longrightarrow Y$, $g:Y\longrightarrow X$가 그림과 같을 때, 다음을 구하여라.

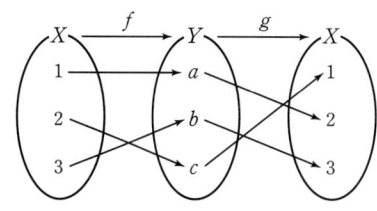

032 $f^{-1}(a)$

033 $(f^{-1})^{-1}(3)$

034 $(g^{-1})^{-1}(c)$

035 $(g^{-1}\circ f^{-1})(a)$

036 $(f\circ g)^{-1}(c)$

037 $(f^{-1}\circ g^{-1})(1)$

038 $(g\circ f)^{-1}(3)$

[039-044] 집합 X에서 X로의 두 함수 f, g가 그림과 같을 때, 다음을 구하여라.

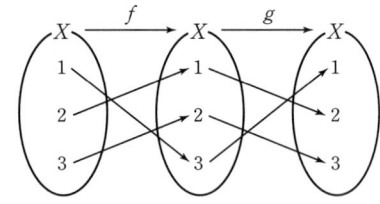

039 $(g \circ f)^{-1}(1)$

040 $(f \circ g)^{-1}(2)$

041 $(g^{-1} \circ f)(1)$

042 $(g \circ f^{-1})(2)$

043 $(f^{-1} \circ g)(2)$

044 $(f \circ g^{-1})(3)$

[045-050] 두 함수 $f(x)=3x+3$, $g(x)=-x-1$에 대하여 다음을 구하여라.

045 $f^{-1}(x)$

046 $g^{-1}(x)$

047 $(f^{-1})^{-1}(x)$

048 $(g^{-1} \circ f^{-1})(x)$

049 $(f \circ g)^{-1}(x)$

050 $(f^{-1} \circ g^{-1})(x)$

3 역함수의 그래프

[051-052] 함수 $y=f(x)$와 그 역함수 $y=f^{-1}(x)$의 그래프가 그림과 같을 때, 점 P′의 좌표를 구하여라.

051

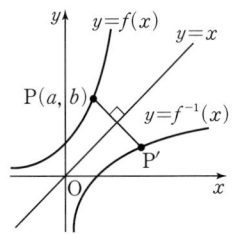

052

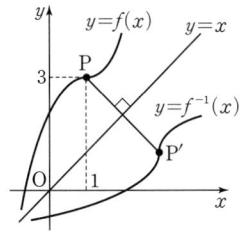

[053-055] 다음 함수와 그 역함수의 그래프를 좌표평면 위에 나타내어라.

053 $f(x)=x-4$

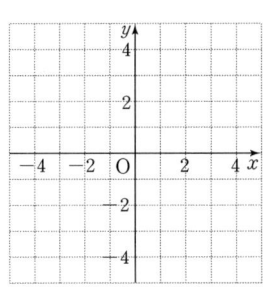

054 $f(x)=2x-2$

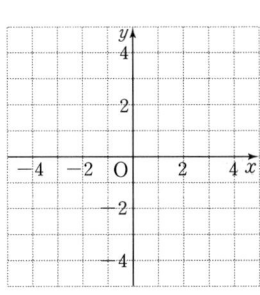

055 $f(x)=3x-3 \ (x\geq 0)$

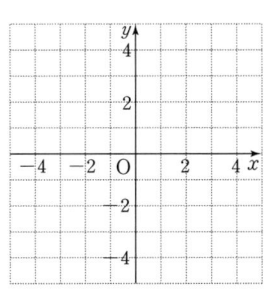

[056-058] 함수 $y=f(x)$의 그래프가 그림과 같을 때, 다음 물음에 답하여라.

056 함수 $y=f(x)$를 구하여라.

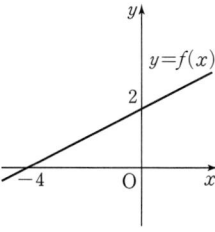

057 함수 $y=f(x)$의 역함수 $y=f^{-1}(x)$를 구하여라.

058 함수 $y=f^{-1}(x)$의 그래프를 좌표평면 위에 나타내어라.

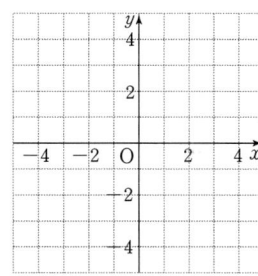

[059-061] 함수 $y=f(x)$의 그래프가 그림과 같을 때, 다음 물음에 답하여라.

059 함수 $y=f(x)$를 구하여라.

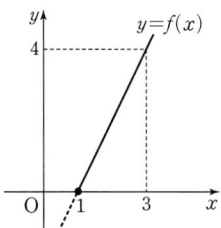

060 함수 $y=f(x)$의 역함수 $y=f^{-1}(x)$를 구하여라.

061 역함수 $y=f^{-1}(x)$의 정의역과 치역을 구하여라.

유형 01 합성함수의 뜻과 함숫값

(1) 두 함수 $f : X \longrightarrow Y$, $g : Y \longrightarrow Z$에 대하여 집합 X의 각 원소 x에 집합 Z의 원소 $g(f(x))$를 대응시키는 함수를 f와 g의 합성함수라 하고 기호로 $g \circ f$와 같이 나타낸다.

$$g \circ f : X \longrightarrow Z, \ (g \circ f)(x) = g(f(x))$$

(2) 두 함수 $f(x)$, $g(x)$에 대하여 $(f \circ g)(a)$의 값을 구할 때에는 $(f \circ g)(a) = f(g(a))$이므로 $g(a)$의 값을 구하여 $f(x)$의 x에 대입한다.

062

두 함수 $f(x) = x^2 - x + 4$, $g(x) = 3x - 1$에 대하여 $(f \circ g)(1) - (g \circ f)(1)$의 값은?

① -5 ② -2 ③ 0

④ 3 ⑤ 6

063

두 함수 $f(x) = 3x - 1$, $g(x) = x^2 + 1$일 때, $(f \circ g)(x)$를 구하여라.

064

집합 X에서 X로의 두 함수 f, g가 그림과 같을 때, $h = g \circ f$를 만족시키는 함수 h에 대하여 $h(1)$의 값을 구하여라.

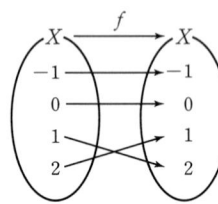 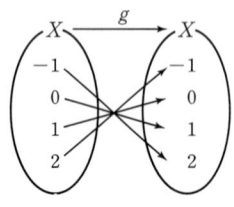

065

두 함수 $f(x)$, $g(x)$가

$$f(x) = \begin{cases} x - 2 & (x \geq 3) \\ 2x + 1 & (x < 3) \end{cases}, \ g(x) = x^2 + 1$$

일 때, $(g \circ f)(1) + (f \circ g)(2)$의 값은?

① 5 ② 7 ③ 9

④ 11 ⑤ 13

066

두 함수 $f(x) = 2x + a$, $g(x) = 3x + b$에 대하여 $(f \circ g)(2) = 4$, $(g \circ f)(2) = 3$일 때, $a + b$의 값을 구하여라.

(단, a, b는 상수이다.)

067

함수 $f(x)$가 $f(2x + 3) = 2x + 1$을 만족시킬 때, $f(1)$의 값을 구하여라.

유형 02 합성함수의 성질

(1) 교환법칙이 성립하지 않는다.
$\Rightarrow f \circ g \neq g \circ f$
(2) 결합법칙이 성립한다.
$\Rightarrow f \circ (g \circ h) = (f \circ g) \circ h$

중요
068

세 함수 $f(x)=x^2-1$, $g(x)=2x+1$, $h(x)=3x-5$에 대하여 $((h \circ g) \circ f)(2)$의 값은?

① 10   ② 13   ③ 16
④ 19   ⑤ 23

069

세 함수 f, g, h가 모든 실수 x에 대하여
$$g(x)=2x-1, \ h(x)=3x+2, \ (g \circ f)(x)=x+2$$
일 때, $((h \circ g) \circ f)(x)=5$를 만족시키는 x의 값을 구하여라.

070

두 함수 $f(x)=3x+2$, $g(x)=2x+a$에 대하여
$(g \circ f)(x)=(f \circ g)(x)$를 만족시키는 상수 a의 값은?

① -2 ② -1 ③ 0
④ 1 ⑤ 2

유형 03 조건을 이용하여 함수 구하기

(1) 구하는 함수 $h(x)$를 하나의 문자로 생각하고 주어진 조건에 대입해 본다.
(2) 구하는 함수 $h(x)$가 일차함수인 경우 $h(x)=ax+b$로 놓고 a, b를 구한다.

071

두 함수 $f(x)=x+3$, $g(x)=2x-1$에 대하여
$(f \circ h)(x)=g(x)$일 때, $h(1)$의 값을 구하여라.

중요
072

세 함수 f, g, h가
$$(h \circ g)(x)=2x-3, \ (h \circ (g \circ f))(x)=-x+5$$
를 만족시킬 때, $f(4)$의 값은?

① 1 ② 2 ③ 3
④ 4 ⑤ 5

073

두 함수 $f(x)=x+2$, $g(x)=3x+1$일 때,
$(h \circ g \circ f)(x)=f(x)$인 일차함수 $h(x)$에 대하여 $h(3)$의 값은?

① $\dfrac{1}{3}$ ② $\dfrac{2}{3}$ ③ 1
④ $\dfrac{3}{2}$ ⑤ 4

유형 **04** f^n의 꼴의 합성함수

(1) 함수 $f(x)=ax+b$일 때
$$(f \circ f)(x)=f(f(x))=f(ax+b)$$
$$=a(ax+b)+b=a^2x+ab+b$$
(2) $f^n(a)$의 값을 구할 때에는
$$f^2(a),\ f^3(a),\ f^4(a),\ \cdots$$
의 값을 순서대로 구하여 규칙을 찾아 $f^n(a)$의 값을 구한다.

074

집합 $A=\{2,\ 3,\ 4,\ 5,\ 6\}$에 대하여 A에서 A로의 함수 $f(x)$를

$$f(x)=\begin{cases} x+1 & (x \le 5) \\ 2 & (x=6) \end{cases}$$

로 정의할 때, $f(3)+(f \circ f)(4)+(f \circ f \circ f)(5)$의 값을 구하여라.

075

실수 전체의 집합에서 정의된 함수 $f(x)=2x-3$에 대하여 $(f \circ f \circ f)(x)=-1$을 만족시키는 x의 값은?

① 1   ② $\dfrac{3}{2}$ ③ 2

④ $\dfrac{5}{2}$ ⑤ 3

076

함수 $f(x)=x+10$에 대하여
$f^2(x)=f(f(x))$, $f^3(x)=f(f^2(x))$, $\cdots$, $f^{10}(x)=f(f^9(x))$
로 정의할 때, $f^{10}(1)$의 값을 구하여라.

077

집합 $X=\{1,\ 2,\ 3,\ 4\}$에 대하여 함수 $f:X \longrightarrow X$가 그림과 같고, $f^1=f$, $f^2=f \circ f$, $f^3=f \circ f^2$, $\cdots$, $f^{n+1}=f \circ f^n$으로 나타낼 때, $f^{2014}(1)-f^{2015}(1)$의 값을 구하여라.

(단, n은 자연수이다.)

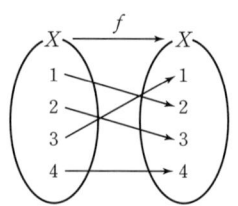

078

집합 $\{x\,|\,0 \le x \le 3\}$에서 정의된 함수 $y=f(x)$의 그래프가 그림과 같을 때, $f^{100}(0)$의 값을 구하여라.

(단, $f^2=f \circ f$, $f^3=f \circ f \circ f$, $\cdots$)

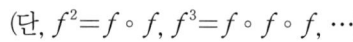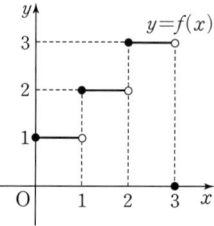

079

집합 $A=\{1,\ 2,\ 3,\ 4\}$에 대하여 함수 $f:A \longrightarrow A$를 다음과 같이 정의한다.

$$f(x)=\begin{cases} x+1 & (x<4) \\ 1 & (x=4) \end{cases},\ f^1=f,\ f^{n+1}=f \circ f^n$$

이때, $f^{2015}(1)$의 값은? (단, $n=1,\ 2,\ 3,\ \cdots$)

① 1   ② 2   ③ 3

④ 4   ⑤ 5

유형 **05** 합성함수의 그래프

함수 $f(x)$에서 x의 값의 범위에 따라 함수식이 다를 경우
➡ 합성함수 $y=(f\circ g)(x)$의 그래프는 x의 값의 범위를 나누어 $g(x)$의 함수식을 구한 후 $f(g(x))$의 함수식을 구하여 그린다.

080

직선 $y=x$에 대하여 대칭인 두 함수 $y=f(x)$, $y=g(x)$의 그래프가 그림과 같을 때, $(g\circ f)(2)$의 값은?

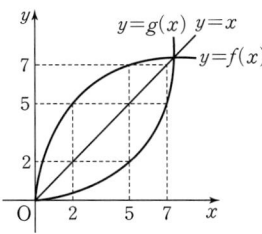

① 2   ② 1   ③ 0
④ −1   ⑤ −2

081

함수 $y=f(x)$의 그래프가 그림과 같을 때, $(f\circ f)(x)=c$를 만족시키는 x의 값은?

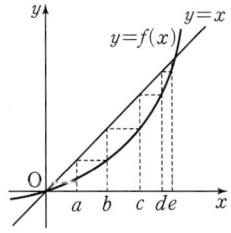

① a ② b
③ c ④ d
⑤ e

082

세 함수 $y=f(x)$, $y=g(x)$, $y=x$의 그래프가 그림과 같을 때, $(f\circ g)(d)+(g\circ g)(c)$의 값은?

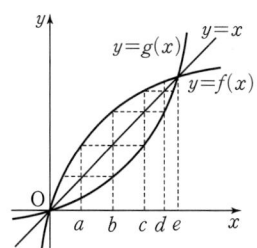

① $2a$ ② $a+d$ ③ $c+d$
④ $2c$ ⑤ $b+c$

083

함수 $y=f(x)$의 그래프가 그림과 같을 때, $y=(f\circ f)(x)$의 그래프는?

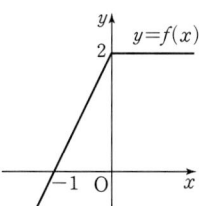

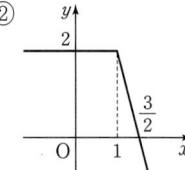

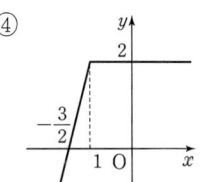

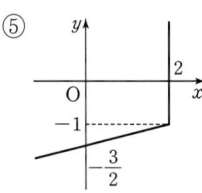

유형 **06** 역함수의 정의

함수 $f:X \longrightarrow Y$, $y=f(x)$가 일대일
대응일 때, 함수 f의 역함수 f^{-1}가 존
재한다.
$$f^{-1}:Y \longrightarrow X,\ x=f^{-1}(y)$$

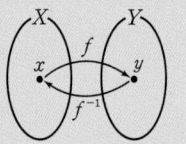

084

함수 $f:X \longrightarrow Y$가 그림과 같을 때,
$f^{-1}(1)+f^{-1}(3)$의 값을 구하여라.

085

집합 X에서 X로 정의된 두 함수 f, g가 그림과 같을 때,
$(f^{-1} \circ g)(3)$의 값을 구하여라.

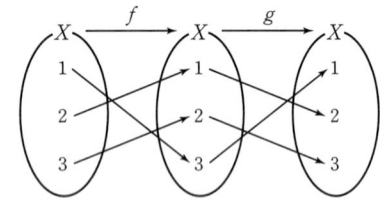

086

역함수가 존재하는 함수 $y=f(x)$의
그래프가 그림과 같다.
$a=(f \circ f)(3)$이라 할 때, $f^{-1}(a)$의
값은?

① -1　　　　② 0

③ 1　　　　④ 2

⑤ 3

유형 **07** 역함수 구하기

① 함수 $y=f(x)$가 일대일대응인지 확인한다.
② $y=f(x)$를 x에 대하여 푼다. 즉, $x=f^{-1}(y)$의 꼴로 고
친다.
③ $x=f^{-1}(y)$에서 x와 y를 서로 바꾸어 $y=f^{-1}(x)$로 나
타낸다.

참고 다항함수 $f(x)$의 역함수는 $y=\sqrt{f(x)}\ (f(x) \geq 0)$의
무리함수의 꼴로도 나타날 수 있다.

087

함수 $y=-2x-1$의 역함수의 그래프에서 x절편을 a, y절편을
b라 할 때, $a-4b$의 값을 구하여라.

088

함수 $f(x)=ax+b$의 역함수가 $f^{-1}(x)=\dfrac{1}{2}x-3$일 때,
두 상수 a, b에 대하여 $a+b$의 값은?

① 2　　　　② 4　　　　③ 6

④ 8　　　　⑤ 10

089

집합 $X=\{x \,|\, x \geq 2\}$를 정의역으로 하는 함수 $y=x^2-4x$의
역함수를 구하여라.

유형 08 역함수의 존재 조건

함수 f의 역함수 f^{-1}가 존재한다.
⇨ 함수 f가 일대일대응이다.

090

〈보기〉의 함수 중에서 역함수가 존재하는 것만을 있는 대로 골라라.

보기

ㄱ. $y=-2x+4$

ㄴ. $y=\begin{cases} 2x-2 & (x\geq 2) \\ 2 & (x<2) \end{cases}$

ㄷ. $y=\begin{cases} -x & (x<1) \\ -1 & (x\geq 1) \end{cases}$

ㄹ. $y=\begin{cases} (x-2)^2 & (x\geq 2) \\ 2x-4 & (x<2) \end{cases}$

091

두 집합 $X=\{x|1\leq x\leq 3\}$, $Y=\{y|a\leq y\leq b\}$에 대하여 X에서 Y로의 함수 $f(x)=2x-5$의 역함수가 존재할 때, a^2+b^2의 값을 구하여라.

중요

092

집합 $X=\{x|x\geq a\}$에 대하여 집합 X에서 집합 X로의 함수 $f(x)=x^2-2x$의 역함수가 존재할 때, 상수 a의 값은?

① 0 ② 2 ③ 3
④ 0 또는 2 ⑤ 0 또는 3

유형 09 역함수의 성질 (1)

함수 $f: X \longrightarrow Y$가 일대일대응이면 역함수
$f^{-1}: Y \longrightarrow X$가 존재하고
$f(a)=b \Longleftrightarrow f^{-1}(b)=a$ ($a\in X$, $b\in Y$)

093

두 함수 $f(x)=2x+a$, $g(x)=3x+b$에 대하여 $f^{-1}(10)=3$, $g^{-1}(5)=1$이다. 두 상수 a, b에 대하여 $a+b$의 값을 구하여라.

중요

094

일차함수 $f(x)=ax+b$에 대하여 $f(2)=1$, $f^{-1}(0)=3$일 때, $a+b$의 값은? (단, a, b는 상수이다.)

① 1 ② 2 ③ 3
④ 4 ⑤ 5

095

두 함수 $f(x)=x+a$, $g(x)=ax+b$에 대하여 $(g\circ f)(x)=2x+1$일 때, $g^{-1}(1)$의 값은?

(단, a, b는 상수이다.)

① -2 ② -1 ③ 0
④ 1 ⑤ 2

096

실수 전체의 집합에서 정의된 함수 $f(x)=ax+b$ $(a\neq 0)$에 대하여 $f^{-1}(3)=0$, $f(f(0))=-6$일 때, 두 상수 a, b에 대하여 $a+b$의 값은?

① 0   ② 2   ③ 4

④ 6   ⑤ 8

097

역함수가 존재하는 함수 $f(x)$에 대하여 $f^{-1}(1)=3$이고, $f(2x+1)=g(x)$라 할 때, $g^{-1}(1)$의 값을 구하여라.

098

두 함수 $f(x)$, $g(x)$가

$$f(x)=x+2,\ g(x)=\begin{cases} x^2+1 & (x\geq 0) \\ x+1 & (x<0) \end{cases}$$

일 때, $(g^{-1}\circ f)(3)$의 값은?

① 0   ② 1   ③ 2

④ 3   ⑤ 4

유형 10 역함수의 성질 (2)

함수 $f:X\longrightarrow Y$가 일대일대응이면 역함수

$f^{-1}:Y\longrightarrow X$가 존재하고

(1) $(f^{-1})^{-1}=f$

(2) $(f^{-1}\circ f)(x)=x\ (x\in X)$ ⎤

    $(f\circ f^{-1})(y)=y\ (y\in Y)$ ⎦ 항등함수

참고 세 일차함수 f, g, h에 대하여

    $f=g$이면 $h\circ f=h\circ g$

099

함수 $f(x)=ax+1$의 역함수 $f^{-1}(x)$에 대하여 $f(x)=f^{-1}(x)$일 때, 상수 a의 값을 구하여라.

100

실수 전체의 집합 R에서 R로의 두 함수 $f(x)$, $g(x)$에 대하여 $f(x)=2x+5$이고, $f(g(x))=x$를 만족시킨다고 할 때, $g(1)$의 값은?

① -3 ② -2 ③ -1

④ 1   ⑤ 2

101

다음과 같이 주어진 세 함수 f, g, h에 대하여 $f^{-1}\circ h=g$가 성립할 때, 두 상수 a, b에 대하여 $a+b$의 값을 구하여라.

$$f(x)=3x,\ g(x)=\frac{1}{2}x+1,\ h(x)=ax+b\ (단,\ a\neq 0)$$

유형 **11** 합성함수의 역함수

두 함수 $f:X \longrightarrow Y, g:Y \longrightarrow Z$가 일대일대응일 때,
$(g \circ f)^{-1} = f^{-1} \circ g^{-1}$

102

함수 $f(x)$의 역함수는 $f^{-1}(x) = 2x - 1$이고, 함수 $g(x)$의 역함수는 $g^{-1}(x) = x + 3$일 때, $(g \circ f)(x)$의 역함수를 구하여라.

103

두 함수 $f(x) = 2x + 5, g(x) = -x - 1$에 대하여 $(g \circ f)^{-1}(2)$의 값을 구하여라.

중요
104

실수 전체의 집합 R에서 R로의 함수 $f(x), g(x)$가 각각 $f(x) = 2x - 4, g(x) = x + 1$일 때, $(g^{-1} \circ f)^{-1}(1)$의 값은?

① 1 ② 2 ③ 3
④ 4 ⑤ 5

중요
105

실수 전체의 집합에서 정의된 두 함수

$$f(x) = \begin{cases} x^2 + 2 & (x \geq 1) \\ 2x + 1 & (x < 1) \end{cases}, g(x) = x - 3$$

에 대하여 $((f^{-1} \circ g)^{-1} \circ f)(-1)$의 값을 구하여라.

106

두 함수 $f(x) = x + 2, g(x) = 2x - 1$에 대하여 $(f \circ (g \circ f)^{-1})(2)$의 값은?

① $\dfrac{1}{2}$ ② $\dfrac{3}{2}$ ③ $\dfrac{5}{2}$
④ $\dfrac{7}{2}$ ⑤ $\dfrac{9}{2}$

107

두 함수 $f(x) = 3x - 1, g(x) = -\dfrac{1}{2}x + 5$에 대하여 $((g \circ f)^{-1} \circ f)(a) = 1$을 만족시키는 상수 a의 값은?

① $\dfrac{4}{3}$ ② $\dfrac{5}{3}$ ③ 2
④ $\dfrac{7}{3}$ ⑤ $\dfrac{8}{3}$

유형 문제

108

함수 $y=f^{-1}(x)$의 그래프가 그림과
같을 때, $(f \circ f)(e)$의 값은?

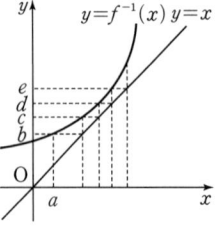

① a ② b

③ c ④ d

⑤ e

109

함수 $f(x)=ax+b$의 그래프와 그 역함수의 그래프가 모두
점 $(1, -5)$를 지날 때, $f(0)$의 값을 구하여라.

(단, a, b는 상수이다.)

110

일차함수 $y=f(x)$의 그래프가 그림과
같다. 두 함수 $y=f(x)$, $y=f^{-1}(x)$의
그래프가 만나는 점을 (a, b)라 할 때,
ab의 값을 구하여라.

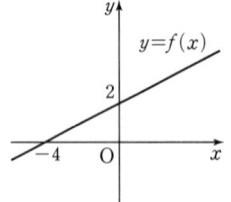

111

함수 $f(x)=x^2-6x+12 \ (x \geq 3)$의 역함수를 $g(x)$라 할 때,
두 함수 $y=f(x)$, $y=g(x)$의 그래프가 만나는 두 점 사이의
거리는?

① 1 ② $\sqrt{2}$ ③ $\sqrt{3}$

④ 2 ⑤ $\sqrt{5}$

112

함수 $y=f(x)$와 그 역함수 $y=f^{-1}(x)$
의 그래프가 그림과 같다.

함수 $y=f(x)$의 그래프와 x축 및
직선 $x=k$로 둘러싸인 도형의 넓이를
S라 할 때, 다음 중 색칠한 부분의 넓이
를 바르게 나타낸 것은?

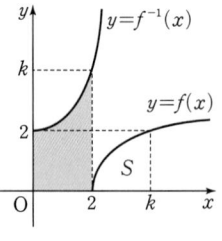

① $S-2$ ② $S-2k$ ③ $2k-S$

④ $S+2k$ ⑤ $2k-S+1$

113

집합 $\{x \mid 0 \leq x \leq 2\}$에서 정의된 함수 f를

$$f(x) = \begin{cases} \dfrac{1}{2}x & (0 \leq x \leq 1) \\ \dfrac{3}{2}x-1 & (1 < x \leq 2) \end{cases}$$

이라 할 때, 두 함수 $y=f(x)$, $y=f^{-1}(x)$의 그래프로 둘러싸
인 부분의 넓이를 구하여라.

쌤이 시험에 **꼭** 내는 문제

114

두 일차함수 $f(x)=ax+3$, $g(x)=2x-1$에 대하여
$(f \circ g)(-2)=18$일 때, 상수 a의 값은?

① -5 ② -4 ③ -3

④ -2 ⑤ -1

115

집합 $A=\{1, 2, 3, 4\}$에 대하여 두 함수
$f : A \longrightarrow A$, $g : A \longrightarrow A$의 대응 관계의 일부가 그림과 같고,
$$(g \circ f)(1)=2, \quad (g \circ f)(3)=3, \quad (g \circ f)(4)=4$$
를 만족시킬 때, $g(2)+f(3)+f(4)$의 값은?

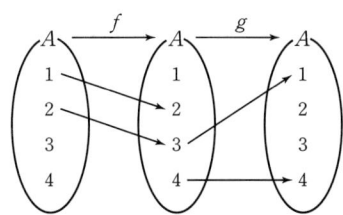

① 6   ② 7   ③ 8

④ 9   ⑤ 10

116

두 함수 $f(x)=-x+3$, $g(x)=x^2+3x-2$이고,
함수 $h(x)$가 $(f \circ h)(x)=g(x)$를 만족시킬 때, $h(2)$의 값을
구하여라.

117

실수 전체의 집합에서 정의된 함수 $f(x)=-3x+6$에 대하여
$(f \circ (f \circ f))(x)=15$가 되도록 하는 x의 값은?

① 1   ② 2   ③ 3

④ 4   ⑤ 5

118

그림은 두 함수 $y=f(x)$,
$y=g(x)$의 그래프와 직선 $y=x$
를 나타낸 것이다.
$(f \circ g)(2)+(g \circ f)(4)$의 값은?

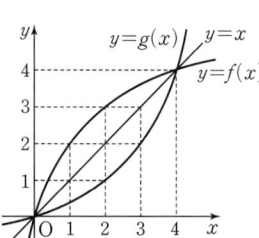

① 2   ② 4

③ 6   ④ 8

⑤ 10

119

일차함수 $f(x)=ax+b$에 대하여 $f(-2)=3$, $f^{-1}(1)=-3$
일 때, $f(10)$의 값을 구하여라. (단, a, b는 상수이다.)

120

실수 전체의 집합에서 정의된 함수

$$f(x)=\begin{cases} x^2+a & (x\geq 1) \\ 2x+1 & (x<1) \end{cases}$$

에 대하여 함수 f의 역함수가 존재할 때, $(f^{-1} \circ f^{-1})(6)$의 값을 구하여라. (단, a는 상수이다.)

121

두 함수 $f(x)=ax+b$, $g(x)=x+c$에 대하여
$(g \circ f)(x)=3x-2$, $f^{-1}(2)=1$이 성립할 때, 세 상수 a, b, c에 대하여 $a+b-c$의 값은?

① 1　　　　② 2　　　　③ 3
④ 4　　　　⑤ 5

122

$x\geq 0$에서 정의된 두 함수
$$f(x)=x^2+3, g(x)=2x-4$$
에 대하여 $(f \circ (g \circ f)^{-1} \circ f)(1)$의 값을 구하여라.

123

그림은 세 함수 $y=f(x)$, $y=g(x)$, $y=x$의 그래프를 나타낸 것이다. 이때, $(f \circ g \circ f^{-1})(d)$의 값은?

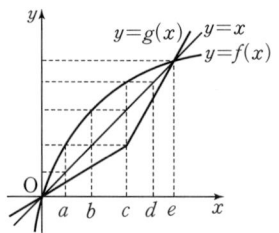

① a　　　　② b　　　　③ c
④ d　　　　⑤ e

🔵 1등급 문제

124

실수 전체의 집합 R에서 R로의 함수 f에 대하여
$f^2=f \circ f$, $f^{n+1}=f^n \circ f$ $(n=2, 3, 4, \cdots)$라 정의한다.
함수 $f(x)=2x+1$일 때, $f^{10}(x)=ax+b$라 하면 두 상수 a, b에 대하여 $b-a$의 값을 구하여라.

$$(단, x^n-1=(x-1)(x^{n-1}+x^{n-2}+\cdots+1))$$

125

함수 $y=f(x)$의 그래프가 그림과 같을 때, 방정식 $(f \circ f)(x)-f(x)=0$을 만족시키는 해의 개수를 구하여라.

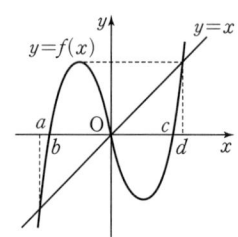

10 유리함수

10 유리함수

1 유리식

(1) 유리식의 성질

유리식 $\dfrac{A}{B}$ $(B \neq 0)$에 대하여 C가 0이 아닌 다항식일 때,

$$\dfrac{A}{B} = \dfrac{A \times C}{B \times C}, \ \dfrac{A}{B} = \dfrac{A \div C}{B \div C}$$

(2) 유리식의 계산

다항식 A, B, C, D에 대하여

① $\dfrac{A}{C} + \dfrac{B}{C} = \dfrac{A+B}{C}, \ \dfrac{A}{C} - \dfrac{B}{C} = \dfrac{A-B}{C}$ (단, $C \neq 0$)

② $\dfrac{A}{B} + \dfrac{C}{D} = \dfrac{AD+BC}{BD}, \ \dfrac{A}{B} - \dfrac{C}{D} = \dfrac{AD-BC}{BD}$ (단, $B \neq 0$, $D \neq 0$)

③ $\dfrac{A}{B} \times \dfrac{C}{D} = \dfrac{A \times C}{B \times D} = \dfrac{AC}{BD}$ (단, $B \neq 0$, $D \neq 0$)

④ $\dfrac{A}{B} \div \dfrac{C}{D} = \dfrac{A}{B} \times \dfrac{D}{C} = \dfrac{AD}{BC}$ (단, $B \neq 0$, $C \neq 0$, $D \neq 0$)

2 유리함수

(1) 유리함수 $y = \dfrac{k}{x}$ $(k \neq 0)$의 그래프

① 정의역, 치역은 모두 0을 제외한 실수 전체의 집합이다.

② 원점에 대하여 대칭인 그래프이다.

③ 직선 $y=x$, $y=-x$에 대하여 대칭인 그래프이다.

④ 점근선은 x축, y축이다.

⑤ $k > 0$이면 그래프가 제1, 3사분면에 있고,

　 $k < 0$이면 그래프가 제2, 4사분면에 있다.

⑥ $|k|$의 값이 커질수록 원점에서 멀어진다.

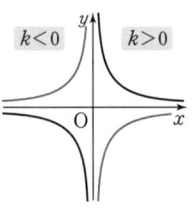

(2) 유리함수 $y = \dfrac{k}{x-p} + q$ $(k \neq 0)$의 그래프

① 함수 $y = \dfrac{k}{x}$의 그래프를 x축의 방향으로 p만큼, y축의 방향으로 q만큼 평행이동한 것이다.

② 정의역은 $\{x \mid x$는 $x \neq p$인 실수$\}$, 치역은 $\{y \mid y$는 $y \neq q$인 실수$\}$이다.

③ 점 (p, q)에 대하여 대칭인 그래프이다.

④ 점근선은 두 직선 $x=p$, $y=q$이다.

◀ 번분수식의 계산

다항식 A, B, C, D에 대하여

(단, $B \neq 0$, $C \neq 0$, $D \neq 0$)

(1) $\dfrac{\frac{A}{B}}{\frac{C}{D}} = \dfrac{A}{B} \div \dfrac{C}{D} = \dfrac{AD}{BC}$

(2) $\dfrac{\frac{A}{B}}{C} = \dfrac{\frac{A}{B}}{\frac{C}{1}} = \dfrac{A}{BC}$,

$\dfrac{A}{\frac{B}{C}} = \dfrac{\frac{A}{1}}{\frac{B}{C}} = \dfrac{AC}{B}$

◀ 부분분수로의 변형

$\dfrac{1}{AB} = \dfrac{1}{B-A}\left(\dfrac{1}{A} - \dfrac{1}{B}\right)$

(단, $A \neq 0$, $B \neq 0$, $A \neq B$)

◀ 함수 $y = \dfrac{ax+b}{cx+d}$

$(c \neq 0$, $ad-bc \neq 0)$의 그래프는

$y = \dfrac{k}{x+\frac{d}{c}} + \dfrac{a}{c}$ $(k \neq 0)$의 꼴로

변형하여 그리고, 이 함수에서 점근선의 방정식은 $x = -\dfrac{d}{c}$, $y = \dfrac{a}{c}$이다.

1 유리식의 계산

[001-007] 다음을 계산하여라.

001 $\dfrac{x}{x^2-1}-\dfrac{1}{x^2-1}$

002 $\dfrac{1}{a-2}-\dfrac{1}{a+2}-\dfrac{1}{a^2-4}$

003 $\dfrac{x^2-x+2}{x-1}-\dfrac{x^2+x+2}{x+1}$

004 $\dfrac{x}{x+1}+\dfrac{3x-1}{x^2-2x-3}$

005 $\dfrac{x}{x^2-1}\times\dfrac{x-1}{x+1}$

006 $\dfrac{x+3}{x^2+x}\times\dfrac{x+1}{x^2+2x-3}$

007 $\dfrac{a^2-2a}{a+1}\div\dfrac{a^2-4}{a^2-1}$

[008-009] 주어진 공식을 이용하여 다음 유리식을 부분분수의 꼴로 나타내어라.

$$\frac{1}{AB}=\frac{1}{B-A}\left(\frac{1}{A}-\frac{1}{B}\right)$$

008 $\dfrac{1}{x(x+1)}$

009 $\dfrac{4}{(x+2)(x+4)}$

[010-011] 다음을 계산하여라.

010 $\dfrac{1}{1\cdot2}+\dfrac{1}{2\cdot3}+\dfrac{1}{3\cdot4}$

011 $\dfrac{1}{(x+1)(x+2)}+\dfrac{1}{(x+2)(x+3)}$
$$+\dfrac{1}{(x+3)(x+4)}$$

2 유리함수

[012-014] 다음 유리함수의 정의역을 구하여라.

012 $y=\dfrac{5}{x}$

013 $y=\dfrac{1}{x-4}$

014 $y=\dfrac{2}{2x+5}$

3 유리함수 $y=\dfrac{k}{x}$ $(k\neq0)$의 그래프

[015-016] 함수 $y=\dfrac{1}{x}$의 그래프를 좌표평면 위에 나타내려고 한다. 다음 물음에 답하여라.

015 x의 여러 가지 값에 대응하는 y의 값을 구하여 다음 표를 완성하여 보자.

x	$\cdots$	-2	-1	$-\dfrac{1}{2}$	$\cdots$	$\dfrac{1}{2}$	1	2	$\cdots$
y	$\cdots$				$\cdots$				$\cdots$

016 함수 $y=\dfrac{1}{x}$의 그래프를 좌표평면 위에 나타내어라.

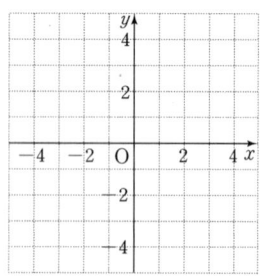

[017-018] 함수 $y=-\dfrac{3}{x}$의 그래프를 좌표평면 위에 나타내려고 한다. 다음 물음에 답하여라.

017 x의 여러 가지 값에 대응하는 y의 값을 구하여 다음 표를 완성하여 보자.

x	$\cdots$	-3	-1	$-\dfrac{1}{3}$	$\cdots$	$\dfrac{1}{3}$	1	3	$\cdots$
y	$\cdots$				$\cdots$				$\cdots$

018 함수 $y=-\dfrac{3}{x}$의 그래프를 좌표평면 위에 나타내어라.

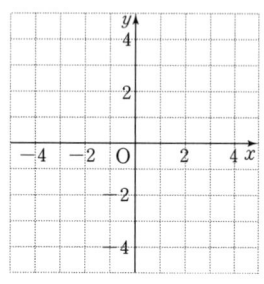

4 유리함수 $y=\dfrac{k}{x-p}+q$ $(k\neq0)$의 그래프

[019-021] 다음을 만족하는 그래프의 함수식을 구하여라.

019 함수 $y=\dfrac{4}{x}$의 그래프를 x축의 방향으로 1만큼, y축의 방향으로 -2만큼 평행이동한 그래프

020 함수 $y=-\dfrac{5}{x}$의 그래프를 x축의 방향으로 6만큼, y축의 방향으로 1만큼 평행이동한 그래프

021 함수 $y=-\dfrac{1}{x}$의 그래프를 x축의 방향으로 -1만큼, y축의 방향으로 -3만큼 평행이동한 그래프

[022-024] 유리함수 $y=\dfrac{2}{x}-2$에 대하여 다음 물음에 답하여라.

022 유리함수 $y=\dfrac{2}{x}-2$의 그래프를 좌표평면 위에 나타내어라.

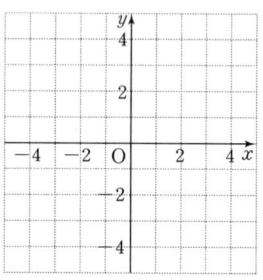

023 점근선의 방정식을 구하여라.

024 정의역과 치역을 각각 구하여라.

[025-027] 유리함수 $y=\dfrac{1}{x-1}-1$에 대하여 다음 물음에 답하여라.

025 유리함수 $y=\dfrac{1}{x-1}-1$의 그래프를 좌표평면 위에 나타내어라.

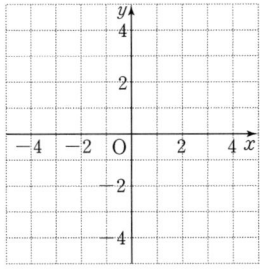

026 점근선의 방정식을 구하여라.

027 정의역과 치역을 각각 구하여라.

[028-030] 유리함수 $y=-\dfrac{1}{x+1}+2$에 대하여 다음 물음에 답하여라.

028 유리함수 $y=-\dfrac{1}{x+1}+2$의 그래프를 좌표평면 위에 나타내어라.

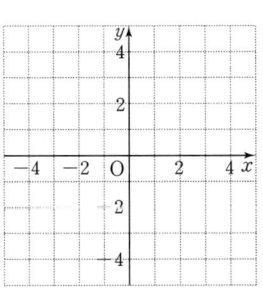

029 점근선의 방정식을 구하여라.

030 정의역과 치역을 각각 구하여라.

---

5 유리함수 $y=\dfrac{ax+b}{cx+d}$ $(c\neq0,\ ad-bc\neq0)$의 그래프

[031-035] 다음 식을 $y=\dfrac{b}{x+a}+c$ $(a,\ b,\ c$는 상수)의 꼴로 나타내어라.

031 $y=\dfrac{x+2}{x+3}$

032 $y=\dfrac{5x-4}{x-3}$

033 $y=\dfrac{-x+4}{x-2}$

034 $y=\dfrac{-3x+4}{x-1}$

035 $y=\dfrac{2x-5}{-x+2}$

기본 문제

[036-039] 유리함수 $y=\dfrac{2x+5}{x+1}$ 에 대하여 다음 물음에 답하여라.

036 주어진 유리함수를 $y=\dfrac{b}{x+a}+c$ (a, b, c는 상수)의 꼴로 나타내어라.

037 주어진 유리함수의 그래프를 좌표평면 위에 나타내어라.

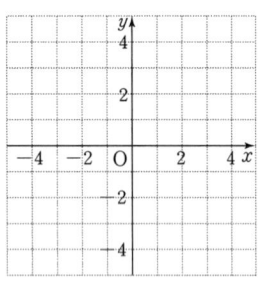

038 점근선의 방정식을 구하여라.

039 정의역과 치역을 각각 구하여라.

[040-044] 유리함수 $y=\dfrac{-3x+4}{x-1}$ 에 대하여 다음 물음에 답하여라.

040 주어진 유리함수를 $y=\dfrac{b}{x+a}+c$ (a, b, c는 상수)의 꼴로 나타내어라.

041 주어진 유리함수의 그래프를 좌표평면 위에 나타내어라.

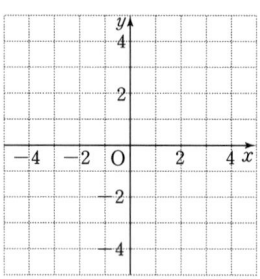

042 점근선의 방정식을 구하여라.

043 정의역과 치역을 각각 구하여라.

044 주어진 유리함수의 그래프는 어느 한 점에 대하여 대칭이다. 이 점의 좌표를 구하여라.

유형 문제

유형 01 유리식의 덧셈, 뺄셈

(1) 분자의 차수가 분모의 차수보다 낮을 때
　⇨ 분모를 통분하여 계산한다.
(2) 분자의 차수가 분모의 차수보다 높거나 같을 때
　⇨ 분자를 분모로 나누어 계산한다.

045

분모를 0이 되게 하지 않는 모든 실수 x에 대하여 다음 등식이 항상 성립할 때, ab의 값은? (단, a, b는 상수)

$$\frac{1}{x+1}+\frac{1}{x+3}=\frac{ax+b}{x^2+4x+3}$$

① 2
② 4
③ 6
④ 8
⑤ 10

046

$\dfrac{x+1}{x+2}-\dfrac{x+3}{x+4}$ 을 간단히 하면?

① $\dfrac{-2}{(x+2)(x+4)}$
② $\dfrac{-1}{(x+2)(x+4)}$
③ $\dfrac{1}{(x+2)(x+4)}$
④ $\dfrac{2}{(x+2)(x+4)}$
⑤ $\dfrac{3}{(x+2)(x+4)}$

047

$\dfrac{1}{x+1}+\dfrac{x}{x^2-x+1}-\dfrac{x^2+x}{x^3+1}$ 를 간단히 하면?

① $\dfrac{1}{x+1}$
② $\dfrac{2}{x+1}$
③ $\dfrac{1}{x^2-x+1}$
④ $\dfrac{x}{x^2-x+1}$
⑤ $\dfrac{x^2+x+1}{x^3+1}$

유형 02 유리식의 곱셈, 나눗셈

① 각 유리식의 분자, 분모를 인수분해한다.
② 분자와 분모에 공통인 인수가 있을 때에는 분자, 분모를 약분하여 간단히 한다.
③ 유리식의 곱셈, 나눗셈을 한다.

048

$\dfrac{x^2-9y^2}{x^2-6xy+9y^2}\times\dfrac{x-3y}{x^2+3xy}$ 를 간단히 하면?

① $\dfrac{1}{x-1}$
② $\dfrac{1}{x}$
③ $\dfrac{1}{x+1}$
④ $\dfrac{1}{x+3}$
⑤ 1

049

$\dfrac{x-1}{x+2}\div\dfrac{x^2+5x-6}{x^2-4}$ 을 간단히 하여라.

050

다음 식을 간단히 히여라.

$$\frac{1-x^2}{1+y}\div\frac{x+x^2}{1-y^2}\times\left(1+\frac{x}{1-x}\right)$$

유형 문제

유형 **03** 부분분수로의 변형

$$\frac{1}{AB} = \frac{1}{B-A}\left(\frac{1}{A} - \frac{1}{B}\right) \ (단, \ A \neq 0, \ B \neq 0, \ A \neq B)$$

051

$$\frac{1}{a(a+1)} + \frac{1}{(a+1)(a+2)} + \frac{1}{(a+2)(a+3)}$$

$$+ \frac{1}{(a+3)(a+4)} \text{을 간단히 하면?}$$

① $\dfrac{2}{a(a+3)}$ ② $\dfrac{3}{a(a+3)}$ ③ $\dfrac{4}{a(a+3)}$

④ $\dfrac{3}{a(a+4)}$ ⑤ $\dfrac{4}{a(a+4)}$

중요
(052)

$f(x) = \dfrac{1}{x(x+1)}$ 일 때, $f(1) + f(2) + \cdots + f(100)$의 값을 구하여라.

053

다음 등식을 만족시키는 상수 k의 값을 구하여라.

$$\frac{1}{(x+1)(x+2)} + \frac{2}{(x+2)(x+4)} + \frac{4}{(x+4)(x+8)}$$
$$= \frac{k}{(x+1)(x+8)}$$

유형 **04** 유리함수의 그래프 – 표준형

유리함수 $y = \dfrac{k}{x-p} + q \ (k \neq 0)$의 그래프

(1) 정의역: $\{x \,|\, x는 \ x \neq p인 \ 실수\}$,
　치역은 $\{y \,|\, y는 \ y \neq q인 \ 실수\}$이다.
(2) 점 (p, q)에 대하여 대칭인 그래프이다.
(3) 점근선은 두 직선 $x = p$, $y = q$이다.

054

다음 중 유리함수 $y = \dfrac{2}{x}$에 대한 설명으로 옳지 <u>않은</u> 것은?

① 정의역은 실수 전체의 집합이다.
② 점근선의 방정식은 $x = 0$, $y = 0$이다.
③ 그래프는 제1사분면과 제3사분면에 있다.
④ 그래프는 원점에 대하여 대칭이다.
⑤ 그래프는 직선 $y = x$에 대하여 대칭이다.

055

유리함수 $y = \dfrac{k}{x}$의 그래프에 대하여 〈보기〉에서 옳은 것만을 있는 대로 고른 것은?

┤ 보기 ├

ㄱ. $k > 0$이면 제1, 3사분면에 그래프가 그려진다.
ㄴ. 점근선의 방정식은 $x = 0$, $y = 0$이다.
ㄷ. $|k|$의 값이 커질수록 그래프는 원점에 가까워진다.

① ㄱ   ② ㄴ   ③ ㄷ
④ ㄱ, ㄴ   ⑤ ㄱ, ㄴ, ㄷ

056

〈보기〉의 유리함수 중 그 그래프가 제2, 4사분면에 있는 것만을 있는 대로 골라라.

┤ 보기 ├

ㄱ. $y = \dfrac{1}{x}$ ㄴ. $y = -\dfrac{3}{x}$ ㄷ. $y = \dfrac{7}{3x}$

057

유리함수 $y=\dfrac{1}{x+2}+1$의 그래프의 점근선의 방정식이 $x=m$, $y=n$일 때, $m+n$의 값은?

① -2 ② -1 ③ 0

④ 1 ⑤ 2

중요 058

함수 $y=\dfrac{1}{x-3}+2$의 그래프에 대하여 〈보기〉에서 옳은 것만을 있는 대로 골라라.

┌─┤ 보기 ├─
ㄱ. 점 $(3, 2)$에 대하여 대칭이다.
ㄴ. 제1, 2, 3사분면을 지난다.
ㄷ. 그래프와 x축의 교점의 좌표는 $\left(\dfrac{5}{2}, 0\right)$이다.
└─────

059

유리함수 $y=\dfrac{a}{x+3}-2$의 그래프가 모든 사분면을 지나기 위한 실수 a의 값의 범위를 구하여라.

유형 05 유리함수의 그래프 – 일반형

함수 $y=\dfrac{ax+b}{cx+d}$ $(c\neq0,\ ad-bc\neq0)$를 $y=\dfrac{k}{x-p}+q$의 꼴로 변형하여 구한다.

참고   함수 $y=\dfrac{ax+b}{cx+d}$ $(ad-bc\neq0,\ c\neq0)$의 점근선

$\Rightarrow x=-\dfrac{d}{c},\ y=\dfrac{a}{c}$

060

함수 $f(x)=\dfrac{x+2}{x+1}$의 그래프가 그림과 같을 때, $a+b$의 값은?

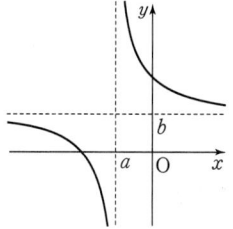

① -2 ② -1

③ 0 ④ 1

⑤ 2

061

유리함수 $y=\dfrac{-2x+1}{x-1}$의 정의역은 $\{x\,|\,x\neq a$인 실수$\}$이고, 치역은 $\{y\,|\,y\neq b$인 실수$\}$이다. 이때, $a-b$의 값을 구하여라.

중요 062

유리함수 $y=\dfrac{x-1}{x-2}$의 그래프가 지나는 사분면을 모두 적은 것은?

① 제1, 3사분면   ② 제2, 4사분면
③ 제1, 2, 3사분면   ④ 제1, 2, 4사분면
⑤ 제1, 2, 3, 4사분면

063

두 유리함수 $y = \dfrac{-x-6}{x+1}$, $y = \dfrac{3x+2}{2x-1}$ 의 그래프의 점근선으로 둘러싸인 도형의 둘레의 길이를 구하여라.

064

유리함수 $y = \dfrac{ax+1}{-x+b}$ 의 그래프의 점근선의 방정식이 $x=2$, $y=-1$일 때, 상수 a, b의 값을 구하여라.

065 중요

유리함수 $y = \dfrac{ax+b}{x+c}$ 의 그래프가 점 $(3, 0)$을 지나고, 점근선의 방정식이 $x=1$, $y=-2$일 때, 상수 a, b, c의 합 $a+b+c$의 값은?

① -2 ② -1 ③ 1

④ 2 ⑤ 3

유형 06 유리함수의 식 구하기

점근선이 $x=p$, $y=q$인 유리함수는

$y = \dfrac{k}{x-p} + q \ (k \neq 0)$로 놓을 수 있다.

066

유리함수 $y = -\dfrac{1}{x-p} + q$의 그래프가

그림과 같을 때, pq의 값을 구하여라.

(단, p, q는 상수)

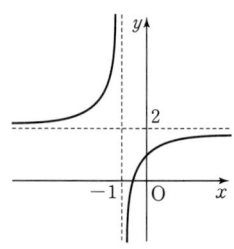

067 중요

유리함수 $y = \dfrac{b}{x+a} + c$의 그래프가

그림과 같을 때, $a+b+c$의 값은?

(단, a, b, c는 상수)

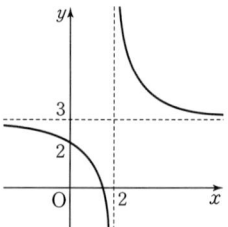

① 1 ② 2

③ 3 ④ 4

⑤ 5

068

유리함수 $y = \dfrac{bx+c}{x+a}$ 의 그래프가 그림과 같을 때, 상수 a, b, c의 합 $a+b+c$의 값을 구하여라.

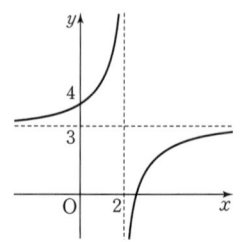

유형 07 유리함수의 그래프의 대칭성

$y=\dfrac{k}{x-p}+q\ (k\neq0)$의 그래프의 대칭성

(1) 점 $(p,\,q)$에 대하여 대칭

(2) 점 $(p,\,q)$를 지나고 기울기가 1 또는 -1인 두 직선에 대하여 대칭이다.

069

유리함수 $y=\dfrac{3x+2}{x-1}$의 그래프는 점 $(a,\,b)$에 대하여 대칭이다. 이때, $a+b$의 값은?

① 1   ② 2   ③ 3

④ 4   ⑤ 5

070

유리함수 $y=\dfrac{3}{2x+4}+a$의 그래프가 직선 $y=x+10$에 대하여 대칭일 때, 상수 a의 값을 구하여라.

071

함수 $y=\dfrac{1}{x+2}+2$의 그래프가 직선 $y=ax+b$에 대하여 대칭일 때, 상수 a, b에 대하여 $b-a$의 값은? (단, $a>0$)

① 1   ② 2   ③ 3

④ 4   ⑤ 5

유형 08 유리함수의 평행이동

유리함수 $y=\dfrac{k}{x-p}+q\ (k\neq0)$의 그래프는 유리함수 $y=\dfrac{k}{x}$의 그래프를 x축의 방향으로 p만큼, y축의 방향으로 q만큼 평행이동한 것이다.

$\Rightarrow y=\dfrac{k}{x}\ \xrightarrow[y축:q]{x축:p}\ y=\dfrac{k}{x-p}+q$

072

유리함수 $y=\dfrac{3}{x}$의 그래프를 x축의 방향으로 1만큼, y축의 방향으로 -2만큼 평행이동한 그래프가 $y=\dfrac{ax+b}{cx+d}$일 때, $a+b+c+d$의 값을 구하여라. (단, $a,\,b,\,c,\,d$는 상수)

073

유리함수 $y=\dfrac{-x+5}{x-2}$의 그래프는 $y=\dfrac{a}{x}$의 그래프를 x축의 방향으로 b만큼, y축의 방향으로 c만큼 평행이동한 것이다. 이때, $a+b+c$의 값을 구하여라. (단, a는 상수)

074

〈보기〉의 유리함수의 그래프가 유리함수 $y=\dfrac{3}{x}$의 그래프를 평행이동하여 일치할 수 있는 것만을 있는 대로 고른 것은?

┌─ **보기** ─────────────────────┐

ㄱ. $y=\dfrac{x+3}{x}$ ㄴ. $y=\dfrac{x-4}{x-1}$

ㄷ. $y=\dfrac{4x+5}{2x+1}$

└──────────────────────────────┘

① ㄱ   ② ㄴ   ③ ㄷ

④ ㄱ, ㄴ   ⑤ ㄱ, ㄴ, ㄷ

유형 **09** 유리함수의 최대·최소

함수 $y=f(x)$의 정의역이 주어졌을 때
⇨ 주어진 정의역에서 $y=f(x)$의 그래프를 그리고, y의 최 댓값과 최솟값을 구한다.

075

유리함수 $y=-\dfrac{2}{x}$의 그래프에서 정의역이 $\{x|1\leq x\leq 4\}$일 때, 치역은 $\{y|a\leq y\leq b\}$이다. 이때, $a+b$의 값은?

① $-\dfrac{5}{2}$ ② -2 ③ $-\dfrac{3}{2}$

④ -1 ⑤ $-\dfrac{1}{2}$

076

$-1\leq x\leq 2$일 때, 유리함수 $y=\dfrac{x-1}{x+2}$의 최댓값과 최솟값의 합을 구하여라.

중요
077

$a\leq x\leq -2$일 때, 유리함수 $y=\dfrac{-2x+1}{x+1}$의 최댓값이 -3, 최솟값이 b이다. 이때, ab의 값은?

① 14 ② 16 ③ 18

④ 20 ⑤ 22

유형 **10** 유리함수의 그래프와 직선

(1) 함수 $y=f(x)$의 그래프와 직선 $y=g(x)$가 한 점에서 만난다.
   ⇨ 방정식 $f(x)=g(x)$의 판별식을 D라 하면
     $D=0$
(2) $y=f(x)$의 그래프를 그리고, 직선 $y=g(x)$가 반드시 지나는 점을 이용한다.

078

함수 $y=\dfrac{k}{x}$의 그래프와 직선 $y=-x+4$가 접할 때, 상수 k의 값을 구하여라.

중요
079

유리함수 $y=\dfrac{2x+4}{x}$의 그래프와 직선 $y=ax+2$가 만나지 않도록 하는 실수 a의 값의 범위를 구하여라.

080

유리함수 $y=\dfrac{2x-3}{x-1}$의 그래프와 직선 $y=x+a$가 만나지 않을 때, 정수 a의 최댓값을 구하여라.

유형 **11** 유리함수의 합성함수

(1) $(f \circ g)(a) = f(g(a))$

(2) $f^n(k)$의 값 구하기

$\Rightarrow f^1(k), f^2(k), f^3(k), \cdots$를 차례로 구하여 $f^n(k)$의 값을 추정한다.

081

유리함수 $f(x) = \dfrac{2x+2}{x-1}$, $g(x) = \dfrac{x+1}{x-2}$에 대하여

$(f \circ g)(3) + (g \circ f)(3)$의 값은?

① $\dfrac{11}{2}$ ② $\dfrac{35}{6}$ ③ $\dfrac{37}{6}$

④ $\dfrac{13}{2}$ ⑤ $\dfrac{41}{6}$

082

$x > 0$일 때, 함수 $f(x) = \dfrac{ax+3}{x+b}$에 대하여 $f(1) = 2$,

$(f \circ f)(1) = 3$일 때, $(f \circ f \circ f)(1)$의 값을 구하여라.

(단, a, b는 상수)

083

함수 $f(x) = \dfrac{x-1}{x}$에 대하여 $f \circ f = f^2$, $f \circ f^2 = f^3$,

$f \circ f^3 = f^4, \cdots, f \circ f^n = f^{n+1}$ $(n = 2, 3, 4, \cdots)$이라 할 때,

$f^{100}\left(\dfrac{1}{2}\right)$의 값을 구하여라.

유형 **12** 유리함수의 역함수 구하기

유리함수 $y = \dfrac{ax+b}{cx+d}$ $(c \neq 0, ad-bc \neq 0)$의 역함수는 다음과 같이 구한다.

① x를 y에 대한 식으로 나타낸다.

$\Rightarrow y(cx+d) = ax+b$에서 $x = \dfrac{dy-b}{-cy+a}$

② x와 y를 서로 바꾼다. $\Rightarrow y = \dfrac{dx-b}{-cx+a}$

084

유리함수 $y = \dfrac{ax+b}{x+c}$의 역함수가 $y = \dfrac{2x+1}{x+1}$일 때, $a+b+c$의 값을 구하여라.

085

유리함수 $f(x) = \dfrac{ax+1}{x-1}$의 그래프와 그 역함수 $f^{-1}(x)$의 그래프가 서로 일치할 때, 상수 a의 값을 구하여라.

086

유리함수 $f(x) = \dfrac{2x}{x+a}$의 그래프를 x축의 방향으로 b만큼, y축의 방향으로 7만큼 평행이동한 그래프가 역함수 $y = f^{-1}(x)$의 그래프와 일치할 때, $a+b$의 값을 구하여라. (단, a는 상수)

유형 **13** 유리함수의 역함수

(1) $f^{-1}(a)=b$이면 $f(b)=a$
(2) 함수 $f(x)$의 그래프와 그 역함수 $f^{-1}(x)$의 그래프는 직선 $y=x$에 대하여 대칭이다.

087

유리함수 $f(x)=\dfrac{2x-1}{x+1}$에 대하여 $f^{-1}\left(\dfrac{3}{2}\right)$의 값은?

① 1   ② 2   ③ 3
④ 4   ⑤ 5

088

함수 $f(x)=\dfrac{x+2}{2x-1}$에 대하여 $(g\circ f)(x)=x$를 만족하는 $g(x)$가 존재할 때, $g(1)$의 값은?

① -3 ② -1 ③ 0
④ 1   ⑤ 3

089

^{중요}

함수 $f(x)=\dfrac{bx+4}{ax-1}$의 역함수 $f^{-1}(x)$에 대하여 $f^{-1}(2)=6$, $f^{-1}(7)=1$일 때, $f(2)$의 값을 구하여라.

090

유리함수 $f(x)=\dfrac{bx-1}{ax+2}$이 역함수 $g(x)$를 가질 때, 점 $(2,1)$은 함수 $y=f(x)$와 $y=g(x)$의 그래프 위의 점이다. 이때, 상수 a, b에 대하여 $a-b$의 값을 구하여라.

091

^{중요}

함수 $f(x)=\dfrac{ax+1}{x+b}$에 대하여 $f^{-1}(2)=1$, $f(f(1))=5$일 때, $a+b$의 값을 구하여라. (단, a, b는 상수)

092

두 유리함수 $f(x)=\dfrac{x+3}{x-1}$, $g(x)=\dfrac{x+b}{x+a}$에 대하여 $f(g(x))=x+2$일 때, $a+b$의 값은? (단, a, b는 상수)

① 3   ② 4   ③ 5
④ 6   ⑤ 7

093

유리함수 $y=\dfrac{2x+1}{x-1}$ 에 대하여 〈보기〉에서 옳은 것만을 있는 대로 고른 것은?

┌ 보기 ┐

ㄱ. 치역은 $\{y|y\neq2$인 실수$\}$이다.

ㄴ. 점근선의 방정식은 $x=2$, $y=3$이다.

ㄷ. 유리함수 $y=\dfrac{3}{x}$의 그래프를 평행이동한 것이다.

① ㄱ   ② ㄴ   ③ ㄱ, ㄴ

④ ㄱ, ㄷ   ⑤ ㄱ, ㄴ, ㄷ

094

유리함수 $y=\dfrac{3}{x+2}-1$의 정의역이 $\{x|-1\leq x\leq1\}$일 때, 치역은 $\{y|a\leq y\leq b\}$이다. 이때, $a+b$의 값은?

① 1   ② 2   ③ 3

④ 4   ⑤ 5

095

함수 $y=\dfrac{ax+1}{x-b}$의 그래프의 점근선의 방정식이 $x=1$, $y=2$일 때, 상수 a, b의 값은?

① $a=-2$, $b=-1$ ② $a=-2$, $b=1$

③ $a=-1$, $b=2$ ④ $a=1$, $b=-2$

⑤ $a=2$, $b=-1$

096

유리함수 $y=\dfrac{ax+b}{x+c}$의 그래프가 그림과 같이 y축과 점 $(0, 4)$에서 만나고 두 점근선이 점 $(-4, 2)$에서 만날 때, 상수 a, b, c의 합 $a+b+c$의 값을 구하여라.

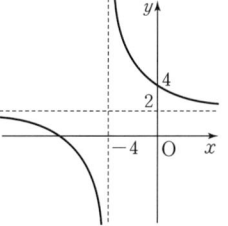

097

유리함수 $y=\dfrac{2x+1}{x-a}$의 그래프가 직선 $y=x+1$에 대하여 대칭일 때, 상수 a의 값을 구하여라.

098

함수 $y=\dfrac{2x+5}{x+1}$의 그래프를 x축의 방향으로 a만큼, y축의 방향으로 b만큼 평행이동하면 $y=\dfrac{k}{x}$의 그래프와 일치한다. 이때, $a+b+k$의 값은? (단, k는 상수)

① 1   ② 2   ③ 3

④ 4   ⑤ 5

099

$a \leq x \leq 4$에서 함수 $y = \dfrac{2x-1}{x-1}$의 최댓값이 $\dfrac{5}{2}$, 최솟값이 b일 때, ab의 값을 구하여라. (단, $a > 1$)

100

두 함수 $y = \dfrac{2}{x+1} + 1$과 $y = m(x+1) + 1$의 그래프가 서로 만나도록 실수 m의 값을 정할 때, m의 값으로 적당한 것은?

① -3 ② -2 ③ -1

④ 0 ⑤ $\dfrac{1}{2}$

101

함수 f에 대하여 합성함수 f^n을
$$f^n = \underbrace{f \circ f \circ f \circ \cdots \circ f}_{n\text{개}} \;(n\text{은 자연수})$$
라고 정의한다. $f(x) = \dfrac{x}{1-x}$라 하면, $f^{10}(x) = \dfrac{ax+b}{cx+1}$이다. 이때, 상수 a, b, c의 합 $a+b+c$의 값을 구하여라.

102

유리함수 $f(x) = \dfrac{ax+3}{bx-3}$과 그 역함수 $f^{-1}(x)$의 그래프가 점 $(1, 3)$에서 만날 때, 상수 a, b의 합 $a+b$의 값은?

① 6 ② 8 ③ 10

④ 12 ⑤ 14

103

곡선 $y = \dfrac{4}{x}\;(x > 0)$위를 움직이는 점 P에서 x축에 내린 수선의 발을 Q, y축에 내린 수선의 발을 R라 할 때, $\overline{\mathrm{PQ}} + \overline{\mathrm{PR}}$의 최솟값을 구하여라.

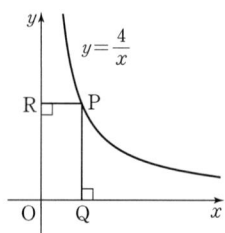

104

$2 \leq x \leq 6$에서 함수 $y = \dfrac{3x+2}{x-1}$의 그래프와 직선 $y = ax + 1$이 한 점에서 만나도록 하는 상수 a의 최댓값을 M, 최솟값을 m이라 하자. 이때, $M+m$의 값을 구하여라.

11 무리함수

11 무리함수

1 무리식

(1) 무리식의 값이 실수가 되기 위한 조건

  ① $\sqrt{A}$ 의 값이 실수이려면 ➡ $A \geq 0$

  ② $\dfrac{1}{\sqrt{A}}$ 의 값이 실수이려면 ➡ $A > 0$

(2) 무리식의 계산

$$\sqrt{A^2} = |A| = \begin{cases} A & (A \geq 0일\ 때) \\ -A & (A < 0일\ 때) \end{cases}$$

(3) 무리식의 변형(분모의 유리화)

  두 다항식 A, B $(A \neq B)$에 대하여

$$\frac{1}{\sqrt{A} + \sqrt{B}} = \frac{\sqrt{A} - \sqrt{B}}{(\sqrt{A} + \sqrt{B})(\sqrt{A} - \sqrt{B})} = \frac{\sqrt{A} - \sqrt{B}}{A - B}$$

2 무리함수

(1) 무리함수

  $y = f(x)$에서 $f(x)$가 x에 대한 무리식인 함수로, 정의역이 주어져 있지 않은 경우에는 근호 안의 식의 값이 0 이상이 되도록 하는 모든 실수의 집합을 정의역으로 한다.

(2) 무리함수 $y = \pm\sqrt{ax}$ $(a \neq 0)$의 그래프

  ① 함수 $y = \sqrt{ax}$ $(a \neq 0)$의 정의역은
  $a > 0$일 때 $\{x \,|\, x \geq 0\}$, $a < 0$일 때 $\{x \,|\, x \leq 0\}$이고
  치역은 $\{y \,|\, y \geq 0\}$이다.

  ② 함수 $y = -\sqrt{ax}$ $(a \neq 0)$의 정의역은
  $a > 0$일 때 $\{x \,|\, x \geq 0\}$, $a < 0$일 때 $\{x \,|\, x \leq 0\}$이고
  치역은 $\{y \,|\, y \leq 0\}$이다.

  ③ $|a|$의 값이 커질수록 x축에서 멀어진다.

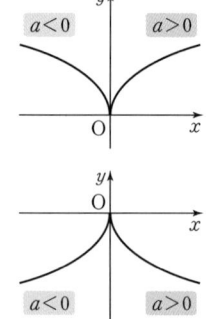

(3) 무리함수 $y = \sqrt{a(x-p)} + q$ $(a \neq 0)$의 그래프

  ① 무리함수 $y = \sqrt{ax}$ 의 그래프를 x축의 방향으로 p만큼, y축의 방향으로 q만큼 평행이동한 것이다.

  ② $a > 0$일 때, 정의역은 $\{x \,|\, x \geq p\}$, 치역은 $\{y \,|\, y \geq q\}$
  $a < 0$일 때, 정의역은 $\{x \,|\, x \leq p\}$, 치역은 $\{y \,|\, y \geq q\}$

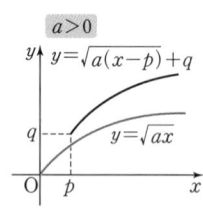

(4) 무리함수 $y = \sqrt{ax+b} + c$ $(a \neq 0)$의 그래프

  ① 무리함수 $y = \sqrt{ax+b} + c$ $(a \neq 0)$의 그래프는 $y = \sqrt{a\left(x + \dfrac{b}{a}\right)} + c$로 변형된다.

  ② $a > 0$일 때, 정의역은 $\left\{x \,\middle|\, x \geq -\dfrac{b}{a}\right\}$, 치역은 $\{y \,|\, y \geq c\}$
  $a < 0$일 때, 정의역은 $\left\{x \,\middle|\, x \leq -\dfrac{b}{a}\right\}$, 치역은 $\{y \,|\, y \geq c\}$

개념 플러스

◀ 제곱근의 성질
$a > 0$, $b > 0$일 때,

(1) $\sqrt{a}\sqrt{b} = \sqrt{ab}$ (2) $\sqrt{a^2 b} = a\sqrt{b}$

(3) $\dfrac{\sqrt{a}}{\sqrt{b}} = \sqrt{\dfrac{a}{b}}$ (4) $\sqrt{\dfrac{a}{b^2}} = \dfrac{\sqrt{a}}{b}$

◀ 음수의 제곱근의 성질

(1) $a < 0$, $b < 0$일 때,
$\sqrt{a}\sqrt{b} = -\sqrt{ab}$

(2) $a > 0$, $b < 0$일 때, $\dfrac{\sqrt{a}}{\sqrt{b}} = -\sqrt{\dfrac{a}{b}}$

(3) $a < 0$일 때, $\sqrt{a^2 b} = -a\sqrt{b}$

◀ $y = \sqrt{x}$ 와 $y = x^2$ $(x \geq 0)$의 그래프
무리함수 $y = \sqrt{x}$ 의 그래프는 이차함수 $y = x^2$ $(x \geq 0)$의 그래프와 직선 $y = x$에 대하여 대칭이다.
즉, $y = \sqrt{x}$ 의 역함수는 $y = x^2$ $(x \geq 0)$이다.

◀ $y = -\sqrt{a(x-p)} + q$ $(a \neq 0)$에서
(1) $a > 0$일 때
정의역은 $\{x \,|\, x \geq p\}$,
치역은 $\{y \,|\, y \leq q\}$
(2) $a < 0$일 때
정의역은 $\{x \,|\, x \leq p\}$,
치역은 $\{y \,|\, y \leq q\}$

기본 문제

1   무리식

[001-003] 다음을 간단히 하여라.

001 $x<0$일 때, $\sqrt{x^2}$

002 $x>2$일 때, $\sqrt{(2-x)^2}$

003 $0<a<1$일 때, $\sqrt{(1-a)^2}$

[004-006] 다음 무리식이 실수의 값을 갖기 위한 x의 값의 범위를 구하여라.

004 $\sqrt{x-2}$

005 $\dfrac{3}{\sqrt{x-4}}$

006 $\sqrt{2x+1}-\sqrt{5-x}$

[007-008] 다음을 간단히 하여라.

007 $(\sqrt{3}+\sqrt{2})(\sqrt{3}-\sqrt{2})$

008 $(\sqrt{x+1}-\sqrt{x})(\sqrt{x+1}+\sqrt{x})$

2   분모의 유리화

[009-011] 다음 수 또는 식의 분모를 유리수 또는 유리식으로 변형하여라.

009 $\dfrac{1}{\sqrt{2}+1}$

010 $\dfrac{\sqrt{a}-\sqrt{b}}{\sqrt{a}+\sqrt{b}}$

011 $\dfrac{4}{\sqrt{x+2}+\sqrt{x-2}}$

3   무리함수

[012-015] 다음 무리함수의 정의역을 구하여라.

012 $y=\sqrt{x+2}$

013 $y=\sqrt{2x+4}$

014 $y=\sqrt{3-x}$

015 $y=\sqrt{-2x+1}$

4　무리함수 $y=\pm\sqrt{ax}\ (a\neq0)$의 그래프

[016-017] 무리함수 $y=\sqrt{x}$의 그래프를 좌표평면 위에 나타내려고 한다. 다음 물음에 답하여라.

016 여러 가지 x의 값에 대응하는 y의 값을 구하여 다음 표를 완성하여 보자.

x	0	1	2	3	4	5	$\cdots$
y							$\cdots$

017 무리함수 $y=\sqrt{x}$의 그래프를 좌표평면 위에 나타내어라.

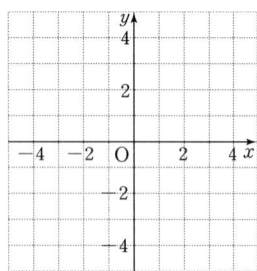

[018-019] 무리함수 $y=-\sqrt{x}$의 그래프를 좌표평면 위에 나타내려고 한다. 다음 물음에 답하여라.

018 여러 가지 x의 값에 대응하는 y의 값을 구하여 다음 표를 완성하여 보자.

x	0	1	2	3	4	5	$\cdots$
y							$\cdots$

019 무리함수 $y=-\sqrt{x}$의 그래프를 좌표평면 위에 나타내어라.

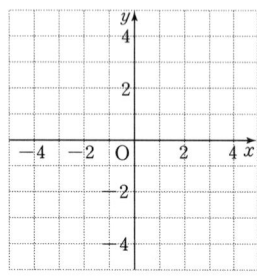

[020-023] 다음 함수의 그래프를 그리고, 정의역과 치역을 각각 구하여라.

020 $y=\sqrt{2x}$

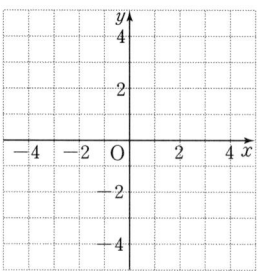

021 $y=-\sqrt{2x}$

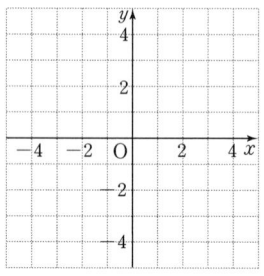

022 $y=\sqrt{-2x}$

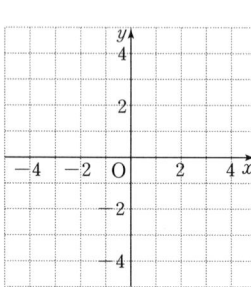

023 $y=-\sqrt{-2x}$

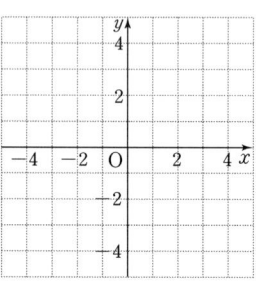

5 무리함수 $y=\pm\sqrt{a(x-p)}+q \ (a\neq0)$의 그래프

[024-028] 다음을 만족하는 그래프의 함수식을 구하여라.

024 무리함수 $y=\sqrt{x}$의 그래프를 y축의 방향으로 2만큼 평행이동한 그래프

025 무리함수 $y=\sqrt{-x}$의 그래프를 x축의 방향으로 1만큼 평행이동한 그래프

026 무리함수 $y=\sqrt{x}$의 그래프를 x축의 방향으로 1만큼, y축의 방향으로 2만큼 평행이동한 그래프

027 무리함수 $y=-\sqrt{x}$의 그래프를 x축의 방향으로 2만큼, y축의 방향으로 1만큼 평행이동한 그래프

028 무리함수 $y=-\sqrt{-x}$의 그래프를 x축의 방향으로 -1만큼, y축의 방향으로 -3만큼 평행이동한 그래프

[029-030] 무리함수 $y=\sqrt{2(x-1)}-1$에 대하여 다음 물음에 답하여라.

029 무리함수 $y=\sqrt{2(x-1)}-1$의 그래프를 좌표평면 위에 나타내어라.

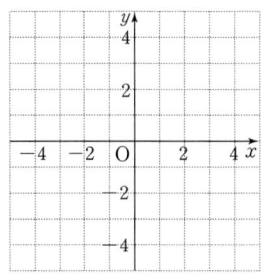

030 정의역과 치역을 각각 구하여라.

[031-032] 무리함수 $y=-\sqrt{x+2}+1$에 대하여 다음 물음에 답하여라.

031 무리함수 $y=-\sqrt{x+2}+1$의 그래프를 좌표평면 위에 나타내어라.

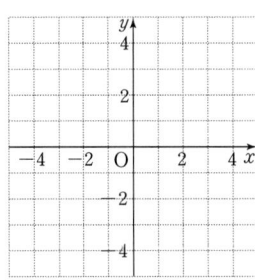

032 정의역과 치역을 각각 구하여라.

기본 문제

6 무리함수 $y=\pm\sqrt{ax+b}+c\ (a\neq0)$의 그래프

[033-036] 다음 식을 $y=\sqrt{a(x-p)}+q\ (a\neq0)$의 꼴로 나타내어라.

033 $y=\sqrt{3x+6}+1$

034 $y=\sqrt{2x+3}-1$

035 $y=\sqrt{6-2x}+2$

036 $y=-\sqrt{5x+15}-1$

[037-039] 무리함수 $y=\sqrt{2x+4}+1$에 대하여 다음 물음에 답하여라.

037 주어진 무리함수를 $y=\sqrt{a(x-p)}+q\ (a\neq0)$의 꼴로 나타내어라.

038 주어진 무리함수의 그래프를 좌표평면 위에 나타내어라.

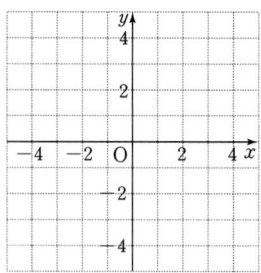

039 정의역과 치역을 각각 구하여라.

[040-042] 무리함수 $y=-\sqrt{2-2x}+1$에 대하여 다음 물음에 답하여라.

040 주어진 무리함수를 $y=\sqrt{a(x-p)}+q\ (a\neq0)$의 꼴로 나타내어라.

041 주어진 무리함수의 그래프를 좌표평면 위에 나타내어라.

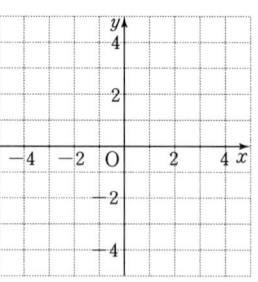

042 정의역과 치역을 각각 구하여라.

유형 문제

043

무리식 $\sqrt{6+3x}+\sqrt{3-x}$ 의 값이 실수가 되도록 하는 자연수 x 의 개수는?

① 2   ② 3   ③ 4
④ 5   ⑤ 6

중요 044

무리식 $\sqrt{5-x}-\dfrac{1}{\sqrt{2+x}}$ 의 값이 실수가 되도록 하는 실수 x의 값의 범위를 구하여라.

045

무리식 $\dfrac{\sqrt{4-x}}{x-2}$ 가 정의되기 위한 모든 자연수 x의 값의 합을 구하여라.

046

$\dfrac{\sqrt{x}+\sqrt{y}}{\sqrt{x}-\sqrt{y}}+\dfrac{\sqrt{x}-\sqrt{y}}{\sqrt{x}+\sqrt{y}}$ 를 간단히 하면?

① $-4\sqrt{xy}$ ② $-\dfrac{\sqrt{xy}}{x-y}$ ③ $2x$

④ $\dfrac{2x}{x-1}$ ⑤ $\dfrac{2(x+y)}{x-y}$

047

$\dfrac{\sqrt{x+1}-\sqrt{1-x}}{\sqrt{x+1}+\sqrt{1-x}}+\dfrac{\sqrt{x+1}+\sqrt{1-x}}{\sqrt{x+1}-\sqrt{1-x}}=\dfrac{a}{x}$ 일 때, 상수 a의 값을 구하여라.

048

자연수 n에 대하여 $f(n)=\sqrt{n-1}-\sqrt{n}$ 일 때, $f(1)+f(2)+f(3)+\cdots+f(100)$의 값을 구하여라.

유형 03 무리함수 $y=\pm\sqrt{ax}$의 그래프

(1) 함수 $y=\sqrt{ax}$ $(a\neq0)$의 정의역은
$a>0$일 때 $\{x|x\geq0\}$, $a<0$일 때
$\{x|x\leq0\}$이고 치역은 $\{y|y\geq0\}$이다.

(2) 함수 $y=-\sqrt{ax}$ $(a\neq0)$의 정의역은
$a>0$일 때 $\{x|x\geq0\}$, $a<0$일 때
$\{x|x\leq0\}$이고 치역은 $\{y|y\leq0\}$이다.

(3) $|a|$의 값이 커질수록 x축에서 멀어
진다.

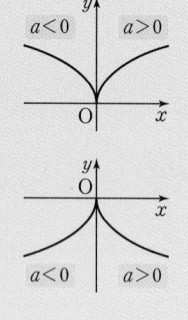

049

다음 중 무리함수 $y=\sqrt{ax}$의 그래프에 대한 설명으로 옳지 않은
것은?

① $a>0$이면 원점과 제1사분면을 지난다.

② $a<0$이면 정의역은 $\{x|x\leq0\}$이다.

③ $a<0$이면 치역은 $\{y|y\leq0\}$이다.

④ $y=-\sqrt{ax}$의 그래프와 x축에 대하여 대칭이다.

⑤ $y=\sqrt{-ax}$의 그래프와 y축에 대하여 대칭이다.

⭐중요 050

무리함수 $y=-\sqrt{ax}$ $(a\neq0)$의 그래프에 대한 설명으로 옳은 것
을 〈보기〉에서 골라라.

┤ 보기 ├

ㄱ. $a<0$일 때, 정의역은 $\{x|x\geq0\}$이다.

ㄴ. $a<0$이면 그래프는 제3사분면을 지난다.

ㄷ. $|a|$의 값이 클수록 그래프가 y축에서 멀어진다.

051

무리함수 $y=-\sqrt{ax}$의 그래프가 그림
과 같을 때, 직선 $x+ay-3=0$이 지
나지 않는 사분면을 구하여라.

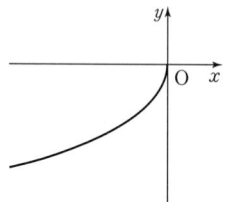

유형 04 무리함수 $y=\pm\sqrt{ax+b}+c$의 그래프

함수 $y=\pm\sqrt{ax+b}+c$ $(a\neq0)$를 $y=\pm\sqrt{a(x-p)}+q$의
꼴로 변형하여 그린다. 즉, 함수 $y=\pm\sqrt{ax}$의 그래프를 x축
의 방향으로 p만큼, y축의 방향으로 q만큼 평행이동한 것임
을 이용한다.

참고 ① 함수 $y=\sqrt{a(x-p)}+q$ $(a\neq0)$에서

$a>0$ 정의역: $\{x|x\geq p\}$, 치역: $\{y|y\geq q\}$

$a<0$ 정의역: $\{x|x\leq p\}$, 치역: $\{y|y\geq q\}$

② 함수 $y=-\sqrt{a(x-p)}+q$ $(a\neq0)$에서

$a>0$ 정의역: $\{x|x\geq p\}$, 치역: $\{y|y\leq q\}$

$a<0$ 정의역: $\{x|x\leq p\}$, 치역: $\{y|y\leq q\}$

052

무리함수 $y=\sqrt{-2x+4}-1$의 그래프가 지나지 않는 사분면은?

① 제1, 2사분면   ② 제1, 3사분면

③ 제2, 4사분면   ④ 제3사분면

⑤ 제4사분면

053

무리함수 $y=\sqrt{-2x+6}+1$의 그래프에 대한 설명으로 옳은 것
만을 〈보기〉에서 있는 대로 고른 것은?

┤ 보기 ├

ㄱ. 정의역은 $\{x|x\leq3\}$, 치역은 $\{y|y\geq1\}$이다.

ㄴ. $y=\sqrt{-2x}$의 그래프를 x축의 방향으로 6만큼, y축의 방향
으로 1만큼 평행이동한 그래프이다.

ㄷ. 제3, 4사분면을 지나지 않는다.

① ㄱ   ② ㄴ   ③ ㄷ

④ ㄱ, ㄴ   ⑤ ㄱ, ㄷ

054

무리함수 $y=\sqrt{2x+a}+3$의 정의역이 $\{x|x\geq-3\}$이고, 치역이
$\{y|y\geq b\}$일 때, $a+b$의 값을 구하여라. (단, a, b는 상수이다.)

055

무리함수 $y=-\sqrt{ax+4}+b$의 그래프가 점 $(0, -1)$을 지나고, 정의역이 $\{x \mid x \leq 2\}$일 때, 이 함수의 치역은?

① $\{y \mid y \leq 1\}$ ② $\{y \mid y \leq 2\}$ ③ $\{y \mid y \geq 1\}$

④ $\{y \mid y \geq 2\}$ ⑤ $\{y \mid y \geq 3\}$

056

무리함수 $f(x)=\sqrt{ax+b}+c$가 $x=-1$에서 최솟값 1을 갖고, $f(1)=3$이다. 이때, 상수 a, b, c의 합 $a+b+c$의 값은?

① 5 ② 6 ③ 7

④ 8 ⑤ 9

057

정의역이 $\{x \mid x \leq 3\}$이고, 치역이 $\{y \mid y \geq 4\}$인 무리함수 $f(x)=\sqrt{a(x-p)}+q$에 대하여 $f(1)=6$일 때, 상수 a, p, q의 합 $a+p+q$의 값을 구하여라.

유형 **05** 무리함수의 식 구하기

주어진 그래프를 이용하여 무리함수의 식을 구할 때에는 다음과 같은 순서로 한다.
① 그래프가 시작하는 점의 좌표가 (p, q)인 경우, 함수의 식을 $y=\pm\sqrt{a(x-p)}+q$로 놓는다.
② 그래프가 지나는 점의 좌표를 대입하여 a의 값을 구한다.
③ $y=\pm\sqrt{ax+b}+c$의 꼴로 정리한다.

058

무리함수 $y=\sqrt{ax+b}+c$의 그래프가 그림과 같을 때, 상수 a, b, c의 합 $a+b+c$의 값을 구하여라.

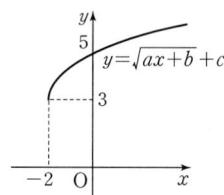

059

무리함수 $y=-\sqrt{ax+b}+c$의 그래프가 그림과 같을 때, 상수 a, b, c의 합 $a+b+c$의 값을 구하여라.

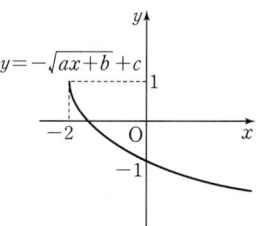

060

무리함수 $y=\sqrt{ax+b}+c$의 그래프가 그림과 같을 때, 무리함수 $y=\sqrt{cx+a}+b$의 그래프가 지나는 사분면은?

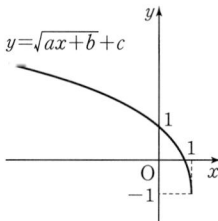

① 제1사분면 ② 제2사분면

③ 제3사분면 ④ 제4사분면

⑤ 제2, 3사분면

유형 06 무리함수의 그래프의 개형

(1) 무리함수 $y=\sqrt{a(x-p)}+q$의 그래프
  ① $a>0$일 때, 시작점이 (p, q)이고 제1사분면 방향으로 그린다.
  ② $a<0$일 때, 시작점이 (p, q)이고 제2사분면 방향으로 그린다.

(2) 무리함수 $y=-\sqrt{a(x-p)}+q$의 그래프
  ① $a>0$일 때, 시작점이 (p, q)이고 제4사분면 방향으로 그린다.
  ② $a<0$일 때, 시작점이 (p, q)이고 제3사분면 방향으로 그린다.

061

무리함수 $y=-a\sqrt{bx}$의 그래프가 그림과 같을 때, 다음 중 옳은 것은?
(단, $ab\neq0$)

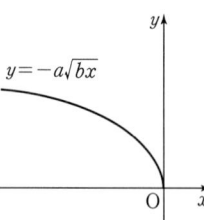

① $a<0, b<0$ ② $a<0, b>0$
③ $a>0, b<0$ ④ $a>0, b>0$
⑤ $a\geq b$

062

무리함수 $y=\sqrt{ax+b}+c$의 그래프가 그림과 같을 때, 다음 중 직선 $ax+by+bc=0$의 개형으로 옳은 것은?

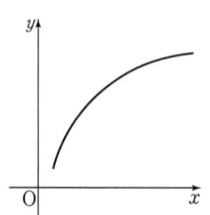

① 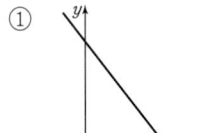   ②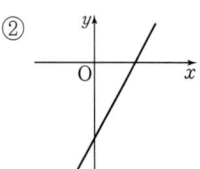

③ 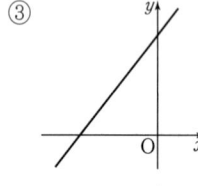   ④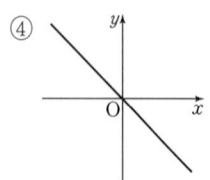

⑤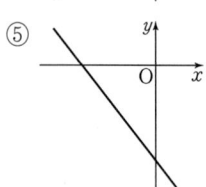

063 중요

유리함수 $y=\dfrac{b}{x+a}+c$의 그래프가 그림과 같을 때, 무리함수 $y=-\sqrt{cx+a}+b$의 그래프가 지나는 사분면을 구하여라.

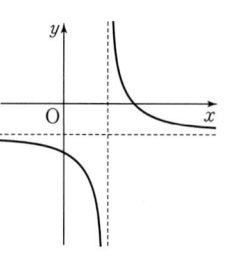

064

무리함수 $y=\sqrt{ax+b}+c$의 그래프가 그림과 같을 때, 유리함수 $y=\dfrac{ax+b}{x+c}$의 그래프의 개형으로 옳은 것은?

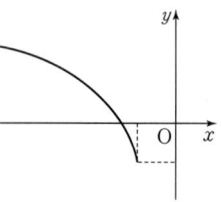

① 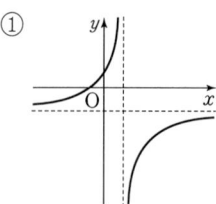   ②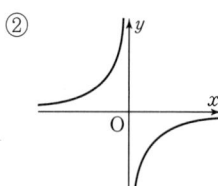

③ 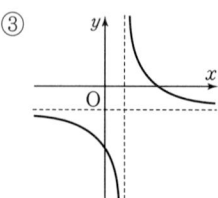   ④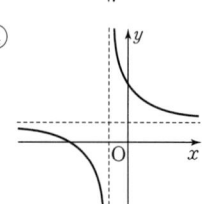

⑤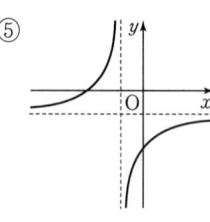

유형 **07** 무리함수의 그래프의 응용

주어진 조건에 필요한 점의 좌표를 무리함수의 그래프 위에서 찾는다.

065

무리함수 $y=\sqrt{-2x+4}-3$의 그래프와 x축 및 y축이 만나는 두 점을 각각 A, B라 할 때, 삼각형 OAB의 넓이를 구하여라.
(단, O는 원점이다.)

066

x축에 평행한 직선이 y축 및 $y=\sqrt{x}$, $y=\sqrt{kx}$의 그래프와 만나는 서로 다른 세 점을 각각 A, B, C라 하자. $\overline{AB}=\overline{BC}$일 때, 상수 k의 값은? (단, $0<k<1$)

① $\dfrac{1}{4}$ ② $\dfrac{1}{3}$ ③ $\dfrac{1}{2}$

④ $\dfrac{3}{4}$ ⑤ $\dfrac{4}{5}$

☆중요 067

그림과 같이 좌표평면 위의 두 무리함수 $y=\sqrt{x+1}$과 $y=\sqrt{x-1}$의 그래프가 y축에 평행한 직선 $x=k$ $(k=1, 2, 3, \cdots)$와 만나는 점을 각각 P_k, Q_k라 할 때,
$\overline{P_1Q_1}+\overline{P_2Q_2}+\overline{P_3Q_3}+\cdots+\overline{P_{99}Q_{99}}=a+b\sqrt{11}$이다. 이때, 상수 a, b의 합 $a+b$의 값을 구하여라.

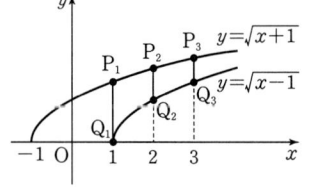

유형 **08** 무리함수의 평행이동과 대칭이동

무리함수 $y=\sqrt{a(x-p)}+q$ $(a\neq0)$의 그래프는 함수 $y=\sqrt{ax}$의 그래프를 x축의 방향으로 p만큼, y축의 방향으로 q만큼 평행이동한 것이다.

068

〈보기〉의 함수 중 그 그래프를 평행이동 또는 대칭이동하여 $y=2\sqrt{x}$의 그래프와 일치할 수 있는 것만을 있는 대로 고른 것은?

┤ 보기 ├
ㄱ. $y=2\sqrt{-x}$ ㄴ. $y=-2\sqrt{x}+1$
ㄷ. $y=-2\sqrt{-x}-1$

① ㄱ ② ㄴ ③ ㄱ, ㄴ
④ ㄴ, ㄷ ⑤ ㄱ, ㄴ, ㄷ

069

무리함수 $y=\sqrt{4x-12}+7$의 그래프는 $y=a\sqrt{x}$의 그래프를 x축의 방향으로 p만큼, y축의 방향으로 q만큼 평행이동한 것이다. 이때, $a+p+q$의 값을 구하여라. (단, a, p, q는 상수이다.)

☆중요 070

점 $(-2, 2)$를 지나는 함수 $y=\sqrt{-ax}$의 그래프를 y축의 방향으로 b만큼 평행이동한 후 x축에 대하여 대칭이동하면 점 $(-8, -3)$을 지난다고 할 때, 상수 a, b의 합 $a+b$의 값은?
(단, $a\neq0$)

① 1 ② 2 ③ 3
④ 4 ⑤ 5

유형 09 무리함수의 최대·최소

정의역이 $\{x \mid p \le x \le q\}$인 함수 $f(x) = \sqrt{ax+b} + c$의 최대, 최소

(1) $a > 0$일 때, 최댓값은 $f(q)$, 최솟값은 $f(p)$
(2) $a < 0$일 때, 최댓값은 $f(p)$, 최솟값은 $f(q)$

071
정의역이 $\{x \mid 2 \le x \le 6\}$일 때, 무리함수 $y = \sqrt{2x-3} + 1$의 치역을 구하여라.

072 중요
$-4 \le x \le 4$에서 무리함수 $y = -\sqrt{x+a} + 1$의 최솟값이 -2일 때, 최댓값은? (단, a는 상수이다.)

① 0   ② 1   ③ 2
④ 3   ⑤ 4

073
무리함수 $f(x) = -\sqrt{ax+6} + b$의 정의역이 $\{x \mid x \le 3\}$이다. $-5 \le x \le 1$에서 함수 $f(x)$의 최댓값이 -1일 때, 최솟값을 구하여라. (단, a, b는 상수이다.)

유형 10 무리함수의 그래프와 직선

(1) 무리함수 $y = f(x)$의 그래프와 직선 $y = g(x)$의 위치 관계 ⇨ 그래프를 직접 그려 본다.
(2) 무리함수 $y = f(x)$의 그래프와 직선 $y = g(x)$가 접한다.
   ⇨ 이차방정식 $\{f(x)\}^2 = \{g(x)\}^2$의 판별식을 D라 하면
   $D = 0$

074
무리함수 $y = -\sqrt{x+3}$의 그래프와 직선 $y = x-3$의 교점의 좌표를 구하여라.

075
무리함수 $y = \sqrt{4-x}$의 그래프와 직선 $y = x+k$가 만나기 위한 실수 k의 값의 범위를 구하여라.

076 중요
무리함수 $y = \sqrt{2x-4}$의 그래프와 직선 $y = x+k$가 서로 다른 두 점에서 만나도록 하는 상수 k의 값의 범위는 $\alpha \le k < \beta$이다. 이때, $\alpha\beta$의 값을 구하여라.

유형 **11** 무리함수의 합성함수와 역함수

두 함수 $f(x)$, $g(x)$와 그 역함수 $f^{-1}(x)$, $g^{-1}(x)$에 대하여

(1) $(g \circ f^{-1})(x) = g(f^{-1}(x))$

(2) $(g^{-1} \circ f)^{-1}(x) = (f^{-1} \circ g)(x) = f^{-1}(g(x))$

참고 함수 $y = \sqrt{ax+b} + c$ $(a \neq 0)$의 역함수 구하기

① x를 y에 대한 식으로 나타낸다.

② x와 y를 서로 바꾼다.

③ $y = \sqrt{ax+b} + c$의 치역이 $\{y \mid y \geq c\}$이므로 역함수의 정의역은 $\{x \mid x \geq c\}$

077

무리함수 $f(x) = \sqrt{x-1} + 3$에 대하여 $f^{-1}(5)$의 값은?

① 4   ② 5   ③ 6

④ 7   ⑤ 8

중요 078

무리함수 $y = \sqrt{x-2} + 1$의 역함수가 $y = x^2 + ax + b$ $(x \geq c)$일 때, 상수 a, b, c의 합 $a+b+c$의 값은?

① 1   ② 2   ③ 3

④ 4   ⑤ 5

079

무리함수 $f(x) = -\sqrt{x+a} + b$의 역함수를 $g(x)$라 할 때, $f(x)$의 정의역은 $\{x \mid x \geq 2\}$이고, $g(x)$의 정의역은 $\{x \mid x \leq 5\}$이다. 두 상수 a, b에 대하여 $a+b$의 값을 구하여라.

080

함수 $f(x) = (x-2)^2 + 3$ $(x \leq 2)$의 역함수가 $f^{-1}(x) = -\sqrt{x+a} + b$일 때, 상수 a, b의 합 $a+b$의 값은?

① -2 ② -1 ③ 0

④ 1   ⑤ 2

081

두 함수 $f(x) = \dfrac{x+3}{x-1}$, $g(x) = \sqrt{2x-1}$에 대하여 $(g^{-1} \circ f)(2)$의 값은?

① 2   ② 5   ③ 8

④ 11   ⑤ 13

중요 082

정의역이 $\{x \mid x \geq 0\}$인 두 함수 $f(x) = \dfrac{x+3}{x+1}$, $g(x) = \sqrt{2x+1}$에 대하여 $(f \circ (g \circ f)^{-1} \circ f)(1)$의 값은?

① $\dfrac{1}{2}$ ② 1   ③ $\dfrac{3}{2}$

④ 2   ⑤ 4

유형 **12** 무리함수의 역함수의 그래프

$y=f(x)$의 그래프와 $y=f^{-1}(x)$의 그래프가 만나는 점 (a, b)는 직선 $y=x$ 위의 점이므로 $a=b$이고, 방정식 $f(x)=x$의 실근은 $x=a$이다.

083

무리함수 $f(x)=\sqrt{k-x}$의 역함수의 그래프가 점 $(3, 4)$를 지날 때, $f(9)$의 값을 구하여라.

084

두 무리함수 $y=\sqrt{2-x}$, $x=\sqrt{2-y}$의 교점의 좌표를 (a, b)라 할 때, ab의 값은?

① -4 ② -2 ③ -1

④ 1 ⑤ 2

085

무리함수 $y=\sqrt{ax+b}$의 그래프와 그 역함수의 그래프가 점 $(1, 2)$에서 만날 때, 상수 a, b의 곱 ab의 값은?

① -21 ② -18 ③ -15

④ -12 ⑤ -9

086

무리함수 $y=\sqrt{2x+3}$의 그래프와 그 역함수의 그래프가 만나는 점을 A라 할 때, 원점과 점 A 사이의 거리는?

① $\sqrt{2}$ ② $\sqrt{3}$ ③ $2\sqrt{2}$

④ $2\sqrt{3}$ ⑤ $3\sqrt{2}$

087

무리함수 $f(x)=\sqrt{x-2}+2$와 그 역함수 $f^{-1}(x)$에 대하여 $y=f(x)$와 $y=f^{-1}(x)$의 그래프의 두 교점을 P, Q라 할 때, 선분 PQ의 길이를 구하여라.

088

무리함수 $y=2\sqrt{x}$의 그래프를 x축의 방향으로 a만큼 평행이동한 함수를 $y=f(x)$라 하자. $y=f(x)$와 $y=f^{-1}(x)$의 두 그래프가 접할 때, a의 값을 구하여라.

089

무리함수 $y=\sqrt{6-3x}+1$의 그래프에 대한 다음 설명 중 옳지 <u>않은</u> 것은?

① $y=\sqrt{-3x}$의 그래프를 x축의 방향으로 2만큼, y축의 방향으로 1만큼 평행이동한 그래프이다.

② $y=-\sqrt{3x}$의 그래프를 x축의 방향으로 2만큼 평행이동한 후 직선 $y=0$에 대하여 대칭이동한 그래프이다.

③ 그래프는 점 $(0, 1+\sqrt{6})$을 지난다.

④ 정의역은 $\{x|x\le2\}$이다.

⑤ 치역은 $\{y|y\ge1\}$이다.

090

무리함수 $y=\sqrt{ax+b}+c$의 그래프가 점 $(1, 1)$을 지나며 정의역이 $\{x|x\le2\}$이고, 치역이 $\{y|y\ge-1\}$이다. 이때, 상수 a, b, c의 합 $a+b+c$의 값은?

① 1   ② 2   ③ 3

④ 4   ⑤ 5

091

무리함수 $y=-\sqrt{ax+b}+c$의 그래프가 그림과 같을 때, 상수 a, b, c의 합 $a+b+c$의 값을 구하여라.

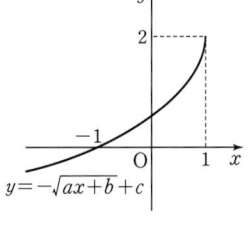

092

그림과 같이 직선 $y=k$가 두 함수 $y=\sqrt{2x}$, $y=\sqrt{x}$의 그래프와 만나는 두 점을 각각 P, Q라 하자. 두 점 P와 Q 사이의 거리가 4일 때, 상수 k의 값은?

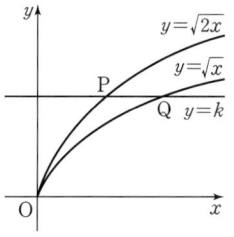

① 1   ② $\sqrt{2}$

③ 2   ④ $2\sqrt{2}$

⑤ 3

093

두 무리함수 $f(x)=\sqrt{x+4}-3$, $g(x)=\sqrt{-x+4}+3$의 그래프와 두 직선 $x=-4$, $x=4$로 둘러싸인 도형의 넓이는?

① 40   ② 42   ③ 44

④ 46   ⑤ 48

094

함수 $y=\sqrt{ax}$의 그래프를 x축의 방향으로 3만큼 평행이동한 후 y축에 대하여 대칭이동하면 점 $(1, 4)$를 지난다고 할 때, 상수 a의 값은?

① -5 ② -4 ③ -3

④ -2 ⑤ -1

095

$10 \leq x \leq a$에서 무리함수 $y=\sqrt{2x-4}-3$의 최댓값은 5, 최솟값은 m이다. 이때, $a+m$의 값을 구하여라.

096

두 함수 $f(x)=\dfrac{x-1}{x}$, $g(x)=\sqrt{2x-1}$에 대하여
$(f \circ (g \circ f)^{-1} \circ f)(2)$의 값을 구하여라.

097

두 함수 $y=\sqrt{x+1}$, $y=x+k$의 그래프에 대하여 $f(k)$를 두 함수의 그래프의 교점의 개수라고 할 때,
$f(0)+f\left(\dfrac{1}{2}\right)+f(1)+f\left(\dfrac{3}{2}\right)$의 값을 구하여라.

098

무리함수 $f(x)=\sqrt{x+10}+a$의 그래프와 그 역함수의 그래프가 서로 다른 두 점에서 만날 때, 정수 a의 최솟값은?

① -11　　② -10　　③ -9
④ 10　　⑤ 11

🏅 1등급 문제

099

무리함수 $y=\sqrt{x-3}$의 그래프와 직선 $y=mx+1$이 교점을 가지도록 하는 실수 m의 값의 범위를 구하여라.

100

무리함수 $y=\sqrt{x-a}+1$의 그래프와 그 역함수 $y=f^{-1}(x)$의 그래프의 두 교점 사이의 거리가 $\sqrt{2}$일 때, 상수 a의 값은?

① -2　　② -1　　③ 0
④ 1　　⑤ 2

12 경우의 수

제 목	문항 번호	문항 수	확인
기본 문제	001~024	24	
유형 문제 01. 합의 법칙	025~030	6	
02. 동시에 일어나는 사건이 있는 경우의 수	031~033	3	
03. 방정식과 부등식을 만족시키는 순서쌍의 개수	034~039	6	
04. 곱의 법칙	040~045	6	
05. 곱의 법칙과 합의 법칙	046~048	3	
06. 수형도를 이용하는 경우의 수	049~051	3	
07. 여사건의 경우의 수	052~057	6	
08. 도로망에서의 경우의 수	058~063	6	
09. 약수의 개수	064~066	3	
10. 지불 방법과 지불 금액의 수	067~069	3	
11. 색칠하는 방법의 수	070~072	3	
쌤이 시험에 꼭 내는 문제	073~084	12	

12 경우의 수

1 사건과 경우의 수

개념 플러스

(1) **사건** : 어떤 실험이나 시행에서 일어날 수 있는 결과

(2) **경우의 수** : 어떤 시행에서 특정한 사건이 일어날 수 있는 경우의 가짓수

> **참고** 경우의 수를 구할 때는 사전식 배열 또는 수형도를 이용한다.
> ① **사전식 배열** : 모든 가능한 경우를 사전의 단어 순서처럼 배열하는 것
> ② **수형도** : 어떤 사건이 일어나는 경우를 나뭇가지 모양으로 나타낸 그림으로 규칙성을 찾기 어려운 경우의 수를 구할 때 이용한다.

◀ 경우의 수를 구할 때는 빠짐없이, 중복되지 않게 구하는 것이 중요하다.

2 합의 법칙

두 사건 A, B가 동시에 일어나지 않을 때, 사건 A가 일어나는 경우가 m가지이고 사건 B가 일어나는 경우가 n가지이면 사건 A 또는 사건 B가 일어나는 경우의 수는

$$m+n$$

◀ 합의 법칙은 어느 두 사건도 동시에 일어나지 않는 셋 이상의 사건에 대해서도 성립한다.

3 곱의 법칙

사건 A가 일어나는 경우가 m가지이고 그 각각에 대하여 사건 B가 일어나는 경우가 n가지일 때, 두 사건 A, B가 동시에 일어나는 경우의 수는

$$m \times n$$

◀ 곱의 법칙은 동시에 일어나는 셋 이상의 사건에 대해서도 성립한다.

◀ 두 사건 A, B가 일어나는 경우를 각각 집합 A, B로 나타내면 사건 A 또는 사건 B가 일어나는 경우는 $A \cup B$, 두 사건 A, B가 동시에 일어나는 경우는 $A \cap B$로 나타낼 수 있으므로
$$n(A \cup B)$$
$$=n(A)+n(B)-n(A \cap B)$$
특히, 두 사건 A, B가 동시에 일어나지 않을 때에는 $A \cap B = \varnothing$에서 $n(A \cap B)=0$이므로
$$n(A \cup B)=n(A)+n(B)$$

4 여사건의 경우의 수

어떤 사건 A에 대하여 사건 A가 일어나지 않는 사건을 사건 A의 여사건이라 하고 A^C으로 표현한다.

(사건 A가 일어나지 않는 경우의 수)=(전체 경우의 수)−(사건 A가 일어나는 경우의 수)

➡ $n(A^C)=n(U)-n(A)$

1 합의 법칙

001 참고서 5종류와 소설책 3종류 중에서 한 종류의 책을 구입하는 방법의 수를 구하여라.

[002-004] 1부터 10까지의 숫자가 각각 하나씩 적힌 카드 중에서 한 장을 뽑을 때, 다음을 구하여라.

002 3의 배수가 나오는 경우의 수

003 5의 배수가 나오는 경우의 수

004 3의 배수 또는 5의 배수가 나오는 경우의 수

[005-007] 서로 다른 두 개의 주사위를 동시에 던질 때, 다음을 구하여라.

005 나오는 눈의 수의 합이 5가 되는 경우의 수

006 나오는 눈의 수의 합이 8이 되는 경우의 수

007 나오는 눈의 수의 합이 5 또는 8이 되는 경우의 수

[008-013] 다음 물음에 답하여라.

008 두 자연수 x, y에 대하여 $x+3y=10$을 만족시키는 순서쌍 (x, y)의 개수를 구하여라.

009 두 자연수 x, y의 합이 4 또는 6이 되는 순서쌍 (x, y)의 개수를 구하여라.

010 두 양의 정수 x, y에 대하여 $x+y\leq4$를 만족시키는 순서쌍 (x, y)의 개수를 구하여라.

011 1, 2의 숫자 카드가 각각 3장, 2장 있다. 이 중에서 세 장을 이용하여 세 자리의 정수를 만들려고 한다. 다음 수형도의 ☐ 안에 알맞은 수를 써넣고, 만들 수 있는 세 자리의 정수의 개수를 구하여라.

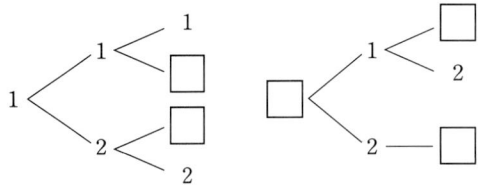

012 1부터 20까지의 자연수를 4로 나눌 때, 나머지가 홀수인 자연수의 개수를 구하여라.

013 그림에서 A지점에서 B지점으로 가는 방법의 수를 구하여라. (단, 같은 지점은 두 번 이상 지나지 않는다.)

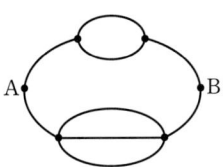

기본 문제

2 곱의 법칙

[014-016] 동전 한 개와 주사위 한 개가 있다. 다음을 구하여라.

014 동전 한 개를 던질 때 나올 수 있는 경우의 수

015 주사위 한 개를 던질 때 나올 수 있는 경우의 수

016 동전 한 개와 주사위 한 개를 동시에 던질 때, 나올 수 있는 경우의 수

[017-021] 다음 물음에 답하여라.

017 공책 5종류, 연필 3종류 중에서 각각 하나씩 구입하려고 할 때, 구입할 수 있는 방법의 수를 구하여라.

018 두 자리의 자연수 중에서 십의 자리의 숫자는 2의 배수이고, 일의 자리의 숫자는 홀수인 것의 개수를 구하여라.

019 36의 약수의 개수를 구하여라.

020 다음 식을 전개할 때, 항의 개수를 구하여라.
(단, a, b, c, x, y는 모두 변수이다.)

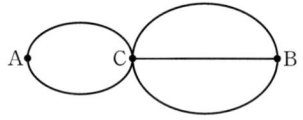
$$(a+b+c)(x+y)$$

021 그림에서 A지점에서 B지점으로 가는 방법의 수를 구하여라. (단, 같은 지점은 두 번 이상 지나지 않는다.)

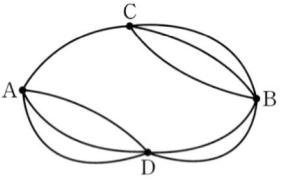

[022-024] 그림을 보고 다음 물음에 답하여라.
(단, 같은 지점은 두 번 이상 지나지 않는다.)

022 A지점에서 C지점을 거쳐 B지점으로 가는 방법의 수를 구하여라.

023 A지점에서 D지점을 거쳐 B지점으로 가는 방법의 수를 구하여라.

024 A지점에서 B지점으로 가는 방법의 수를 구하여라.

유형 문제

두 사건 A, B가 동시에 일어나지 않을 때, 사건 A가 일어나는 경우가 m가지이고 사건 B가 일어나는 경우가 n가지이면 사건 A 또는 사건 B가 일어나는 경우의 수는
$$m+n$$

025
서로 다른 유리컵 4가지, 플라스틱 컵 3가지 중에서 하나의 컵을 택하는 경우의 수는?

① 6   ② 7   ③ 8
④ 9   ⑤ 10

중요
026
서로 다른 두 개의 주사위를 동시에 던질 때, 나오는 눈의 수의 합이 6 또는 9가 되는 경우의 수를 구하여라.

027
서로 다른 두 개의 주사위를 농시에 던실 때, 나오는 눈의 수의 차가 3이거나 합이 3인 경우의 수는?

① 6   ② 8   ③ 10
④ 12   ⑤ 14

028
두 개의 주사위 A, B를 동시에 던질 때, 나오는 눈의 수의 합이 5의 배수가 되는 경우의 수는?

① 6   ② 7   ③ 8
④ 9   ⑤ 10

029
1부터 5까지의 숫자가 각각 하나씩 적혀 있는 노란 구슬 5개와 6부터 10까지의 숫자가 각각 하나씩 적혀 있는 파란 구슬 5개가 들어 있는 주머니가 있다. 이 주머니에서 노란 구슬과 파란 구슬을 각각 1개씩 꺼낼 때, 두 구슬에 적힌 수의 합이 7의 배수인 경우의 수를 구하여라.

030
각 면에 1부터 4까지의 자연수가 하나씩 적혀 있는 정사면체가 있다. 이 정사면체를 세 번 던질 때, 바닥에 놓인 면에 적힌 수의 곱이 2 또는 4인 경우의 수는?

① 6   ② 7   ③ 8
④ 9   ⑤ 10

유형 02 동시에 일어나는 사건이 있는 경우의 수

두 사건 A, B가 동시에 일어날 때, 사건 A가 일어나는 경우가 m가지, 사건 B가 일어나는 경우가 n가지이고 두 사건 A, B가 동시에 일어나는 경우가 l가지이면 사건 A 또는 사건 B가 일어나는 경우의 수는

$$m+n-l$$

031

1부터 100까지의 자연수 중에서 4의 배수 또는 5의 배수인 자연수의 개수는?

① 30   ② 35   ③ 40

④ 45   ⑤ 50

032

두 자리의 자연수 중에서 2 또는 3으로 나누어떨어지는 자연수의 개수를 구하여라.

033

서로 다른 세 주사위 A, B, C를 동시에 던져서 나오는 눈의 수를 각각 a, b, c라 할 때, $a=b$ 또는 $b=c$를 만족하는 순서쌍 (a, b, c)의 개수를 구하여라.

유형 03 방정식과 부등식을 만족시키는 순서쌍의 개수

방정식과 부등식을 만족시키는 순서쌍의 개수는 다음과 같은 방법으로 구한다.
① 문제의 조건에 맞도록 $ax+by+cz=d$ 꼴의 방정식을 세운다.
② ①의 식에 x, y, z의 계수의 절댓값이 큰 것부터 수를 대입하여 방정식을 만족시키는 x, y, z의 순서쌍 (x, y, z)를 찾는다. 이때, x, y, z의 조건에 주의한다.

034

방정식 $x+3y+5z=18$을 만족하는 세 자연수 x, y, z의 순서쌍 (x, y, z)의 개수를 구하여라.

035

주사위 1개를 3번 던질 때, 나오는 눈의 수의 합이 5가 되는 경우의 수를 구하여라.

036

한 장에 100원, 500원, 1000원인 3종류의 우표를 합해서 5000원어치 사는 방법의 수를 구하여라.

(단, 각 우표를 적어도 1장씩은 산다고 한다.)

037
부등식 $x+2y \leq 6$을 만족하는 두 양의 정수 x, y의 순서쌍 (x, y)의 개수를 구하여라.

038
두 집합 $A=\{1, 2, 3\}$, $B=\{1, 2, 3, 4, 5\}$에 대하여 집합 A의 원소를 a, 집합 B의 원소를 b라 할 때, $ab \leq 8$을 만족하는 순서쌍 (a, b)의 개수를 구하여라.

중요
039
두 주사위 A, B를 동시에 던져서 나오는 눈의 수를 각각 a, b라 할 때, x에 대한 이차방정식 $x^2+2ax+b=0$이 실근을 갖도록 하는 a, b의 순서쌍 (a, b)의 개수는?

① 23   ② 25   ③ 27
④ 29   ⑤ 31

유형 04 곱의 법칙
사건 A가 일어나는 경우가 m가지이고 그 각각에 대하여 사건 B가 일어나는 경우가 n가지일 때, 두 사건 A, B가 동시에 일어나는 경우의 수는
$$m \times n$$

040
인터넷 동호회 중에서 만화 동호회는 a, b, c, d의 네 종류, 게임 동호회는 x, y의 두 종류가 있다고 한다. 만화 동호회와 게임 동호회를 각각 하나씩 가입하는 방법의 수는?

① 5   ② 6   ③ 7
④ 8   ⑤ 9

041
어느 패스트푸드점에서 햄버거 4종류, 감자 튀김 2종류, 음료 3종류를 팔고 있다. 이때, 햄버거, 감자 튀김, 음료를 각각 한 종류씩 묶어서 세트 메뉴를 만들려고 한다. 만들 수 있는 세트 메뉴의 개수를 구하여라.

042
두 집합 $A=\{1, 2, 3, 4, 5\}$, $B=\{0, 1, 2, 3\}$에 대하여 $a \in A$, $b \in B$일 때, ab의 값이 홀수가 되도록 하는 a, b의 순서쌍 (a, b)의 개수를 구하여라.

043

다항식 $(a+b)(x+y+z)(p+q+r+s)$를 전개할 때 생기는 서로 다른 항의 개수는?

① 12   ② 18   ③ 24

④ 30   ⑤ 36

044 중요

1과 4를 사용하지 않고 만들 수 있는 세 자리 자연수의 개수는?

① 253   ② 343   ③ 392

④ 448   ⑤ 512

045

그림의 정육면체에서 임의의 꼭짓점 세 개를 택하여 만들 수 있는 직각이등변삼각형은 모두 몇 개인가?

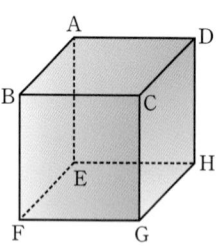

① 12개   ② 18개

③ 24개   ④ 30개

⑤ 36개

046

다항식 $(a+b+c)(p+q)+(x+y)^2(z+w)^2$을 전개할 때 생기는 서로 다른 항의 개수는? (단, 모든 문자는 변수이다.)

① 10   ② 15   ③ 20

④ 25   ⑤ 30

047 중요

어떤 문화관에는 그림과 같이 10개의 문이 있다. A, B 두 문은 입장만 가능하다고 할 때, 어느 한 문으로 들어와서 다른 문을 통해 나가는 방법의 수를 구하여라.

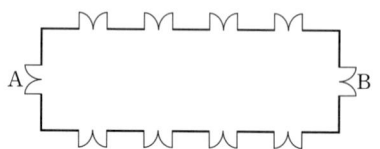

048

집합 $S=\{1, 2, 3, 4, 5, 6, 7, 8, 9\}$의 서로 다른 두 원소 a, b에 대하여 $a+b$가 홀수인 순서쌍 (a, b)의 개수를 구하여라.

유형 06 수형도를 이용하는 경우의 수

규칙성을 찾기 어려운 경우의 수를 구할 때 수형도를 이용한다. 수형도를 그리면 중복되지 않고 빠짐없이 모든 경우를 나열할 수 있다.

049

1, 2, 3, 4 4장의 카드를 일렬로 배열하여 네 자리의 정수 $\boxed{a_1}\,\boxed{a_2}\,\boxed{a_3}\,\boxed{a_4}$를 만들 때, $a_i \neq i$를 만족시키는 정수의 개수를 구하여라.

050

다섯 명의 학생이 쪽지 시험을 본 후에 다섯 장의 답안지를 고르게 섞었다. 임의로 답안지를 한 장씩 뽑을 때, 한 명의 학생만 자신의 답안지를 뽑고 나머지 학생은 다른 학생의 답안지를 뽑을 경우의 수는?

① 24   ② 35   ③ 36

④ 44   ⑤ 45

051

1, 2, 3으로 중복을 허용하여 만들 수 있는 세 자리 자연수는 27개이다. 이 중에서 다음 규칙을 모두 만족시키는 세 자리 자연수의 개수를 구하여라.

> (가) 1 바로 다음에는 3이다.
> (나) 2 바로 다음에는 1 또는 3이다.
> (다) 3 바로 다음에는 1 또는 2 또는 3이다.

유형 07 여사건의 경우의 수

(사건 A가 일어나지 않는 경우의 수)
=(전체 경우의 수)−(사건 A가 일어나는 경우의 수)

052

세 주사위 A, B, C를 동시에 던질 때, 나오는 눈의 수의 곱이 짝수인 경우의 수를 구하여라.

053

세 자리의 자연수 중에서 111, 114, 321과 같이 숫자 1이 적어도 하나 들어 있는 세 자리의 자연수의 개수는?

① 251   ② 252   ③ 253

④ 254   ⑤ 255

054

서로 다른 동전 5개를 동시에 던질 때, 앞면이 2개 이상 나오는 경우의 수를 구하여라.

055

60 이하의 양의 정수 중에서 3의 배수도 5의 배수도 아닌 정수의 개수는?

① 24   ② 28   ③ 32

④ 36   ⑤ 40

056

1부터 500까지의 자연수 중에서 12와 서로소인 자연수의 개수를 구하여라.

057

두 개의 주사위 A, B를 동시에 던질 때, 나오는 눈의 수를 각각 a, b라 할 때, 부등식 $a+b \leq 10$을 만족하는 순서쌍 (a, b)의 개수를 구하여라.

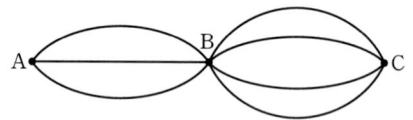

유형 08 도로망에서의 경우의 수

동시에 갈 수 없는 길이면 합의 법칙을 이용하고 이어지는 길이면 곱의 법칙을 이용한다.

058

어느 산의 입구와 정상을 연결하는 등산로는 모두 6가지가 있다. 혜원이가 산의 입구에서 정상에 올라갔다 다시 산의 입구로 내려오는 방법의 수는?

① 12   ② 18   ③ 24

④ 30   ⑤ 36

059

그림과 같은 도로망에서 A도시에서 B도시를 거쳐 C도시로 가는 모든 방법의 수를 구하여라.

(단, 같은 도시는 한 번만 지난다.)

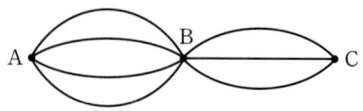

060

그림과 같이 세 지점 A, B, C를 잇는 도로망이 있다. A지점에서 C지점까지 갔다가 다시 A지점으로 돌아오는 방법의 수를 구하여라. (단, 같은 도로는 한 번만 지날 수 있고, A지점은 출발할 때와 도착할 때만 들릴 수 있다.)

061

그림은 A, B, C, D 네 도시의 도로망을 나타낸 것이다. A도시에서 D도시로 가는 모든 방법의 수를 구하여라.

(단, 같은 도시는 한 번만 지난다.)

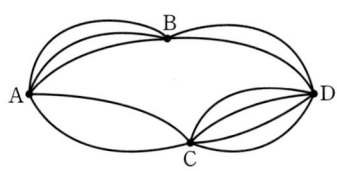

062

그림과 같이 매표소에서 공연장으로 가는 길은 3가지, 공연장에서 박물관으로 가는 길은 2가지이다. 또 매표소에서 공연장을 거치지 않고 박물관으로 가는 길은 4가지이다. 매표소에서 공연장을 한 번만 거쳐 박물관을 왕복하는 방법의 수를 구하여라.

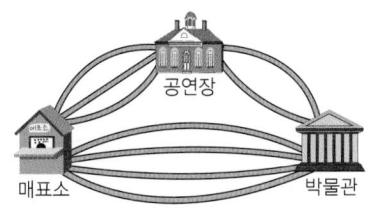

063

그림과 같은 도로망에서 A도시에서 D도시로 가는 모든 방법의 수가 100 이상이 되도록 할 때, B도시와 C도시를 잇는 도로를 최소 몇 개 건설하여야 하는가? (단, 같은 도시는 한 번만 지나고 새로 건설하는 도로끼리는 만나지 않는다.)

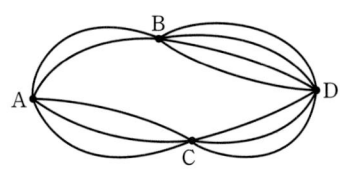

① 4개   ② 5개   ③ 6개
④ 7개   ⑤ 8개

유형 **09 약수의 개수**

자연수 n이 $n=a^p b^q c^r$ (a, b, c는 서로 다른 소수)과 같이 소인수분해될 때 약수의 개수는
$$(p+1)(q+1)(r+1)$$

064

72의 약수의 개수는?

① 10   ② 11   ③ 12
④ 13   ⑤ 14

065

두 자연수 x, y에 대하여 $x=2^2 \times 5^y \times 7^y$이고, x의 약수가 12개일 때, $x+y$의 값은?

① 132   ② 135   ③ 138
④ 141   ⑤ 144

066

120과 140의 공약수의 개수를 구하여라.

유형 10 지불 방법과 지불 금액의 수

(1) 지불할 수 있는 방법의 수

사용하는 화폐의 종류별 개수가 각각 p, q, r일 때,

$$(p+1)(q+1)(r+1)-1$$

참고 0원을 지불하는 경우를 빼주어야 한다.

(2) 지불할 수 있는 금액의 수

금액이 중복되는 경우 큰 단위의 화폐를 작은 단위의 화폐로 바꾸어 계산한다.

067

1000원짜리 지폐 4장과 500원짜리 동전 2개, 100원짜리 동전 6개가 있다. 이 중 일부 또는 전부를 사용하여 지불할 수 있는 방법의 수를 구하여라. (단, 0원을 지불하는 경우는 제외한다.)

068

10000원짜리 지폐 1장, 5000원짜리 지폐 3장과 100원짜리 동전 4개가 있다. 이 중 일부 또는 전부를 사용하여 지불할 수 있는 금액의 수를 구하여라. (단, 0원을 지불하는 경우는 제외한다.)

069 중요

1000원짜리 지폐 2장, 500원짜리 동전 3개, 100원짜리 동전 3개의 일부 또는 전부를 사용하여 지불할 수 있는 방법의 수를 a, 지불할 수 있는 금액의 수를 b라 할 때, $a+b$의 값을 구하여라.

(단, 0원을 지불하는 경우는 제외한다.)

유형 11 색칠하는 방법의 수

가장 많은 면과 인접한 부분부터 먼저 칠하고 이웃한 면에 같은 색을 칠하지 않도록 색의 개수를 하나씩 줄여가며 곱한다.

070

서로 다른 4가지 색을 칠하여 그림의 A, B, C, D 네 영역을 구분하려고 한다. 모두 다른 색을 사용하여 칠하는 방법의 수는?

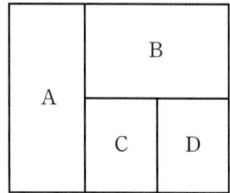

① 24   ② 22

③ 20   ④ 18

⑤ 16

071

그림의 4개 영역을 서로 다른 4가지 색으로 칠하려고 한다. 같은 색을 여러 번 사용할 수 있으나 이웃하는 두 영역은 서로 다른 색을 칠할 때, 칠하는 방법의 수를 구하여라.

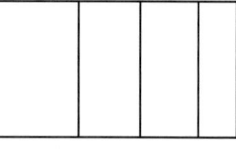

072

그림의 5개의 영역을 빨강, 노랑, 파랑의 3가지 색으로 칠하려고 한다. 같은 색을 여러 번 사용할 수 있으나 이웃하는 두 영역은 서로 다른 색을 칠할 때, 칠하는 방법의 수를 구하여라.

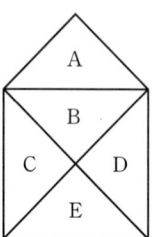

쌤이 시험에 **꼭** 내는 문제

073
크기가 다른 두 개의 주사위를 동시에 던질 때, 나오는 눈의 수의 합이 3 또는 8인 경우의 수는?

① 5　　　　　② 7　　　　　③ 9

④ 11　　　　　⑤ 13

074
1부터 100까지의 자연수 중 2 또는 5로 나누어떨어지는 자연수의 개수는?

① 56　　　　　② 58　　　　　③ 60

④ 62　　　　　⑤ 64

075
방정식 $x+2y+3z^2=20$을 만족하는 자연수 x, y, z의 순서쌍 (x, y, z)의 개수는?

① 9　　　　　② 10　　　　　③ 11

④ 12　　　　　⑤ 13

076
두 부등식 $x+y \leq 5$, $1 \leq y \leq 4$를 만족하는 자연수 x, y의 순서쌍 (x, y)의 개수는?

① 8　　　　　② 10　　　　　③ 12

④ 14　　　　　⑤ 16

077
그림과 같은 정육면체에서 꼭짓점 A를 출발하여 모서리를 따라 꼭짓점 G까지 가는 방법의 수는? (단, 한 꼭짓점을 두 번 이상 지나지 않는다.)

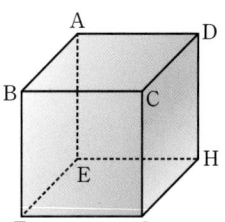

① 14　　　　　② 16

③ 18　　　　　④ 20

⑤ 22

078
그림과 같은 도로망에서 A도시를 출발하여 D도시로 가는 모든 방법의 수를 구하여라.
(단, 같은 도시를 두 번 이상 지나지 않는다.)

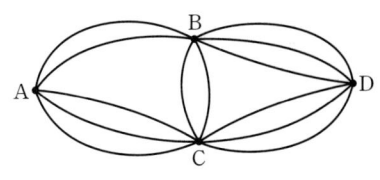

079

다항식 $(a+b)(x+y+z)^2$을 전개할 때 생기는 서로 다른 항의 개수는?

① 6   ② 12   ③ 18

④ 24   ⑤ 30

080

0, 0, 1, 2, 3이 각각 하나씩 적혀 있는 5장의 카드 중에서 3장을 뽑아 세 자리 정수를 만들 때, 짝수의 개수는?

① 9   ② 11   ③ 13

④ 15   ⑤ 17

081

1부터 50까지의 자연수 중에서 50과 서로소인 자연수의 개수는?

① 20   ② 21   ③ 22

④ 23   ⑤ 24

082

그림의 4개 영역을 서로 다른 4가지 색으로 칠하려고 한다. 같은 색을 여러 번 사용할 수 있으나 이웃하는 두 영역은 서로 다른 색을 칠할 때, 칠하는 방법의 수를 구하여라.

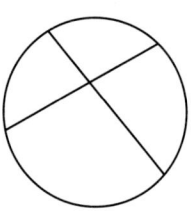

1등급 문제

083

집합 $S=\{0, 1, 3, 5\}$이고 a, b, c는 S의 서로 다른 원소이다. x에 대한 이차방정식 $ax^2+bx+c=0$이 허근을 가질 때, 이를 만족하는 순서쌍 (a, b, c)의 개수를 구하여라.

084

1, 2, 2, 3, 3, 3, 5, 5의 숫자가 각각 하나씩 적혀 있는 8장의 카드 중에서 2장 이상의 카드를 뽑을 때, 카드에 적혀 있는 숫자를 곱하여 만들 수 있는 서로 다른 정수의 개수를 구하여라.

13 순열

13 순열

1 순열

서로 다른 n개에서 r개$(0<r\le n)$를 택하여 일렬로 배열하는 것을

    n개에서 r개를 택하는 순열

이라 하고, 이 순열의 수를 기호로 다음과 같이 나타낸다.

    $_n\mathrm{P}_r$

다음과 같은 조건이 있으면 순열의 수를 이용한다.
- 서로 다른 대상에서 뽑는다.
- 중복을 허용하지 않고 뽑는다.
- 뽑은 것을 일렬로 배열한다.

2 순열의 수

(1) $_n\mathrm{P}_r=n(n-1)(n-2)\cdots(n-r+1)=\dfrac{n!}{(n-r)!}$ (단, $0<r\le n$)

(2) $_n\mathrm{P}_n=n(n-1)(n-2)\cdots3\cdot2\cdot1=n!$

(3) $0!=1,\ _n\mathrm{P}_0=1$

$n!$을 'n factorial' 또는 'n의 계승'이라 읽으며 이것은 1부터 n까지의 자연수를 차례로 곱한 것이다.

순열의 수와 관련된 등식이 주어진 경우는 자연수 n에 대한 방정식을 푸는 것으로 생각한다.

3 이웃하는 조건의 순열의 수

이웃하는 조건의 순열의 수는 다음의 순서로 구한다.
① 이웃하는 것을 한 묶음으로 생각하여 일렬로 배열한다.
② 이웃하는 것을 일렬로 배열한다.
③ (①의 순열의 수)×(②의 순열의 수)

n명의 사람을 일렬로 세우는데 그 중 2명이 이웃하도록 하는 경우의 수
$\Rightarrow (n-2+1)!\times2!$
n명의 사람을 일렬로 세우는데 그중 3명이 이웃하도록 하는 경우의 수
$\Rightarrow (n-3+1)!\times3!$

4 이웃하지 않는 조건의 순열의 수

이웃하지 않는 조건의 순열의 수는 다음의 순서로 구한다.
① 이웃해도 좋은 것을 먼저 배열한다.
② 양 끝과 사이사이에 이웃하지 않아야 할 것을 배열한다.
③ (①의 순열의 수)×(②의 순열의 수)

> 참고 n개 중에서 a개는 이웃해도 되고, b개는 이웃하지 않도록 일렬로 나열하는 경우의 수
> ➡ $a!\times_{a-1+2}\mathrm{P}_b$ (단, $a+b=n$, $b\le a+1$)

n명의 사람을 일렬로 세우는데 그 중 2명이 이웃하지 않도록 하는 경우의 수
$\Rightarrow (n-2)!\times_{n-2+1}\mathrm{P}_2$

5 '적어도~'인 조건이 있는 순열의 수

'적어도~'인 조건이 들어 있는 순열의 수는

    (전체 경우의 수)−(조건과 반대인 경우의 수)

일대일함수의 개수
두 집합 $X=\{x_1,\ x_2,\ \cdots,\ x_r\}$,
$Y=\{y_1,\ y_2,\ \cdots,\ y_n\}$에 대하여
함수 $f:X\longrightarrow Y$일 때,
일대일함수의 개수는
$\Rightarrow _n\mathrm{P}_r$ (단, $n\ge r$)

1 순열

[001-003] 다음을 순열의 수의 기호 $_n\mathrm{P}_r$를 써서 나타내어라.

001 서로 다른 5장의 카드 중에서 2장을 택하는 순열의 수

002 20명의 학생 중에서 4명을 뽑아 일렬로 세우는 방법의 수

003 세 사람을 일렬로 나열하는 방법의 수

[004-007] 다음 □ 안에 알맞은 것을 써넣어라.

004 $_5\mathrm{P}_2 = \dfrac{5!}{(\square - \square)!}$

005 $_7\mathrm{P}_3 = \dfrac{\square!}{4!}$

006 $_{10}\mathrm{P}_4 = \dfrac{10!}{\square!}$

007 $_6\mathrm{P}_6 = \square!$

[008-012] 다음 값을 구하여라.

008 $_7\mathrm{P}_1$

009 $5!$

010 $_4\mathrm{P}_2$

011 $_5\mathrm{P}_3$

012 $_4\mathrm{P}_4$

[013-015] 다음을 n에 관한 다항식으로 나타내어라.

013 $_n\mathrm{P}_1$

014 $_n\mathrm{P}_2$

015 $_n\mathrm{P}_3$

[016-020] 다음 등식을 만족하는 자연수 n 또는 r의 값을 구하여라.

016 $_nP_1=10$

017 $n!=6$

018 $_nP_2=90\ (n\geq2)$

019 $_6P_r=30$

020 $_7P_r=210$

---

2 **순열의 수**

[021-024] 다음 방법의 수를 구하여라.

021 서로 다른 4개의 과일에서 2개를 골라 순서대로 나열하는 방법

022 서로 다른 6개의 구슬을 일렬로 배열하는 방법

023 서로 다른 5권의 책 중에서 3권을 뽑아 책장에 순서대로 꽂는 방법

024 3명의 학생을 서로 다른 의자 8개에 앉히는 방법

---

3 **조건이 있는 순열의 수**

[025-028] A, B, C, D, E 다섯 명을 일렬로 나열된 의자에 순서대로 앉히려고 한다. 다음 방법의 수를 구하여라.

025 5개의 의자에 다섯 명을 앉히는 방법

026 4명만을 선택하여 4개의 의자에 앉히는 방법

027 5개의 의자에 다섯 명을 모두 앉힐 때, 처음에는 A를 앉히고 마지막에 B를 앉히는 방법

028 4명만을 선택하여 4개의 의자에 앉힐 때, 처음에는 A를 앉히고 마지막에 B를 앉히는 방법

4	이웃하는 조건의 순열의 수

[029-030] 1부터 7까지의 자연수가 하나씩 적힌 7장의 카드를 일렬로 배열하려고 한다. 다음을 구하여라.

029 1, 2가 적힌 두 장의 카드가 항상 이웃하는 경우의 수

030 5, 6, 7이 적힌 세 장의 카드가 항상 이웃하는 경우의 수

[031-033] 다음 물음에 답하여라.

031 남자 2명과 여자 3명을 일렬로 세울 때, 여자 3명이 이웃하는 경우의 수를 구하여라.

032 SUNDAY의 6개의 문자를 일렬로 나열할 때, S, N, A가 이웃하는 경우의 수를 구하여라.

033 A, B, C, D, E, F의 6명이 영화관 좌석에 일렬로 앉을 때, A와 E가 이웃하는 경우의 수를 구하여라.

5	이웃하지 않는 조건의 순열의 수

[034-036] 남학생 4명, 여학생 2명을 그림과 같이 배열된 방석에 앉히려고 한다. 다음을 구하여라.

○ □ ○ □ ○ □ ○ □ ○

034 남학생만 □ 모양의 방석에 앉히는 방법의 수

035 여학생만 ○ 모양의 방석에 앉히는 방법의 수

036 남학생은 □ 모양, 여학생은 ○ 모양의 방석에 앉히는 방법의 수

[037-038] 다음 물음에 답하여라.

037 서로 다른 6권의 책 중 잡지는 4권, 동화책은 2권이 있다. 이 책들을 책꽂이에 일렬로 꽂을 때, 동화책끼리는 나란히 꽂히지 않도록 하는 방법의 수를 구하여라.

038 festival의 8개의 문자를 일렬로 배열할 때, 모음끼리는 이웃하지 않게 배열하는 방법의 수를 구하여라.

유형 01 $_nP_r$의 계산

(1) $_nP_r = \dfrac{n!}{(n-r)!}$ (단, $0 < r \le n$)

(2) $_nP_n = n(n-1)(n-2)\cdots 3 \cdot 2 \cdot 1 = n!$

(3) $0! = 1$, $_nP_0 = 1$

039

$_5P_2 \times 3!$의 값은?

① 120　　　　② 130　　　　③ 140

④ 150　　　　⑤ 160

040

$_{n+2}P_2 = 56$을 만족시키는 n의 값을 구하여라. (단, $n \ge 0$)

041

$_nP_3 - {}_nP_2 = 24 \cdot {}_nP_1$을 만족하는 n의 값은? (단, $n \ge 3$)

① 4　　　　② 5　　　　③ 6

④ 7　　　　⑤ 8

유형 02 순열을 이용한 경우의 수

(1) 서로 다른 n개에서 r개를 택하는 순열의 수
 ⇨ $_nP_r$ (단, $0 < r \le n$)

(2) 서로 다른 n개를 모두 나열하는 순열의 수
 ⇨ $n!$

042

쇼트트랙 결승전에 오른 4개국의 대표 선수 4명이 결승전을 치른 후 1등부터 4등까지 결정하는 데 생길 수 있는 순위의 경우의 수는?

① 16　　　　② 20　　　　③ 24

④ 28　　　　⑤ 32

043

8명의 릴레이 선수 중에서 제 1주자, 제 2주자, 제 3주자까지 3명을 선택하는 방법의 수는?

① 231　　　　② 236　　　　③ 336

④ 351　　　　⑤ 456

044

운전기사가 별도로 정해져 있을 때, 그림과 같은 8인승 승합차에 탁구부 감독 1명은 조수석에 앉고, 4명의 탁구 선수가 A, B, C, D, E, F의 6개의 좌석 중 한 좌석씩 앉는 방법의 수를 구하여라.

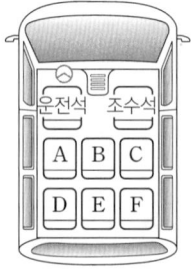

045

인원수가 n인 어느 모임에서 회장 1명과 부회장 1명을 선출하는
방법의 수가 240일 때, n의 값은? (단, $n \geq 2$)

① 12   ② 13   ③ 14

④ 15   ⑤ 16

046

1부터 9까지의 숫자가 각각 한 개씩 적힌 9장의 카드가 있다. 이
중에서 두 개의 홀수를 뽑거나 두 개의 짝수를 뽑아서 두 자리 정
수를 만드는 방법의 수를 구하여라.

047

남자 6명, 여자 4명으로 구성된 어느 단체에서 남자 대표와 부대
표, 여자 대표와 부대표를 정하는 방법의 수는?

① 240   ② 280   ③ 320

④ 360   ⑤ 400

유형 03 이웃하는 조건의 순열의 수

이웃하는 순열의 수는 다음과 같이 구한다.
① 이웃하는 것을 하나로 묶어서 한 묶음으로 생각한다.
② (한 묶음으로 생각하고 구한 순열의 수)
    ×(한 묶음 속 자체의 순열의 수)

048

pride의 5개의 문자를 일렬로 배열할 때, p, d가 이웃하는 경우
의 수는?

① 12   ② 24   ③ 36

④ 48   ⑤ 60

049

10 미만의 양의 정수를 모두 사용하여 9자리의 정수를 만들 때,
3개의 숫자 3, 6, 9가 이웃하는 경우의 수는?

① $7! \times 3!$ ② $2 \times 7! \times 3!$ ③ $7! \times 4!$

④ $8! \times 3!$ ⑤ $2 \times 8! \times 3!$

050

A, B, C, D, E의 5개의 문자가 하나씩 적혀 있는 카드 5장을
일렬로 나열할 때, A, B, C가 적혀 있는 카드는 서로 이웃하면
서 A, B, C의 순서대로 나열하는 방법의 수를 구하여라.

유형 문제

051

6장의 카드 가, 나, 다, 라, 마, 바 를 일렬로 나열할 때,

3장의 카드 가, 나, 다 는 서로 이웃하면서 카드 나 의 양 옆

에 카드 가 와 다 가 오도록 나열하는 방법의 수는?

① 36　　　　　② 48　　　　　③ 52

④ 60　　　　　⑤ 72

052

소설책 3권, 수필집 2권, 시집 2권을 일렬로 꽂을 때, 같은 종류
의 책끼리 이웃하게 꽂는 방법의 수를 구하여라.

053

어른 4명과 아이 n명을 일렬로 세울 때, 아이끼리 이웃하는 경우
의 수가 720이다. 이때, n의 값을 구하여라.

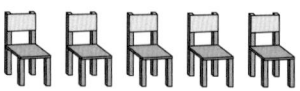

이웃하지 않는 순열의 수는 다음과 같이 구한다.

① 이웃해도 되는 것을 먼저 배열한다.

② 그 양 끝과 사이사이에 이웃하지 않아야 할 것을 배열한다.

054

남학생 3명과 여학생 2명이 그림과 같이 5개의 의자에 앉는다.
이때, 여학생끼리 이웃하지 않도록 앉는 방법의 수는?

① 36　　　　　② 54　　　　　③ 72

④ 90　　　　　⑤ 108

055

a, b, c, d, e, f의 6개의 문자를 일렬로 나열할 때, a, b가 이웃
하지 않는 경우의 수는?

① 120　　　　　② 240　　　　　③ 360

④ 480　　　　　⑤ 600

056

수학책 3권을 포함하여 서로 다른 6권의 책을 책꽂이에 일렬로
꽂을 때, 수학책 3권 중 어느 두 권도 이웃하지 않도록 꽂는 방법
의 수를 구하여라.

057

남학생 3명, 여학생 2명, 선생님 3명을 일렬로 세울 때, 남학생끼리는 이웃하고, 선생님끼리는 이웃하지 않게 세우는 경우의 수는?

① 240   ② 372   ③ 576

④ 720   ⑤ 864

058

의자 8개가 일렬로 놓여 있다. 이 의자에 4명의 학생이 앉을 때, 어느 두 명도 이웃하지 않게 앉는 경우의 수를 구하여라.

059

어느 대학교의 수시 전형에서 면접시험을 치르기 위해 응시생 3명을 일렬로 놓여 있는 7개의 의자에 앉히려고 한다. 부정행위를 방지하기 위해 어느 2명도 이웃한 의자에 앉지 않도록 할 때, 가능한 경우의 수를 구하여라.

유형 05 교대로 배열하는 조건의 순열의 수

(1) 두 집단의 크기가 각각 n일 때
⇨ $2 \times n! \times n!$

(2) 두 집단의 크기가 각각 n, $n-1$일 때
⇨ $n! \times (n-1)!$

060

special의 7개의 문자를 일렬로 배열할 때, 자음과 모음이 교대로 오는 경우의 수는?

① 36   ② 72   ③ 144

④ 198   ⑤ 210

061

남자 3명과 여자 3명이 한 줄로 서서 산을 오를 때, 남녀가 교대로 서서 산을 오르는 방법의 수를 구하여라.

062

남자 4명, 여자 4명을 교대로 일렬로 세울 때, 특정한 한 쌍의 남녀가 이웃하도록 세우는 방법의 수를 구하여라.

유형 06 고정된 것이 있는 조건의 순열의 수

위치가 고정되어 있는 경우 조건에 맞도록 먼저 배열한 후
나머지 것을 배열하는 순열의 수를 생각한다.

063

6개의 문자 S, U, N, D, A, Y를 일렬로 배열할 때, S가 맨 앞
에 Y가 맨 뒤에 오는 경우의 수는?

① 24   ② 36   ③ 48
④ 60   ⑤ 72

064

2명의 남자와 3명의 여자를 일렬로 세울 때, 2명의 남자를 양 끝
에 세우는 방법의 수를 구하여라.

065

숫자 1, 2, 3, 4, 5, 6, 7이 하나씩 적힌 7장의 카드 중에서 5장의
카드를 뽑아 나열할 때, 그림과 같이 첫 번째 카드와 마지막 다섯
번째 카드에 적힌 숫자의 합이 10이 되도록 나열하는 방법의 수
를 구하여라.

유형 07 a, b 사이에 배열하는 조건의 순열의 수

a, b 사이에 배열하는 순열의 수는 다음과 같이 구한다.
① a, b와 a, b 사이를 한 묶음으로 생각하여 배열한다.
② a, b 사이를 배열한다.
   이때, a, b가 위치를 바꾸는 경우도 생각해야 한다.
③ (①의 순열의 수)×(②의 순열의 수)

066

남자 5명, 여자 2명을 일렬로 세울 때, 여자 2명 사이에 남자 2명
이 오는 경우의 수는?

① 336   ② 504   ③ 672
④ 816   ⑤ 960

067

washing의 7개의 문자를 일렬로 나열할 때, w와 a 사이에 3개
의 문자가 들어 있는 경우의 수는?

① 120   ② 180   ③ 360
④ 540   ⑤ 720

068

5개의 문자 a, b, c, d, e를 일렬로 배열할 때, b가 모음 사이에
오는 경우의 수를 구하여라.

유형 **08** '적어도 ~'의 조건이 있는 순열의 수

(전체 경우의 수)−(반대인 경우의 수)

069

남학생 2명과 여학생 3명을 일렬로 세울 때, 적어도 한 쪽 끝에 남학생이 서는 경우의 수는?

① 36　　　　② 52　　　　③ 72

④ 84　　　　⑤ 120

070

a, b, c, d, e, f의 6개의 문자를 일렬로 배열할 때, 적어도 한 쪽 끝에 자음이 오는 경우의 수를 구하여라.

071

K, O, R, E, A의 5개의 문자를 일렬로 배열할 때, K, R, A 중 적어도 2개가 이웃하는 경우의 수를 구하여라.

072

지애, 소희, 희진, 영수, 주희의 5명의 학생이 일렬로 줄을 설 때, 영수와 주희 사이에 적어도 한 명이 들어가도록 줄을 서는 방법의 수는?

① 48　　　　② 60　　　　③ 72

④ 84　　　　⑤ 96

073

1, 2, 3, 4, 5의 5개의 숫자 중 서로 다른 3개를 뽑아 세 자리 자연수를 만들 때, 적어도 한 쪽 끝이 짝수인 것의 개수는?

① 38　　　　② 40　　　　③ 42

④ 44　　　　⑤ 46

074

서로 다른 5개의 알파벳을 일렬로 배열할 때, 적어도 한 쪽 끝에 모음이 오는 경우의 수가 48이다. 이때, 모음의 개수를 구하여라.

유형 문제

유형 09 순열을 이용한 정수의 개수

(1) 최고 자리에 0이 올 수 없음에 주의한다.

(2) 기준이 되는 자리부터 먼저 배열하고 나머지 자리에 남은 숫자들을 배열한다.

참고

홀수인 정수 ➡ 일의 자리의 숫자가 홀수

짝수인 정수 ➡ 일의 자리의 숫자가 0 또는 짝수

3의 배수인 정수 ➡ 각 자리의 숫자의 합이 3의 배수

4의 배수인 정수 ➡ 끝의 두 자리가 00 또는 4의 배수

075

5개의 숫자 0, 1, 2, 3, 4 중 서로 다른 3개의 숫자로 만들 수 있는 세 자리의 정수의 개수는?

① 12   ② 24   ③ 36

④ 48   ⑤ 60

076

5개의 숫자 0, 1, 2, 3, 4 중 서로 다른 4개의 숫자를 뽑아 만든 네 자리 정수를 x라 할 때, $2000 \leq x \leq 3000$을 만족하는 x의 개수를 구하여라.

077

5개의 숫자 0, 1, 2, 3, 4에서 서로 다른 4개를 이용하여 만들 수 있는 네 자리 짝수의 개수를 구하여라.

유형 10 사전식 배열에 의한 경우의 수

문자를 사전식으로 나열하거나 수를 크기순으로 나열한다.

078

5개의 문자 a, b, c, d, e를 모두 한 번씩 사용하여 만든 단어들을 사전식으로 배열할 때, cbeda는 몇 번째에 오는 단어인가?

① 59번째   ② 60번째   ③ 61번째

④ 62번째   ⑤ 63번째

079

6개의 문자 a, b, c, d, e, f를 모두 한 번씩 사용하여 만든 단어들을 사전식으로 배열할 때, 500번째에 오는 단어는?

① eacfbd   ② eacfdb   ③ eadbcf

④ eafbcd   ⑤ eafbdc

080

6개의 숫자 1, 2, 3, 4, 5, 6 중 서로 다른 3개의 숫자를 뽑아 만든 세 자리 정수 중 430보다 작은 정수의 개수를 구하여라.

081

$_n\mathrm{P}_3 = 2 \cdot {_n\mathrm{P}_2} + 40 \cdot {_n\mathrm{P}_1}$을 만족시키는 n의 값은? (단, $n \geq 3$)

① 10   ② 9   ③ 8

④ 7   ⑤ 6

082

어떤 철도 노선에는 10개의 역이 있다. 출발역과 도착역을 각각 다르게 표시하여 기차표를 만들려고 할 때, 만들 수 있는 기차표의 개수를 구하여라. (단, 왕복표는 없다고 한다.)

083

7개의 숫자 1, 2, 3, 4, 5, 6, 7을 모두 사용하여 일렬로 나열할 때, 홀수끼리 이웃하는 경우의 수는?

① 144   ② 288   ③ 576

④ 720   ⑤ 864

084

seoul의 모든 문자를 한 번씩 사용하여 만든 순열 중 양 끝이 모두 모음인 것의 개수를 구하여라.

085

worldcup의 모든 문자를 한 번씩 사용하여 만든 순열 중 w와 u 사이에 2개의 문자가 들어 있는 경우의 수는?

① 4800   ② 6400   ③ 7200

④ 8400   ⑤ 9600

086

남학생 2명과 여학생 2명이 함께 놀이 공원에 가서 어느 놀이기구를 타려고 한다. 이 놀이기구는 그림과 같이 한 줄에 2개의 의자가 있고 모두 5줄로 되어 있다. 남학생 1명과 여학생 1명이 짝을 지어 2명씩 같은 줄에 앉을 때, 4명이 모두 놀이기구의 의자에 앉는 방법의 수를 구하여라.

087
남학생 4명, 여학생 2명을 일렬로 세울 때, 적어도 한 쪽 끝에 남학생이 서는 방법의 수는?

① 365   ② 496   ③ 584

④ 672   ⑤ 782

088
5개의 숫자 1, 2, 3, 4, 5에서 서로 다른 4개를 이용하여 만들 수 있는 네 자리 홀수의 개수를 구하여라.

089
5개의 문자 a, b, c, d, e 중에서 세 개의 문자를 뽑아 만든 문자열들을 abc, abd, abe, …와 같이 알파벳의 순서대로 배열할 때, dab는 몇 번째에 오는 문자열인가?

① 35번째   ② 36번째   ③ 37번째

④ 38번째   ⑤ 39번째

090
두 집합 $X=\{1, 2, 3, 4\}$, $Y=\{a, b, c, d, e\}$에 대하여 X에서 Y로의 함수 f 중 $x_1 \neq x_2$이면 $f(x_1) \neq f(x_2)$를 만족하는 함수 f의 개수를 구하여라.

🎖 1등급 문제

091
숫자 1, 2, 3, 4, 5, 6, 7이 각각 하나씩 적혀 있는 7개의 구슬 중에서 5개의 구슬을 차례로 뽑아 그 순서대로 나열하여 다섯 자리의 당첨번호를 정한다. 이때, 첫 번째 구슬과 다섯 번째 구슬에 적힌 숫자의 합이 짝수이면서 다섯 번째 구슬에 적힌 숫자가 5 이상이 되도록 나열하는 방법의 수를 구하여라.

092
5장의 카드 나 , 도 , 야 , 간 , 다 를 일렬로 나열할 때, 3장의 카드 나 , 도 , 야 가 서로 반드시 이웃할 필요는 없지만 나 와 야 카드 사이에 도 가 반드시 오도록 나열하는 방법의 수는?

① 32   ② 34   ③ 36

④ 38   ⑤ 40

14 조합

제 목	문항 번호	문항 수	확인
기본 문제	001~015	15	
유형 문제 01. $_nC_r$의 계산	016~018	3	
02. 조합의 수 (1)	019~024	6	
03. 조합의 수 (2) – 합의 법칙과 곱의 법칙	025~030	6	
04. 특정한 것을 포함하거나 포함하지 않는 조합의 수	031~036	6	
05. '적어도 ∼'의 조건이 있는 조합의 수	037~039	3	
06. 뽑아서 나열하는 경우의 수	040~042	3	
07. 직선과 대각선의 개수	043~047	5	
08. 삼각형과 사각형의 개수	048~052	5	
09. 함수의 개수	053~054	2	
쌤이 시험에 꼭 내는 문제	055~066	12	

14 조합

1 조합

서로 다른 n개에서 순서를 생각하지 않고 r개를 택하는 것을

　　　n개에서 r개를 택하는 조합

이라 하고, 그 조합의 수를 기호로 다음과 같이 나타낸다.

　　　$_nC_r$

개념 플러스

◆ 단순히 뽑을 때는 조합이고 뽑은 다음 일렬로 배열할 때는 순열이 된다.

2 조합의 수

서로 다른 n개에서 r개를 택하는 조합의 수는

$$_nC_r = \frac{_nP_r}{r!} = \frac{n!}{r!(n-r)!} \ (\text{단}, \ 0 \le r \le n)$$

참고

서로 다른 n개에서 r개를 택하는 조합의 수 $_nC_r$	$\times$	r개를 일렬로 배열하는 순열의 수 $r!$	$=$	서로 다른 n개에서 r개를 택하는 순열의 수 $_nP_r$

➡ $_nC_r = \dfrac{_nP_r}{r!}$

◆ **도형에서의 조합의 수**
(1) 어느 세 점도 한 직선 위에 있지 않은 n개의 점에서 두 점을 잇는 직선의 개수
　　⇨ $_nC_2$
(2) 어느 세 점도 한 직선 위에 있지 않은 n개의 점에서 세 점을 잇는 삼각형의 개수
　　⇨ $_nC_3$
(3) m개의 평행선과 n개의 평행선이 만날 때 생기는 평행사변형의 개수
　　⇨ $_mC_2 \times _nC_2$

3 조합의 수의 성질

(1) $_nC_0 = 1$, $_nC_n = 1$
(2) $_nC_r = {_nC_{n-r}}$ (단, $0 \le r \le n$)
(3) $_nC_r = {_{n-1}C_{r-1}} + {_{n-1}C_r}$ (단, $1 \le r \le n-1$)

4 특정한 것을 포함하거나 포함하지 않는 조합의 수

서로 다른 n개에서 r개를 뽑을 때
(1) 특정한 k개를 포함하여 r개를 뽑는 경우의 수 ➡ $_{n-k}C_{r-k}$
(2) 특정한 k개를 제외하고 r개를 뽑는 경우의 수 ➡ $_{n-k}C_r$

◆ 두 집합 $X = \{a_1, a_2, \cdots, a_r\}$, $Y = \{b_1, b_2, \cdots, b_n\}$에 대하여 함수 $f : X \to Y$일 때
　　　　　　　　(단, $n \ge r$)
(1) 일대일함수의 개수
　　⇨ $_nP_r$
(2) $f(a_1) < f(a_2) < \cdots < f(a_r)$
　　또는
　　$f(a_1) > f(a_2) > \cdots > f(a_r)$
　　를 만족시키는 함수의 개수
　　⇨ $_nC_r$

1 조합

[001-002] 다음을 조합의 수의 기호 $_nC_r$를 써서 나타내어라.

001 서로 다른 4개에서 3개를 택하는 조합의 수

002 6명의 학생을 3명씩 2개의 조 A, B에 배정하는 방법의 수

[003-006] 다음 값을 구하여라.

003 $_9C_2$

004 $_7C_4$

005 $_6C_0$

006 $_{10}C_{10}$

[007-011] 다음 등식을 만족시키는 자연수 n 또는 r의 값을 구하여라.

007 $_nC_2=15$

008 $_nC_2=_nC_5$

009 $_9C_r=_9C_{r+3}$

010 $_5C_3=_4C_2+_nC_r$

011 $_nC_r=_{12}C_5+_{12}C_6$

2 조합의 수

[012-015] 다음 물음에 답하여라.

012 9명의 학생 중 임원 4명을 선출하는 방법의 수를 구하여라.

013 서로 다른 8개의 상자에 똑같은 공 4개를 넣을 때, 각 상자에 많아야 한 개의 공을 넣는 방법의 수를 구하여라.

014 서로 다른 연필 10자루와 2종류의 지우개가 있다. 연필 3자루와 1종류의 지우개를 택하는 방법의 수를 구하여라.

015 1부터 20까지의 자연수 중 서로 다른 3개의 자연수를 뽑을 때, 4, 8을 반드시 포함하는 경우의 수를 구하여라.

유형 **01** $_nC_r$의 계산

(1) $_nC_r = \dfrac{_nP_r}{r!} = \dfrac{n!}{r!(n-r)!}$ (단, $0 \le r \le n$)

(2) $_nC_0 = 1$, $_nC_n = 1$

(3) $_nC_r = _nC_{n-r}$ (단, $0 \le r \le n$)

(4) $_nC_r = _{n-1}C_{r-1} + _{n-1}C_r$ (단, $1 \le r \le n-1$)

016

$_nC_3 = _nC_4$일 때, $_nP_2$의 값은?

① 20   ② 30   ③ 42

④ 56   ⑤ 72

017

$_{12}C_{r+2} = _{12}C_{2r+4}$를 만족시키는 양수 r의 값을 구하여라.

018

$_nC_2 = _{n-1}C_2 + _{n-1}C_3$을 만족시키는 n의 값을 구하여라.

유형 **02** 조합의 수 (1)

서로 다른 n개에서 순서를 생각하지 않고 r개를 택하는 방법의 수

$\Rightarrow$ $_nC_r = \dfrac{_nP_r}{r!} = \dfrac{n!}{r!(n-r)!}$ (단, $0 \le r \le n$)

019

남학생 4명, 여학생 3명으로 구성된 동아리 회원 중에서 댄스 대회에 출전할 4명의 학생을 뽑을 때, 남녀 구분 없이 4명을 뽑는 방법의 수를 구하여라.

020

그림은 1부터 9까지의 숫자가 적혀 있는 자물쇠이다. 이 자물쇠는 서로 다른 특정한 4개의 숫자 버튼을 순서에 관계없이 누른 후 밑에 있는 열림 장치를 누르면 열리도록 되어 있다. 이와 같이 서로 다른 특정한 4개의 숫자를 비밀번호로 하는 자물쇠는 모두 몇 개 만들 수 있는지 구하여라.

021

그림과 같이 다섯 개의 의자가 있다. 의자 사이사이에 두 개의 칸막이를 이용하여 세 부분으로 나누는 방법의 수를 구하여라.

022

모양과 크기가 같은 흰 공 3개와 파란 공 5개가 있다. 이 8개의 공을 일렬로 배열할 때, 그림과 같이 흰 공이 이웃하지 않도록 배열하는 방법의 수는?

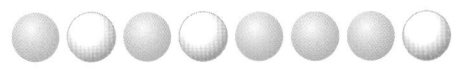

① 14   ② 16   ③ 18
④ 20   ⑤ 22

023

$20<a<b<c<30$을 만족시키는 세 자연수 a, b, c에 대하여 집합 S를 $S=\{a, b, c\}$로 나타낼 때, 집합 S의 개수를 구하여라.

024

어떤 모임에 참석한 회원들이 한 사람도 빠지지 않고 서로 악수를 하였더니 악수한 횟수가 총 190이었다고 한다. 이 모임에 참석한 회원의 수는?

① 18   ② 19   ③ 20
④ 21   ⑤ 22

유형 13 조합의 수 (2) – 합의 법칙과 곱의 법칙

(1) 동시에 일어나지 않으면 ⇨ 합의 법칙
(2) 동시에 일어나면 ⇨ 곱의 법칙

025

12명의 학생회 학생 중에서 회장 1명, 부회장 2명을 뽑는 방법의 수는?

① 480   ② 540   ③ 600
④ 660   ⑤ 720

026

남자 6명과 여자 5명으로 이루어진 어떤 스포츠클럽에서 남자 3명과 여자 2명으로 임원단을 구성하려고 한다. 임원단을 구성하는 방법의 수를 구하여라.

027

1학년 학생 4명, 2학년 학생 7명 중에서 3명을 뽑을 때, 3명이 모두 같은 학년일 경우의 수는?

① 30   ② 33   ③ 36
④ 39   ⑤ 42

028

5쌍의 부부 10명이 모이는 모임이 있다. 이 모임에서 남자는 남자끼리, 여자는 여자끼리 모두 서로 한 번씩 악수를 하였을 때, 악수를 한 총 횟수는?

① 10 ② 20 ③ 30
④ 40 ⑤ 50

029

11부터 19까지의 자연수 중에서 서로 다른 세 수를 뽑을 때, 뽑힌 세 수의 총합이 홀수가 되는 경우의 수를 구하여라.

030 _{중요}

경찰관 6명과 소방관 n명 중에서 3명을 뽑을 때, 3명의 직업이 모두 같은 경우의 수가 76이다. 이때, n의 값은?

① 4 ② 5 ③ 6
④ 7 ⑤ 8

유형 04 특정한 것을 포함하거나 포함하지 않는 조합의 수

서로 다른 n개에서 r개를 뽑을 때
(1) 특정한 k개를 포함하여 r개를 뽑는 방법의 수
  ⇨ $_{n-k}C_{r-k}$
(2) 특정한 k개를 제외하고 r개를 뽑는 방법의 수
  ⇨ $_{n-k}C_r$

031

어떤 동아리의 회원 20명 중 특정한 2명을 포함하여 4명의 임원을 뽑는 방법의 수는?

① 151 ② 152 ③ 153
④ 154 ⑤ 155

032 _{중요}

20명의 학생 중 5명을 뽑을 때, 특정한 4명이 한 명도 포함되지 않는 경우의 수는?

① $_{20}C_5$ ② $_{20}C_4$ ③ $_{20}C_5 - _5C_4$
④ $_{16}C_5$ ⑤ $_{16}C_4$

033

집합 $S=\{1, 2, 3, 4, 5, 6\}$에 대하여 원소의 개수가 3이고 그중 가장 큰 수가 5인 집합 S의 부분집합의 개수를 구하여라.

034

1부터 20까지의 자연수 중 3개를 택할 때, 6과는 서로소이고 7을 반드시 포함하는 경우의 수는?

① 11 ② 12 ③ 13
④ 14 ⑤ 15

035

어떤 식당의 메뉴에는 스테이크 2가지, 파스타 4가지, 피자 3가지가 있다. 이 식당에서 파스타 2가지와 피자 2가지를 주문하는 방법의 수를 a, 특정한 스테이크 1가지, 파스타 1가지, 피자 2가지가 반드시 포함되도록 7가지 메뉴를 주문하는 방법의 수를 b라 할 때, $a+b$의 값을 구하여라.

(단, 같은 메뉴는 1개만 주문한다.)

★ 중요
036

두 집합 $A=\{1, 2, 3, 4, 5, 6, 7\}$, $B=\{2, 3, 4\}$에 대하여 $X \subset A$, $n(X \cap B)=2$를 만족하는 집합 X의 개수를 구하여라. (단, $n(X)$는 집합 X의 원소의 개수이다.)

유형 05 '적어도 ~'의 조건이 있는 조합의 수

(전체 경우의 수)-(조건의 반대인 경우의 수)

037

남학생 5명, 여학생 4명 중 3명의 위원을 선출하려고 한다. 이때, 적어도 한 명의 남학생을 선출하는 방법의 수는?

① 31 ② 54 ③ 67
④ 80 ⑤ 110

★ 중요
038

남녀 학생 15명으로 구성된 단체에서 3명의 대표를 뽑으려고 할 때, 적어도 한 명의 여학생을 뽑는 경우의 수는 445이다. 이때, 남학생의 수는?

① 3 ② 5 ③ 7
④ 9 ⑤ 11

039

서로 다른 7개의 과일 중 빨간색이 3개, 노란색이 2개, 보라색이 2개이다. 이 중에서 4개의 과일을 택할 때, 빨간색과 노란색의 과일이 적어도 각각 한 개씩 포함되는 경우의 수를 구하여라.

유형 **06** 뽑아서 나열하는 경우의 수

서로 다른 m개 중에서 r개, 서로 다른 n개 중에서 s를 뽑아서 나열하는 경우의 수

$\Rightarrow {}_mC_r \cdot {}_nC_s \cdot (r+s)!$

040

서로 다른 5가지의 과일과 4가지의 야채 중에서 3가지의 과일과 2가지의 야채를 택하여 일렬로 진열하는 방법의 수는?

① 2400   ② 3600   ③ 4800

④ 6000   ⑤ 7200

041

부모와 자녀 3명으로 이루어진 5명의 가족 중에서 4명을 뽑아 일렬로 세울 때, 부모가 모두 포함되는 경우의 수를 구하여라.

042

1부터 9까지의 자연수 중 서로 다른 4개의 수를 뽑아 네 자리 자연수를 만들 때, 1은 반드시 포함하고 5는 포함하지 않는 자연수의 개수는?

① 24   ② 35   ③ 576

④ 720   ⑤ 840

유형 **07** 직선과 대각선의 개수

(1) 서로 다른 n개의 점 중에서 어느 세 점도 한 직선 위에 있지 않을 때, 주어진 점으로 만들 수 있는 서로 다른 직선의 개수

$\Rightarrow {}_nC_2$

(2) n각형의 대각선의 개수

$\Rightarrow$ (n개의 꼭짓점 중에서 2개를 택하는 경우의 수)

$-$(변의 개수 n)

$= {}_nC_2 - n$

043

정육각형의 6개의 꼭짓점 중 두 점을 이어서 만들 수 있는 서로 다른 직선의 개수는?

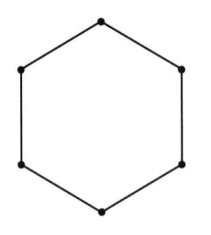

① 13   ② 14   ③ 15

④ 16   ⑤ 17

044

그림과 같이 반원 위에 서로 다른 11개의 점이 있다. 이 중에서 5개의 점만 한 직선 위에 있을 때, 이 점들 중 두 점을 이어서 만들 수 있는 서로 다른 직선의 개수는?

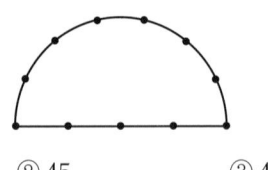

① 44   ② 45   ③ 46

④ 47   ⑤ 48

045

그림과 같이 두 평행선 위에 9개의 점이 있다. 이 중 두 점을 연결하여 만들 수 있는 서로 다른 직선의 개수를 구하여라.

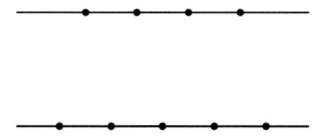

046

그림과 같이 원 위에 10개의 점이 있다. 이 10개의 점에 의하여 생기는 십각형의 대각선의 개수를 구하여라.

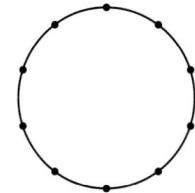

047

대각선의 개수가 54인 볼록 n각형의 변의 개수는?

① 12   ② 13   ③ 14

④ 15   ⑤ 16

048

그림과 같이 반원 위에 8개의 점이 있다. 이 중 세 점을 꼭짓점으로 하는 삼각형의 개수를 구하여라.

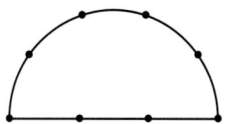

049

그림과 같이 별 모양 위에 10개의 점이 있다. 이 중 세 점을 이어서 만들 수 있는 삼각형의 개수를 구하여라.

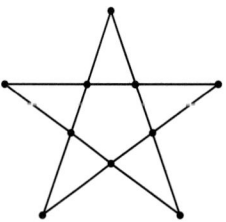

050

그림과 같이 좌표평면 위에 15개의 점이 있다. 이 점 중에서 세 점을 꼭짓점으로 하는 삼각형을 만들 때, 한 꼭짓점이 P인 삼각형의 개수를 구하여라.

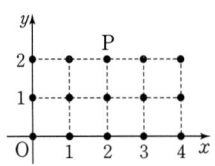

051

그림과 같이 반원 위에 12개의 점이 있다. 이 중에서 서로 다른 4개의 점을 택하여 만들 수 있는 사각형의 개수를 구하여라.

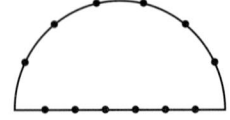

052

그림과 같이 2개의 평행선, 3개의 평행선, 4개의 평행선이 만나고 있다. 이와 같은 9개의 직선에 의해 생기는 서로 다른 평행사변형의 개수를 구하여라.

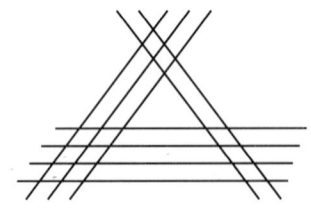

유형 09 함수의 개수

함수 $f : X \longrightarrow Y$에 대하여
$n(X)=p$, $n(Y)=q$ $(p \leq q)$이고, $a \in X$, $b \in X$일 때,
(1) 일대일함수의 개수
$$\Rightarrow {}_q\mathrm{P}_p$$
(2) $a < b$이면 $f(a) < f(b)$인 함수의 개수
$$\Rightarrow {}_q\mathrm{C}_p$$

053

집합 $X=\{a, b, c\}$에서 $Y=\{1, 2, 3, 4\}$로의 함수 f에 대하여 다음을 구하여라.

(1) 일대일함수의 개수
(2) $f(a) < f(b) < f(c)$인 함수의 개수

054

정의역과 공역이 각각
$$X=\{x_1, x_2, x_3, x_4\}, \ Y=\{1, 2, 3, 4, 5, 6\}$$
인 함수 f에 대하여 다음 두 조건을 만족하는 함수의 개수는?

(개) $a \in X$, $b \in X$에 대하여 $f(a)=f(b)$이면 $a=b$이다.
(내) $f(x)$의 최댓값은 5, 최솟값은 1이다.

① 60   ② 72   ③ 96
④ 102   ⑤ 112

055

등식 $_n\mathrm{P}_4 = 2k \cdot {_n}\mathrm{C}_4$가 항상 성립할 때, k의 값은?

① 10   ② 12   ③ 14

④ 16   ⑤ 18

056

12명의 선수가 각각 다른 선수들과 모두 한 번씩 경기를 하는 리그전으로 경기를 할 때, 전체 경기의 수는?

① 33   ② 44   ③ 55

④ 66   ⑤ 77

057

어느 극단의 배우 9명 중에서 연극에 출연할 주연 2명, 조연 3명을 뽑는 방법의 수는?

① 1240   ② 1260   ③ 1280

④ 1290   ⑤ 1300

058

상자 속에 구슬 5종류와 리본 6종류가 들어 있다. 이 중에서 구슬 3개와 리본 2개를 뽑는 방법의 수는?

① 140   ② 150   ③ 160

④ 170   ⑤ 180

059

8명의 학생 중 4명의 위원을 선출할 때, 특정한 세 학생 A, B, C 중 A는 선출되지 않고 B, C는 함께 선출되는 경우의 수는?

① 10   ② 12   ③ 14

④ 16   ⑤ 18

060

A, B, C, D, E, F, G의 7명의 학생들이 1박 2일로 여행을 떠났다. 어떤 숙박시설에 3인용과 4인용 두 개의 방이 마련되어 있다고 한다. A와 B가 같은 방을 사용할 수 있도록 7명의 학생을 두 방에 배정하는 방법의 수를 구하여라.

쌤꼭 문제

061
9명의 학생 중 4명의 농구 선수를 선발할 때, 특정한 2명 중 적어도 한 명을 포함하도록 선발하는 방법의 수는?

① 35   ② 48   ③ 63
④ 79   ⑤ 91

062
서로 다른 교과서 5권과 서로 다른 시집 4권이 있다. 이 중에서 교과서 3권과 시집 1권을 골라 책꽂이에 일렬로 꽂는 방법의 수는?

① 900   ② 920   ③ 940
④ 960   ⑤ 980

063
피아니스트와 바이올리니스트가 각각 1명씩 포함된 연주자 7명 중에서 3명을 뽑아 일렬로 세울 때, 피아니스트와 바이올리니스트가 모두 뽑혀 서로 이웃하게 서는 경우의 수를 구하여라.

064
그림과 같이 직사각형의 각 꼭짓점과 변에 12개의 서로 다른 점이 있다. 이 점 중에서 3개의 점을 꼭짓점으로 하는 삼각형의 개수를 구하여라.

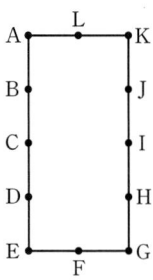

1등급 문제

065
그림과 같이 동일한 간격으로 15개의 점이 찍혀 있을 때, 주어진 점을 이어서 만들 수 있는 서로 다른 직선의 개수를 구하여라.

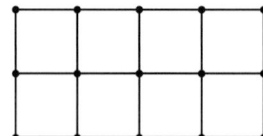

066
집합 $X=\{1, 2, 3, 4, 5\}$에 대하여 $f(3)=3$을 만족하는 함수 $f : X \longrightarrow X$ 중에서 $f=f^{-1}$인 것의 개수를 구하여라.

001 $x^2+y^2=1$
002 $(x-1)^2+(y-1)^2=9$
003 $(x+2)^2+(y-3)^2=16$
004 $(x+1)^2+(y+5)^2=36$
005 $(x+6)^2+(y-3)^2=81$
006 $(x-3)^2+(y+7)^2=100$
007 $(x-2)^2+(y-1)^2=1$
008 $(x-3)^2+(y+4)^2=9$
009 $(x+4)^2+(y-2)^2=1$
010 $(x-3)^2+(y+3)^2=4$
011 $(x+6)^2+(y+2)^2=4$
012 중심의 좌표 : $(0, 0)$, 반지름의 길이 : 2
013 중심의 좌표 : $(3, 4)$, 반지름의 길이 : 4
014 중심의 좌표 : $(-2, 1)$, 반지름의 길이 : $\sqrt{3}$

015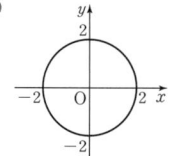
016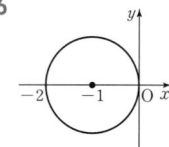

017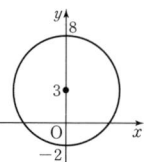
018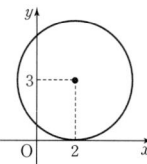

019 $x^2+y^2=25$
020 $x^2+(y-2)^2=4$
021 $(x-3)^2+(y-3)^2=18$
022 $(x-3)^2+(y-1)^2=8$
023 $(x+2)^2+(y-3)^2=5$
024 $(x-3)^2+(y-1)^2=8$
025 $(x-5)^2+(y-5)^2=25$
026 $(x-4)^2+(y+2)^2=4$
027 $(x+3)^2+(y-5)^2=25$
028 $(x+3)^2+(y+2)^2=9$
029 $(x-4)^2+(y+8)^2=16$
030 $x^2+y^2-4x+3=0$
031 $x^2+y^2-10y+21=0$
032 $x^2+y^2+6x-4y=0$
033 $(x+2)^2+y^2=1$
034 $x^2+(y-3)^2=1$
035 $(x-1)^2+(y+4)^2=16$
036 $(x+3)^2+(y-1)^2=10$
037 중심의 좌표 : $(-1, 0)$, 반지름의 길이 : 2
038 중심의 좌표 : $(0, -2)$, 반지름의 길이 : 1
039 중심의 좌표 : $(-3, 1)$, 반지름의 길이 : 2
040 중심의 좌표 : $(-1, 2)$, 반지름의 길이 : 2
041 중심의 좌표 : $(2, 1)$, 반지름의 길이 : 5
042 $l=6\pi$, $S=9\pi$
043 $l=8\pi$, $S=16\pi$

044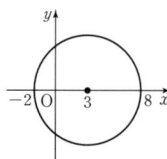
045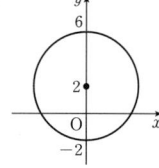

046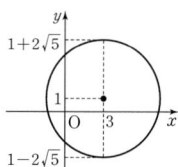
047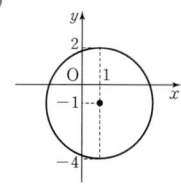

048

049 ③
050 ③
051 $\sqrt{13}$
052 ④
053 -3
054 6
055 ⑤
056 $(x-1)^2+(y+2)^2=5$
057 2
058 $(x-3)^2+y^2=10$
059 4
060 ③
061 ④
062 ①
063 $\dfrac{3\sqrt{10}}{2}$
064 ②
065 ④
066 1
067 -2
068 ②
069 8
070 ④
071 ④
072 2
073 4
074 ②
075 $(x-1)^2+(y-2)^2=1$, $(x-5)^2+(y-6)^2=25$
076 ②
077 ④
078 7
079 ④
080 10
081 12
082 $0<r<4$
083 10
084 5
085 ③
086 40π
087 $-\dfrac{9}{2}$
088 ②
089 $y=-x+4$
090 3
091 ⑤
092 2
093 -20
094 8π
095 ③
096 2π
097 ③
098 ④
099 ②
100 ③
101 2
102 ④
103 4
104 ③
105 ②
106 $2\sqrt{2}$
107 -3
108 $(x-8)^2+y^2=36$

001 $<$, $>$
002 $=$, $=$
003 $>$, $<$
004 2
005 1
006 0
007 서로 다른 두 점에서 만난다.
008 한 점에서 만난다. (접한다.)
009 만나지 않는다.
010 $-2\sqrt{2}<k<2\sqrt{2}$
011 $k=-2\sqrt{2}$ 또는 $k=2\sqrt{2}$
012 $k<-2\sqrt{2}$ 또는 $k>2\sqrt{2}$
013 2
014 8

015 9

016 $2\sqrt{7}$

017 5

018 4

019 $y=2x\pm3\sqrt{5}$

020 $y=-3x\pm2\sqrt{10}$

021 $y=\sqrt{3}x\pm2$

022 $y=3x\pm10$

023 $y=x+\sqrt{2}$

024 $y=-x+2\sqrt{2}$

025 $y=\sqrt{3}x-6$

026 $x-4=0$

027 $3x-4y-25=0$

028 $x-3y-10=0$

029 $-4x+y-17=0$

030 $4x-3y-25=0$

031 $x-2y-5=0$

032 $-2x+y-10=0$

033 $2, 2, -2, 2, (2, -2), (2, 2), x-y-4=0, x+y-4=0$

034 $mx-y-4m=0, \sqrt{8}, \sqrt{8}, -1, 1, -1, x+y-4=0,$
  $1, x-y-4=0$

035 ⑤

036 -2 또는 2

037 135π

038 9

039 ③

040 $16\sqrt{5}$

041 ②

042 5

043 $8-4\sqrt{2}$

044 6

045 $3\sqrt{10}$

046 20

047 ①

048 10

049 $6\sqrt{2}$

050 ④

051 116

052 $8+4\sqrt{2}$

053 ②

054 ⑤

055 $\dfrac{25}{4}$

056 $y=\sqrt{3}x+8$

057 -4

058 ②

059 ②

060 -6

061 ②

062 $y=-\dfrac{3}{4}x$

063 -3

064 ②

065 ②, ④

066 ①

067 ④

068 ⑤

069 ③

070 ②

071 ⑤

072 $4\sqrt{6}$

073 ④

074 ⑤

075 5

076 ③

077 $\dfrac{25}{4}$

078 $\dfrac{1}{121}$

079 ④

080 4

081 -4

03 도형의 이동

001 $(6, 4)$

002 $(-6, 4)$

003 $(1, 8)$

004 $(1, 4)$

005 $(-1, 7)$

006 $(0, 0)$

007 $(-7, 2)$

008 $(4, -5)$

009 $(0, 0)$

010 $(5, 1)$

011 $(-2, 7)$

012 $(2, 4)$

013 $(-4, 3)$

014 $m=4$

015 $n=-5$

016 $m=2, n=4$

017 $m=-5, n=3$

018 $m=-3, n=-4$

019 $m=3, n=7$

020 $m=-1, n=5$

021 $m=2, n=-5$

022 $m=-4, n=-13$

023 $(5, -1)$

024 $(-3, -8)$

025 $x+2y-1=0$

026 $x+2y+4=0$

027 $x+2y-8=0$

028 $(x+3)^2+y^2=9$

029 $x^2+(y-4)^2=9$

030 $(x-2)^2+(y+5)^2=9$

031 $y=2x^2-4x+3$

032 $y=2x^2+8x+15$

033 $x-3y-11=0$

034 $4x+y-16=0$

035 $(x-3)^2+(y+1)^2=9$

036 $(x-2)^2+(y-3)^2=16$

037 $y=x^2-6x+11$

038 $B(2, -3), C(-2, 3), D(-2, -3)$

039 $B(-3, -1), C(3, 1), D(3, -1)$

040 $B(1, 2), C(-1, -2)$

041 $B(-2, -4), C(2, 4)$

042 $(2, 5)$

043 $(-2, -5)$

044 $(-2, 5)$

045 $(-5, 2)$

046 $(5, -2)$

047 $y=-2x-3$

048 $(x+1)^2+(y+2)^2=1$

049 $3x+y-2=0$

050 $y=x^2+x+2$

051 $y=x-1$

052 $(x+5)^2+(y+2)^2=4$

053 $2x-y-3=0$

054 $(x+6)^2+(y+4)^2=1$

055 $a=5, b=3, c=5, d=-3$

056 $a=3, b=-8, c=3, d=8$

057 $(2, 3)$

058 ⑤

059 -4

060 ④

061 ③

062 ⑤

063 2

064 ②

065 -7

066 ⑤

067 -2

068 ⑤

069 ②

070 -6

071 -3

072 ④

073 ①

074 3

075 ⑤

076 $(-2, -4)$

077 ②

078 ③

079 3

080 ④

081 ③

082 ①

083 6

084 ④

085 ①

086 ③

087 $4\sqrt{5}$

088 2

089 ④

090 1

091 ③

092 ③

093 10

094 2

095 ③

096 ①

097 ④

098 8

099 $\sqrt{65}$

100 ④

101 5

102 ⑤

103 -8

104 ①

105 $x^2+(y-5)^2=1$

106 ①

107 ①

108 ③

109 -5

110 ②

111 2

112 ②

113 11

114 $\sqrt{41}$

115 4

116 $3\sqrt{2}$

117 4

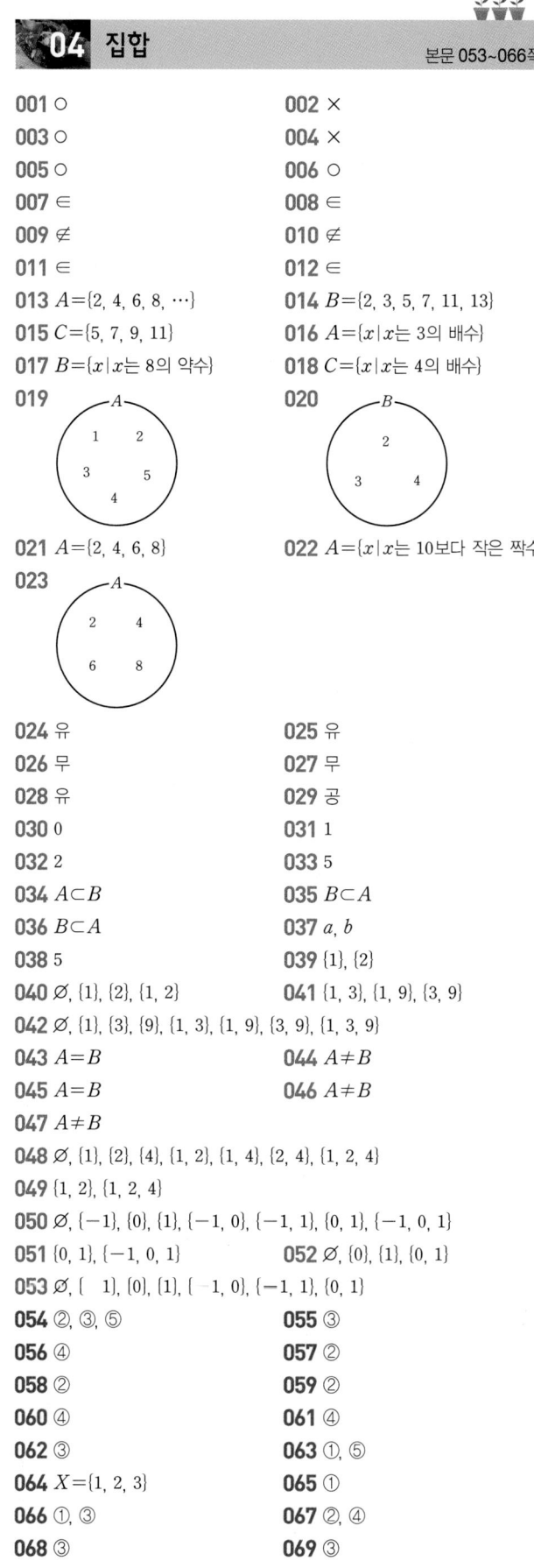

001 ○　　**002** ×

003 ○　　**004** ×

005 ○　　**006** ○

007 ∈　　**008** ∈

009 ∉　　**010** ∉

011 ∈　　**012** ∈

013 $A=\{2, 4, 6, 8, \cdots\}$　　**014** $B=\{2, 3, 5, 7, 11, 13\}$

015 $C=\{5, 7, 9, 11\}$　　**016** $A=\{x\,|\,x$는 3의 배수$\}$

017 $B=\{x\,|\,x$는 8의 약수$\}$　　**018** $C=\{x\,|\,x$는 4의 배수$\}$

019　　**020**

021 $A=\{2, 4, 6, 8\}$　　**022** $A=\{x\,|\,x$는 10보다 작은 짝수$\}$

023

024 유　　**025** 유

026 무　　**027** 무

028 유　　**029** 공

030 0　　**031** 1

032 2　　**033** 5

034 $A\subset B$　　**035** $B\subset A$

036 $B\subset A$　　**037** a, b

038 5　　**039** $\{1\}$, $\{2\}$

040 ∅, $\{1\}$, $\{2\}$, $\{1, 2\}$　　**041** $\{1, 3\}$, $\{1, 9\}$, $\{3, 9\}$

042 ∅, $\{1\}$, $\{3\}$, $\{9\}$, $\{1, 3\}$, $\{1, 9\}$, $\{3, 9\}$, $\{1, 3, 9\}$

043 $A=B$　　**044** $A\neq B$

045 $A=B$　　**046** $A\neq B$

047 $A\neq B$

048 ∅, $\{1\}$, $\{2\}$, $\{4\}$, $\{1, 2\}$, $\{1, 4\}$, $\{2, 4\}$, $\{1, 2, 4\}$

049 $\{1, 2\}$, $\{1, 2, 4\}$

050 ∅, $\{-1\}$, $\{0\}$, $\{1\}$, $\{-1, 0\}$, $\{-1, 1\}$, $\{0, 1\}$, $\{-1, 0, 1\}$

051 $\{0, 1\}$, $\{-1, 0, 1\}$　　**052** ∅, $\{0\}$, $\{1\}$, $\{0, 1\}$

053 ∅, $\{-1\}$, $\{0\}$, $\{1\}$, $\{-1, 0\}$, $\{-1, 1\}$, $\{0, 1\}$

054 ②, ③, ⑤　　**055** ③

056 ④　　**057** ②

058 ②　　**059** ②

060 ④　　**061** ④

062 ③　　**063** ①, ⑤

064 $X=\{1, 2, 3\}$　　**065** ①

066 ①, ③　　**067** ②, ④

068 ③　　**069** ③

070 7　　**071** ⑤

072 ③　　**073** ③

074 ⑤　　**075** 9

076 ①　　**077** ①, ②

078 ㄱ, ㄴ, ㄷ　　**079** ⑤

080 ③　　**081** 8

082 3　　**083** 7

084 3　　**085** ③

086 ①, ④　　**087** 8

088 ②

089 ∅, $\{a\}$, $\{b\}$, $\{c\}$, $\{a, b\}$, $\{b, c\}$, $\{a, c\}$

090 ⑤　　**091** ①

092 ④　　**093** 6

094 ③　　**095** 4

096 ③　　**097** ④

098 ④　　**099** ②

100 7

101 ②　　**102** ①

103 ②　　**104** ④

105 ⑤　　**106** 2

107 2　　**108** ①

109 ④　　**110** 7

111 10　　**112** 5

001

$A\cup B=\{1, 2, 5, 6, 8, 11\}$

002

$A\cup B=\{1, 2, 4, 6, 7, 10\}$

003

$A\cap B=\{3, 6\}$

004

$A\cap B=\{1, 4\}$

005 $\{1, 4, 5, 6, 7\}$　　**006** $\{2, 3, 4, 6, 12\}$

007 $\{1, 2, 3, 4, 5, 6, 7, 12\}$　　**008** $\{4, 6\}$

009 $\{1, 2, 3, 5, 7\}$　　**010** $\{a, b, c, d, e\}$

011 $\{1, 2, 3, 4, 6\}$　　**012** $\{0, 2, 4, 6\}$

013 $\{3\}$　　**014** $\{a, c\}$

015 $\{1, 3\}$　　**016** ∅

017　　**018** $\{3, 4, 5, 7, 9\}$

019 $\{1, 3, 5\}$　　**020** $\{1, 3, 5, 7, 9, 15\}$

021 $\{5\}$　　**022** $\{1, 3, 5, 7, 9, 10, 15, 20\}$

023 $\{5\}$　　**024** ×

025 ○　　**026** ○

027 ×　　**028** $\{2, 4, 6, 8, 10\}$

029 $\{1, 4, 6, 8, 9, 10\}$　　**030** $\{1, 2, 3, 4, 6, 7, 8, 9\}$

031 $A-B=\{5\}$, $B-A=\{2, 4\}$

032 $A-B=\{4, 6, 8\}$, $B-A=\{3, 5, 7\}$

033 $\{4, 5, 6, 7, 8, 9\}$　　**034** $\{1, 3, 4, 5, 9\}$

035 $\{1, 3\}$　　**036** $\{4, 5, 9\}$

037 $\{1, 3, 4, 5, 6, 7, 8, 9\}$　　**038** $\{3, 5, 6, 7, 8\}$

039 $\{5\}$　　**040** $\{3, 4, 6, 7, 8\}$

041 {4}　　042 8
043 18　　044 3
045 7　　046 20
047 4　　048 11
049 4　　050 9
051 ∩, ∪　　052 A, $\varnothing$, U, A
053 $\varnothing$, U, U, $\varnothing$　　054 A
055 A　　056 $B \cap A^c (=B-A)$
057 A　　058 B
059 $\varnothing$　　060 $\subset$
061 ⑤　　062 ②
063 57　　064 ②
065 ③　　066 ③
067 ③　　068 2
069 ②　　070 ③
071 ④　　072 12
073 ④　　074 10
075 ④　　076 5
077 ③　　078 {1, 3, 5, 6}
079 ①　　080 ④
081 {3, 4, 6}　　082 {3}
083 ②　　084 10
085 ⑤　　086 ㄷ, ㄹ
087 7　　088 11
089 ⑤　　090 ①
091 ③　　092 ②
093 ①　　094 ②
095 ⑤　　096 6
097 ⑤　　098 ①
099 1　　100 8
101 16　　102 ③
103 ⑤　　104 26
105 13　　106 10
107 ③　　108 9
109 ⑤　　110 10
111 27　　112 14
113 ①　　114 6
115 ③　　116 ③
117 ②　　118 ⑤
119 26
120 ④　　121 7
122 ⑤　　123 ③
124 ②　　125 10
126 ②　　127 ②
128 20　　129 15명
130 4　　131 42

06 명제

본문 087~102쪽

001 ㄱ, ㄷ, ㅁ　　002 참
003 명제가 아니다.　　004 거짓
005 9는 소수가 아니다.　　006 $2x+6 \neq 2(3+x)$
007 $2 \geq 5$　　008 $P=\{-2, 2\}$
009 $Q=\{1, 3\}$　　010 $x<-2$ 또는 $x>3$
011 a는 소수가 아니다.　　012 $x \neq 2$이고 $x \neq 6$
013 $a \neq -5$ 또는 $b \neq -1$　　014 $4 \leq x \leq 9$
015 {−2, 2}　　016 {−1, 0, 1, 2}
017 {0, 1}　　018 풀이 참조
019 풀이 참조　　020 풀이 참조
021 풀이 참조　　022 가정 : $x=3$, 결론 : $2x-6=0$
023 가정 : a가 6의 배수이다., 결론 : a는 3의 배수이다.
024 ㄱ, ㄴ, ㅁ, ㅂ, ㅇ　　025 ×
026 ○　　027 ×
028 ○　　029 거짓
030 거짓　　031 참
032 거짓
033 어떤 실수 x에 대하여 $x+5>7$이다.
034 모든 실수 x에 대하여 $x^2-9 \leq 0$이다.
035 모든 자연수 n에 대하여 n^2은 홀수이다.
036 $x^2=9$이면 $x=3$이다.
037 n이 4의 약수이면 n은 8의 약수이다.
038 $ac \neq bc$이면 $a \neq b$이다.
039 $x \leq 0$ 또는 $y \leq 0$이면 $xy \leq 0$이다.
040 n이 4의 배수가 아니면 n은 홀수이다.
041 ㄱ　　042 ㄷ
043 ㄴ　　044 충분조건
045 필요조건　　046 필요조건
047 충분조건　　048 필요충분조건
049 필요충분조건　　050 ㄱ
051 ㄷ　　052 ㄴ
053 ㄹ
054 ④　　055 ④
056 ⑤　　057 ③
058 ②　　059 ②
060 ③　　061 ①
062 15　　063 {4}
064 ②　　065 ②
066 ③　　067 ③
068 ②　　069 ⑤
070 ②, ④　　071 ②
072 ④　　073 ③
074 2　　075 ③
076 ②　　077 ①
078 ④　　079 ②
080 ⑤　　081 ⑤
082 ②　　083 ②
084 ⑤　　085 ①, ③
086 ④　　087 ①
088 ⑤　　089 ⑤

090 ③　　　　　　　　091 1
092 ②　　　　　　　　093 ④
094 ②　　　　　　　　095 ㄱ, ㄴ
096 ①　　　　　　　　097 ③
098 ②　　　　　　　　099 ②
100 -2　　　　　　　101 ⑤
102 2　　　　　　　　103 6
104 ②　　　　　　　　105 ④
106 ④　　　　　　　　107 ②, ③
108 ④　　　　　　　　109 ⑤
110 ④　　　　　　　　111 ①
112 ④
113 ③　　　　　　　　114 ④
115 ④　　　　　　　　116 $0 \leq a \leq 1$
117 ⑤　　　　　　　　118 ②
119 ①　　　　　　　　120 ③
121 -1
122 2　　　　　　　　123 6

07 명제의 증명
본문 105~116쪽

001 정리　　　　　　　　002 정의
003 정리　　　　　　　　004 정의
005 ∠C, $\overline{\text{AC}}$, ∠A　　006 ∠MCD, $\overline{\text{AB}}=\overline{\text{CD}}$, $\overline{\text{CM}}$
007 a가 3의 배수가 아니면 a는 6의 배수가 아니다.
008 a와 b가 자연수이면 $a+b$가 자연수이다.
009 자연수 n에 대하여 n이 홀수이면 n^2도 홀수이다.
010 대우, 짝수, 참　　011 가정, 제곱, 배수, 서로소, 가정
012 ㄱ, ㄷ, ㄹ　　　　013 $\geq$, $\geq$, $a=b$
014 ㄱ, ㄴ, ㅁ, ㅂ, ㅅ, ㅇ, ㅈ　015 2
016 8　　　　　　　　017 2
018 $3+2\sqrt{2}$　　　　　019 9
020 8　　　　　　　　021 16
022 ㄴ, ㄷ, ㅂ　　　　023 ㄱ, ㄷ, ㄹ, ㅁ, ㅂ
024 ②　　　　　　　　025 ⑤
026 ④　　　　　　　　027 ③
028 ②　　　　　　　　029 ⑤
030 풀이 참조　　　　031 ②
032 ④　　　　　　　　033 ①
034 ③　　　　　　　　035 ⑤
036 ④　　　　　　　　037 ③
038 ①　　　　　　　　039 ③
040 ④
041 (가): $ab-|ab|$, (나): $\geq$, (다): $\geq$, (라): $ab \geq 0$
042 ②　　　　　　　　043 ③
044 4　　　　　　　　045 12
046 8　　　　　　　　047 ③
048 ④　　　　　　　　049 ⑤
050 ⑤　　　　　　　　051 400
052 ③　　　　　　　　053 48
054 28　　　　　　　　055 ③

056 ①　　　　　　　　057 최댓값 : 6, 최솟값 : -6
058 10　　　　　　　　059 ④
060 ④　　　　　　　　061 ④
062 ②　　　　　　　　063 ⑤
064 ㄱ, ㄴ　　　　　　065 ④
066 24　　　　　　　　067 ②
068 ②
069 ③　　　　　　　　070 ④

08 함수
본문 119~130쪽

001 -3　　　　　　　002 -9
003 -2　　　　　　　004 4
005 2　　　　　　　　006 -1
007 ㄱ, ㄷ　　　　　　008 b
009 $\{1, 2, 3, 4\}$　　　　010 $\{a, b, c\}$
011 $\{a, b\}$　　　　　　012 $\{-6, -3, 3, 6\}$
013 $\left\{-3, -\dfrac{3}{2}, \dfrac{3}{2}, 3\right\}$　　014 $\{-1, 2\}$
015 $\{1, 2\}$
016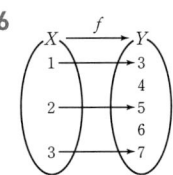
017 $\{1, 2, 3\}$　　　　018 $\{3, 4, 5, 6, 7\}$
019 3　　　　　　　　020 $\{3, 5, 7\}$
021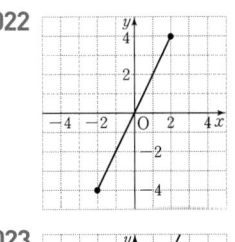
022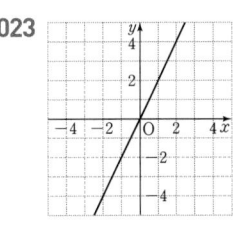
023
024 ㄴ, ㄹ, ㅁ, ㅂ　　025 1
026 10　　　　　　　　027 ㄷ, ㄹ, ㅁ
028 ㄷ, ㅁ　　　　　　029 ㄷ
030 ㄱ　　　　　　　　031 ㄱ, ㅂ
032 ㄱ, ㅂ　　　　　　033 ㄱ
034 ㄴ　　　　　　　　035 ㄴ, ㄷ, ㅂ
036 ㄴ, ㄷ, ㅂ　　　　037 ㄴ

09 합성함수와 역함수

본문 133~148쪽

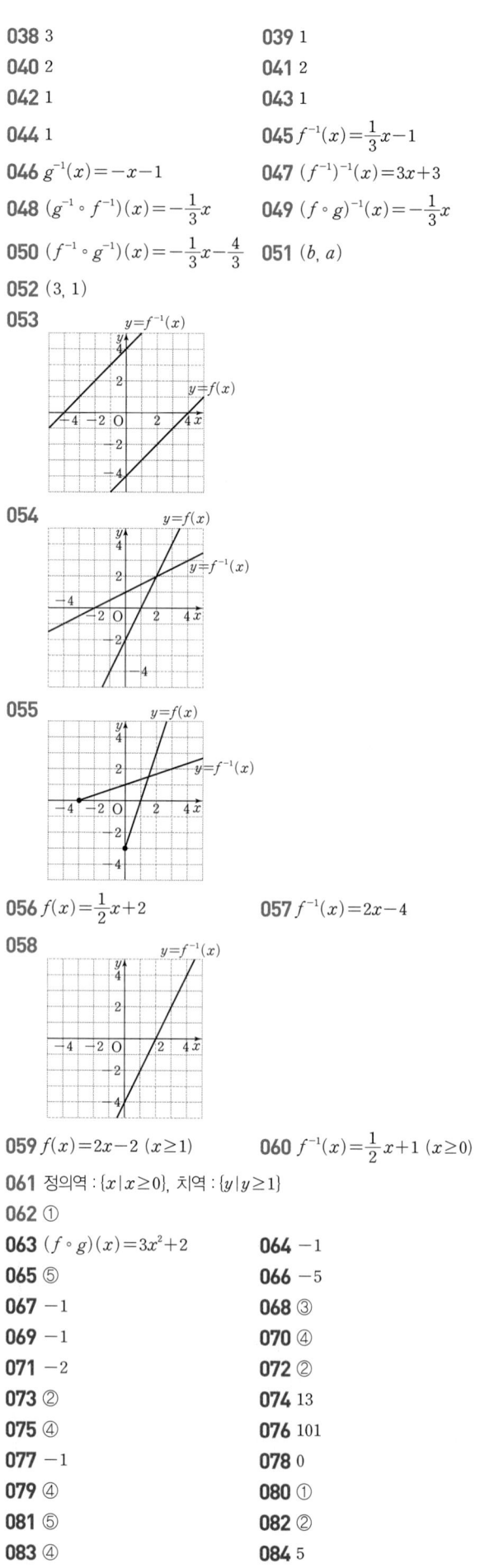

089 $y=2+\sqrt{x+4}\ (x\geq-4)$ **090** ㄱ, ㄹ

091 10   **092** ③

093 6   **094** ②

095 ⑤   **096** ①

097 1   **098** ③

099 -1 **100** ②

101 $\dfrac{9}{2}$ **102** $(g\circ f)^{-1}(x)=2x+5$

103 -4 **104** ③

105 2   **106** ②

107 ②   **108** ③

109 -4 **110** 16

111 ②   **112** ③

113 1

114 ③   **115** ②

116 -5 **117** ①

118 ③   **119** 27

120 $\dfrac{1}{2}$ **121** ③

122 4   **123** ③

124 -1 **125** 6

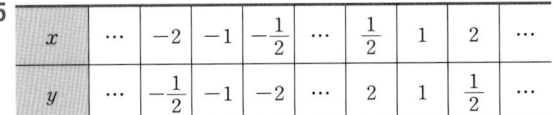

10 유리함수
본문 151~164쪽

001 $\dfrac{1}{x+1}$ **002** $\dfrac{3}{(a-2)(a+2)}$

003 $\dfrac{4}{(x-1)(x+1)}$ **004** $\dfrac{x-1}{x-3}$

005 $\dfrac{x}{(x+1)^2}$ **006** $\dfrac{1}{x(x-1)}$

007 $\dfrac{a(a-1)}{a+2}$ **008** $\dfrac{1}{x}-\dfrac{1}{x+1}$

009 $2\left(\dfrac{1}{x+2}-\dfrac{1}{x+4}\right)$ **010** $\dfrac{3}{4}$

011 $\dfrac{3}{(x+1)(x+4)}$ **012** $\{x\,|\,x\neq0$인 실수$\}$

013 $\{x\,|\,x\neq4$인 실수$\}$ **014** $\left\{x\,\middle|\,x\neq-\dfrac{5}{2}$인 실수$\right\}$

015

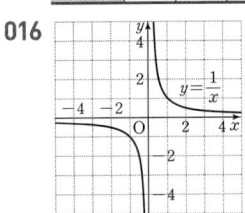

x	$\cdots$	-2	-1	$-\dfrac{1}{2}$	$\cdots$	$\dfrac{1}{2}$	1	2	$\cdots$
y	$\cdots$	$-\dfrac{1}{2}$	-1	-2	$\cdots$	2	1	$\dfrac{1}{2}$	$\cdots$

016

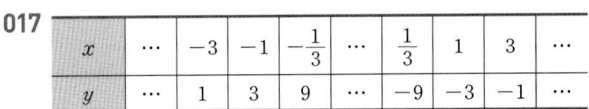

017

x	$\cdots$	-3	-1	$-\dfrac{1}{3}$	$\cdots$	$\dfrac{1}{3}$	1	3	$\cdots$
y	$\cdots$	1	3	9	$\cdots$	-9	-3	-1	$\cdots$

018

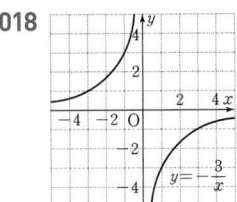

019 $y=\dfrac{4}{x-1}-2$ **020** $y=-\dfrac{5}{x-6}+1$

021 $y=-\dfrac{1}{x+1}-3$

022

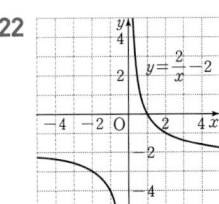

023 $x=0,\ y=-2$

024 정의역 : $\{x\,|\,x\neq0$인 실수$\}$, 치역 : $\{y\,|\,y\neq-2$인 실수$\}$

025

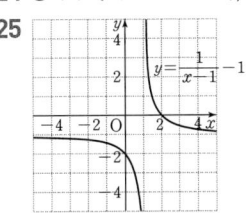

026 $x=1,\ y=-1$

027 정의역 : $\{x\,|\,x\neq1$인 실수$\}$, 치역 : $\{y\,|\,y\neq-1$인 실수$\}$

028

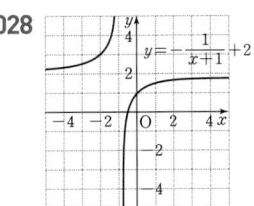

029 $x=-1,\ y=2$

030 정의역 : $\{x\,|\,x\neq-1$인 실수$\}$, 치역 : $\{y\,|\,y\neq2$인 실수$\}$

031 $y=-\dfrac{1}{x+3}+1$ **032** $y=\dfrac{11}{x-3}+5$

033 $y=\dfrac{2}{x-2}-1$ **034** $y=\dfrac{1}{x-1}-3$

035 $y=\dfrac{1}{x-2}-2$ **036** $y=\dfrac{3}{x+1}+2$

037

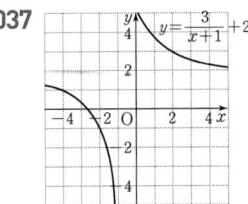

038 $x=-1,\ y=2$

039 정의역 : $\{x\,|\,x\neq-1$인 실수$\}$, 치역 : $\{y\,|\,y\neq2$인 실수$\}$

040 $y=\dfrac{1}{x-1}-3$

041

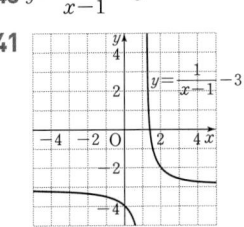

042 $x=1, y=-3$

043 정의역 : $\{x \mid x \neq 1$인 실수$\}$, 치역 : $\{y \mid y \neq -3$인 실수$\}$

044 $(1, -3)$

045 ④ 　　　　　　　　　**046** ①

047 ① 　　　　　　　　　**048** ②

049 $\dfrac{x-2}{x+6}$ 　　　　　**050** $\dfrac{1-y}{x}$

051 ⑤ 　　　　　　　　　**052** $\dfrac{100}{101}$

053 7 　　　　　　　　　**054** ①

055 ④ 　　　　　　　　　**056** ㄴ

057 ② 　　　　　　　　　**058** ㄱ, ㄷ

059 $a>6$ 　　　　　　　**060** ③

061 3 　　　　　　　　　**062** ④

063 8 　　　　　　　　　**064** $a=1, b=2$

065 ⑤ 　　　　　　　　　**066** -2

067 ③ 　　　　　　　　　**068** -7

069 ④ 　　　　　　　　　**070** 8

071 ③ 　　　　　　　　　**072** 3

073 4 　　　　　　　　　**074** ①

075 ① 　　　　　　　　　**076** $-\dfrac{7}{4}$

077 ④ 　　　　　　　　　**078** 4

079 $a \leq 0$ 　　　　　　**080** 2

081 ② 　　　　　　　　　**082** $\dfrac{15}{4}$

083 -1 　　　　　　　　**084** -2

085 1 　　　　　　　　　**086** -16

087 ⑤ 　　　　　　　　　**088** ⑤

089 $\dfrac{10}{3}$ 　　　　　　**090** $-\dfrac{3}{2}$

091 -20 　　　　　　　**092** ④

093 ④ 　　　　　　　　　**094** ②

095 ② 　　　　　　　　　**096** 22

097 1 　　　　　　　　　**098** ②

099 7 　　　　　　　　　**100** ⑤

101 -9 　　　　　　　**102** ②

103 4 　　　　　　　　　**104** 4

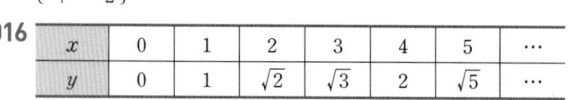

11 무리함수

본문 167~180쪽

001 $-x$ 　　　　　　　　**002** $x-2$

003 $1-a$ 　　　　　　　**004** $x \geq 0$

005 $x>4$ 　　　　　　　**006** $-\dfrac{1}{2} \leq x \leq 5$

007 1 　　　　　　　　　**008** 1

009 $\sqrt{2}-1$ 　　　　　　**010** $\dfrac{a+b-2\sqrt{ab}}{a-b}$

011 $\sqrt{x+2}-\sqrt{x-2}$ 　　**012** $\{x \mid x \geq -2\}$

013 $\{x \mid x \geq -2\}$ 　　　**014** $\{x \mid x \leq 3\}$

015 $\left\{x \mid x \leq \dfrac{1}{2}\right\}$

016

x	0	1	2	3	4	5	⋯
y	0	1	$\sqrt{2}$	$\sqrt{3}$	2	$\sqrt{5}$	⋯

017

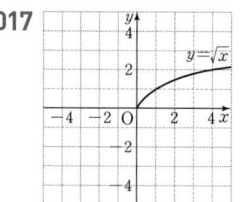

018

x	0	1	2	3	4	5	⋯
y	0	-1	$-\sqrt{2}$	$-\sqrt{3}$	-2	$-\sqrt{5}$	⋯

019

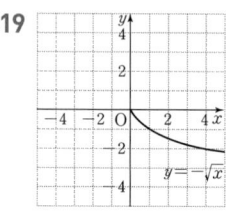

020

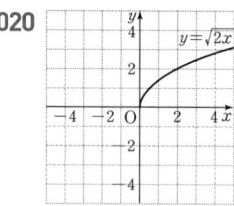

정의역 : $\{x \mid x \geq 0\}$, 치역 : $\{y \mid y \geq 0\}$

021

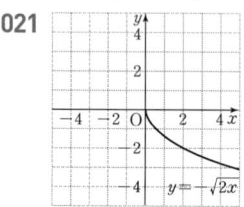

정의역 : $\{x \mid x \geq 0\}$, 치역 : $\{y \mid y \leq 0\}$

022

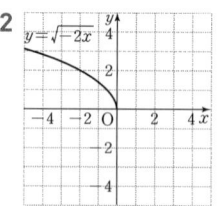

정의역 : $\{x \mid x \leq 0\}$, 치역 : $\{y \mid y \geq 0\}$

023

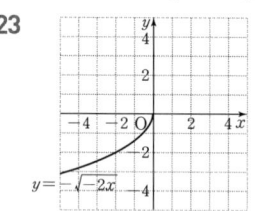

정의역 : $\{x \mid x \leq 0\}$, 치역 : $\{y \mid y \leq 0\}$

024 $y=\sqrt{x}+2$ 　　　　　**025** $y=\sqrt{-x+1}$

026 $y=\sqrt{x-1}+2$ 　　　　**027** $y=-\sqrt{x-2}+1$

028 $y=-\sqrt{-x-1}-3$

029

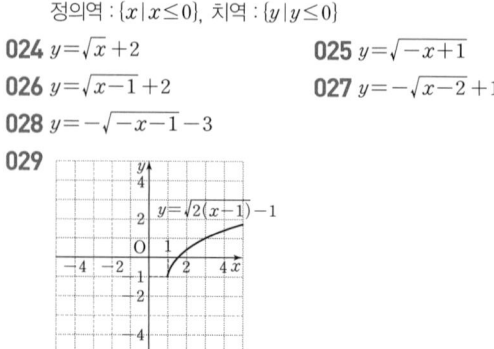

030 정의역 : $\{x \mid x \geq 1\}$, 치역 : $\{y \mid y \geq -1\}$

031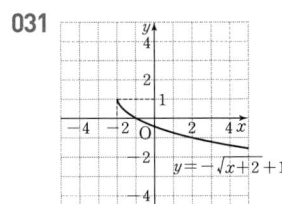

032 정의역 : $\{x \,|\, x \geq -2\}$, 치역 : $\{y \,|\, y \leq 1\}$

033 $y = \sqrt{3(x+2)} + 1$　　**034** $y = \sqrt{2\left(x+\dfrac{3}{2}\right)} - 1$

035 $y = \sqrt{-2(x-3)} + 2$　　**036** $y = -\sqrt{5(x+3)} - 1$

037 $y = \sqrt{2(x+2)} + 1$

038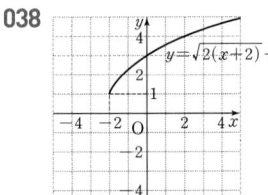

039 정의역 : $\{x \,|\, x \geq -2\}$, 치역 : $\{y \,|\, y \geq 1\}$

040 $y = -\sqrt{-2(x-1)} + 1$

041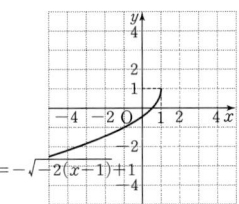

042 정의역 : $\{x \,|\, x \leq 1\}$, 치역 : $\{y \,|\, y \leq 1\}$

043 ②　　　　　　　　**044** $-2 < x \leq 5$

045 8　　　　　　　　**046** ⑤

047 2　　　　　　　　**048** -10

049 ③　　　　　　　　**050** ㄴ

051 제2사분면　　　　　**052** ④

053 ⑤　　　　　　　　**054** 9

055 ①　　　　　　　　**056** ①

057 5　　　　　　　　**058** 9

059 7　　　　　　　　**060** ②

061 ①　　　　　　　　**062** ②

063 제2, 3사분면　　　　**064** ①

065 $\dfrac{5}{4}$　　　　　　　　**066** ③

067 12　　　　　　　　**068** ⑤

069 12　　　　　　　　**070** ①

071 $\{y \,|\, 2 \leq y \leq 4\}$　　　**072** ①

073 -3　　　　　　　　**074** $(1, -2)$

075 $k \geq -4$　　　　　　**076** 3

077 ②　　　　　　　　**078** ②

079 3　　　　　　　　**080** ②

081 ⑤　　　　　　　　**082** ③

083 2　　　　　　　　**084** ④

085 ①　　　　　　　　**086** ⑤

087 $\sqrt{2}$　　　　　　　　**088** 1

089 ②　　　　　　　　**090** ③

091 2　　　　　　　　**092** ④

093 ⑤　　　　　　　　**094** ②

095 35　　　　　　　　**096** $\dfrac{5}{8}$

097 4　　　　　　　　**098** ②

099 $-\dfrac{1}{3} \leq m \leq \dfrac{1}{6}$　　**100** ④

12 경우의 수
본문 183~194쪽

001 8　　　　　　　　**002** 3

003 2　　　　　　　　**004** 5

005 4　　　　　　　　**006** 5

007 9　　　　　　　　**008** 3

009 8　　　　　　　　**010** 6

011 풀이 참조　　　　　**012** 10

013 5　　　　　　　　**014** 2

015 6　　　　　　　　**016** 12

017 15　　　　　　　　**018** 20

019 9　　　　　　　　**020** 6

021 6　　　　　　　　**022** 3

023 6　　　　　　　　**024** 9

025 ②　　　　　　　　**026** 9

027 ②　　　　　　　　**028** ②

029 3　　　　　　　　**030** ④

031 ③　　　　　　　　**032** 60

033 66　　　　　　　　**034** 6

035 6　　　　　　　　**036** 16

037 6　　　　　　　　**038** 11

039 ④　　　　　　　　**040** ④

041 24　　　　　　　　**042** 6

043 ③　　　　　　　　**044** ④

045 ③　　　　　　　　**046** ②

047 72　　　　　　　　**048** 40

049 9　　　　　　　　**050** ⑤

051 13　　　　　　　　**052** 189

053 ②　　　　　　　　**054** 26

055 ③　　　　　　　　**056** 167

057 33　　　　　　　　**058** ⑤

059 12　　　　　　　　**060** 72

061 14　　　　　　　　**062** 48

063 ②　　　　　　　　**064** ③

065 ④　　　　　　　　**066** 6

067 104　　　　　　　　**068** 29

069 78　　　　　　　　**070** ①

071 108　　　　　　　　**072** 36

073 ②　　　　　　　　**074** ③

075 ③　　　　　　　　**076** ②

077 ③　　　　　　　　**078** 45

079 ②　　　　　　　　**080** ③

081 ①　　　　　　　　**082** 84

083 10　　　　　　　　**084** 35

001 $_5P_2$　002 $_{20}P_4$
003 $_3P_3$　004 5, 2
005 7　006 6
007 6　008 7
009 120　010 12
011 60　012 24
013 n　014 $n(n-1)$
015 $n(n-1)(n-2)$　016 $n=10$
017 $n=3$　018 $n=10$
019 $r=2$　020 $r=3$
021 12　022 720
023 60　024 336
025 120　026 120
027 6　028 6
029 1440　030 720
031 36　032 144
033 240　034 24
035 20　036 480
037 480　038 14400
039 ①　040 6
041 ④　042 ③
043 ③　044 360
045 ⑤　046 32
047 ④　048 ④
049 ①　050 6
051 ②　052 144
053 3　054 ③
055 ④　056 144
057 ⑤　058 120
059 60　060 ③
061 72　062 504
063 ①　064 12
065 240　066 ⑤
067 ⑤　068 40
069 ④　070 672
071 108　072 ③
073 ③　074 1
075 ④　076 24
077 60　078 ②
079 ⑤　080 68
081 ②　082 90
083 ③　084 36
085 ③　086 160
087 ④　088 72
089 ③　090 120
091 480　092 ⑤

001 $_4C_3$　002 $_6C_3\times_3C_3\,(=_6C_3)$
003 36　004 35
005 1　006 1
007 $n=6$　008 $n=7$
009 $r=3$　010 $n=4, r=3$ 또는 $n=4, r=1$
011 $n=13, r=6$ 또는 $n=13, r=7$
012 126　013 70
014 240　015 18
016 ③　017 2
018 5　019 35
020 126개　021 6
022 ④　023 84
024 ③　025 ④
026 200　027 ④
028 ②　029 40
030 ⑤　031 ③
032 ④　033 6
034 ⑤　035 28
036 48　037 ④
038 ②　039 29
040 ⑤　041 72
042 ⑤　043 ③
044 ③　045 22
046 35　047 ①
048 52　049 100
050 82　051 360
052 27　053 (1) 24　(2) 4
054 ②
055 ②　056 ④
057 ②　058 ②
059 ①　060 15
061 ⑤　062 ④
063 20　064 198
065 52　066 10

memo

아름다운 샘 BOOK LIST

개념기본서
수학의 기본을 다지는 최고의 수학 개념기본서

❖ 수학의 샘
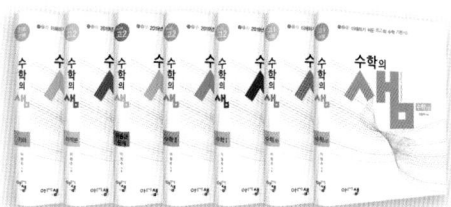

- 수학(상)
- 수학(하)
- 수학 I
- 수학 II
- 확률과 통계
- 미적분
- 기하

Total 내신문제집
한 권으로 끝내는 내신 대비 문제집

❖ Total 짱

- 수학(상)
- 수학(하)
- 수학 I
- 수학 II
- 확률과 통계
- 미적분

문제기본서
{기본, 유형}, {유형, 심화}로 구성된 수준별 문제기본서

❖ 아샘 Hi Math

- 수학(상)
- 수학(하)
- 수학 I
- 수학 II
- 확률과 통계
- 미적분
- 기하

❖ 아샘 Hi High

- 수학(상)
- 수학(하)
- 수학 I
- 수학 II
- 확률과 통계
- 미적분

수능 기출유형 문제집
수능 대비하는 수준별·유형별 문제집

❖ 짱 쉬운 유형 / 확장판

- 수학 I
- 수학 II
- 확률과 통계
- 미적분
- 기하

- 수학 I
- 수학 II
- 확률과 통계

❖ 짱 중요한 유형

- 수학 I
- 수학 II
- 확률과 통계
- 미적분
- 기하

❖ 짱 어려운 유형

- 수학 I
- 수학 II
- 확률과 통계
- 미적분

중간·기말고사 교재
학교 시험 대비 실전모의고사

❖ 아샘 내신 FINAL (고1 수학, 고2 수학 I, 고2 수학 II)
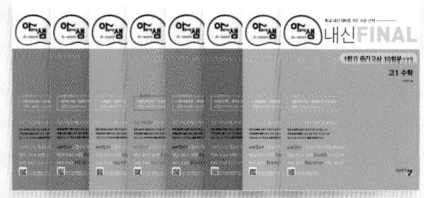

- 1학기 중간고사
- 1학기 기말고사
- 2학기 중간고사
- 2학기 기말고사

수능 실전모의고사
수능 대비 파이널 실전모의고사

❖ 짱 Final 실전모의고사

- 수학 영역

예비 고1 교재
고교 수학의 기본을 다지는 참 쉬운 기본서

❖ 그래 할 수 있어

- 수학(상)
- 수학(하)

내신 기출유형 문제집
내신 대비하는 수준별·유형별 문제집

❖ 짱 쉬운 내신

❖ 짱 중요한 내신

- 수학(상)
- 수학(하)

- 수학(상)
- 수학(하)

기본기를 다지는
문제기본서 하이 매쓰
Hi Math
고등 **수학**(하)

펴낸이 (주)아름다운샘
펴낸곳 (주)아름다운샘
등록번호 제324-2013-41호
주소 서울시 강동구 상암로 257, 진승빌딩 3F
전화 02-892-7878
팩스 02-892-7874

기본기를 다지는

문제기본서 하이 매쓰

Hi Math

고등 **수학**(하)

정답 및 해설

아름다운 샘

아름다운 샘과 함께
수학의 자신감과 최고 실력을 완성!!!

Hi Math
고등 **수학**(하)

정답 및 해설

01 원의 방정식

본책 007~020쪽

001 중심의 좌표가 $(0, 0)$이고, 반지름의 길이가 1인 원의 방정식은
$x^2+y^2=1^2$　　　　　　　$\textcircled{답}\ x^2+y^2=1$

002 중심의 좌표가 $(1, 1)$이고, 반지름의 길이가 3인 원의 방정식은
$(x-1)^2+(y-1)^2=3^2$　　$\textcircled{답}\ (x-1)^2+(y-1)^2=9$

003 중심의 좌표가 $(-2, 3)$이고, 반지름의 길이가 4인 원의 방정식은
$(x+2)^2+(y-3)^2=4^2$　　$\textcircled{답}\ (x+2)^2+(y-3)^2=16$

004 중심의 좌표가 $(-1, -5)$이고, 반지름의 길이가 6인 원의 방정식은
$(x+1)^2+(y+5)^2=6^2$　　$\textcircled{답}\ (x+1)^2+(y+5)^2=36$

005 중심의 좌표가 $(-6, 3)$이고, 반지름의 길이가 9인 원의 방정식은
$(x+6)^2+(y-3)^2=9^2$　　$\textcircled{답}\ (x+6)^2+(y-3)^2=81$

006 중심의 좌표가 $(3, -7)$이고, 반지름의 길이가 10인 원의 방정식은
$(x-3)^2+(y+7)^2=10^2$　　$\textcircled{답}\ (x-3)^2+(y+7)^2=100$

007 중심의 좌표가 $(2, 1)$이고, 반지름의 길이가 1이므로 원의 방정식은
$(x-2)^2+(y-1)^2=1^2$　　$\textcircled{답}\ (x-2)^2+(y-1)^2=1$

008 중심의 좌표가 $(3, -4)$이고, 반지름의 길이가 3이므로 원의 방정식은
$(x-3)^2+(y+4)^2=3^2$　　$\textcircled{답}\ (x-3)^2+(y+4)^2=9$

009 중심의 좌표가 $(-4, 2)$이고, 반지름의 길이가 1이므로 원의 방정식은
$(x+4)^2+(y-2)^2=1^2$　　$\textcircled{답}\ (x+4)^2+(y-2)^2=1$

010 중심의 좌표가 $(3, -3)$이고, 반지름의 길이가 2이므로 원의 방정식은
$(x-3)^2+(y+3)^2=2^2$　　$\textcircled{답}\ (x-3)^2+(y+3)^2=4$

011 원이 x축에 접하므로 반지름의 길이가 2이고, 중심의 y좌표가 -2이다. 따라서 중심의 좌표가 $(-6, -2)$이고, 반지름의 길이가 2이므로 원의 방정식은
$(x+6)^2+(y+2)^2=2^2$　　$\textcircled{답}\ (x+6)^2+(y+2)^2=4$

012　　　$\textcircled{답}$ 중심의 좌표 : $(0, 0)$
반지름의 길이 : 2

013　　　$\textcircled{답}$ 중심의 좌표 : $(3, 4)$
반지름의 길이 : 4

014　　　$\textcircled{답}$ 중심의 좌표 : $(-2, 1)$
반지름의 길이 : $\sqrt{3}$

015 방정식 $x^2+y^2=4$는 중심의 좌표가 $(0, 0)$이고, 반지름의 길이가 2이므로 좌표평면 위에 나타내면 다음과 같다.

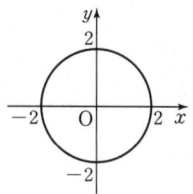

$\textcircled{답}$ 풀이 참조

016 방정식 $(x+1)^2+y^2=1$은 중심의 좌표가 $(-1, 0)$이고, 반지름의 길이가 1이므로 좌표평면 위에 나타내면 다음과 같다.

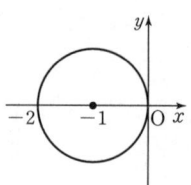

$\textcircled{답}$ 풀이 참조

017 방정식 $x^2+(y-3)^2=25$는 중심의 좌표가 $(0, 3)$이고, 반지름의 길이가 5이므로 좌표평면 위에 나타내면 다음과 같다.

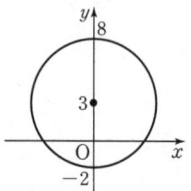

$\textcircled{답}$ 풀이 참조

018 방정식 $(x-2)^2+(y-3)^2=9$는 중심의 좌표가 $(2, 3)$이고, 반지름의 길이가 3이므로 좌표평면 위에 나타내면 다음과 같다.

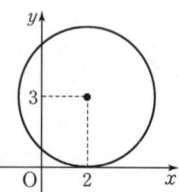

$\textcircled{답}$ 풀이 참조

019 원의 중심의 좌표가 $(0, 0)$이고, 원점에서 점 A(또는 점 B)까지의 거리가 반지름이므로 두 점 사이의 거리는
$\sqrt{3^2+4^2}=5$

따라서 구하는 원의 방정식은
$x^2+y^2=25$ 답 $x^2+y^2=25$

020 원의 중심을 C(a, b)라 하면 점 C는 $\overline{AB}$의 중점이므로
$a=\dfrac{-2+2}{2}=0,\ b=\dfrac{0+4}{2}=2$
$\therefore$ C$(0, 2)$
이때, 이 원은 x축에 접하므로 반지름의 길이는 2
따라서 구하는 원의 방정식은
$x^2+(y-2)^2=4$ 답 $x^2+(y-2)^2=4$

021 원의 중심을 C(a, b)라 하면 점 C는 $\overline{AB}$의 중점이므로
$a=\dfrac{0+6}{2}=3,\ b=\dfrac{0+6}{2}=3$
$\therefore$ C$(3, 3)$
이때, 원의 반지름의 길이는 $\overline{AB}$의 $\dfrac{1}{2}$이므로
$\dfrac{1}{2}\overline{AB}=\dfrac{1}{2}\sqrt{(6-0)^2+(6-0)^2}=3\sqrt{2}$
따라서 구하는 원의 방정식은
$(x-3)^2+(y-3)^2=(3\sqrt{2})^2$
$\therefore (x-3)^2+(y-3)^2=18$ 답 $(x-3)^2+(y-3)^2=18$

022 원의 중심을 C(a, b)라 하면 점 C는 $\overline{AB}$의 중점이므로
$a=\dfrac{5+1}{2}=3,\ b=\dfrac{3+(-1)}{2}=1$
$\therefore$ C$(3, 1)$
이때, 원의 반지름의 길이는 $\overline{AB}$의 $\dfrac{1}{2}$이므로
$\dfrac{1}{2}\overline{AB}=\dfrac{1}{2}\sqrt{(5-1)^2+(3+1)^2}=2\sqrt{2}$
따라서 구하는 원의 방정식은
$(x-3)^2+(y-1)^2=(2\sqrt{2})^2$
$\therefore (x-3)^2+(y-1)^2=8$ 답 $(x-3)^2+(y-1)^2=8$

023 반지름의 길이를 r라 하면
$(x+2)^2+(y-3)^2=r^2$
이 원이 점 $(0, 2)$를 지나므로
$2^2+(-1)^2=r^2$ $\therefore r^2=5$
따라서 구하는 원의 방정식은
$(x+2)^2+(y-3)^2=5$ 답 $(x+2)^2+(y-3)^2=5$

다른 풀이
중심 $(-2, 3)$과 점 $(0, 2)$ 사이의 거리가 반지름의 길이이므
로 두 점 사이의 거리는
$\sqrt{(-2-0)^2+(3-2)^2}=\sqrt{4+1}=\sqrt{5}$
따라서 구하는 원의 방정식은 $(x+2)^2+(y-3)^2=(\sqrt{5})^2$
$\therefore (x+2)^2+(y-3)^2=5$

024 반지름의 길이를 r라 하면
$(x-3)^2+(y-1)^2=r^2$
이 원이 점 $(1, -1)$을 지나므로
$(-2)^2+(-2)^2=r^2$ $\therefore r^2=8$
따라서 구하는 원의 방정식은
$(x-3)^2+(y-1)^2=8$ 답 $(x-3)^2+(y-1)^2=8$

다른 풀이
중심 $(3, 1)$과 점 $(1, -1)$ 사이의 거리가 반지름의 길이이므
로 두 점 사이의 거리는
$\sqrt{(3-1)^2+\{1-(-1)\}^2}=\sqrt{4+4}=2\sqrt{2}$
따라서 구하는 원의 방정식은
$(x-3)^2+(y-1)^2=(2\sqrt{2})^2$
$\therefore (x-3)^2+(y-1)^2=8$

025 중심의 좌표가 $(5, 5)$이고, x축과 y축에 동시에 접하므로 반지
름의 길이는 $|5|=5$이다.
따라서 구하는 원의 방정식은
$(x-5)^2+(y-5)^2=25$ 답 $(x-5)^2+(y-5)^2=25$

026 중심의 좌표가 $(4, -2)$이고, x축에 접하므로 반지름의 길이는
$|-2|=2$이다.
따라서 구하는 원의 방정식은
$(x-4)^2+(y+2)^2=4$ 답 $(x-4)^2+(y+2)^2=4$

027 중심의 좌표가 $(-3, 5)$이고, x축에 접하므로 반지름의 길이는
$|5|=5$이다.
따라서 구하는 원의 방정식은
$(x+3)^2+(y-5)^2=25$ 답 $(x+3)^2+(y-5)^2=25$

028 중심의 좌표가 $(-3, -2)$이고, y축에 접하므로 반지름의 길
이는 $|-3|=3$이다.
따라서 구하는 원의 방정식은
$(x+3)^2+(y+2)^2=9$ 답 $(x+3)^2+(y+2)^2=9$

029 중심의 좌표가 $(4, -8)$이고, y축에 접하므로 반지름의 길이는
$|4|=4$이다.
따라서 구하는 원의 방정식은
$(x-4)^2+(y+8)^2=16$ 답 $(x-4)^2+(y+8)^2=16$

030 $(x-2)^2+y^2=1$에서
$x^2-4x+4+y^2-1=0$
$\therefore x^2+y^2-4x+3=0$ 답 $x^2+y^2-4x+3=0$

031 $x^2+(y-5)^2=4$에서
$x^2+y^2-10y+25-4=0$
$\therefore x^2+y^2-10y+21=0$ 답 $x^2+y^2-10y+21=0$

032 $(x+3)^2+(y-2)^2=13$에서
$x^2+6x+9+y^2-4y+4-13=0$
$\therefore x^2+y^2+6x-4y=0$ 답 $x^2+y^2+6x-4y=0$

033 $x^2+4x+y^2+3=0$에서
$(x+2)^2+y^2-1=0$
$\therefore (x+2)^2+y^2=1$ 답 $(x+2)^2+y^2=1$

034 $x^2+y^2-6y+8=0$에서
$x^2+(y-3)^2-1=0$
$\therefore x^2+(y-3)^2=1$ 답 $x^2+(y-3)^2=1$

035 $x^2+y^2-2x+8y+1=0$에서
$(x-1)^2+(y+4)^2-16=0$
$\therefore (x-1)^2+(y+4)^2=16$ 🖪 $(x-1)^2+(y+4)^2=16$

036 $x^2+y^2+6x-2y=0$에서
$(x+3)^2+(y-1)^2-10=0$
$\therefore (x+3)^2+(y-1)^2=10$ 🖪 $(x+3)^2+(y-1)^2=10$

037 $x^2+2x+y^2-3=0$에서
$(x+1)^2+y^2-4=0$
$\therefore (x+1)^2+y^2=4$
중심의 좌표 : $(-1, 0)$, 반지름의 길이 : 2
🖪 중심의 좌표 : $(-1, 0)$, 반지름의 길이 : 2

038 $x^2+y^2+4y+3=0$에서
$x^2+(y+2)^2-1=0$
$\therefore x^2+(y+2)^2=1$
중심의 좌표 : $(0, -2)$, 반지름의 길이 : 1
🖪 중심의 좌표 : $(0, -2)$, 반지름의 길이 : 1

039 $x^2+y^2+6x-2y+6=0$에서
$(x+3)^2+(y-1)^2-4=0$
$\therefore (x+3)^2+(y-1)^2=4$
중심의 좌표 : $(-3, 1)$, 반지름의 길이 : 2
🖪 중심의 좌표 : $(-3, 1)$, 반지름의 길이 : 2

040 $x^2+y^2+2x-4y+1=0$에서
$(x+1)^2+(y-2)^2-4=0$
$\therefore (x+1)^2+(y-2)^2=4$
중심의 좌표 : $(-1, 2)$, 반지름의 길이 : 2
🖪 중심의 좌표 : $(-1, 2)$, 반지름의 길이 : 2

041 $x^2+y^2-4x-2y-20=0$에서
$(x-2)^2+(y-1)^2-25=0$
$\therefore (x-2)^2+(y-1)^2=25$
중심의 좌표 : $(2, 1)$, 반지름의 길이 : 5
🖪 중심의 좌표 : $(2, 1)$, 반지름의 길이 : 5

042 $x^2+y^2-8x+10y+32=0$에서
$(x-4)^2+(y+5)^2-9=0$
$\therefore (x-4)^2+(y+5)^2=9$
따라서 반지름의 길이가 3이므로
$l=2\pi \times 3=6\pi$
$S=\pi \times 3^2=9\pi$ 🖪 $l=6\pi$, $S=9\pi$

043 $x^2+y^2+6x-12y+29=0$에서
$(x+3)^2+(y-6)^2-16=0$
$\therefore (x+3)^2+(y-6)^2=16$
따라서 반지름의 길이가 4이므로
$l=2\pi \times 4=8\pi$
$S=\pi \times 4^2=16\pi$ 🖪 $l=8\pi$, $S=16\pi$

044 $x^2+y^2-6x-16=0$에서
$(x-3)^2+y^2-25=0$
$\therefore (x-3)^2+y^2=25$
따라서 중심의 좌표가 $(3, 0)$이고, 반지름의 길이가 5이므로
방정식을 좌표평면 위에 나타내면 다음과 같다.

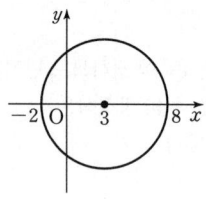

🖪 풀이 참조

045 $x^2+y^2-4y-12=0$에서
$x^2+(y-2)^2-16=0$
$\therefore x^2+(y-2)^2=16$
따라서 중심의 좌표가 $(0, 2)$이고, 반지름의 길이가 4이므로
방정식을 좌표평면 위에 나타내면 다음과 같다.

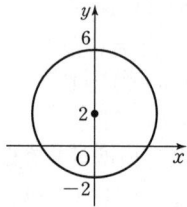

🖪 풀이 참조

046 $x^2+y^2-6x-2y-10=0$에서
$(x-3)^2+(y-1)^2-20=0$
$\therefore (x-3)^2+(y-1)^2=20$
따라서 중심의 좌표가 $(3, 1)$이고, 반지름의 길이가 $\sqrt{20}$, 즉
$2\sqrt{5}$이므로 방정식을 좌표평면 위에 나타내면 다음과 같다.

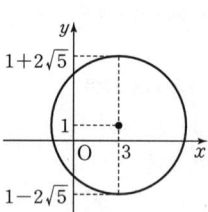

🖪 풀이 참조

047 $x^2+y^2-2x+2y-7=0$에서
$(x-1)^2+(y+1)^2-9=0$
$\therefore (x-1)^2+(y+1)^2=9$
따라서 중심의 좌표가 $(1, -1)$이고, 반지름의 길이가 3이므로
방정식을 좌표평면 위에 나타내면 다음과 같다.

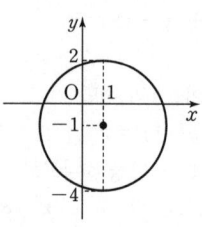

🖪 풀이 참조

048 $x^2+y^2+10x+8y+31=0$에서
$(x+5)^2+(y+4)^2-10=0$
$\therefore (x+5)^2+(y+4)^2=10$
따라서 중심의 좌표가 $(-5, -4)$이고, 반지름의 길이가 $\sqrt{10}$ 이므로 방정식을 좌표평면 위에 나타내면 다음과 같다.

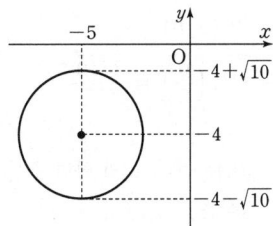

目 풀이 참조

049 중심이 $(3, 1)$이고, 반지름의 길이가 2인 원이므로
$(x-3)^2+(y-1)^2=2^2$
$\therefore (x-3)^2+(y-1)^2=4$ 目 ③

050 원 $(x-3)^2+(y+1)^2=4$의 중심의 좌표는 $(3, -1)$이므로 중심이 같은 원의 반지름의 길이를 r라 하면 원의 방정식은
$(x-3)^2+(y+1)^2=r^2$
이 원이 점 $(3, -2)$를 지나므로
$(3-3)^2+(-2+1)^2=r^2$
$\therefore r^2=1$
즉, 원의 방정식은 $(x-3)^2+(y+1)^2=1$이고 이 원이
점 $(a, 0)$을 지나므로
$(a-3)^2+(0+1)^2=1, (a-3)^2=0$
$\therefore a=3$ 目 ③

051 원의 반지름의 길이를 r라 하면
$(x-1)^2+(y+4)^2=r^2$
이 원이 점 $(3, -1)$을 지나므로
$(3-1)^2+(-1+4)^2=r^2, r^2=13$
$\therefore r=\sqrt{13} \ (\because r>0)$ 目 $\sqrt{13}$

052 점 $(a, 1)$을 중심으로 하고, 반지름의 길이가 5인 원의 방정식은 $(x-a)^2+(y-1)^2=5^2$
이 원이 점 $(0, -2)$를 지나므로
$(0-a)^2+(-2-1)^2=25, a^2=16$
$\therefore a=4 \ (\because a>0)$ 目 ④

053 원 $(x+a)^2+(y-1)^2=4$의 중심의 좌표는 $(-a, 1)$이므로 점 P의 좌표는 P$(-a, 1)$
원 $(x-2)^2+(y-b)^2=6$의 중심의 좌표는 $(2, b)$이므로 점 Q의 좌표는 Q$(2, b)$
이때, $\overline{PQ}$의 중점의 좌표가 M$(-1, -3)$이므로
$\dfrac{-a+2}{2}=-1, \dfrac{1+b}{2}=-3$
$\therefore a=4, b=-7$
$\therefore a+b=-3$ 目 -3

054 중심의 좌표가 $(-3, 1)$이고, 반지름의 길이가 2인 원의 방정식은

054 (이어서)
$(x+3)^2+(y-1)^2=4$
이 원이 x축과 만나는 점의 x좌표는 $y=0$일 때
$x^2+6x+9+1=4$, 즉 $x^2+6x+6=0$을 만족하는 x의 값이므로 α, β는 이차방정식 $x^2+6x+6=0$의 두 근이다.
$\therefore \alpha\beta=6$ 目 6

055 두 점 A$(-2, -4)$, B$(6, 2)$를 지름의 양 끝점으로 하는 원의 중심은 선분 AB의 중점이므로
$\left(\dfrac{-2+6}{2}, \dfrac{-4+2}{2}\right)$ $\therefore (2, -1)$
또한, 반지름의 길이는 선분 AB의 길이의 $\dfrac{1}{2}$이므로
$\dfrac{1}{2}\overline{AB}=\dfrac{1}{2}\sqrt{(6+2)^2+(2+4)^2}=5$
따라서 중심의 좌표가 $(2, -1)$, 반지름의 길이가 5인 원이므로
$(x-2)^2+(y+1)^2=5^2$ 目 ⑤

다른 풀이
두 점 A(x_1, y_1), B(x_2, y_2)를 지름의 양 끝점으로 하는 원의 방정식은
$(x-x_1)(x-x_2)+(y-y_1)(y-y_2)=0$
의 공식을 이용하여 구할 수도 있다.
즉, 두 점 A$(-2, -4)$, B$(6, 2)$를 지름의 양 끝점으로 하는 원의 방정식은
$(x+2)(x-6)+(y+4)(y-2)=0$
$x^2-4x+y^2+2y-20=0$
$\therefore (x-2)^2+(y+1)^2=25$

056 원 $x^2+y^2=1$의 중심을 A라 하면 A$(0, 0)$
원 $(x-2)^2+(y+4)^2=20$의 중심을 B라 하면 B$(2, -4)$
이때, 구하는 원의 중심은 선분 AB의 중점이므로
$\overline{AB}$의 중점을 C(a, b)라 하면
$a=\dfrac{0+2}{2}=1, b=\dfrac{0-4}{2}=-2$
$\therefore$ C$(1, -2)$
또 구하는 원의 반지름의 길이는 점 A$(0, 0)$과 중심
C$(1, -2)$ 사이의 거리이므로
$\overline{AC}=\sqrt{(1-0)^2+(-2-0)^2}=\sqrt{5}$
따라서 구하는 원의 방정식은
$(x-1)^2+(y+2)^2=5$ 目 $(x-1)^2+(y+2)^2=5$

057 반지름의 길이가 2이므로
$\overline{AB}=|k+3|=4$
$k+3=\pm4$
$\therefore k=1 \ (\because k>0)$
원의 중심 $(-a, -b)$가 두 점 A$(-3, 0)$, B$(1, 0)$의 중점이므로
$-a=\dfrac{-3+1}{2}$ $\therefore a=1$
$-b=\dfrac{0+0}{2}$ $\therefore b=0$
$\therefore a+b+k=1+0+1=2$ 目 2

058 중심이 x축 위에 있는 원의 방정식을 $(x-a)^2+y^2=r^2$이라 하면 이 원이 두 점 A$(0, -1)$, B$(2, 3)$을 지나므로

$a^2+1=r^2$ ······㉠
$(2-a)^2+9=r^2$ ······㉡
㉠, ㉡을 연립하면
$a^2+1=(2-a)^2+9$, $a^2+1=a^2-4a+13$
$\therefore a=3$, $r^2=10$
따라서 구하는 원의 방정식은
$(x-3)^2+y^2=10$
답 $(x-3)^2+y^2=10$

059 중심의 좌표를 (a, a), 반지름의 길이를 r라 하면 원의 방정식은
$(x-a)^2+(y-a)^2=r^2$
이 원이 점 $(1, -1)$을 지나므로
$(1-a)^2+(-1-a)^2=r^2$
$\therefore 2+2a^2=r^2$ ······㉠
이 원이 점 $(-1, 3)$을 지나므로
$(-1-a)^2+(3-a)^2=r^2$
$\therefore 10-4a+2a^2=r^2$ ······㉡
㉠, ㉡에서 $2+2a^2=10-4a+2a^2$
$4a=8$ $\therefore a=2$
따라서 중심의 좌표는 $(2, 2)$이므로
$p+q=2+2=4$
답 4

060 중심이 직선 $y=x+1$ 위에 있으므로 구하는 원의 중심의 좌표는
$(a, a+1)$
이때, 반지름의 길이를 r라 하면 원의 방정식은
$(x-a)^2+\{y-(a+1)\}^2=r^2$
이 원이 두 점 $(1, 6)$, $(-3, 2)$를 지나므로 두 점의 x, y좌표
를 위 방정식에 각각 대입하면
$(1-a)^2+\{6-(a+1)\}^2=r^2$ ······㉠
$(-3-a)^2+\{2-(a+1)\}^2=r^2$ ······㉡
㉠, ㉡을 연립하면
$2a^2-12a+26=2a^2+4a+10$
$-16a+16=0$ $\therefore a=1$
$b=a+1$에서 $b=2$
$\therefore a+b=3$
답 ③

061 $x^2+y^2+2x-4y-4=0$에서
$(x^2+2x+1)+(y^2-4y+4)=4+1+4$
$\therefore (x+1)^2+(y-2)^2=3^2$
중심의 좌표가 $(-1, 2)$이고, 반지름의 길이는 3이므로
$a+b+r=-1+2+3=4$
답 ④

062 방정식 $x^2+y^2-4x+6y+12=0$을 표준형으로 변형하면
$(x^2-4x+4)+(y^2+6y+9)=1$
$\therefore (x-2)^2+(y+3)^2=1$
이 원의 중심이 $(2, -3)$이므로 구하는 원의 중심도
$(2, -3)$이다.
이때, 원의 반지름의 길이를 r라 하면
$(x-2)^2+(y+3)^2=r^2$
이 원이 점 $(3, -1)$을 지나므로
$(3-2)^2+(-1+3)^2=r^2$
$\therefore r^2=5$
따라서 구하는 원의 넓이는 $\pi r^2=5\pi$
답 ①

063 $x^2-7x+y^2-9y+30=0$에서
$\left(x-\dfrac{7}{2}\right)^2+\left(y-\dfrac{9}{2}\right)^2=\dfrac{5}{2}$
이므로 중심의 좌표는 $\left(\dfrac{7}{2}, \dfrac{9}{2}\right)$
$x^2-4x+y^2=21$에서 $(x-2)^2+y^2=25$이므로
중심의 좌표는 $(2, 0)$
$\therefore \sqrt{\left(\dfrac{7}{2}-2\right)^2+\left(\dfrac{9}{2}\right)^2}=\dfrac{3\sqrt{10}}{2}$
답 $\dfrac{3\sqrt{10}}{2}$

064 반지름의 길이를 r $(r>0)$라 하면 중심의 좌표가 $(-4, 2)$이므
로 원의 방정식은
$(x+4)^2+(y-2)^2=r^2$
$x^2+8x+16+y^2-4y+4=r^2$
$x^2+y^2+8x-4y+20-r^2=0$
이 식이 $x^2+y^2+2kx-ky+3k=0$과 일치하므로
$8=2k$, $-4=-k$, $20-r^2=3k$
$\therefore k=4$, $r^2=8$
$\therefore r=2\sqrt{2}$ ($\because r>0$)
따라서 원의 둘레의 길이는
$2\pi \cdot 2\sqrt{2}=4\sqrt{2}\pi$
답 ②

065 $x^2+y^2-6x+2y+k+1=0$에서
$(x-3)^2+(y+1)^2=9-k$
따라서 주어진 방정식이 원이 되기 위해서 반지름의 길이
$\sqrt{9-k}$가 0보다 커야 하므로
$9-k>0$ $\therefore k<9$
답 ④

066 $x^2+y^2+2ax-4ay+10a-10=0$에서
$(x+a)^2+(y-2a)^2=5a^2-10a+10$
원의 넓이가 최소가 되려면 반지름의 길이가 최소가 되어야 하
므로 반지름의 길이를 r라 하면
$r^2=5a^2-10a+10=5(a-1)^2+5$
에서 $a=1$일 때, 최솟값 5를 갖는다.
즉, 반지름의 길이의 제곱이 최소가 되면 원의 넓이가 최소가
되고, 그때의 a의 값은 1이다.
답 1

067 세 점 $A(0, 0)$, $B(1, -2)$, $C(2, 1)$을 지나는 원의 방정식이
$x^2+y^2+ax+by+c=0$이므로 각각 대입하면
$c=0$ ······㉠
$5+a-2b+c=0$ ······㉡
$5+2a+b+c=0$ ······㉢
㉠, ㉡, ㉢을 연립하여 풀면
$a=-3$, $b=1$, $c=0$
$\therefore a+b+c=-2$
답 -2

068 세 점 A, B, C를 지나는 원의 방정식을
$x^2+y^2+ax+by+c=0$이라 할 때,
세 점 $A(0, 0)$, $B(-2, 0)$, $C(2, 4)$를 대입하면
$c=0$ ······㉠
$4-2a+c=0$ ······㉡
$20+2a+4b+c=0$ ······㉢

⊙, ⓒ, ⓒ을 연립하여 풀면
$a=2, b=-6, c=0$
그러므로 구하는 원의 방정식은
$x^2+y^2+2x-6y=0$
$\therefore (x+1)^2+(y-3)^2=10$
따라서 원의 넓이는 10π **답** ②

069 두 직선 $x-y+2=0$, $x+y-4=0$이 서로 수직이므로 세 직선으로 이루어진 삼각형은 그림과 같이 $\angle \mathrm{A}=90°$인 직각삼각형이다.

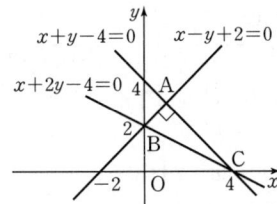

이때, 외접원의 중심은 $\overline{\mathrm{BC}}$의 중점 $(2, 1)$이고, 반지름의 길이 r는
$r=\dfrac{1}{2}\overline{\mathrm{BC}}=\dfrac{1}{2}\sqrt{2^2+4^2}=\sqrt{5}$
$\therefore a=2, b=1, r^2=5$
$\therefore a+b+r^2=8$ **답** 8

070 중심이 $(-1, 2)$이고, x축에 접하는 원의 반지름의 길이는 $|2|=2$이다.
따라서 중심의 좌표가 $(-1, 2)$, 반지름의 길이가 2인 원의 방정식은 $(x+1)^2+(y-2)^2=4$
$\therefore x^2+y^2+2x-4y+1=0$ **답** ④

071 중심이 $(5, 6)$이고, y축에 접하는 원의 반지름의 길이는 5이므로 원의 방정식은
$(x-5)^2+(y-6)^2=5^2$
이 원이 점 $(1, k)$를 지나므로
$(1-5)^2+(k-6)^2=25$, $(k-6)^2=9$
$\therefore k-6=-3$ 또는 $k-6=3$
$\therefore k=3$ 또는 $k=9$
따라서 모든 k의 값의 합은 12이다.   **답** ④

072 중심의 좌표가 $(a, 1)$이고, y축에 접하는 원의 방정식은
$(x-a)^2+(y-1)^2=a^2$
이 원이 점 $(2, 3)$을 지나므로
$(2-a)^2+(3-1)^2=a^2$
$4-4a+a^2+4=a^2$, $4a=8$
$\therefore a=2$ **답** 2

073 $x^2+y^2-2x+8y=0$에서
$(x-1)^2+(y+4)^2=17$
이므로 중심의 좌표는 $(1, -4)$
따라서 중심의 좌표는 $(1, -4)$이고, x축에 접하는 원의 반지름의 길이는 $|-4|=4$이다.   **답** 4

074 중심이 직선 $y=x-1$ 위에 있으므로 원의 중심의 좌표는 $(a, a-1)$

반지름의 길이를 r라 하면 구하는 원은 x축에 접하므로
$r=|$중심의 y좌표$|=|a-1|$
중심이 $(a, a-1)$, 반지름의 길이가 $|a-1|$인 원의 방정식은
$(x-a)^2+\{y-(a-1)\}^2=(a-1)^2$ …… ⊙
원 ⊙이 점 $(1, 2)$를 지나므로
$(1-a)^2+(3-a)^2=(a-1)^2$
$(3-a)^2=0$ $\therefore a=3$
따라서 $a=3$을 ⊙에 대입하여 원의 방정식을 구하면
$(x-3)^2+(y-2)^2=4$ **답** ②

075 원의 중심이 직선 $y=x+1$ 위에 있으므로
원의 중심의 좌표를 $(a, a+1)$이라 하면 y축에 접하므로 반지름의 길이는 $|a|$이다.
원의 방정식은
$(x-a)^2+(y-a-1)^2=a^2$
이고, 점 $(1, 3)$을 지나므로
$(1-a)^2+(3-a-1)^2=a^2$
$a^2-6a+5=0$
$(a-1)(a-5)=0$
$\therefore a=1$ 또는 $a=5$
따라서 구하는 원의 방정식은
$(x-1)^2+(y-2)^2=1$ 또는 $(x-5)^2+(y-6)^2=25$
    답 $(x-1)^2+(y-2)^2=1$, $(x-5)^2+(y-6)^2=25$

076 x축과 y축에 동시에 접하므로 원의 중심의 x, y좌표의 절댓값은 원의 반지름의 길이와 같다. 이때, 원이 점 $(1, 2)$를 지나므로 제1사분면의 원이 된다.
원의 방정식은
$(x-r)^2+(y-r)^2=r^2$
점 $(1, 2)$를 대입하면 $(1-r)^2+(2-r)^2=r^2$
$r^2-6r+5=0$, $(r-1)(r-5)=0$
$\therefore r=1$ 또는 $r=5$
따라서 두 원의 반지름의 길이의 합은 6이다.   **답** ②

077 원의 중심의 좌표를 $(a, -a+6)$이라 하면 이 원은 x축과 y축에 동시에 접하므로
$|a|=|-a+6|$ $\therefore a=3$
따라서 이 원의 중심의 좌표는 $(3, 3)$이고, 반지름의 길이는 3이므로 넓이는 9π이다.   **답** ④

078 $x^2+y^2-6x+2ay+13-b=0$에서
$(x-3)^2+(y+a)^2=a^2+b-4$
이 원이 x축과 y축에 동시에 접하므로
$3=|-a|=\sqrt{a^2+b-4}$
$|-a|=3$에서 $a=3$ ($\because a>0$)
$\sqrt{a^2+b-4}=3$에서 $a^2+b-4=9$
위의 식에 $a=3$을 대입하면
$b=4$
$\therefore a+b=7$ **답** 7

079 중심의 좌표가 $(2, 2)$이므로 원의 중심과 원점 사이의 거리는
$\sqrt{(2-0)^2+(2-0)^2}=2\sqrt{2}$

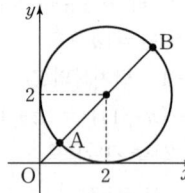

이때, 그림과 같이 점 P가 점 A에 있을 때 $\overline{\mathrm{OP}}$의 길이는 최소이고, 점 B에 있을 때 $\overline{\mathrm{OP}}$의 길이는 최대이다.

∴ (최솟값)$=2\sqrt{2}-2$, (최댓값)$=2\sqrt{2}+2$

따라서 최솟값과 최댓값의 합은 $4\sqrt{2}$이다.　　　目 ④

080 두 원

$C:(x+2)^2+(y+1)^2=1$, $C':(x-1)^2+(y-3)^2=4$의
중심 $(-2, -1)$, $(1, 3)$ 사이의 거리를 d라 하면

$d=\sqrt{(1+2)^2+(3+1)^2}=5$

또 두 원 C, C'의 반지름의 길이를 각각 r_1, r_2라 하면

$r_1=1$, $r_2=2$

그림에서 $\overline{\mathrm{PQ}}$의 길이의 최댓값과 최솟값은

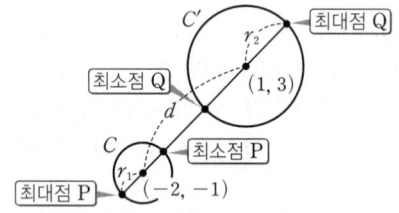

$(\overline{\mathrm{PQ}}$의 최댓값$)=d+(r_1+r_2)=5+(1+2)=8$

$(\overline{\mathrm{PQ}}$의 최솟값$)=d-(r_1+r_2)=5-(1+2)=2$

따라서 $\overline{\mathrm{PQ}}$의 최댓값과 최솟값의 합은 10이다.　　　目 10

081 그림과 같이 원 위의 점 P_1, P_2에서 $\overline{\mathrm{AP}_1}$과 $\overline{\mathrm{AP}_2}$의 길이가 최소, 최대가 되는 경우는 점 P_1, P_2가 점 A와 원의 중심 $(0, 0)$을 지나는 직선 위에 있을 때이다.

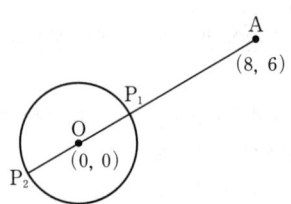

$\overline{\mathrm{AP}_1}=\overline{\mathrm{AO}}-3=\sqrt{8^2+6^2}-3=7$

$\overline{\mathrm{AP}_2}=\overline{\mathrm{AO}}+3=\sqrt{8^2+6^2}+3=13$

∴ $7\leq\overline{\mathrm{AP}}\leq13$

이때, $\overline{\mathrm{AP}}$의 길이가 정수가 되는 점 P를 찾아보면

(i) $\overline{\mathrm{AP}}=8, 9, 10, 11, 12$를 만족하는 점 P는 각각 2개

(ii) $\overline{\mathrm{AP}}=7, 13$을 만족하는 점 P는 각각 1개

따라서 구하는 점 P의 개수는

$(5\times2)+(2\times1)=12$　　　目 12

082 두 원의 중심의 좌표가 각각 $(0, 0)$, $(-4, 3)$이므로 중심 사이의 거리는 $\sqrt{(-4)^2+3^2}=5$

두 원의 반지름의 길이가 각각 1, r이고 한 원이 다른 원의 외부에 있으므로

$1+r<5$

∴ $0<r<4$ ($\because r>0$)　　　目 $0<r<4$

083 두 원의 중심의 좌표가 각각 $(-1, -3)$, $(2, 1)$이므로 중심 사이의 거리는 $\sqrt{(2+1)^2+(1+3)^2}=5$

두 원의 반지름의 길이가 각각 3, r이므로

(i) 두 원이 외접하는 경우

$3+r=5$에서 $r=2$

(ii) 두 원이 내접하는 경우

$|3-r|=5$에서 $r=8$ ($\because r>0$)

(i), (ii)에 의하여 모든 양수 r의 값의 합은 10이다.　　　目 10

084 두 원의 중심의 좌표가 각각 $(-1, 2)$, $(3, -a)$이므로 중심 사이의 거리는

$\sqrt{(3+1)^2+(-a-2)^2}=\sqrt{a^2+4a+20}$

두 원의 반지름의 길이가 각각 2, 3이므로 두 원이 서로 다른 두 점에서 만나려면

$3-2<\sqrt{a^2+4a+20}<3+2$

∴ $1<\sqrt{a^2+4a+20}<5$

(i) $1<\sqrt{a^2+4a+20}$에서 양변을 제곱하면

$a^2+4a+20>1$, $a^2+4a+19>0$

이때, $a^2+4a+19=(a+2)^2+15>0$이므로 항상 성립한다.

(ii) $\sqrt{a^2+4a+20}<5$에서 양변을 제곱하면

$a^2+4a+20<25$, $a^2+4a-5<0$

$(a+5)(a-1)<0$ ∴ $-5<a<1$

(i), (ii)에 의하여 $-5<a<1$이므로 정수 a는

$-4, -3, -2, -1, 0$의 5개이다.　　　目 5

085 두 원의 교점을 지나는 원의 방정식은

$x^2+y^2-2x+4y-2+k(x^2+y^2+2x)=0$ $(k\neq-1)$ ……㉠

원 ㉠이 점 $(1, 1)$을 지나므로

$2+4k=0$ ∴ $k=-\dfrac{1}{2}$

이것을 ㉠에 대입하여 정리하면

$x^2+y^2-6x+8y-4=0$

∴ $(x-3)^2+(y+4)^2=29$　　　目 ③

086 두 원의 교점을 지나는 원의 방정식은

$x^2+y^2-1+k(x^2+y^2-4x)=0$ $(k\neq-1)$ ……㉠

원 ㉠이 점 $(0, 2)$를 지나므로

$3+4k=0$ ∴ $k=-\dfrac{3}{4}$

이를 ㉠에 대입하여 정리하면

$(x^2+y^2-1)-\dfrac{3}{4}(x^2+y^2-4x)=0$

$\dfrac{1}{4}x^2+\dfrac{1}{4}y^2+3x-1=0$, $x^2+y^2+12x-4=0$

∴ $(x+6)^2+y^2=40$

따라서 구하는 원의 넓이는 40π　　　目 40π

087 두 원 $x^2+y^2+6x-3y+7=0$, $x^2+y^2-2=0$의 교점을 지나는 원의 방정식은

$x^2+y^2+6x-3y+7+k(x^2+y^2-2)=0$ $(k\neq-1)$ ……㉠

㉠이 점 $(2, 1)$을 지나므로

$4+1+12-3+7+k(4+1-2)=0$

$21+3k=0$ ∴ $k=-7$

$k=-7$을 ㉠에 대입하면
$$x^2+y^2+6x-3y+7-7(x^2+y^2-2)=0$$
$$x^2+y^2-x+\frac{1}{2}y-\frac{7}{2}=0$$
$$\left(x^2-x+\frac{1}{4}\right)+\left(y^2+\frac{1}{2}y+\frac{1}{16}\right)=\frac{61}{16}$$
$$\therefore \left(x-\frac{1}{2}\right)^2+\left(y+\frac{1}{4}\right)^2=\frac{61}{16}$$

따라서 원의 중심의 좌표는 $\left(\frac{1}{2}, -\frac{1}{4}\right)$이고, 이 점이 직선
$y=ax+2$ 위에 있으므로
$$-\frac{1}{4}=\frac{1}{2}a+2 \qquad \therefore a=-\frac{9}{2}$$
🔲 $-\dfrac{9}{2}$

088 두 원의 교점을 지나는 직선의 방정식은
$$x^2+y^2-16-(x^2+y^2-2x-5y-3)=0$$
$$\therefore 2x+5y-13=0$$
이 직선이 점 $(a, 3)$을 지나므로
$$2a+15-13=0$$
$$\therefore a=-1$$
🔲 ②

089 두 원의 교점을 지나는 직선, 즉 공통현의 방정식은
$$x^2+y^2+2x-1-(x^2+y^2-2x+4y-3)=0$$
$$4x-4y+2=0, 2x-2y+1=0$$
$$\therefore y=x+\frac{1}{2}$$
따라서 이 직선에 수직인 직선의 기울기는 -1이고, 점 $(-4, 8)$
을 지나므로 구하는 직선의 방정식은
$$y-8=-\{x-(-4)\}$$
$$\therefore y=-x+4$$
🔲 $y=-x+4$

090 $x^2+y^2=9$에서 $x^2+y^2-9=0$
$(x-1)^2+(y+2)^2=4$에서 $x^2+y^2-2x+4y+1=0$
두 원의 공통현의 방정식은
$$x^2+y^2-9-(x^2+y^2-2x+4y+1)=0$$
$$\therefore 2x-4y-10=0 \qquad \cdots\cdots ㉠$$
또 두 원의 중심 $(0, 0)$, $(1, -2)$를 지나는 직선의 방정식은
$$y=\frac{-2-0}{1-0}x \qquad \therefore y=-2x \qquad \cdots\cdots ㉡$$
이때, 공통현의 중점은 두 직선 ㉠, ㉡의 교점이므로 ㉠, ㉡을
연립하여 교점의 좌표를 구하면
$x=1$, $y=-2$이므로 $(1, -2)$
$$\therefore a=1, b=-2$$
$$\therefore a-b=3$$
🔲 3

091 두 원의 공통현의 방정식은
$$x^2+y^2-4-(x^2+y^2+3x-4y+1)=0$$
$$\therefore 3x-4y+5=0 \qquad \cdots\cdots ㉠$$
이때, 원 $x^2+y^2=4$의 중심
$O(0, 0)$과 직선 ㉠ 사이의 거리는
$$\overline{OM}=\frac{|5|}{\sqrt{3^2+(-4)^2}}=1$$이므로
$$\overline{AM}=\sqrt{\overline{OA}^2-\overline{OM}^2}=\sqrt{3}$$
$$\therefore \overline{AB}=2\overline{AM}=2\sqrt{3}$$

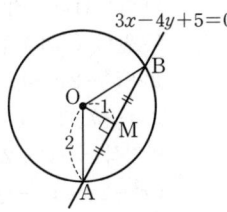

🔲 ⑤

092 두 원의 공통현의 방정식은
$$x^2+y^2-4-(x^2+y^2+2x-4)=0$$
$$\therefore x=0$$
$x=0$을 $x^2+y^2=4$에 대입하면
$y=-2$ 또는 $y=2$
따라서 두 점 A, B의 좌표는
$(0, 2)$, $(0, -2)$이고, 중심 O'의
좌표는 $(-1, 0)$이므로 삼각형
$O'AB$의 넓이는

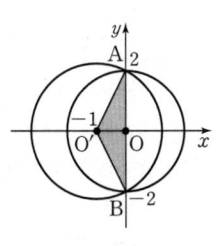

$$\frac{1}{2}\cdot 4\cdot 1=2$$
🔲 2

093 $x^2+y^2-2y-8=0$에서 $x^2+(y-1)^2=9$이므로 반지름의 길
이는 3이다.
한편, 두 원의 공통현의 방정식은
$$x^2+y^2-2y-8-(x^2+y^2-x+k)=0$$
$$\therefore x-2y-k-8=0$$
원 $x^2+y^2-2y-8=0$의 중심 $(0, 1)$과 공통현 사이의 거리는
$$\frac{|0-2-k-8|}{\sqrt{1^2+(-2)^2}}=\frac{|-k-10|}{\sqrt{5}}=\frac{|k+10|}{\sqrt{5}}$$
공통현의 길이가 $2\sqrt{5}$이므로
$$2\sqrt{3^2-\left(\frac{|k+10|}{\sqrt{5}}\right)^2}=2\sqrt{5}$$
양변을 제곱하여 정리하면 $k^2+20k+80=0$
따라서 근과 계수의 관계에 의하여 모든 상수 k의 값의 합은
-20이다.
🔲 -20

094 점 P의 좌표를 (x, y)로 놓으면
$\overline{AP}^2+\overline{BP}^2=40$에서
$$\{(x+2)^2+y^2\}+\{(x-2)^2+y^2\}=40$$
$$\therefore x^2+y^2=4^2$$
따라서 구하는 도형은 반지름의 길이가 4인 원이므로 그 길이
는 $2\pi\cdot 4=8\pi$이다.
🔲 8π

095 $\overline{AP}=2\overline{BP}$에서 $\overline{AP}^2=4\overline{BP}^2$이므로
$$(x+3)^2+y^2=4\{(x-3)^2+y^2\}$$
$$x^2+y^2-10x+9=0$$
$$(x-5)^2+y^2=16$$
$$\therefore a=5, b=0, r=4$$
$$\therefore a+b+r=9$$
🔲 ③

096 원 $(x-1)^2+(y+2)^2=4$ 위의 임의의 점을 (a, b)라 하면
$$(a-1)^2+(b+2)^2=4 \qquad \cdots\cdots ㉠$$
또 점 $(3, 2)$와 점 (a, b)를 이은 선분의 중점을 (x, y)라 하면
$$\left(\frac{3+a}{2}, \frac{2+b}{2}\right)$$
$$\therefore x=\frac{3+a}{2}, y=\frac{2+b}{2}$$
$$\therefore a=2x-3, b=2y-2$$
이를 ㉠에 대입하면 $(2x-4)^2+(2y)^2=4$
즉, 선분의 중점의 자취의 방정식은 $(x-2)^2+y^2=1$
따라서 구하는 중점의 자취는 반지름의 길이가 1인 원이므로
자취의 길이는 $2\pi\cdot 1=2\pi$이다.
🔲 2π

097 두 점 $(-1, 2), (3, 4)$를 지름의 양 끝으로 하므로 원의 중심은 두 점의 중점이다.

즉, $\left(\dfrac{-1+3}{2}, \dfrac{2+4}{2}\right)$에서 $(1, 3)$이고, 반지름의 길이는

$\sqrt{(3-1)^2+(4-3)^2}=\sqrt{4+1}=\sqrt{5}$

따라서 구하는 원의 방정식은

$(x-1)^2+(y-3)^2=5$

$x^2+y^2-2x-6y+5=0$

$\therefore a=-2, b=-6, c=5$

$\therefore a+b+c=-3$ 답 ③

다른 풀이

두 점 $(-1, 2), (3, 4)$를 지름의 양 끝점으로 하는 원의 방정식은

$(x+1)(x-3)+(y-2)(y-4)=0$

$x^2-2x+y^2-6y+5=0$

$\therefore a=-2, b=-6, c=5$

$\therefore a+b+c=-3$

098 직선 $y=2x+k$가 원 $(x+2)^2+(y+3)^2=18$의 둘레를 이등분하므로 직선 $y=2x+k$는 원의 중심 $(-2, -3)$을 지난다.

$-3=2\cdot(-2)+k$ $\therefore k=1$ 답 ④

099 $x^2+y^2-2x+4y+k=0$에서

$(x-1)^2+(y+2)^2=5-k$

이 원이 y축에 접하므로 원의 반지름의 길이는

$\sqrt{5-k}=1$ $\therefore k=4$ 답 ②

100 ㄱ. $x=-1, y=0$일 때,

$(-1)^2+0^2-2k\cdot(-1)-4k\cdot0-2k-1=0$

이므로 점 $(-1, 0)$을 지난다. (참)

ㄴ. $x^2+y^2-2kx-4ky-2k-1=0$에서

$(x-k)^2+(y-2k)^2=5k^2+2k+1$

이므로 중심의 좌표는 $(k, 2k)$

따라서 점 $(k, 2k)$는 직선 $y=2k$ 위의 점이므로 원의 중심은 직선 $y=2x$ 위에 있다. (참)

ㄷ. $x^2+y^2-2kx-4ky-2k-1=0$에서 $y=0$을 대입하면

$x^2-2kx-2k-1=0$이다.

이차방정식 $x^2-2kx-2k-1=0$의 판별식을 D라 하면

$\dfrac{D}{4}=k^2-(-2k-1)=(k+1)^2\geq0$

이므로 x축과 접하거나 서로 다른 두 점에서 만난다. (거짓)

따라서 옳은 것은 ㄱ, ㄴ이다. 답 ③

101 원의 중심이 직선 $y=x-1$ 위에 있으므로 중심의 좌표를 $(a, a-1)$이라 하면 x축에 접하므로 반지름의 길이는 $|a-1|$이다.

원의 방정식은

$(x-a)^2+\{y-(a-1)\}^2=(a-1)^2$

이고, 점 $(1, 2)$를 지나므로

$(1-a)^2+\{2-(a-1)\}^2=(a-1)^2$

$(3-a)^2=0$ $\therefore a=3$

따라서 이 원의 반지름의 길이는

$|a-1|=|3-1|=2$ 답 2

102 $\overline{AP}$의 최단 거리는 그림과 같은 경우이므로

$\overline{AP}=\sqrt{(-3)^2+a^2}-2=3$

$\sqrt{9+a^2}=5, a^2=16$

$\therefore a=4\ (\because a>0)$

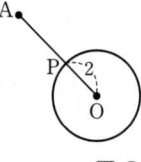

답 ④

103 $\sqrt{(a-4)^2+(b-3)^2}$은 원 위의 한 점 $P(a, b)$와 점 $(4, 3)$ 사이의 거리이므로 이 거리가 최소일 때는 그림과 같이 점 P가 위치할 때이다.

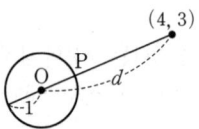

원의 중심 $(0, 0)$과 점 $(4, 3)$ 사이의 거리를 d라 하면

$d=\sqrt{4^2+3^2}=5$이고, 반지름의 길이가 1이므로

$\sqrt{(a-4)^2+(b-3)^2}$의 최솟값은

$5-1=4$ 답 4

104 두 원 $x^2+y^2-4x=0$, $x^2+y^2-6x-2y+8=0$의 교점을 지나는 원의 방정식은

$x^2+y^2-4x+k(x^2+y^2-6x-2y+8)=0\ (k\neq-1)\ \cdots\cdots\ \bigcirc$

$\bigcirc$이 점 $(1, 0)$을 지나므로

$1-4+k(1-6+8)=0$ $\therefore k=1$

$k=1$을 $\bigcirc$에 대입하여 정리하면

$x^2+y^2-5x-y+4=0$

$\left(x-\dfrac{5}{2}\right)^2+\left(y-\dfrac{1}{2}\right)^2=\dfrac{10}{4}$

따라서 이 원의 반지름의 길이는 $\dfrac{\sqrt{10}}{2}$이다. 답 ③

105 $(x-3)^2+(y+1)^2=2$에서 $x^2+y^2-6x+2y+8=0$

$(x-2)^2+y^2=4$에서 $x^2+y^2-4x=0$

두 원의 교점을 지나는 직선의 방정식은

$x^2+y^2-6x+2y+8-(x^2+y^2-4x)=0$

$\therefore -x+y+4=0$

이 직선이 점 $(2, a)$를 지나므로

$-2+a+4=0$ $\therefore a=-2$ 답 ②

106 그림과 같이 두 원

$x^2+y^2-2x-4y+1=0$,

$x^2+y^2-6x+5=0$의 중심을 각각 C, C', 두 원의 교점을 A, B, 점 C에서 $\overline{AB}$에 내린 수선의 발을 H라 하자.

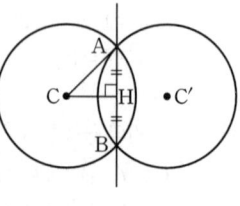

두 원 C, C'의 교점을 지나는 공통현의 방정식은

$x^2+y^2-2x-4y+1-(x^2+y^2-6x+5)=0$

$\therefore x-y-1=0$

방정식 $x^2+y^2-2x-4y+1=0$에서

$(x^2-2x+1)+(y^2-4y+4)=4$

$\therefore (x-1)^2+(y-2)^2=4$ $\cdots\cdots\ \bigcirc$

원 ㉠의 중심 $C(1, 2)$에서 직선 $x-y-1=0$까지의 거리 $\overline{CH}$는
$$\overline{CH}=\frac{|1-2-1|}{\sqrt{1^2+(-1)^2}}=\sqrt{2}$$
이때, 삼각형 CAH는 직각삼각형이므로
$$\overline{AH}=\sqrt{\overline{CA}^2-\overline{CH}^2}$$
$$=\sqrt{2^2-(\sqrt{2})^2}=\sqrt{2}$$
따라서 공통현 AB의 길이는
$$\overline{AB}=2\overline{AH}=2\sqrt{2} \qquad\qquad 답\ 2\sqrt{2}$$

다른 풀이
두 원의 공통현의 방정식은 $x-y-1=0$이므로
$$y=x-1 \qquad \cdots\cdots ㉡$$
방정식 $x^2+y^2-2x-4y+1=0$에서
$$(x-1)^2+(y-1)^2=4$$
㉡을 이 식에 대입하면
$$(x-1)^2+(x-3)^2=4$$
$$x^2-4x+3=0,\ (x-3)(x-1)=0$$
$$\therefore x=1\ 또는\ x=3$$
㉡에서 $y=0$ 또는 $y=2$
따라서 두 원이 만나는 점은 $(1, 0)$, $(3, 2)$이므로 공통현의 길이는
$$\sqrt{(3-1)^2+(2-0)^2}=2\sqrt{2}$$

107 그림과 같이 점 $(2, 0)$에서 x축에 접하고 반지름의 길이가 4인 원은 x축에 수직인 직선 $x=2$ 위에 원의 중심이 있다. 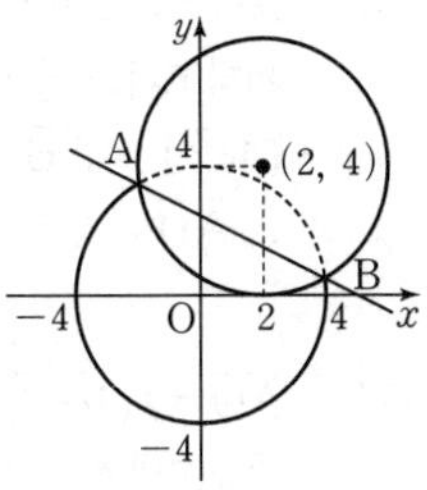
즉, 중심의 좌표가 $(2, 4)$이고 반지름의 길이가 4인 원이 된다.
이때, 직선 AB의 방정식은 두 원
$(x-2)^2+(y-4)^2=16$, $x^2+y^2=16$의 공통현의 방정식이므로
$$(x-2)^2+(y-4)^2-16-(x^2+y^2-16)=0$$
$$x^2+y^2-4x-8y+4-(x^2+y^2-16)=0$$
$$\therefore x+2y-5=0$$
따라서 $a=2$, $b=-5$이므로
$$a+b=-3 \qquad\qquad 답\ -3$$

108 두 점 $A(-1, 0)$, $B(4, 0)$에 대하여
$\overline{AP}:\overline{BP}=3:2$이므로
$$2\overline{AP}=3\overline{BP}$$
이때, 점 P의 좌표를 $P(x, y)$라 하면
$$2\sqrt{(x+1)^2+y^2}=3\sqrt{(x-4)^2+y^2}$$
양변을 제곱하여 정리하면
$$4(x+1)^2+4y^2=9(x-4)^2+9y^2$$
$$4x^2+8x+4+4y^2=9x^2-72x+144+9y^2$$
$$x^2+y^2-16x+28=0$$
따라서 점 P의 자취의 방정식은
$$(x-8)^2+y^2=36 \qquad 답\ (x-8)^2+y^2=36$$

001 원의 중심에서 직선까지의 거리가 반지름의 길이보다 작으므로
$$d\ \boxed{<}\ r$$
또 원과 직선이 서로 다른 두 점에서 만나므로
$$D\ \boxed{>}\ 0 \qquad\qquad 답\ <,\ >$$

002 원의 중심에서 직선까지의 거리가 반지름의 길이와 같으므로
$$d\ \boxed{=}\ r$$
또 원과 직선이 한 점에서 만나므로
$$D\ \boxed{=}\ 0 \qquad\qquad 답\ =,\ =$$

003 원의 중심에서 직선까지의 거리가 반지름의 길이보다 크므로
$$d\ \boxed{>}\ r$$
또 원과 직선이 만나지 않으므로
$$D\ \boxed{<}\ 0$$
$$답\ >,\ <$$

004 원 $x^2+y^2=5$의 중심 $(0, 0)$과 직선 $x-y+2=0$ 사이의 거리를 d라 하면
$$d=\frac{|0-0+2|}{\sqrt{1^2+(-1)^2}}=\sqrt{2}$$
이때, 반지름의 길이가 $r=\sqrt{5}$이므로 $d<r$
따라서 원과 직선은 서로 다른 두 점에서 만나므로 교점의 개수는 2이다.   답 2

005 원 $x^2+y^2=4$의 중심 $(0, 0)$과 직선 $2x-y+2\sqrt{5}=0$ 사이의 거리를 d라 하면
$$d=\frac{|0-0+2\sqrt{5}|}{\sqrt{2^2+(-1)^2}}=2$$
이때, 반지름의 길이가 $r=2$이므로 $d=r$
따라서 원과 직선은 한 점에서 만나므로 교점의 개수는 1이다.   답 1

006 $x^2+y^2-2x+4y=0$에서 $(x-1)^2+(y+2)^2=5$
$y=\frac{1}{2}x+5$에서 $x-2y+10=0$
원 $(x-1)^2+(y+2)^2=5$의 중심 $(1, -2)$와 직선 $x-2y+10=0$ 사이의 거리를 d라 하면
$$d=\frac{|1+4+10|}{\sqrt{1+(-2)^2}}=3\sqrt{5}$$
이때, 반지름의 길이가 $r=\sqrt{5}$이므로 $d>r$
따라서 원과 직선은 만나지 않으므로 교점의 개수는 0이다.   답 0

007 $y=3x-1$을 $x^2+y^2=10$에 대입하여 정리하면
$$x^2+(3x-1)^2=10 \qquad \therefore 10x^2-6x-9=0$$
이 이차방정식의 판별식을 D라 하면
$$\frac{D}{4}=(-3)^2-10\cdot(-9)=99>0$$
따라서 서로 다른 두 점에서 만난다.
$$답\ 서로\ 다른\ 두\ 점에서\ 만난다.$$

008 $y=-x-2$를 $x^2+y^2=2$에 대입하여 정리하면
$x^2+(-x-2)^2=2$
$\therefore 2x^2+4x+2=0$
이 이차방정식의 판별식을 D라 하면
$\dfrac{D}{4}=2^2-2\cdot2=0$
따라서 한 점에서 만난다. (접한다.)

　　　　　　　　　답 한 점에서 만난다. (접한다.)

009 $2x-y-6=0$에서 $y=2x-6$
이것을 $(x+1)^2+(y-1)^2=9$에 대입하여 정리하면
$(x+1)^2+(2x-7)^2=9$
$\therefore 5x^2-26x+41=0$
이 이차방정식의 판별식을 D라 하면
$\dfrac{D}{4}=(-13)^2-5\cdot41=-36<0$
따라서 만나지 않는다.　　　　　　답 만나지 않는다.

[010-012] $y=-x+k$를 $x^2+y^2=4$에 대입하여 정리하면
$x^2+(-x+k)^2=4$
$\therefore 2x^2-2kx+k^2-4=0$
이 이차방정식의 판별식을 D라 하면
$\dfrac{D}{4}=(-k)^2-2(k^2-4)=-k^2+8$

010 직선이 원과 서로 다른 두 점에서 만나므로
$\dfrac{D}{4}=-k^2+8>0,\ k^2-8<0$
$(k+2\sqrt{2})(k-2\sqrt{2})<0$
$\therefore -2\sqrt{2}<k<2\sqrt{2}$　　　답 $-2\sqrt{2}<k<2\sqrt{2}$

011 직선이 원과 접하므로
$\dfrac{D}{4}=-k^2+8=0,\ k^2-8=0$
$(k+2\sqrt{2})(k-2\sqrt{2})=0$
$\therefore k=-2\sqrt{2}$ 또는 $k=2\sqrt{2}$　답 $k=-2\sqrt{2}$ 또는 $k=2\sqrt{2}$

012 직선이 원과 만나지 않으므로
$\dfrac{D}{4}=-k^2+8<0,\ k^2-8>0$
$(k+2\sqrt{2})(k-2\sqrt{2})>0$
$\therefore k<-2\sqrt{2}$ 또는 $k>2\sqrt{2}$

　　　　　　　答 $k<-2\sqrt{2}$ 또는 $k>2\sqrt{2}$

013 원 위의 점 A와 직선 사이의 거리가 최소이려면 점 A의 위치가 그림과 같아야 한다.

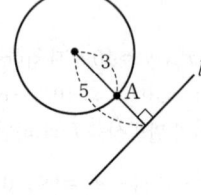

따라서 원 위의 점 A와 직선 l 사이의 거리의 최솟값은
$5-3=2$　　　　　　　　　　　　답 2

014 원 위의 점 A와 직선 사이의 거리가 최대이려면 점 A의 위치가 그림과 같아야 한다.

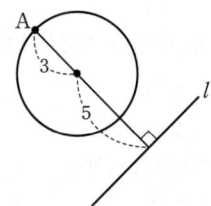

따라서 원 위의 점 A와 직선 l 사이의 거리의 최댓값은
$5+3=8$　　　　　　　　　　　　답 8

015 원 위의 점 A와 직선 사이의 거리가 최대이려면 점 A의 위치가 그림과 같아야 한다.

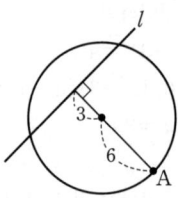

따라서 원 위의 점 A와 직선 l 사이의 거리의 최댓값은
$3+6=9$　　　　　　　　　　　　답 9

016 $\overline{AO}=\sqrt{(2+2)^2+(3+1)^2}=4\sqrt{2}$
피타고라스 정리에서 $\overline{AO}^2=\overline{AH}^2+\overline{OH}^2$이므로
$(4\sqrt{2})^2=\overline{AH}^2+2^2,\ \overline{AH}^2=32-4=28$
$\therefore \overline{AH}=2\sqrt{7}$　　　　　　　　　답 $2\sqrt{7}$

017 $\overline{AO}=\sqrt{(1-6)^2+(2-5)^2}=\sqrt{34}$
피타고라스 정리에서 $\overline{AO}^2=\overline{AH}^2+\overline{OH}^2$이므로
$(\sqrt{34})^2=\overline{AH}^2+3^2,\ \overline{AH}^2=34-9=25$
$\therefore \overline{AH}=5$　　　　　　　　　　答 5

018 $\overline{AO}=\sqrt{(1+3)^2+(-4-1)^2}=\sqrt{41}$
피타고라스 정리에서 $\overline{AO}^2=\overline{AH}^2+\overline{OH}^2$이므로
$(\sqrt{41})^2=\overline{AH}^2+5^2,\ \overline{AH}^2=41-25=16$
$\therefore \overline{AH}=4$　　　　　　　　　　答 4

[019-022] 원 $x^2+y^2=r^2$에 접하고 기울기가 m인 접선의 방정식은
$y=mx\pm r\sqrt{m^2+1}$

019 $m=2,\ r=3$이므로
$y=2x\pm3\sqrt{2^2+1}$
$\therefore y=2x\pm3\sqrt{5}$　　　　　　答 $y=2x\pm3\sqrt{5}$

020 $m=-3,\ r=2$이므로
$y=-3x\pm2\sqrt{(-3)^2+1}$
$\therefore y=-3x\pm2\sqrt{10}$　　　　답 $y=-3x\pm2\sqrt{10}$

021 $m=\sqrt{3},\ r=1$이므로
$y=\sqrt{3}x\pm\sqrt{(\sqrt{3})^2+1}$
$\therefore y=\sqrt{3}x\pm2$　　　　　　答 $y=\sqrt{3}x\pm2$

022 $m=3, r=\sqrt{10}$이므로
$$y=3x\pm\sqrt{10}\sqrt{3^2+1}$$
$$\therefore y=3x\pm10$$
답 $y=3x\pm10$

023 원 $x^2+y^2=1$에 접하고, 기울기가 1인 접선의 방정식은
$$y=x\pm\sqrt{1^2+1}$$
$$\therefore y=x\pm\sqrt{2}$$
이때, y절편이 양수이므로 구하는 접선의 방정식은
$$y=x+\sqrt{2}$$
답 $y=x+\sqrt{2}$

024 원 $x^2+y^2=4$에 접하고, 기울기가 -1인 접선의 방정식은
$$y=-x\pm2\sqrt{(-1)^2+1}$$
$$\therefore y=-x\pm2\sqrt{2}$$
이때, y절편이 양수이므로 구하는 접선의 방정식은
$$y=-x+2\sqrt{2}$$
답 $y=-x+2\sqrt{2}$

025 원 $x^2+y^2=9$에 접하고, 기울기가 $\sqrt{3}$인 접선의 방정식은
$$y=\sqrt{3}x\pm3\sqrt{(\sqrt{3})^2+1}$$
$$\therefore y=\sqrt{3}x\pm6$$
이때, y절편이 음수이므로 구하는 접선의 방정식은
$$y=\sqrt{3}x-6$$
답 $y=\sqrt{3}x-6$

[026-029] 원 $x^2+y^2=r^2$ 위의 점 (x_1, y_1)에서의 접선의 방정식은
$$x_1x+y_1y=r^2$$

026 $x_1=4, y_1=0, r=4$이므로
$$4\cdot x+0\cdot y=4^2$$
$$4x=16$$
$$\therefore x-4=0$$
답 $x-4=0$

027 $x_1=3, y_1=-4, r=5$이므로
$$3\cdot x+(-4)\cdot y=5^2$$
$$\therefore 3x-4y-25=0$$
답 $3x-4y-25=0$

028 $x_1=1, y_1=-3, r=\sqrt{10}$이므로
$$1\cdot x+(-3)\cdot y=(\sqrt{10})^2$$
$$\therefore x-3y-10=0$$
답 $x-3y-10=0$

029 $x_1=-4, y_1=1, r=\sqrt{17}$이므로
$$(-4)\cdot x+1\cdot y=(\sqrt{17})^2$$
$$\therefore -4x+y-17=0$$
답 $-4x+y-17=0$

030 원 $x^2+y^2=25$에 접하고 점 $(4, -3)$을 지나는 접선의 방정식은
$$4\cdot x+(-3)\cdot y=5^2$$
$$\therefore 4x-3y-25=0$$
답 $4x-3y-25=0$

031 원 $x^2+y^2=5$에 접하고 점 $(1, -2)$를 지나는 접선의 방정식은
$$1\cdot x+(-2)\cdot y=(\sqrt{5})^2$$
$$\therefore x-2y-5=0$$
답 $x-2y-5=0$

032 원 $x^2+y^2=20$에 접하고 점 $(-4, 2)$를 지나는 접선의 방정식은
$$(-4)\cdot x+2\cdot y=(\sqrt{20})^2$$
$$-4x+2y-20=0$$
$$\therefore -2x+y-10=0$$
답 $-2x+y-10=0$

033 접점을 $P(x_1, y_1)$이라 하면 구하는 접선의 방정식은
$$x_1x+y_1y=8 \quad\cdots\cdots\text{㉠}$$
접선 ㉠이 점 $(4, 0)$을 지나므로
$$4x_1=8$$
$$\therefore x_1=\boxed{2}$$
점 $P(x_1, y_1)$은 원 $x^2+y^2=8$ 위의 점이므로
$$x_1^2+y_1^2=8 \quad\cdots\cdots\text{㉡}$$
$x_1=\boxed{2}$를 ㉡에 대입하면
$$y_1^2=4$$
$$\therefore y_1=\boxed{-2} \text{ 또는 } y_1=\boxed{2}$$
따라서 접점의 좌표는 $\boxed{(2, -2)}$ 또는 $\boxed{(2, 2)}$이므로
이것을 ㉠에 대입하여 접선의 방정식을 구하면
$$\boxed{x-y-4=0} \text{ 또는 } \boxed{x+y-4=0}$$
답 $2, 2, -2, 2, (2, -2), (2, 2),$
$x-y-4=0, x+y-4=0$

034 점 $(4, 0)$을 지나는 접선의 기울기를 m이라 하면 접선의 방정식은
$$y=m(x-4)$$
$$\therefore \boxed{mx-y-4m=0}$$
이 직선이 원 $x^2+y^2=8$에 접하므로 원의 중심 $(0, 0)$과 직선 사이의 거리는 반지름의 길이 $\sqrt{8}$과 같다. 즉,
$$\frac{|0-0-4m|}{\sqrt{m^2+(-1)^2}}=\boxed{\sqrt{8}}$$
$$|-4m|=\boxed{\sqrt{8}}\sqrt{m^2+1}$$
양변을 제곱하여 정리하면
$$16m^2=8(m^2+1)$$
$$8m^2=8, \quad m^2=1$$
$$\therefore m=\boxed{-1} \text{ 또는 } m=\boxed{1}$$
$m=\boxed{-1}$일 때, 접선의 방정식은 $\boxed{x+y-4=0}$
$m=\boxed{1}$일 때, 접선의 방정식은 $\boxed{x-y-4=0}$
답 $mx-y-4m=0, \sqrt{8}, \sqrt{8}, -1, 1, -1,$
$x+y-4=0, 1, x-y-4=0$

035 원과 직선이 한 점에서 만나려면 원의 중심 $(0, a)$와 직선 $x+y-4=0$ 사이의 거리가 반지름의 길이 2와 같아야 하므로
$$\frac{|0+a-4|}{\sqrt{1^2+1^2}}=2$$
$$|a-4|=2\sqrt{2}$$
$$\therefore a=4+2\sqrt{2} \text{ 또는 } a=4-2\sqrt{2}$$
따라서 상수 a의 모든 값의 합은
$$(4+2\sqrt{2})+(4-2\sqrt{2})=8$$
답 ⑤

036 $x^2+y^2-2x+2y=0$에서
$$(x-1)^2+(y+1)^2=2 \quad\cdots\cdots\text{㉠}$$
직선 $x+y+k=0$과 원 ㉠이 접하므로 원의 중심 $(1, -1)$과 직선 사이의 거리가 원의 반지름의 길이 $\sqrt{2}$와 같아야 한다.
$$\frac{|1-1+k|}{\sqrt{1^2+1^2}}=\sqrt{2}$$
$$|k|=2$$
$$\therefore k=-2 \text{ 또는 } k=2$$
답 -2 또는 2

037 원의 중심의 좌표를 (a, b), 반지름의 길이를 r라 하면 이 원이 x축에 접하므로
$r=|$(중심의 y좌표)$|=|b|$
이때, 원의 방정식은
$(x-a)^2+(y-b)^2=b^2$ ⋯⋯㉠
원 ㉠이 점 $(3, 0)$을 지나므로
$(3-a)^2+b^2=b^2$, $(a-3)^2=0$
$\therefore a=3$
원 ㉠의 중심 $(3, b)$에서 직선 $4x-3y+12=0$까지의 거리를 d라 하면
$d=\dfrac{|4\cdot3-3\cdot b+12|}{\sqrt{4^2+(-3)^2}}=\dfrac{|-3b+24|}{5}$
원 ㉠이 직선 $4x-3y+12=0$에 접할 조건은 $d=r$이므로
$\dfrac{|-3b+24|}{5}=|b|$
$|-3b+24|=5|b|$
양변을 제곱하여 정리하면
$9b^2-144b+576=25b^2$
$b^2+9b-36=0$, $(b-3)(b+12)=0$
$\therefore b=3$ 또는 $b=-12$
이때, 구하는 원의 반지름의 길이 $r=|b|$이므로
$r=3$ 또는 $r=12$
따라서 두 원의 넓이의 차는
$\pi\cdot12^2-\pi\cdot3^2=135\pi$

目 135π

038 원 $(x+1)^2+(y-2)^2=5$와 직선 $y=2x+k$가 서로 다른 두 점에서 만나려면 원의 중심 $(-1, 2)$에서 직선 $2x-y+k=0$까지의 거리가 원의 반지름의 길이 $\sqrt5$보다 작아야 한다.
$\dfrac{|-2-2+k|}{\sqrt{2^2+(-1)^2}}<\sqrt5$에서 $|k-4|<5$
$-5<k-4<5$
$\therefore -1<k<9$
따라서 정수 k는 $0, 1, 2, \cdots, 8$의 9개이다.

目 9

다른 풀이
직선 $y=2x+k$를 원 $(x+1)^2+(y-2)^2=5$에 대입하면
$(x+1)^2+(2x+k-2)^2=5$
$\therefore 5x^2+2(2k-3)x+k^2-4k=0$
위의 이차방정식의 판별식을 D라 하면
$\dfrac{D}{4}=(2k-3)^2-5(k^2-4k)>0$
$k^2-8k-9<0$
$(k-9)(k+1)<0$
$\therefore -1<k<9$
따라서 정수 k는 $0, 1, 2, \cdots, 8$의 9개이다.

039 직선 $y=2x+k$가 원 $x^2+y^2=4$와 만나려면 원의 중심 $(0, 0)$과 직선 $2x-y+k=0$ 사이의 거리가 원의 반지름의 길이 2보다 작거나 같아야 한다.
$\dfrac{|k|}{\sqrt{2^2+(-1)^2}}\leq2$
$|k|\leq2\sqrt5$
$\therefore -2\sqrt5\leq k\leq2\sqrt5$
따라서 구하는 k의 최솟값은 $-2\sqrt5$이다.

目 ③

040 원 $x^2+y^2=r^2$이 직선 $2x+y-4=0$과 접하려면
$r=\dfrac{|4|}{\sqrt{2^2+1^2}}=\dfrac{4}{\sqrt5}=\dfrac{4\sqrt5}{5}$
원 $x^2+y^2=r^2$이 점 $(0, 4)$를 지날 때, $r=4$
따라서 제1사분면에서 적어도 한 점에서 만날 r의 값의 범위는
$\dfrac{4\sqrt5}{5}\leq r<4$
$\therefore a=\dfrac{4\sqrt5}{5}$, $\beta=4$
$\therefore 5a\beta=16\sqrt5$

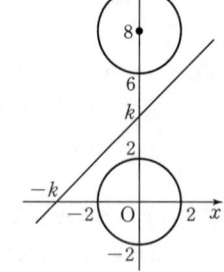

目 $16\sqrt5$

041 주어진 원과 직선이 만나지 않으려면 원의 중심 $(0, 0)$과 직선 $3x+4y-10=0$ 사이의 거리가 원의 반지름의 길이 r보다 커야 하므로
$\dfrac{|-10|}{\sqrt{3^2+4^2}}>r$에서 $r<2$
$\therefore 0<r<2 (\because r>0)$
따라서 $a=0$, $b=2$이므로
$a^2+b^2=0^2+2^2=4$

目 ②

042 원 $(x-a)^2+(y-2)^2=8$과 직선 $y=x+2$가 만나지 않으려면 원의 중심 $(a, 2)$와 직선 $x-y+2=0$ 사이의 거리가 원의 반지름의 길이 $2\sqrt2$보다 커야 하므로
$\dfrac{|a-2+2|}{\sqrt{1^2+(-1)^2}}>2\sqrt2$, $|a|>4$
$\therefore a<-4$ 또는 $a>4$
따라서 양의 정수 a의 최솟값은 5이다.

目 5

043 직선 $y=x+k$와 주어진 두 원의 위치 관계가 그림과 같아야 하므로 y절편인 k의 값의 범위는
$2<k<6$ ⋯⋯㉠
또 원 $x^2+y^2=4$의 중심에서 직선 $x-y+k=0$까지의 거리가 원의 반지름 길이인 2보다 커야 하므로
$\dfrac{|k|}{\sqrt{1^2+(-1)^2}}>2$
$|k|>2\sqrt2$
$\therefore k>2\sqrt2$ 또는 $k<-2\sqrt2$ ⋯⋯㉡
한편, 원 $x^2+(y-8)^2=4$의 중심에서 직선 $x-y+k=0$까지의 거리도 원의 반지름의 길이인 2보다 커야 하므로
$\dfrac{|-8+k|}{\sqrt{1^2+(-1)^2}}>2$
$|-8+k|>2\sqrt2$
$-8+k>2\sqrt2$ 또는 $-8+k<-2\sqrt2$
$\therefore k>8+2\sqrt2$ 또는 $k<8-2\sqrt2$ ⋯⋯㉢
㉠, ㉡, ㉢을 동시에 만족하는 k의 값의 범위는
$2\sqrt2<k<8-2\sqrt2$
따라서 $a=2\sqrt2$, $b=8-2\sqrt2$이므로
$b-a=8-4\sqrt2$

目 $8-4\sqrt2$

다른 풀이

그림에서 조건을 만족하는
k의 값의 범위는
$2\sqrt{2}<k<8-2\sqrt{2}$
$\therefore b-a=8-4\sqrt{2}$

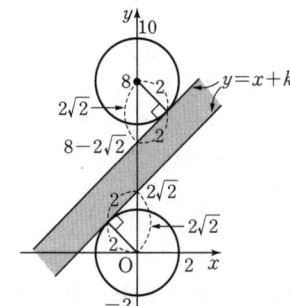

044 원의 중심의 좌표를 $C(-3, 1)$이라
하고, 원의 중심에서 x축에 내린 수
선의 발을 M이라 하자.
이때, 직각삼각형 CAM에서
$\overline{AM}=\sqrt{\overline{AC}^2-\overline{CM}^2}$
$=\sqrt{4-1}=\sqrt{3}$

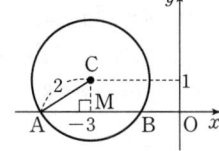

따라서 두 점 A, B의 x좌표는 각각 $-3-\sqrt{3}$, $-3+\sqrt{3}$이므로
$\alpha\beta=(-3-\sqrt{3})(-3+\sqrt{3})=9-3=6$　**冒**6

다른 풀이

중심의 좌표가 $(-3, 1)$이고, 반지름의 길이가 2인 원의 방정
식은
$(x+3)^2+(y-1)^2=4$
이 원이 x축과 만나는 점의 x좌표는 $y=0$일 때이므로
$x^2+6x+9+1=4$, 즉 $x^2+6x+6=0$
이를 만족하는 x의 값이 α, β이므로 α, β는 $x^2+6x+6=0$의
두 실근이다.
따라서 이차방정식의 근과 계수의 관계에 의하여 $\alpha\beta=6$

045 원의 중심 $O(-1, 0)$에서 $\overline{AB}$에 내린
수선의 발을 M이라 하면 M은 $\overline{AB}$의
중점이므로 $\overline{AB}=2\overline{AM}$
또한, $\overline{OM}$은 중심 $O(-1, 0)$에서 직선
$3x-y-2=0$까지의 거리이므로

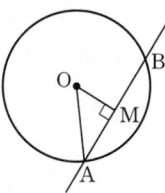

$\overline{OM}=\dfrac{|3\cdot(-1)-0-2|}{\sqrt{3^2+(-1)^2}}=\dfrac{\sqrt{10}}{2}$
이때, 직각삼각형 AOM에서
$\overline{AM}^2=\overline{OA}^2-\overline{OM}^2=5^2-\left(\dfrac{\sqrt{10}}{2}\right)^2=\dfrac{45}{2}$
$\therefore \overline{AM}=\sqrt{\dfrac{45}{2}}=\dfrac{3\sqrt{10}}{2}$
$\therefore \overline{AB}=2\overline{AM}=2\cdot\dfrac{3\sqrt{10}}{2}=3\sqrt{10}$　**冒** $3\sqrt{10}$

다른 풀이

$\begin{cases} (x+1)^2+y^2=25 & \cdots\cdots\text{㉠} \\ y=3x-2 & \cdots\cdots\text{㉡} \end{cases}$
㉡을 ㉠에 대입하면
$(x+1)^2+(3x-2)^2=25$
$10x^2-10x+5=25$, $x^2-x-2=0$
$(x-2)(x+1)=0$
$\therefore x=2$ 또는 $x=-1$
이때, $x=2$이면 $y=4$, $x=-1$이면 $y=-5$

따라서 교점 A, B의 좌표는 $(2, 4)$, $(-1, -5)$이므로
$\overline{AB}=\sqrt{(2+1)^2+(4+5)^2}=3\sqrt{10}$

046 직선 $3x-4y=k$와
원 $x^2+y^2=25$가 만나는 두
점을 A, B라 하고, 원의 중심
에서 직선에 내린 수선의 발을
H라 하면 직각삼각형 OBH에
서
$d=\sqrt{5^2-3^2}$
$\therefore d=4\ (\because d>0)$

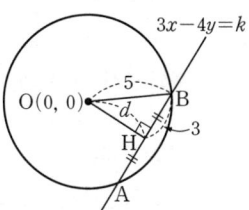

이때, 중심 $O(0, 0)$에서 직선까지의 거리 d는
$d=\dfrac{|-k|}{\sqrt{3^2+(-4)^2}}=\dfrac{|k|}{5}$
$d=4$이므로 $\dfrac{|k|}{5}=4$
$\therefore |k|=20$
따라서 $k>0$이므로 $k=20$　**冒**20

047 원 $x^2+y^2=1$의 중심의 좌표는 $C(0, 0)$이고, 반지름의 길이는
1이다.
점 $A(3, 1)$에서 원에 그은 접
선의 접점을 P라 하고, 두 선
분 AC, CP의 길이를 각각
구하면
$\overline{AC}=\sqrt{3^2+1^2}=\sqrt{10}$
$\overline{CP}=1$

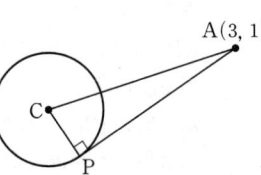

삼각형 ACP는 직각삼각형이므로
$\overline{AP}=\sqrt{\overline{AC}^2-\overline{CP}^2}$
$=\sqrt{(\sqrt{10})^2-1^2}$
$=\sqrt{9}=3$　**冒** ①

048 원 $(x+1)^2+(y-2)^2=a$의 중심의
좌표를 $O(-1, 2)$라 하면 접선의 성
질에 의해 그림과 같이 △OPQ는 직
각삼각형이다.
$\therefore \overline{OP}^2=\overline{PQ}^2+\overline{OQ}^2$

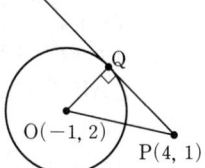

이때, $\overline{OP}=\sqrt{(4+1)^2+(1-2)^2}=\sqrt{26}$,
$\overline{PQ}=4$이므로
$(\sqrt{26})^2=4^2+\overline{OQ}^2$
$\therefore \overline{OQ}^2=10$
따라서 $\overline{OQ}$는 주어진 원의 반지름의 길이이므로
$a=\overline{OQ}^2=10$　**冒**10

049 방정식 $x^2+y^2-2x+4y-11=0$에서
$(x^2-2x+1)+(y^2+4y+4)=16$
$\therefore (x-1)^2+(y+2)^2=4^2$
원의 중심 $A(1, -2)$에 대하여 $\overline{AP}$, $\overline{AT}$의 길이는
$\overline{AP}=\sqrt{(-2-1)^2+(3+2)^2}=\sqrt{34}$
$\overline{AT}=4$
이때, 삼각형 APT는 직각삼각형이므로 점 P에서 접점 T까지
의 거리 $\overline{PT}$는

$\overline{\mathrm{PT}}=\sqrt{\overline{\mathrm{AP}}^2-\overline{\mathrm{AT}}^2}=\sqrt{(\sqrt{34})^2-4^2}=\sqrt{18}=3\sqrt{2}$

따라서 삼각형 APT의 넓이는

$\frac{1}{2}\cdot\overline{\mathrm{PT}}\cdot\overline{\mathrm{AT}}=\frac{1}{2}\cdot3\sqrt{2}\cdot4=6\sqrt{2}$ 🔲 $6\sqrt{2}$

050 원의 중심 $(0,0)$과
직선 $3x-4y+40=0$ 사이
의 거리 d는

$d=\frac{|40|}{\sqrt{3^2+(-4)^2}}=8$

따라서 최솟값은

$d-4=8-4=4$

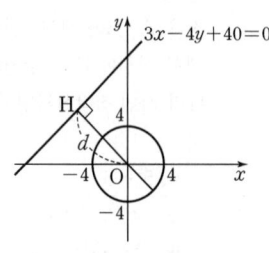

🔲 ④

051 $x^2+y^2-2x+6y+2=0$에서
$(x-1)^2+(y+3)^2=(2\sqrt{2})^2$

이 원의 중심 $(1,-3)$과 직선 $x-y+6=0$ 사이의 거리를 d라
하면

$d=\frac{|1-(-3)+6|}{\sqrt{1^2+(-1)^2}}=5\sqrt{2}$

그림에서 구하는 거리의
최댓값 M은

$M=5\sqrt{2}+2\sqrt{2}=7\sqrt{2}$,

최솟값 m은

$m=5\sqrt{2}-2\sqrt{2}=3\sqrt{2}$

$\therefore M^2+m^2=98+18=116$

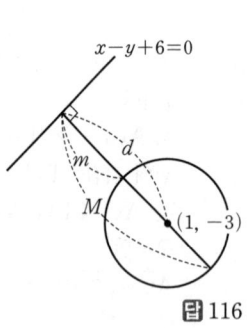

🔲 116

052 삼각형 ABP의 넓이가 최대인 경우는 점 P에서 선분 AB에 이
르는 거리가 최대일 때이다.
직선 AB의 방정식은 $x+y=4$이고, 원 $x^2+y^2=4$의 중심
$(0,0)$과 직선 AB 사이의 거리는

$\frac{|-4|}{\sqrt{1^2+1^2}}=2\sqrt{2}$

원 $x^2+y^2=4$의 반지름의 길이는 2이므로 원 위의 점 P에서 직
선 AB에 이르는 거리의 최댓값은

$2\sqrt{2}+2=2(\sqrt{2}+1)$

한편, $\overline{\mathrm{AB}}=\sqrt{(-4)^2+4^2}=4\sqrt{2}$

따라서 삼각형 ABP의 넓이의 최댓값은

$\frac{1}{2}\cdot4\sqrt{2}\cdot2(\sqrt{2}+1)=8+4\sqrt{2}$ 🔲 $8+4\sqrt{2}$

053 직선 $y=-2x-3$에 평행한 직선의 기울기를 m이라 하면

$m=-2$

따라서 구하는 접선의 방정식은

$y=-2x\pm4\sqrt{(-2)^2+1}$

$\therefore y=-2x\pm4\sqrt{5}$ 🔲 ②

054 직선 $x+2y=4$에 수직인 직선의 기울기는 2이므로 원
$x^2+y^2=4$에 접하고 기울기가 2인 직선의 방정식은

$y=2x\pm2\sqrt{2^2+1}$ $\therefore y=2x\pm2\sqrt{5}$

이때, $b>0$이므로 $a=2$, $b=2\sqrt{5}$

$\therefore ab=4\sqrt{5}$ 🔲 ⑤

055 원 $x^2+y^2=5$의 반지름의 길이는 $\sqrt{5}$이므로 접선의 방정식은

$y=2x\pm\sqrt{5}\sqrt{2^2+1}$

$\therefore y=2x\pm5$

이때, 원 $x^2+y^2=5$와 제2사분면에서 접하므로 $y=2x+5$

직선 $y=2x+5$와 x축과 y축으로 둘러싸인 삼각형의 넓이를 S
라 하면

$S=\frac{1}{2}\times\frac{5}{2}\times5=\frac{25}{4}$ 🔲 $\frac{25}{4}$

056 구하는 접선의 기울기를 m이라 하면

$m=\tan60°=\sqrt{3}$

반지름의 길이가 4이므로 접선의 방정식은

$y=\sqrt{3}x\pm4\sqrt{3+1}$ $\therefore y=\sqrt{3}x\pm8$

이때, 이 직선이 원과 제 2사분면에서 접하므로

$y=\sqrt{3}x+8$ 🔲 $y=\sqrt{3}x+8$

참고

$\tan30°=\frac{1}{\sqrt{3}}$, $\tan45°=1$, $\tan60°=\sqrt{3}$

057 기울기가 m이고 y절편이 $2\sqrt{5}$이므로 직선의 방정식은

$y=mx+2\sqrt{5}$, 즉 $mx-y+2\sqrt{5}=0$

이 직선이 원에 접하므로 원의 중심에서 직선까지의 거리는 원의
반지름의 길이와 같다.

$\frac{|2\sqrt{5}|}{\sqrt{m^2+1}}=2$, $m^2+1=5$

$m^2=4$ $\therefore m=\pm2$

따라서 두 접선의 기울기의 곱은

$2\cdot(-2)=-4$ 🔲 -4

058 기울기가 3이고, 원 $(x-1)^2+(y+1)^2=25$에 접하는 직선의
방정식을 $y=3x+k$로 놓으면 원의 중심 $(1,-1)$과 직선
$3x-y+k=0$ 사이의 거리 d는

$d=\frac{|3+1+k|}{\sqrt{3^2+(-1)^2}}$

$=\frac{|4+k|}{\sqrt{10}}=5$

$\therefore k=-4+5\sqrt{10}$ 또는 $k=-4-5\sqrt{10}$

따라서 두 접선의 y절편의 합은

$(-4+5\sqrt{10})+(-4-5\sqrt{10})=-8$ 🔲 ②

059 원 $x^2+y^2=4$ 위의 점 $(1,\sqrt{3})$에서의 접선의 방정식은

$1\cdot x+\sqrt{3}\cdot y=4$에서 $x+\sqrt{3}y-4=0$

따라서 $a=\sqrt{3}$, $b=-4$이므로

$a^2+b^2=(\sqrt{3})^2+(-4)^2=19$ 🔲 ②

060 원 $x^2+y^2=20$ 위의 점 (a,b)에서의 접선의 방정식은

$ax+by=20$

$\therefore y=-\frac{a}{b}x+\frac{20}{b}$

이때, 이 접선의 기울기가 $\frac{1}{3}$이므로

$-\frac{a}{b}=\frac{1}{3}$ $\therefore b=-3a$ ······ ㉠

또한, 점 (a,b)는 원 $x^2+y^2=20$ 위의 점이므로

$a^2+b^2=20$ ······ ㉡

$\bigcirc$을 $\bigcirc$에 대입하면
$a^2+(-3a)^2=20$, $a^2=2$
$\therefore a=\sqrt{2}$ 또는 $a=-\sqrt{2}$ ...... $\bigcirc$
$\bigcirc$을 $\bigcirc$에 각각 대입하면
$a=\sqrt{2}$이면 $b=-3\sqrt{2}$, $a=-\sqrt{2}$이면 $b=3\sqrt{2}$
$\therefore ab=-6$ 답 -6

061 원 $x^2+y^2=10$ 위의 점 $(1,-3)$에서의 접선의 방정식은
$x-3y=10$
그림에서 구하는 삼각형 AOB의
넓이를 S라 하면

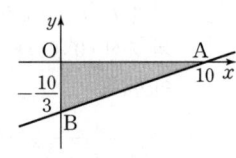

$S=\dfrac{1}{2}\times 10 \times \dfrac{10}{3}=\dfrac{50}{3}$

답 ②

062 원 $x^2+y^2=5^2$ 위의 점 $(-4,3)$에서의 접선의 방정식은
$-4x+3y=5^2$
$\therefore y=\dfrac{4}{3}x+\dfrac{25}{3}$
이 직선과 점 $(-4,3)$에서 직교하는 직선의 기울기는 $-\dfrac{3}{4}$이다.
따라서 기울기가 $-\dfrac{3}{4}$이고, 점 $(-4,3)$을 지나는 직선의 방정식은
$y-3=-\dfrac{3}{4}\{x-(-4)\}$
$\therefore y=-\dfrac{3}{4}x$ 답 $y=-\dfrac{3}{4}x$

063 원 $x^2+y^2=5$ 위의 점 $(2,1)$에서의 접선의 방정식은
$2x+y=5$ ...... $\bigcirc$
원 $x^2+y^2=5$ 위의 점 $(1,-2)$에서의 접선의 방정식은
$x-2y=5$ ...... $\bigcirc$
$\bigcirc$, $\bigcirc$을 연립하여 풀면
$x=3$, $y=-1$
따라서 두 접선의 교점의 좌표는 $(3,-1)$이므로
$ab=3\cdot(-1)=-3$ 답 -3

064 접선은 원의 중심과 접점을 이은 선분과 수직이고, 원의 중심 $(3,-1)$과 접점 $(5,1)$을 지나는 직선의 기울기가
$\dfrac{1-(-1)}{5-3}=1$
이므로 접선의 기울기를 m이라 하면
$1\cdot m=-1$ $\therefore m=-1$
따라서 구하는 접선의 방정식은
$y-1=-1\cdot(x-5)$
$\therefore y=-x+6$ 답 ②

다른 풀이
원 $(x-3)^2+(y+1)^2=8$ 위의 점 $(5,1)$에서의 접선의 방정식은
$(5-3)(x-3)+(1+1)(y+1)=8$
$2x-6+2y+2=8$
$\therefore y=-x+6$

065 접점의 좌표를 (x_1,y_1)로 놓으면 접선의 방정식은
$x_1x+y_1y=5$ ...... $\bigcirc$
직선 $\bigcirc$이 점 $(1,3)$을 지나므로
$x_1+3y_1=5$ ...... $\bigcirc$
또 점 (x_1,y_1)은 원 $x^2+y^2=5$ 위의 점이므로
$x_1{}^2+y_1{}^2=5$ ...... $\bigcirc$
$\bigcirc$에서 $y_1=-\dfrac{1}{3}x_1+\dfrac{5}{3}$를 $\bigcirc$에 대입하면
$x_1{}^2+\left(-\dfrac{1}{3}x_1+\dfrac{5}{3}\right)^2=5$, $x_1{}^2-x_1-2=0$
$(x_1+1)(x_1-2)=0$
$\therefore x_1=-1$ 또는 $x_1=2$
이것을 $\bigcirc$에 대입하면 $y_1=2$ 또는 $y_1=1$
따라서 접점의 좌표는 $(-1,2)$ 또는 $(2,1)$이므로
접점의 좌표를 $\bigcirc$에 대입하면
$-x+2y=5$ 또는 $2x+y=5$ 답 ②, ④

066 접점을 $P(x_1,y_1)$이라고 하면 이 점에서 원 $x^2+y^2=4$에 그은 접선의 방정식은 $x_1x+y_1y=4$
이 직선은 점 $(1,2)$를 지나므로
$x_1+2y_1=4$ ...... $\bigcirc$
한편, 점 (x_1,y_1)은 원 $x^2+y^2=4$ 위의 점이므로
$x_1{}^2+y_1{}^2=4$ ...... $\bigcirc$
$\bigcirc$, $\bigcirc$에서 $(4-2y_1)^2+y_1{}^2=4$
$5y_1{}^2-16y_1+12=0$, $(5y_1-6)(y_1-2)=0$
$\therefore y_1=\dfrac{6}{5}$ 또는 $y_1=2$
그러므로 교점의 좌표는 $\left(\dfrac{8}{5},\dfrac{6}{5}\right)$ 또는 $(0,2)$
따라서 구하는 접선의 방정식은
$\dfrac{8}{5}x+\dfrac{6}{5}y=4$ 또는 $2y=4$
즉, $4x+3y=10$ 또는 $y=2$
$\therefore a=3$, $b=10$, $c=0$, $d=2$
$\therefore ac-bd=-20$ 답 ①

067 접점을 (x_1,y_1)이라 하면 접선의 방정식은
$x_1x+y_1y=4$ ...... $\bigcirc$
이때, 점 $(4,0)$은 직선 $\bigcirc$ 위에 있으므로
$4x_1=4$ $\therefore x_1=1$
또 점 (x_1,y_1)은 원 위의 점이므로
$x_1{}^2+y_1{}^2=4$
이 식에 $x_1=1$을 대입하면
$y_1=\pm\sqrt{3}$
따라서 두 접점은 $(1,\sqrt{3})$, $(1,-\sqrt{3})$이므로
구하는 접선의 방정식은
$y=-\dfrac{1}{\sqrt{3}}x+\dfrac{4}{\sqrt{3}}$, $y=\dfrac{1}{\sqrt{3}}x-\dfrac{4}{\sqrt{3}}$
$\therefore m_1=-\dfrac{1}{\sqrt{3}}$, $m_2=\dfrac{1}{\sqrt{3}}$ 또는 $m_1=\dfrac{1}{\sqrt{3}}$, $m_2=-\dfrac{1}{\sqrt{3}}$
$\therefore m_1m_2=-\dfrac{1}{3}$ 답 ④

068 접점을 $P(a, b)$라 하면 접점 P는 원 위에 있으므로
$a^2+b^2=5$ ······㉠
이고, 접선의 방정식은
$ax+by=5$ ······㉡
이 직선은 점 $(3, 1)$을 지나므로
$3a+b=5$ ······㉢
㉠, ㉢을 연립하여 풀면
$\begin{cases} a=1 \\ b=2 \end{cases}$ 또는 $\begin{cases} a=2 \\ b=-1 \end{cases}$

따라서 두 접선의 방정식은 ㉡
에서 $x+2y=5$와 $2x-y=5$
이다.

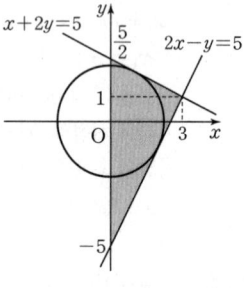

이때, 각각의 y절편은 $\dfrac{5}{2}$, -5이
고, 교점의 좌표는 $(3, 1)$이다.
$\therefore S=\dfrac{1}{2}\times 3\times\left\{\dfrac{5}{2}-(-5)\right\}$
$\quad=\dfrac{45}{4}$
$\therefore 4S=45$ 　답 ⑤

069 점 $P(2, 5)$에서 원 $x^2+y^2=6$에
그은 두 접선의 접점을 각각
$A(x_1, y_1)$, $B(x_2, y_2)$라 하면 두
접선의 방정식은
$x_1x+y_1y=6$, $x_2x+y_2y=6$

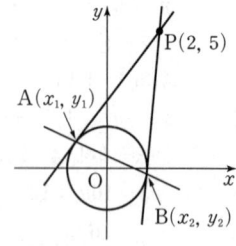

이때, 두 접선이 점 $P(2, 5)$를 지
나므로
$2x_1+5y_1=6$, $2x_2+5y_2=6$이 성립한다.
그런데 두 점 A, B를 지나는 직선은 오직 하나이므로 직선 AB
의 방정식은 $2x+5y=6$이다.
$\therefore a+b=2+5=7$ 　답 ③

070 원 $x^2+y^2=k$의 중심 $(0, 0)$과 직선 $x+y-k=0$ 사이의 거리
를 d라 하면
$d=\dfrac{|-k|}{\sqrt{1^2+1^2}}=\dfrac{k}{\sqrt{2}}$ $(\because k>0)$
또 원 $x^2+y^2=k$의 반지름의 길이를 r라 하면
$r=\sqrt{k}$
이때, 원과 직선이 접할 때는 서로 한 점에서 만나므로
원과 직선이 한 점에서 만나려면 $d=r$이어야 한다.
$\dfrac{k}{\sqrt{2}}=\sqrt{k}$ $\therefore k=\sqrt{2k}$
양변을 제곱하면
$k^2=2k$, $k(k-2)=0$
$\therefore k=2$ $(\because k>0)$ 　답 ②

071 원 $(x-1)^2+(y-2)^2=1$의 중심 $(1, 2)$와 직선
$2x-y+a=0$ 사이의 거리를 d라 하면
$d=\dfrac{|2\cdot1-2+a|}{\sqrt{2^2+(-1)^2}}=\dfrac{|a|}{\sqrt{5}}$
원의 반지름의 길이를 r라 하면 $r=1$
이때, 원과 직선이 만나는 경우는 서로 다른 두 점에서 만나는

경우 또는 한 점에서 만나는 경우이다.
따라서 원과 직선이 만날 조건은 $d\leq r$이므로
$\dfrac{|a|}{\sqrt{5}}\leq 1$, $|a|\leq\sqrt{5}$
$\therefore -\sqrt{5}\leq a\leq\sqrt{5}$
따라서 만족하는 정수 a는 -2, -1, 0, 1, 2이므로 5개이다.
　답 ⑤

072 직선 $y=mx+5$가 원 $x^2+y^2=1$과 서로 만나지 않으므로 원
의 중심 $(0, 0)$과 직선 사이의 거리가 반지름의 길이 1보다 커
야 한다.
$\dfrac{5}{\sqrt{m^2+(-1)^2}}>1$
$\therefore \sqrt{m^2+1}<5$
양변을 제곱하여 정리하면
$m^2+1-25<0$, $m^2-24<0$
$(m-2\sqrt{6})(m+2\sqrt{6})<0$
$\therefore -2\sqrt{6}<m<2\sqrt{6}$
따라서 $\alpha=-2\sqrt{6}$, $\beta=2\sqrt{6}$이므로
$\beta-\alpha=4\sqrt{6}$ 　답 $4\sqrt{6}$

다른 풀이
원의 방정식과 직선의 방정식을 연립하여 얻은 이차방정식의
판별식 D가 $D<0$임을 이용하면
$x^2+(mx+5)^2=1$에서 $(1+m^2)x^2+10mx+24=0$
$\dfrac{D}{4}=25m^2-24(1+m^2)<0$
$m^2-24<0$, $(m+2\sqrt{6})(m-2\sqrt{6})<0$
$\therefore -2\sqrt{6}<m<2\sqrt{6}$
따라서 $\alpha=-2\sqrt{6}$, $\beta=2\sqrt{6}$이므로
$\beta-\alpha=4\sqrt{6}$

073 $S_1=S_2$가 성립하려면 원의 중심 $(4, 2)$에서 직선 $y=ax$까지
의 거리가 x축까지의 거리 2와 같아야 한다.
$\dfrac{|4a-2|}{\sqrt{a^2+(-1)^2}}=2$
$|4a-2|=2\sqrt{a^2+1}$
양변을 제곱하여 정리하면
$a(3a-4)=0$
$\therefore a=\dfrac{4}{3}$ $(\because a\neq0)$ 　답 ④

074 원 $x^2+y^2-4x-2y-4=0$을 표준형
으로 나타내면
$(x-2)^2+(y-1)^2=9$
그림과 같이 원과 직선의 두 교점을
A, B라 하고, 원의 중심 $C(2, 1)$에서
직선 $y=-2x+a$에 내린 수선의 발
을 H라 하면
$\overline{CH}=\dfrac{|2\cdot2+1-a|}{\sqrt{2^2+1^2}}=\dfrac{|5-a|}{\sqrt{5}}$
$\overline{AH}=\dfrac{1}{2}\overline{AB}=2$, $\overline{CA}=3$
직각삼각형 ACH에서 피타고라스 정리에 의하여
$\overline{CH}=\sqrt{\overline{AC}^2-\overline{AH}^2}$

$$\frac{|5-a|}{\sqrt{5}}=\sqrt{9-4}=\sqrt{5}$$

$|5-a|=5$ ∴ $a=0$ 또는 $a=10$

따라서 양수 a의 값은 10이다. 🅐 ⑤

075 원의 중심은 C$(2,\ 2)$, 접점을 B라
하면 삼각형 ABC는 직각삼각형이
고, $\angle\mathrm{BAC}=\dfrac{1}{2}\times60°=30°$이므로

$$\overline{\mathrm{AB}}:\overline{\mathrm{BC}}:\overline{\mathrm{CA}}=\sqrt{3}:1:2$$

이때,

$$\overline{\mathrm{AC}}=\sqrt{(6-2)^2+(4-2)^2}=2\sqrt{5}$$

$$\overline{\mathrm{BC}}:\overline{\mathrm{CA}}=1:2$$

$$r:2\sqrt{5}=1:2$$

따라서 $r=\sqrt{5}$이므로

$r^2=5$ 🅐 5

076 원 $x^2+y^2-2x+2y-7=0$에서

$(x-1)^2+(y+1)^2=9$

이므로 원의 중심의 좌표는 $(1,\ -1)$, 반지름의 길이는 3이다.

원의 중심 $(1,\ -1)$과 직선 $x+y+8=0$ 사이의 거리는

$$\frac{|1-1+8|}{\sqrt{1^2+1^2}}=4\sqrt{2}$$

따라서 원 위의 점 P에서 직선
$x+y+8=0$에 이르는 거리의 최댓
값과 최솟값은 각각

$4\sqrt{2}+3,\ 4\sqrt{2}-3$

이므로 두 값의 곱은

$(4\sqrt{2}+3)(4\sqrt{2}-3)=32-9=23$ 🅐 ③

077 원 $x^2+y^2=5$ 위의 점 $(2,\ -1)$에서
의 접선의 방정식은

$2\cdot x+(-1)\cdot y=5$

즉, $2x-y=5$

$x=0$일 때 $y=-5$

$y=0$일 때 $x=\dfrac{5}{2}$

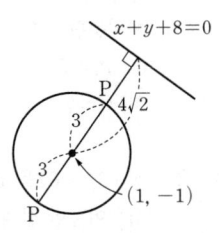

따라서 구하는 삼각형의 넓이는

$$\frac{1}{2}\cdot5\cdot\frac{5}{2}=\frac{25}{4}$$ 🅐 $\dfrac{25}{4}$

078 원 $x^2+y^2=n^2$ 위의 점 $(a_n,\ b_n)$에서의 접선의 방정식은
$a_nx+b_ny=n^2$이다.

이때, 이 직선 $a_nx+b_ny=n^2$의 y절편이 $(n+1)^2$이므로

$a_n\cdot0+(n+1)^2b_n=n^2$ ∴ $b_n=\dfrac{n^2}{(n+1)^2}$

$$\therefore b_1\times b_2\times b_3\times\cdots\times b_{10}=\frac{1^2}{2^2}\times\frac{2^2}{3^2}\times\frac{3^2}{4^2}\times\cdots\times\frac{10^2}{11^2}$$

$$=\frac{1^2}{11^2}=\frac{1}{121}$$ 🅐 $\dfrac{1}{121}$

079 구하는 직선 $2x-y+3=0$과 수직으로 만나므로

(기울기)$=m=-\dfrac{1}{2}$이고, 원의 반지름의 길이가 $r=4$이다.

따라서 접선의 방정식은

$$y=-\frac{1}{2}x\pm4\sqrt{\frac{1}{4}+1}$$

$$\therefore y=-\frac{1}{2}x\pm2\sqrt{5}\quad\cdots\cdots㉠$$

직선 ㉠이 점 $(2,\ a)$를 지나므로

$a=-1\pm2\sqrt{5}$

$\therefore a=2\sqrt{5}-1\ (\because a>0)$ 🅐 ④

080 두 점 $(-1,\ 0),\ (0,\ 1)$을 각각 A, B라 하면 두 점 A, B를 지
나는 직선의 방정식은

$$y-0=\frac{1-0}{0+1}(x+1)$$

$\therefore x-y+1=0\quad\cdots\cdots㉠$

원 위의 점 P의 좌표를 P$(x,\ y)$라 하면

점 P에서 직선 ㉠까지의 거리는

$$\frac{|x-y+1|}{\sqrt{1^2+(-1)^2}}=\frac{|x-y+1|}{\sqrt{2}}$$

이때, 세 점 A, B, P를 꼭짓점으로 하는 △BAP의 넓이가 1,
$\overline{\mathrm{AB}}=\sqrt{2}$이므로

$$\frac{1}{2}\cdot\sqrt{2}\cdot\frac{|x-y+1|}{\sqrt{2}}=1$$

$|x-y+1|=2,\ x-y+1=\pm2$

$\therefore x-y+3=0$ 또는 $x-y-1=0$

따라서 위의 두 직선은 각각 원과 두 점에서 만나므로 점 P의
개수는 4이다. 🅐 4

081 점 A$(0,\ a)$에서 원 $x^2+(y+2)^2=9$에 그은 두 접선의 기울기
를 m이라 하면 접선의 방정식은

$y=mx+a$

원의 중심 $(0,\ -2)$에서 직선 $mx-y+a=0$에 이르는 거리가
반지름의 길이와 같아야 하므로

$$\frac{|m\times0-(-2)+a|}{\sqrt{m^2+(-1)^2}}=3$$

$|a+2|=3\sqrt{m^2+1}$

양변을 제곱하여 정리하면

$9m^2-(a^2+4a-5)=0$

이 방정식의 두 근을 $m_1,\ m_2$라 하면 두 접선은 서로 수직이므
로 근과 계수의 관계에 의하여

$$m_1m_2=-\frac{1}{9}(a^2+4a-5)=-1$$

$a^2+4a-5=9$

$\therefore a^2+4a-14=0$

따라서 구하는 모든 상수 a의 값의 합은 근과 계수의 관계에 의
하여 -4이다. 🅐 -4

001 $(3, 4) \xrightarrow[\text{평행이동}]{x\text{축 방향}: 3} (3+3, 4)$

$\therefore (6, 4)$ 답 $(6, 4)$

002 $(3, 4) \xrightarrow[\text{평행이동}]{x\text{축 방향}: -9} (3-9, 4)$

$\therefore (-6, 4)$ 답 $(-6, 4)$

003 $(1, 6) \xrightarrow[\text{평행이동}]{y\text{축 방향}: 2} (1, 6+2)$

$\therefore (1, 8)$ 답 $(1, 8)$

004 $(1, 6) \xrightarrow[\text{평행이동}]{y\text{축 방향}: -2} (1, 6-2)$

$\therefore (1, 4)$ 답 $(1, 4)$

005 $(-2, 4) \xrightarrow[\text{평행이동}]{x\text{축 방향}: 1, \, y\text{축 방향}: 3} (-2+1, 4+3)$

$\therefore (-1, 7)$ 답 $(-1, 7)$

006 $(-2, 4) \xrightarrow[\text{평행이동}]{x\text{축 방향}: 2, \, y\text{축 방향}: -4} (-2+2, 4-4)$

$\therefore (0, 0)$ 답 $(0, 0)$

007 $(-2, 4) \xrightarrow[\text{평행이동}]{x\text{축 방향}: -5, \, y\text{축 방향}: -2} (-2-5, 4-2)$

$\therefore (-7, 2)$ 답 $(-7, 2)$

008 $(0, 0) \longrightarrow (0+4, 0-5)$

$\therefore (4, -5)$ 답 $(4, -5)$

009 $(-4, 5) \longrightarrow (-4+4, 5-5)$

$\therefore (0, 0)$ 답 $(0, 0)$

010 $(1, 6) \longrightarrow (1+4, 6-5)$

$\therefore (5, 1)$ 답 $(5, 1)$

011 $(1, 1) \longrightarrow (1-3, 1+6)$

$\therefore (-2, 7)$ 답 $(-2, 7)$

012 $(5, -2) \longrightarrow (5-3, -2+6)$

$\therefore (2, 4)$ 답 $(2, 4)$

013 $(-1, -3) \longrightarrow (-1-3, -3+6)$

$\therefore (-4, 3)$ 답 $(-4, 3)$

014 점 $(1, 2)$를 x축의 방향으로 m만큼 평행이동한 점의 좌표가 $(5, 2)$이므로

$1+m=5$

$\therefore m=4$ 답 $m=4$

015 점 $(6, 2)$를 y축의 방향으로 n만큼 평행이동한 점의 좌표가 $(6, -3)$이므로

$2+n=-3$

$\therefore n=-5$ 답 $n=-5$

016 점 $(3, 4)$를 x축의 방향으로 m만큼, y축의 방향으로 n만큼 평행이동한 점의 좌표가 $(5, 8)$이므로

$3+m=5 \quad \therefore m=2$

$4+n=8 \quad \therefore n=4$ 답 $m=2, n=4$

017 점 $(1, -1)$을 x축의 방향으로 m만큼, y축의 방향으로 n만큼 평행이동한 점의 좌표가 $(-4, 2)$이므로

$1+m=-4 \quad \therefore m=-5$

$-1+n=2 \quad \therefore n=3$ 답 $m=-5, n=3$

018 점 $(-2, 5)$를 x축의 방향으로 m만큼, y축의 방향으로 n만큼 평행이동한 점의 좌표가 $(-5, 1)$이므로

$-2+m=-5 \quad \therefore m=-3$

$5+n=1 \quad \therefore n=-4$ 답 $m=-3, n=-4$

019 점 $(0, 0)$을 x축의 방향으로 m만큼, y축의 방향으로 n만큼 평행이동한 점의 좌표가 $(3, 7)$이므로

$0+m=3 \quad \therefore m=3$

$0+n=7 \quad \therefore n=7$ 답 $m=3, n=7$

020 점 $(3, -6)$을 x축의 방향으로 m만큼, y축의 방향으로 n만큼 평행이동한 점의 좌표가 $(2, -1)$이므로

$3+m=2 \quad \therefore m=-1$

$-6+n=-1 \quad \therefore n=5$ 답 $m=-1, n=5$

021 점 $(0, 2)$를 x축의 방향으로 m만큼, y축의 방향으로 n만큼 평행이동한 점의 좌표가 $(2, -3)$이므로

$0+m=2 \quad \therefore m=2$

$2+n=-3 \quad \therefore n=-5$ 답 $m=2, n=-5$

022 점 $(-3, 5)$를 x축의 방향으로 m만큼, y축의 방향으로 n만큼 평행이동한 점의 좌표가 $(-7, -8)$이므로

$-3+m=-7 \quad \therefore m=-4$

$5+n=-8 \quad \therefore n=-13$ 답 $m=-4, n=-13$

023 구하려는 점의 좌표를 (a, b)라 하면 점 (a, b)를 x축의 방향으로 -2만큼, y축의 방향으로 2만큼 평행이동한 점의 좌표가 $(3, 1)$이므로

$a-2=3 \quad \therefore a=5$

$b+2=1 \quad \therefore b=-1$

따라서 점 $(5, -1)$이 이 평행이동에 의하여 점 $(3, 1)$로 이동한다. 답 $(5, -1)$

024 구하려는 점의 좌표를 (a, b)라 하면 점 (a, b)를 x축의 방향으로 -2만큼, y축의 방향으로 2만큼 평행이동한 점의 좌표가 $(-5, -6)$이므로

$a-2=-5 \quad \therefore a=-3$

$b+2=-6$ $\therefore b=-8$

따라서 점 $(-3, -8)$이 이 평행이동에 의하여 점 $(-5, -6)$
으로 이동한다.   圄 $(-3, -8)$

025 x 대신 $x-1$을 대입한다.
$x+2y=0$에서 $(x-1)+2y=0$
$\therefore x+2y-1=0$ 圄 $x+2y-1=0$

026 y 대신 $y+2$를 대입한다.
$x+2y=0$에서 $x+2(y+2)=0$
$\therefore x+2y+4=0$ 圄 $x+2y+4=0$

027 x 대신 $x-2$, y 대신 $y-3$을 대입한다.
$x+2y=0$에서 $(x-2)+2(y-3)=0$
$\therefore x+2y-8=0$ 圄 $x+2y-8=0$

028 x 대신 $x+3$을 대입한다.
$x^2+y^2=9$에서 $(x+3)^2+y^2=9$ 圄 $(x+3)^2+y^2=9$

029 y 대신 $y-4$를 대입한다.
$x^2+y^2=9$에서 $x^2+(y-4)^2=9$ 圄 $x^2+(y-4)^2=9$

030 x 대신 $x-2$, y 대신 $y+5$를 대입한다.
$x^2+y^2=9$에서 $(x-2)^2+(y+5)^2=9$
    圄 $(x-2)^2+(y+5)^2=9$

031 x 대신 $x-1$을 대입한다.
$y=2x^2+1$에서 $y=2(x-1)^2+1$
$\therefore y=2x^2-4x+3$ 圄 $y=2x^2-4x+3$

032 x 대신 $x+2$, y 대신 $y-6$을 대입한다.
$y=2x^2+1$에서 $y-6=2(x+2)^2+1$
$y-6=2x^2+8x+9$
$\therefore y=2x^2+8x+15$ 圄 $y=2x^2+8x+15$

[033-037] x 대신 $x-3$, y 대신 $y+1$을 대입한다.

033 $x-3y-5=0$에서 $(x-3)-3(y+1)-5=0$
$\therefore x-3y-11=0$ 圄 $x-3y-11=0$

034 $4x+y-5=0$에서 $4(x-3)+(y+1)-5=0$
$\therefore 4x+y-16=0$ 圄 $4x+y-16=0$

035 $x^2+y^2=9$에서 $(x-3)^2+(y+1)^2=9$
    圄 $(x-3)^2+(y+1)^2=9$

036 $(x+1)^2+(y-4)^2=16$에서
$\{(x-3)+1\}^2+\{(y+1)-4\}^2=16$
$\therefore (x-2)^2+(y-3)^2=16$ 圄 $(x-2)^2+(y-3)^2=16$

037 $y=x^2+3$에서 $y+1=(x-3)^2+3$
$\therefore y=x^2-6x+11$ 圄 $y=x^2-6x+11$

038   圄 $B(2, -3)$, $C(-2, 3)$, $D(-2, -3)$

039   圄 $B(-3, -1)$, $C(3, 1)$, $D(3, -1)$

040   圄 $B(1, 2)$, $C(-1, -2)$

041   圄 $B(-2, -4)$, $C(2, 4)$

042 점 $(2, -5)$를 x축에 대하여 대칭이동하면 y좌표의 부호가 바뀌므로 $(2, 5)$ 圄 $(2, 5)$

043 점 $(2, -5)$를 y축에 대하여 대칭이동하면 x좌표의 부호가 바뀌므로 $(-2, -5)$ 圄 $(-2, -5)$

044 점 $(2, -5)$를 원점에 대하여 대칭이동하면 x, y좌표의 부호가 모두 바뀌므로 $(-2, 5)$ 圄 $(-2, 5)$

045 점 $(2, -5)$를 직선 $y=x$에 대하여 대칭이동하면 x, y의 좌표가 서로 바뀌므로 $(-5, 2)$ 圄 $(-5, 2)$

046 점 $(2, -5)$를 직선 $y=-x$에 대하여 대칭이동하면 x, y의 좌표와 부호가 서로 바뀌므로 $(5, -2)$ 圄 $(5, -2)$

047 x축에 대한 대칭이동이므로 y 대신 $-y$를 대입하면
$y=2x+3$에서 $-y=2x+3$
$\therefore y=-2x-3$ 圄 $y=-2x-3$

048 x축에 대한 대칭이동이므로 y 대신 $-y$를 대입하면
$(x+1)^2+(y-2)^2=1$에서 $(x+1)^2+(-y-2)^2=1$
$\therefore (x+1)^2+(y+2)^2=1$ 圄 $(x+1)^2+(y+2)^2=1$

049 y축에 대한 대칭이동이므로 x 대신 $-x$를 대입하면
$3x-y+2=0$에서 $3(-x)-y+2=0$
$\therefore 3x+y-2=0$ 圄 $3x+y-2=0$

050 y축에 대한 대칭이동이므로 x 대신 $-x$를 대입하면
$y=x^2-x+2$에서 $y=(-x)^2-(-x)+2$
$\therefore y=x^2+x+2$ 圄 $y=x^2+x+2$

051 원점에 대한 대칭이동이므로 x 대신 $-x$, y 대신 $-y$를 대입하면
$y=x+1$에서 $-y=-x+1$
$\therefore y=x-1$ 圄 $y=x-1$

052 원점에 대한 대칭이동이므로 x 대신 $-x$, y 대신 $-y$를 대입하면
$(x-5)^2+(y-2)^2=4$에서 $(-x-5)^2+(-y-2)^2=4$
$\therefore (x+5)^2+(y+2)^2=4$ 圄 $(x+5)^2+(y+2)^2=4$

053 직선 $y=x$에 대한 대칭이동이므로 x 대신 y, y 대신 x를 대입하면
$x-2y+3=0$에서 $y-2x+3=0$
$\therefore 2x-y-3=0$ 圄 $2x-y-3=0$

054 직선 $y=x$에 대한 대칭이동이므로 x 대신 y, y 대신 x를 대입하면
$(x+4)^2+(y+6)^2=1$에서 $(y+4)^2+(x+6)^2=1$
$\therefore (x+6)^2+(y+4)^2=1$ 　　　🖺 $(x+6)^2+(y+4)^2=1$

055 점 A$(4, 6)$을 x축의 방향으로 1만큼, y축의 방향으로 -3만큼 평행이동하면
$(4, 6) \xrightarrow[\text{평행이동}]{x\text{축 방향 : 1, }y\text{축 방향 : }-3} (4+1, 6-3)$
즉, B$(5, 3)$이므로 $a=5, b=3$
점 B를 x축에 대하여 대칭이동하면 y좌표의 부호가 바뀌므로
C$(5, -3)$
$\therefore c=5, d=-3$
$\therefore a=5, b=3, c=5, d=-3$
　　　🖺 $a=5, b=3, c=5, d=-3$

056 직선 $4x+3y-1=0$을 x축의 방향으로 -2만큼, y축의 방향으로 5만큼 평행이동하면 x 대신 $x+2$, y 대신 $y-5$를 대입한다.
$4(x+2)+3(y-5)-1=0$
즉, $4x+3y-8=0$이므로
$a=3, b=-8$
직선 $4x+3y-8=0$을 원점에 대하여 대칭이동하면
x 대신 $-x$, y 대신 $-y$를 대입해야 하므로
$4\cdot(-x)+3\cdot(-y)-8=0$
$-4x-3y-8=0$
즉, $4x+3y+8=0$이므로
$c=3, d=8$
$\therefore a=3, b=-8, c=3, d=8$
　　　🖺 $a=3, b=-8, c=3, d=8$

057 점 B의 좌표를 (p, q)라 하면 점 M은 점 A, B의 중점이므로
$0=\dfrac{-2+p}{2}, -2+p=0$
$\therefore p=2$
$2=\dfrac{1+q}{2}, 1+q=4$
$\therefore q=3$
따라서 점 B의 좌표는 $(2, 3)$ 　　　🖺 $(2, 3)$

058 점 $(2, -1)$을 x축의 방향으로 1만큼, y축의 방향으로 2만큼 평행이동한 점의 좌표는
$(2+1, -1+2)$ 　　$\therefore (3, 1)$
$\therefore p-q=3-1=2$ 　　　🖺 ⑤

059 점 (a, b)를 x축의 방향으로 -2만큼, y축의 방향으로 3만큼 평행이동한 점의 좌표가 $(0, -3)$이므로 $(a-2, b+3)$에서
$a-2=0, b+3=-3$
$\therefore a=2, b=-6$
$\therefore a+b=-4$ 　　　🖺 -4

060 점 $(1, 5)$를 x축의 방향으로 a만큼, y축의 방향으로 $a+1$만큼 평행이동시키면 $(1+a, 5+a+1)$로 옮겨진다.
이 점이 $(b, 2)$가 되므로

061 점 $(2, a)$를 x축의 방향으로 1만큼, y축의 방향으로 -2만큼 평행이동한 점은
$(2+1, a-2)$, 즉 $(3, a-2)$
이 점이 직선 $y=-2x+1$ 위에 있으므로
$a-2=(-2)\cdot 3+1$
$\therefore a=-3$ 　　　🖺 ③

062 평행이동 $(x, y) \longrightarrow (x+a, y+b)$에 의하여
점 $(3, 4)$는 점 $(3+a, 4+b)$로 옮겨진다.
이때, 이 점의 좌표가 $(1, 1)$이므로
$3+a=1, 4+b=1$
$\therefore a=-2, b=-3$
따라서 평행이동 $(x, y) \longrightarrow (x-2, y-3)$에 의하여
점 $(4, 2)$로 옮겨지는 점의 좌표를 (p, q)라 하면
$p-2=4, q-3=2$
$\therefore p=6, q=5$
$\therefore (6, 5)$ 　　　🖺 ⑤

063 점 $(1, -3)$을 점 $(-3, -1)$로 옮기는 평행이동은 x축의 방향으로 $-3-1=-4$만큼, y축의 방향으로 $-1+3=2$만큼 평행이동한 것이다.
이 평행이동에 의하여 점 (a, b)가 옮겨지는 점이
$(a-4, b+2)$이므로
$a-4=0, b+2=0$
$\therefore a=4, b=-2$
$\therefore a+b=2$ 　　　🖺 2

064 직선 $2x+y-3=0$을 x축의 방향으로 2만큼, y축의 방향으로 -3만큼 평행이동하면
$2(x-2)+(y+3)-3=0$
$\therefore 2x+y-4=0$
이 직선이 점 $(4, k)$를 지나므로
$2\cdot 4+k-4=0$
$\therefore k=-4$ 　　　🖺 ②

065 직선 $3x+y-5=0$을 x축의 방향으로 1만큼, y축의 방향으로 n만큼 평행이동하면
$3(x-1)+(y-n)-5=0$
$\therefore 3x+y-n-8=0$ 　　$\cdots\cdots$ ㉠
직선 ㉠이 $3x+y-1=0$과 일치하므로
$-n-8=-1$
$\therefore n=-7$ 　　　🖺 -7

066 점 $(4, 2)$는 점 $(1, 3)$을 x축의 방향으로 3만큼, y축의 방향으로 -1만큼 평행이동한 것이므로
직선 $y=3x+1$에 x 대신 $x-3$, y 대신 $y+1$을 대입하면
$y+1=3(x-3)+1$
$\therefore y=3x-9$

따라서 $a=3$, $b=-9$이므로
$a+b=-6$ 답 ⑤

067 직선 $3x+ay-1=0$을 x축의 방향으로 2만큼, y축의 방향으로 3만큼 평행이동하면
$3(x-2)+a(y-3)-1=0$
$3x+ay-3a-7=0$이 평행이동하기 전의
직선 $3x+ay-1=0$과 일치하므로
$-3a-7=-1$
$\therefore a=-2$ 답 -2

068 직선 $x-y+3=0$을 x축의 방향으로 m만큼, y축의 방향으로 -1만큼 평행이동한 직선의 방정식은
$(x-m)-(y+1)+3=0$
$x-y+2-m=0$
$\therefore y=x+2-m$ ……㉠
이때, $m>2$에서 직선 ㉠과 x축, y축으로 둘러싸인 부분은 그림의 어두운 부분과 같고 넓이가 18이므로

$\dfrac{1}{2}(m-2)^2=18$
$(m-2)^2=36$
$m-2=\pm6$
$\therefore m=8 \ (\because m>2)$ 답 ⑤

069 직선 l을 x축의 방향으로 2만큼, y축의 방향으로 -1만큼 평행이동시킨 직선이 $x-2y+1=0$이므로
직선 $x-2y+1=0$을 x축의 방향으로 -2만큼, y축의 방향으로 1만큼 평행이동하면 직선 l을 얻는다.
따라서 직선 l의 방정식은
$(x+2)-2(y-1)+1=0$
$\therefore x-2y+5=0$ 답 ②

070 곡선 $y=x^2-2x-8$을 x축의 방향으로 1만큼, y축의 방향으로 3만큼 평행이동한 곡선의 방정식은
$y-3=(x-1)^2-2(x-1)-8$
$\therefore y=x^2-4x-2$
이 곡선이 곡선 $y=x^2+ax+b$와 일치하므로
$a=-4$, $b=-2$
$\therefore a+b=-6$ 답 -6

071 이차함수 $y=2x^2-1$의 그래프를 x축의 방향으로 m만큼, y축의 방향으로 n만큼 평행이동하면
$y-n=2(x-m)^2-1$
$\therefore y=2(x-m)^2-1+n$
이 그래프의 꼭짓점의 좌표는 $(m, -1+n)$이므로
$m=-1$, $-1+n=2$에서
$m=-1$, $n=3$
$\therefore mn=-3$ 답 -3

다른 풀이
$y=2x^2-1$의 그래프의 꼭짓점의 좌표는 $(0, -1)$
이 점을 x축의 방향으로 m만큼, y축의 방향으로 n만큼 평행이

동하면
$(0+m, -1+n)$, 즉 $(m, -1+n)$
이 점이 평행이동한 이차함수의 그래프의 꼭짓점 $(-1, 2)$와 일치하므로
$m=-1$, $-1+n=2$
$\therefore m=-1$, $n=3$
$\therefore mn=-3$

072 평행이동 $(x, y) \longrightarrow (x-a, y+3)$에 의하여
원 $x^2+y^2=1$을 평행이동하면
$(x+a)^2+(y-3)^2=1$
이 원의 중심 $(-a, 3)$에서 원점까지의 거리가 5이므로
$a^2+3^2=5^2$, $a^2=16$
$\therefore a=4 \ (\because a>0)$ 답 ④

073 점 $(2, 2)$를 x축의 방향으로 m만큼, y축의 방향으로 n만큼 평행이동한 점의 좌표가 $(5, -1)$이므로
$2+m=5$, $2+n=-1$
$\therefore m=3$, $n=-3$
따라서 원 $(x-3)^2+(y+3)^2=9$에 x 대신 $x-3$, y 대신 $y+3$을 대입하면
$(x-3-3)^2+(y+3+3)^2=9$
$(x-6)^2+(y+6)^2=9$
이 원이 원 $(x+a)^2+(y+b)^2=9$와 일치하므로
$a=-6$, $b=6$
$\therefore a+b=0$ 답 ①

074 원 $(x+1)^2+(y+4)^2=4$를 x축의 방향으로 m만큼, y축의 방향으로 $2m$만큼 평행이동하면
$(x-m+1)^2+(y-2m+4)^2=4$
중심의 좌표가 $(m-1, 2m-4)$이고, 반지름의 길이가 2인 원이 x축, y축에 동시에 접하려면
$\begin{cases} |m-1|=2 & \cdots\cdots ㉠ \\ |2m-4|=2 & \cdots\cdots ㉡ \end{cases}$
㉠에서 $m=3$ 또는 $m=-1$
㉡에서 $m=3$ 또는 $m=1$
따라서 ㉠, ㉡을 동시에 만족하는 m의 값은 3이다.   답 3

075 원 $x^2+y^2=4$를 x축의 방향으로 m만큼, y축의 방향으로 2만큼 평행이동시키면
$(x-m)^2+(y-2)^2=4$
이 원이 직선 $y=-x+2\sqrt{2}$와 접하므로 원의 중심 $(m, 2)$와
직선 $x+y-2\sqrt{2}=0$ 사이의 거리가 2이어야 한다.
$\dfrac{|m+2-2\sqrt{2}|}{\sqrt{1^2+1^2}}=2$
$|m+2-2\sqrt{2}|=2\sqrt{2}$
$\therefore m=4\sqrt{2}-2$ 또는 $m=-2$
따라서 양수 m의 값은 $4\sqrt{2}-2$이다.   답 ⑤

076 점 $(2, -4)$를 x축에 대하여 대칭이동한 점의 좌표는 $(2, 4)$
다시 점 $(2, 4)$를 원점에 대하여 대칭이동한 점의 좌표는
$(-2, -4)$ 답 $(-2, -4)$

077 점 $P(2, 1)$을 x축에 대하여 대칭이
동한 점은 $Q(2, -1)$, 점 $P(2, 1)$을
원점에 대하여 대칭이동한 점은
$R(-2, -1)$
세 점 P, Q, R를 꼭짓점으로 하는
$\triangle PQR$를 좌표평면 위에 나타내면 그림과 같다.
따라서 $\triangle PQR$의 넓이를 S라 하면

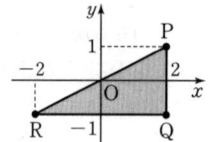

$$S = \frac{1}{2} \times 4 \times 2 = 4$$

目 ②

078 점 $A(6, 2)$를 직선 $y = x$에 대하여 대칭이동한 점 P의 좌표는
$P(2, 6)$
점 $A(6, 2)$를 원점에 대하여 대칭이동한 점 Q의 좌표는
$Q(-6, -2)$
따라서 두 점 $P(2, 6), Q(-6, -2)$를 지나는 직선의 방정식은

$$y - 6 = \frac{-2 - 6}{-6 - 2}(x - 2)$$

$\therefore y = x + 4$
따라서 $a = 1, b = 4$이므로 $ab = 4$이다.

目 ③

079 $2x - 3y + 1 = 0$을 x축에 대하여 대칭이동하면
$2x + 3y + 1 = 0$
이 직선이 점 $(-5, a)$를 지나므로
$2 \cdot (-5) + 3a + 1 = 0, 3a = 9$
$\therefore a = 3$

目 3

080 직선 $2x + y + 1 = 0$을 원점에 대하여 대칭이동하면
$2(-x) + (-y) + 1 = 0$ $\therefore 2x + y - 1 = 0$
이 직선을 다시 직선 $y = x$에 대하여 대칭이동하면
$2y + x - 1 = 0$
$\therefore x + 2y - 1 = 0$

目 ④

081 직선 $2x + y - 2 = 0$을 x축, y축,
원점에 대하여 대칭이동하면 그림
과 같다.
이때, 직선 $2x + y - 2 = 0$과 x축,
y축으로 둘러싸인 부분의 넓이를
S_1이라 하면
직선 $2x + y - 2 = 0$의 x절편은 1,
y절편은 2이므로

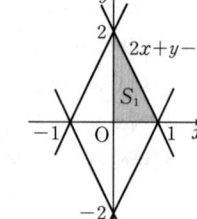

$$S_1 = \frac{1}{2} \times 1 \times 2 = 1$$

따라서 구하는 넓이 S는
$S = 4 \times S_1 = 4 \times 1 = 4$

目 ③

082 직선 $2x - 3y - 1 = 0$을 원점에 대하여 대칭이동하면
$2(-x) - 3(-y) - 1 = 0$
$\therefore 2x - 3y + 1 = 0$
이 직선을 직선 $y = x$에 대하여 대칭이동하면 $2y - 3x + 1 = 0$
이 직선이 원의 넓이를 이등분하려면 원의 중심 $(1, a)$를 지나
야 하므로
$2a - 3 + 1 = 0$
$\therefore a = 1$

目 ①

083 직선 $3x - 4y + a = 0$을 x축에 대하여 대칭이동하면
$3x - 4(-y) + a = 0$, 즉 $3x + 4y + a = 0$
이 직선이 원 $(x - 1)^2 + (y + 1)^2 = 1$에 접하므로 원의 중심
$(1, -1)$에서 직선까지의 거리는 반지름의 길이 1과 같다.

$$\frac{|3 - 4 + a|}{\sqrt{3^2 + 4^2}} = 1, |a - 1| = 5$$

$\therefore a = 6$ ($\because a > 0$)

目 6

084 점 $A(1, -2)$를 지나는 직선 l의 방정식을
$y + 2 = m(x - 1)$이라 하고, y축에 대하여 대칭이동하면
$y + 2 = m(-x - 1)$
다시 직선 $y = x$에 대하여 대칭이동시키면
$x + 2 = m(-y - 1)$
이 직선이 점 $A(1, -2)$를 지나므로
$1 + 2 = m(2 - 1)$ $\therefore m = 3$
따라서 구하는 직선 l의 방정식은
$y + 2 = 3(x - 1)$
$\therefore y = 3x - 5$

目 ④

085 원 $(x - 1)^2 + (y + 2)^2 = 1$을 원점에 대하여 대칭이동하면
$(-x - 1)^2 + (-y + 2)^2 = 1$
$\therefore (x + 1)^2 + (y - 2)^2 = 1$
이 원을 다시 직선 $y = x$에 대하여 대칭이동하면
$(x - 2)^2 + (y + 1)^2 = 1$

目 ①

086 원 $x^2 + y^2 - 4x + 6y + 12 = 0$에서
$(x^2 - 4x + 4) + (y^2 + 6y + 9) = 1$
$\therefore (x - 2)^2 + (y + 3)^2 = 1$
이 원을 원점에 대하여 대칭이동하면
$(-x - 2)^2 + (-y + 3)^2 = 1$
$\therefore (x + 2)^2 + (y - 3)^2 = 1$
다시 y축에 대하여 대칭이동하면
$(-x + 2)^2 + (y - 3)^2 = 1$
$\therefore (x - 2)^2 + (y - 3)^2 = 1$
따라서 구하는 원의 중심의 좌표는 $(2, 3)$이다.

目 ③

다른 풀이
원 $x^2 + y^2 - 4x + 6y + 12 = 0$의 중심의 좌표가 $(2, -3)$이다.
이 점을 원점에 대하여 대칭이동하면 점 $(-2, 3)$이고, 다시 이
점을 y축에 대하여 대칭이동하면 점 $(2, 3)$이 된다.

087 원 $(x - 2)^2 + (y - 4)^2 = 6$의 중심을 C라 하면 점 C의 좌표는
$C(2, 4)$
점 C를 x축에 대하여 대칭이동한 점 A의 좌표는 $A(2, -4)$
점 C를 y축에 대하여 대칭이동한 점 B의 좌표는 $B(-2, 4)$
$\therefore \overline{AB} = \sqrt{4^2 + 8^2} = 4\sqrt{5}$

目 $4\sqrt{5}$

088 원 $(x - 1)^2 + (y - 2)^2 = 4$의 중심의 좌표
는 $A(1, 2)$이고, 점 A를 x축에 대하여
대칭이동시킨 점 B의 좌표는 $B(1, -2)$
이다. 그리고 점 A를 직선 $y = x$에 대하
여 대칭이동시킨 점 C의 좌표는 $C(2, 1)$
이다.

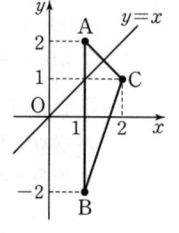

$$\therefore \triangle ABC = \frac{1}{2} \cdot 4 \cdot 1 = 2$$

답 2

089 원 $x^2+(y-1)^2=9$를 직선 $y=x$에 대하여 대칭이동하면
$y^2+(x-1)^2=9$이고, 이 원과 직선 $y=x-k$가 접하므로
원의 중심 $(1, 0)$과 직선 $x-y-k=0$ 사이의 거리가 원의 반지름의 길이 3과 같다.
$$\frac{|1-k|}{\sqrt{1+1}}=3, \ |1-k|=3\sqrt{2}$$
$$1-k=\pm 3\sqrt{2}$$
$$\therefore k=1+3\sqrt{2} \ \text{또는} \ k=1-3\sqrt{2}$$
따라서 양수 k의 값은 $1+3\sqrt{2}$이다.

답 ④

다른 풀이
원 $(x-1)^2+y^2=9$와 직선 $y=x-k$가 접하므로
$$(x-k)^2+(x-1)^2=9$$
$$2x^2-2(k+1)x+k^2-8=0$$
이 방정식의 판별식을 D라고 하면
$$\frac{D}{4}=(k+1)^2-2(k^2-8)$$
$$=-k^2+2k+17=0$$
$$\therefore k=1+3\sqrt{2} \ \text{또는} \ k=1-3\sqrt{2}$$
따라서 양수 k의 값은 $1+3\sqrt{2}$이다.

090 포물선 $y=x^2+ax+b$를 x축에 대하여 대칭이동하면
$$-y=x^2+ax+b$$
$$\therefore y=-x^2-ax-b=-\left(x^2+ax+\frac{a^2}{4}\right)+\frac{a^2}{4}-b$$
$$=-\left(x+\frac{a}{2}\right)^2+\frac{a^2}{4}-b$$
이 포물선의 꼭짓점이 $(-1, 2)$이므로
$$-\frac{a}{2}=-1 \text{에서 } a=2$$
$$\frac{a^2}{4}-b=2 \text{에서 } \frac{4}{4}-b=2 \quad \therefore b=-1$$
$$\therefore a+b=1$$

답 1

다른 풀이
꼭짓점 $(-1, 2)$를 x축에 대하여 대칭이동한 점 $(-1, -2)$는
포물선 $y=x^2+ax+b$의 꼭짓점이므로
$$y=(x+1)^2-2 \text{에서 } y=x^2+2x-1$$
$$\therefore a=2, b=-1$$
$$\therefore a+b=1$$

091 점 A$(-1, 2)$를 x축의 방향으로 α만큼, y축의 방향으로 β만큼 평행이동하면 $(-1+\alpha, 2+\beta)$가 되고, 다시 직선 $y=x$에 대하여 대칭이동하면 $(2+\beta, -1+\alpha)$가 된다.
$$2+\beta=-1, \ -1+\alpha=2$$
$$\therefore \alpha=3, \beta=-3$$
$$\therefore \alpha\beta=-9$$

답 ③

092 점 P$(a, 4)$를 x축의 방향으로 -3만큼, y축의 방향으로 -2만큼 평행이동한 점의 좌표는
$$(a-3, 2)$$
이 점을 원점에 대하여 대칭이동한 점의 좌표는
$$(-a+3, -2)$$

이 점이 점 $(5, b)$와 일치하므로
$$-a+3=5, \ -2=b$$
$$\therefore a=-2, b=-2$$
$$\therefore a^2+b^2=(-2)^2+(-2)^2=8$$

답 ③

093 직선 $y=x+3$을 x축에 대하여 대칭이동하면
$$-y=x+3 \quad \therefore y=-x-3$$
이 직선을 y축의 방향으로 k만큼 평행이동하면
$$y-k=-x-3 \quad \cdots\cdots \text{㉠}$$
직선 ㉠이 점 $(3, 4)$를 지나므로 $4-k=-3-3$
$$\therefore k=10$$

답 10

094 직선 $3x+ay+b=0$을 y축에 대하여 대칭이동하면
$$3(-x)+ay+b=0$$
이 직선이 점 $(2, 2)$를 지나므로
$$-6+2a+b=0 \quad \cdots\cdots \text{㉠}$$
직선 $3x+ay+b=0$을 직선 $y=x$에 대하여 대칭이동하면
$$3y+ax+b=0$$
이를 다시 y축의 방향으로 a만큼 평행이동하면
$$3(y-a)+ax+b=0$$
이 직선이 점 $(2, 2)$를 지나므로
$$3(2-a)+2a+b=0$$
$$-a+b+6=0 \quad \cdots\cdots \text{㉡}$$
㉠, ㉡에서 $a=4, b=-2$
$$\therefore a+b=2$$

답 2

095 원 $x^2+y^2=1$을 x축의 방향으로 3만큼, y축의 방향으로 -2만큼 평행이동하면
$$(x-3)^2+(y+2)^2=1$$
이 원을 x축에 대하여 대칭이동하면
$$(x-3)^2+(-y+2)^2=1$$
$$\therefore (x-3)^2+(y-2)^2=1$$
따라서 $a=3, b=2$이므로
$$ab=6$$

답 ③

096 곡선 $y=x^2-2$를 x축에 대하여 대칭이동하면
$$y=-x^2+2 \quad \cdots\cdots \text{㉠}$$
곡선 ㉠을 y축의 방향으로 a만큼 평행이동하면
$$y-a=-x^2+2 \quad \cdots\cdots \text{㉡}$$
곡선 ㉡이 직선 $y=2x+1$에 접하려면
$x^2+2x-1-a=0$의 판별식을 D라 할 때,
$$\frac{D}{4}=1-(-1-a)=0 \text{이어야 하므로}$$
$$a=-2$$

답 ①

097 그림과 같이 점 B의 x축에 대한 대칭점은 B$'(6, -1)$이고,
$\overline{PB}=\overline{PB'}$이므로 $\overline{AP}+\overline{BP}$가 최소가 되려면 A, P, B$'$이 일직선 위에 있는 경우이다.
즉, $\overline{AB'}$의 길이가 $\overline{AP}+\overline{BP}$의 최소가 된다.

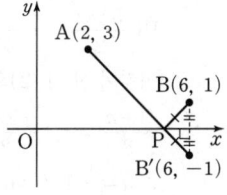

$$\therefore \sqrt{(6-2)^2+(-1-3)^2}=4\sqrt{2}$$
따라서 구하는 최솟값은 $4\sqrt{2}$ 답 ④

098 점 $A(-1, 2)$의 x축에 대한 대칭점은 $A'(-1, -2)$
$\overline{AP}=\overline{A'P}$이므로 $\overline{AP}+\overline{PB}=\overline{A'P}+\overline{PB}$
이때, $\overline{A'P}+\overline{PB}$가 최소가 되려면 세 점 A', P, B가 일직선 위에 있어야 한다.

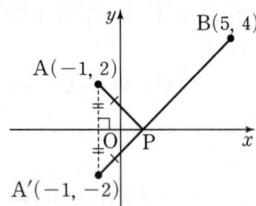

$$\therefore \overline{A'B}=\sqrt{(5+1)^2+(4+2)^2}=6\sqrt{2}$$
한편, $\overline{AB}=\sqrt{(5+1)^2+(4-2)^2}=2\sqrt{10}$이므로
삼각형 ABP의 둘레의 길이의 최솟값은
$6\sqrt{2}+2\sqrt{10}$
$\therefore a=6,\ b=2$
$\therefore a+b=8$ 답 8

099 점 $B(2, 5)$의 직선 $y=x$에 대한 대칭점을 B'이라고 하면 $B'(5, 2)$이다.

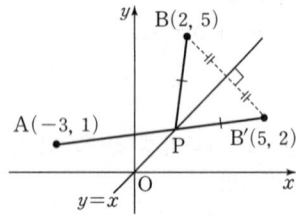

이때, $\overline{PB}=\overline{PB'}$이므로
$$\overline{AP}+\overline{BP}=\overline{AP}+\overline{PB'}$$
$$\geq \overline{AB'}$$
따라서 $\overline{AP}+\overline{BP}$의 최솟값은
$$\overline{AB'}=\sqrt{(5+3)^2+(2-1)^2}=\sqrt{65}$$ 답 $\sqrt{65}$

100 점 $A(1, 0)$을 점 $P(2, 4)$에 대하여 대칭이동한 점의 좌표가 $A'(a, b)$이므로 선분 AA'의 중점이 점 P이다.
$$\frac{1+a}{2}=2에서\ a=3$$
$$\frac{0+b}{2}=4에서\ b=8$$
$$\therefore a+b=11$$ 답 ④

101 두 원이 한 점 P에 대하여 대칭이면 두 원의 중심도 점 P에 대하여 대칭이므로 점 P는 두 원의 중심의 중점이다.
두 원의 중심이 각각 $(3, -2)$, (a, b)이므로
$$P\left(\frac{3+a}{2},\ \frac{-2+b}{2}\right)$$
이것이 점 $(1, 2)$와 같으므로
$$\frac{3+a}{2}=1,\ \frac{-2+b}{2}=2$$
$$\therefore a=-1,\ b=6$$
$$\therefore a+b=5$$ 답 5

102 두 점 (a, b), (p, q)의 중점의 좌표는
$$\left(\frac{a+p}{2},\ \frac{b+q}{2}\right)$$
이 점이 $(3, 2)$이므로
$a+p=6,\ b+q=4$
$\therefore a=6-p,\ b=4-q$ ......㉠
점 (a, b)는 직선 $y=2x+1$ 위를 움직이므로
$b=2a+1$ ......㉡
㉠을 ㉡에 대입하면
$4-q=2(6-p)+1$
$\therefore q=2p-9$
따라서 점 $P(p, q)$가 움직이는 도형의 방정식은
$y=2x-9$ 답 ⑤

103 $\overline{AA'}$의 중점 $\left(\dfrac{3+a}{2},\ \dfrac{4+b}{2}\right)$는 직선 $x-y+5=0$ 위의 점이므로
$$\frac{3+a}{2}-\frac{4+b}{2}+5=0$$
$\therefore a-b+9=0$ ......㉠
직선 AA'과 직선 $x-y+3=0$은 서로 수직이므로
$$\frac{b-4}{a-3}\cdot 1=-1$$
$\therefore a+b-7=0$ ......㉡
㉠, ㉡을 연립하여 풀면
$a=-1,\ b=8$
$\therefore ab=-8$ 답 -8

104 $x^2+y^2-14x+44=0$에서 $(x-7)^2+y^2=5$이므로
원 $(x-7)^2+y^2=5$와 원 $(x+5)^2+(y+3)^2=5$는 직선 $y=ax+b$에 대하여 대칭이다.

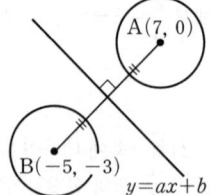

이때, 두 원의 중심을 각각 $A(7, 0)$, $B(-5, -3)$이라 하면 그림과 같이 직선
$y=ax+b$는 $\overline{AB}$를 수직이등분해야 한다.
이때, 직선 AB의 기울기는 $\dfrac{0-(-3)}{7-(-5)}=\dfrac{1}{4}$이므로
직선 AB에 수직인 직선 $y=ax+b$의 기울기는 -4이다.
$\therefore a=-4$
한편, 직선 $y=ax+b$는 두 점 A, B의 중점인
$\left(\dfrac{7-5}{2},\ \dfrac{0-3}{2}\right)$, 즉 $\left(1,\ -\dfrac{3}{2}\right)$을 지나므로
$$-\frac{3}{2}=-4+b\quad \therefore b=\frac{5}{2}$$
$$\therefore ab=-4\cdot\frac{5}{2}=-10$$ 답 ①

105 방정식 $x^2+y^2-8x-2y+16=0$을 표준형으로 변형하면
$(x^2-8x+16)+(y^2-2y+1)=1$

$\therefore (x-4)^2+(y-1)^2=1$

이 원의 중심 $(4, 1)$을 직선 $y=x+1$에 대하여 대칭이동한 점을 (a, b)라 하면 직선 $y=x+1$이 두 점 $(4, 1)$, (a, b)를 이은 선분의 중점 $\left(\dfrac{4+a}{2}, \dfrac{1+b}{2}\right)$를 지나므로

$\dfrac{1+b}{2}=\dfrac{4+a}{2}+1$

$1+b=4+a+2$

$\therefore a-b=-5$ ······㉠

또 직선 $y=x+1$이 두 점 $(4, 1)$, (a, b)를 지나는 직선과 수직이므로

$\dfrac{b-1}{a-4}\cdot 1=-1$, $b-1=-(a-4)$

$\therefore a+b=5$ ······㉡

㉠, ㉡을 연립하여 풀면

$a=0$, $b=5$

따라서 대칭이동한 원의 중심이 $(0, 5)$이고 반지름의 길이가 1인 원이므로 구하는 원의 방정식은

$x^2+(y-5)^2=1$ 🔲 $x^2+(y-5)^2=1$

106 평행이동에 의하여 점 $(3, b)$를 x축의 방향으로 a만큼, y축의 방향으로 -1만큼 평행이동한 점의 좌표가 $(-1, -2)$이므로

$3+a=-1$, $b-1=-2$

$\therefore a=-4$, $b=-1$

$\therefore a+b=-5$ 🔲 ①

107 직선 $3x+2y-1=0$을 x축의 방향으로 k만큼, y축의 방향으로 1만큼 평행이동하면

$3(x-k)+2(y-1)-1=0$

$3x+2y-3k-3=0$ ······㉠

직선 ㉠이 점 $(0, 3)$을 지나므로

$6-3k-3=0$

$\therefore k=1$ 🔲 ①

108 원 $(x-2)^2+(y+1)^2=5$를 x축의 방향으로 -3만큼, y축의 방향으로 2만큼 평행이동한 원의 방정식은

$(x+3-2)^2+(y-2+1)^2=5$

$(x+1)^2+(y-1)^2=5$, $x^2+y^2+2x-2y-3=0$

이 원이 원 $x^2+y^2+ax+by+c=0$과 일치하므로

$a=2$, $b=-2$, $c=-3$

$\therefore a+b+c=-3$ 🔲 ③

다른 풀이

중심의 좌표가 $(2, -1)$이고, 반지름의 길이가 $\sqrt{5}$인 원을 x축의 방향으로 -3만큼, y축의 방향으로 2만큼 평행이동하면 중심의 좌표가 $(2-3, -1+2)$, 즉 $(-1, 1)$이 된다.

따라서 평행이동한 원의 방정식은

$(x+1)^2+(y-1)^2=5$

$x^2+y^2+2x-2y-3=0$에서

$a+b+c=2-2-3=-3$

109 직선 $2x+y-a=0$을 x축의 방향으로 3만큼, y축의 방향으로 -1만큼 평행이동하면

$2(x-3)+(y+1)-a=0$

$2x+y-a-5=0$

이때, 원 $x^2+y^2-2x+4y+4=0$,

즉 원 $(x-1)^2+(y+2)^2=1^2$의 넓이를 이등분하는 직선은 원의 중심 $(1, -2)$를 지나야 하므로

$2\cdot 1+(-2)-a-5=0$

$-a=5$

$\therefore a=-5$

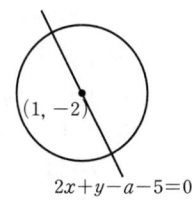

🔲 -5

110 직선 $x-2y+3=0$을 x축에 대하여 대칭이동하면

$x+2y+3=0$, 즉 $y=-\dfrac{1}{2}x-\dfrac{3}{2}$

이므로 이 직선과 평행한 직선의 기울기는 $-\dfrac{1}{2}$이다.

따라서 기울기가 $-\dfrac{1}{2}$이고, 점 $(4, -2)$를 지나는 직선의 방정식은

$y+2=-\dfrac{1}{2}(x-4)$

$y=-\dfrac{1}{2}x$

$\therefore x+2y=0$ 🔲 ②

111 원 $(x+1)^2+(y-2)^2=8$을 직선 $y=x$에 대하여 대칭이동하면

$(y+1)^2+(x-2)^2=8$

$\therefore (x-2)^2+(y+1)^2=8$

이때, 원 $(x-2)^2+(y+1)^2=8$이 직선 $y=-x+k$에 접하므로 원의 중심 $(2, -1)$에서 직선 $y=-x+k$, 즉 $x+y-k=0$까지의 거리가 원의 반지름의 길이 $2\sqrt{2}$와 같다.

$\dfrac{|2-1-k|}{\sqrt{1^2+1^2}}=2\sqrt{2}$

$|1-k|=4$

$1-k=\pm 4$

$\therefore k=-3$ 또는 $k=5$

따라서 구하는 모든 실수 k의 값의 합은 $-3+5=2$이다. 🔲 2

112 점 $(-2, 1)$을 y축에 대하여 대칭이동한 점의 좌표는 $(2, 1)$

점 $(2, 1)$을 직선 $y=x$에 대하여 대칭이동한 점의 좌표는 $(1, 2)$

점 $(1, 2)$를 x축의 방향으로 -2만큼 평행이동한 점의 좌표는 $(1-2, 2)$, 즉 $(-1, 2)$

점 $(-1, 2)$가 직선 $y=ax+1$ 위의 점이므로

$2=-a+1$

$\therefore a=-1$ 🔲 ②

113 직선 $3x-y+a+1=0$을 x축의 방향으로 2만큼, y축의 방향으로 -1만큼 평행이동하면

$3(x-2)-(y+1)+a+1=0$

이 직선을 다시 y축에 대하여 대칭이동하면

$3(-x-2)-(y+1)+a+1=0$

$\therefore 3x+y+6-a=0$

이 직선이 원 $x^2+y^2-4x+2y=0$의 넓이를 이등분하려면 원의 중심을 지나야 하므로 원의 중심의 좌표를 구하기 위해 원의

방정식을 표준형으로 변형하면
$$(x^2-4x+4)+(y^2+2y+1)=5$$
$$(x-2)^2+(y+1)^2=5$$
원의 중심의 좌표는 $(2, -1)$이므로 이 점의 x, y의 좌표를
$3x+y+6-a=0$에 대입하면
$$3 \cdot 2-1+6-a=0$$
$$\therefore a=11$$

閏 11

114 그림과 같이 점 A$(2, 5)$를 출발하
여 y축 위의 점 P를 지나 점
B$(3, 1)$에 도달하는 거리는
$\overline{AP}+\overline{BP}$
점 B$(3, 1)$을 y축에 대하여 대칭
이동한 점을 B$'$이라 하면 점 B$'$의
좌표는
B$'(-3, 1)$
이때, $\overline{BP}=\overline{B'P}$이므로
$\overline{AP}+\overline{BP}=\overline{AP}+\overline{B'P}\geq\overline{AB'}$
따라서 $\overline{AP}+\overline{BP}$의 최솟값은 $\overline{AB'}$의 길이이므로
$$\overline{AB'}=\sqrt{\{2-(-3)\}^2+(5-1)^2}=\sqrt{41}$$

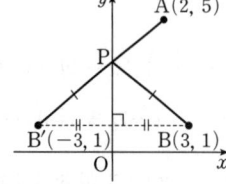

閏 $\sqrt{41}$

115 $y=x^2-2x+3=(x-1)^2+2$에서 꼭짓점의 좌표는 $(1, 2)$이
고, $y=-x^2+10x-25=-(x-5)^2$에서 꼭짓점의 좌표는
$(5, 0)$이다.
이때, 두 꼭짓점 $(1, 2)$, $(5, 0)$을 이은 선분의 중점의 좌표가
(a, b)이므로
$$\frac{1+5}{2}=a, \quad \frac{2+0}{2}=b$$
$$\therefore a=3, b=1$$
$$\therefore a+b=4$$

閏 4

참고

두 이차함수의 그래프가 어떤 점에 대하여 대칭이면 각 꼭짓점
도 같은 점에 대하여 대칭이다.

116 그림과 같이 점 A$(1, 2)$를 y축에
대하여 대칭이동한 점을 A$'$이라
하면 점 A$'$의 좌표는
A$'(-1, 2)$
점 B$(2, 1)$을 x축에 대하여 대칭
이동한 점을 B$'$이라 하면 점 B$'$의
좌표는 B$'(2, -1)$
이때, $\overline{AQ}=\overline{A'Q}$, $\overline{BP}=\overline{B'P}$이므로
$\overline{AQ}+\overline{QP}+\overline{PB}=\overline{A'Q}+\overline{QP}+\overline{PB'}\geq\overline{A'B'}$
따라서 $\overline{AQ}+\overline{QP}+\overline{PB}$의 최솟값은 $\overline{A'B'}$의 길이이므로
$$\overline{A'B'}=\sqrt{\{2-(-1)\}^2+(-1-2)^2}=\sqrt{18}=3\sqrt{2}$$

閏 $3\sqrt{2}$

117 직선 $x+2y+3=0$ 위의 점 P(x, y)를 직선 $x+y-1=0$에
대하여 대칭이동한 점을 P$'(x', y')$이라 하면 선분 PP$'$의 중점
M$\left(\dfrac{x+x'}{2}, \dfrac{y+y'}{2}\right)$은 직선 $x+y-1=0$ 위의 점이므로
$$\frac{x+x'}{2}+\frac{y+y'}{2}-1=0 \quad \cdots\cdots \ominus$$

한편, 직선 PP$'$은 직선 $y=-x+1$과 수직이므로
$$\frac{y'-y}{x'-x}=1 \quad \cdots\cdots \bigcirc$$
$\ominus$, $\bigcirc$을 연립하여 x, y를 x', y'에 대한 식으로 나타내면
$$x=-y'+1, \quad y=-x'+1$$
이것을 $x+2y+3=0$에 대입하면
$$(-y'+1)+2(-x'+1)+3=0$$
$$2x'+y'-6=0$$
$$\therefore 2x+y-6=0$$
이 직선이 점 $(1, k)$를 지나므로 $2+k-6=0$
$$\therefore k=4$$

閏 4

001 명확한 기준이 있으므로 집합이다.　　　目 ○

002 키가 크다는 명확한 기준이 없으므로 집합이 아니다.　目 ×

003 8의 약수는 {1, 2, 4, 8}이므로 집합이다.　目 ○

004 수학 성적이 뛰어나다는 명확한 기준이 없으므로 집합이 아니다.　目 ×

005 명확한 기준이 있으므로 집합이다.　　　目 ○

006 명확한 기준이 있으므로 집합이다.　　　目 ○

[007-012] 20의 약수는 1, 2, 4, 5, 10, 20이고, 4의 배수는 4, 8, 12, 16, …이다.

007 $1 \boxed{\in} A$　　　目 $\in$

008 $4 \boxed{\in} A$　　　目 $\in$

009 $6 \boxed{\notin} A$　　　目 $\notin$

010 $10 \boxed{\notin} B$　　　目 $\notin$

011 $12 \boxed{\in} B$　　　目 $\in$

012 $20 \boxed{\in} B$　　　目 $\in$

013　　　目 $A = \{2, 4, 6, 8, \cdots\}$

014　　　目 $B = \{2, 3, 5, 7, 11, 13\}$

015　　　目 $C = \{5, 7, 9, 11\}$

016　　　目 $A = \{x \mid x$는 3의 배수$\}$

017　　　目 $B = \{x \mid x$는 8의 약수$\}$

018　　　目 $C = \{x \mid x$는 4의 배수$\}$

019　　　目

020　　　目

021　　　目 $A = \{2, 4, 6, 8\}$

022　　　目 $A = \{x \mid x$는 10보다 작은 짝수$\}$

023　　　目

024　　　目 유

025　　　目 유

026　　　目 무

027 10보다 큰 짝수는 12, 14, 16, 18, …이므로 무한집합이다.　　　目 무

028 $|x| \le 2$인 정수는 $-2, -1, 0, 1, 2$이므로 유한집합이다.　　　目 유

029 1보다 작은 자연수는 없으므로 유한집합이면서 공집합이다.　　　目 공

030 $n(\varnothing) = 0$　　　目 0

031 $n(\{0\}) = 1$　　　目 1

032 $n(\{a, b\}) = 2$　　　目 2

033 10 이상 20 이하의 홀수는 11, 13, 15, 17, 19의 5개이므로 $n(\{x \mid x$는 10 이상 20 이하의 홀수$\}) = 5$　　　目 5

034　　　目 $A \subset B$

035　　　目 $B \subset A$

036 공집합은 모든 집합의 부분집합이므로 $B \subset A$　　　目 $B \subset A$

[037-038] $A \subset B$이려면 집합 A의 모든 원소가 집합 B에 포함되어야 한다.

037 $B = \{\boxed{a}, \boxed{b}, c, d\}$　　　目 a, b

038 $A=\{1, 5\}$이므로
$B=\{1, 2, 3, \boxed{5}, 7, 8, 10\}$ 　🅐 5

[039-040] $A=\{a\,|\,a$는 2의 약수$\}=\{1, 2\}$

039 원소의 개수가 1인 부분집합은 $\{1\}, \{2\}$이다. 　🅐 $\{1\}, \{2\}$

040 　🅐 $\varnothing, \{1\}, \{2\}, \{1, 2\}$

[041-042] $B=\{b\,|\,b$는 9의 약수$\}=\{1, 3, 9\}$

041 원소의 개수가 2인 부분집합은 $\{1, 3\}, \{1, 9\}, \{3, 9\}$이다.
　🅐 $\{1, 3\}, \{1, 9\}, \{3, 9\}$

042 　🅐 $\varnothing, \{1\}, \{3\}, \{9\}, \{1, 3\}, \{1, 9\}, \{3, 9\}, \{1, 3, 9\}$

043 $B=\{1, 2, 5, 10\}$이므로
$A=B$ 　🅐 $A=B$

044 $A=\{4, 8, 12, 16, \cdots\}$, $B=\{8, 16, 24, 32, \cdots\}$이므로
$A \ne B$ 　🅐 $A \ne B$

045 $B=\{1, 2, 3\}$이므로
$A=B$ 　🅐 $A=B$

046 $A=\{1, 2, 3, 6\}$, $B=\{1, 2, 3, 4, 5, 6\}$이므로
$A \ne B$ 　🅐 $A \ne B$

047 $A=\{1, 3, 5, 7, 9\}$, $B=\{2, 3, 5, 7\}$이므로
$A \ne B$ 　🅐 $A \ne B$

048 　🅐 $\varnothing, \{1\}, \{2\}, \{4\}, \{1, 2\}, \{1, 4\}, \{2, 4\}, \{1, 2, 4\}$

049 　🅐 $\{1, 2\}, \{1, 2, 4\}$

[050-053] $B=\{x\,|\,|x|\leq 1$인 정수$\}=\{-1, 0, 1\}$

050 🅐 $\varnothing, \{-1\}, \{0\}, \{1\}, \{-1, 0\}, \{-1, 1\}, \{0, 1\}, \{-1, 0, 1\}$

051 　🅐 $\{0, 1\}, \{-1, 0, 1\}$

052 　🅐 $\varnothing, \{0\}, \{1\}, \{0, 1\}$

053 　🅐 $\varnothing, \{-1\}, \{0\}, \{1\}, \{-1, 0\}, \{-1, 1\}, \{0, 1\}$

054 ①의 '키가 큰' 이나 ④의 '머리가 작은' 등은 기준이 명확하지 않으므로 집합이 아니다. 　🅐 ②, ③, ⑤

055 ㄴ, ㄹ은 기준이 명확하지 않으므로 집합이 아니다. 　🅐 ③

056 $A=\{1, 2, 3, \cdots, 7\}$이므로 $9 \notin A$ 　🅐 ④

057 $A=\{1, 2, 3, 4, 6, 12\}$이므로
$1 \boxed{\in} A, 5 \boxed{\notin} A, 12 \boxed{\in} A$ 　🅐 ②

058 $x^3-x^2-2x=0$에서 $x(x^2-x-2)=0$
$x(x+1)(x-2)=0$
$\therefore x=0$ 또는 $x=-1$ 또는 $x=2$
즉, 집합 A의 원소는 -1, 0, 2이다.
따라서 옳은 것만을 있는 대로 고른 것은 ㄱ, ㄷ이다. 　🅐 ②

059 20보다 작은 5의 배수의 집합은 ② $\{5, 10, 15\}$이다. 　🅐 ②

060 $\{x\,|\,x$는 6의 약수$\}=\{1, 2, 3, 6\}$이므로
4는 주어진 집합의 원소가 아니다. 　🅐 ④

061 ④ $\{x\,|\,x$는 2의 배수$\}=\{2, 4, 6, \cdots\}$ 　🅐 ④

062 1, 2, 3, 6, 9, 18은 18의 약수이므로
$A=\{x\,|\,x$는 18의 약수$\}$ 　🅐 ③

063 $A=\{x\,|\,x$는 9 이하의 3의 배수$\}=\{3, 6, 9\}$ 　🅐 ①, ⑤

064 $1 \in A, 2 \in A, 0 \in B, 1 \in B$이므로 X의 원소는
$1+0=1, 1+1=2, 2+0=2, 2+1=3$
$\therefore X=\{1, 2, 3\}$ 　🅐 $X=\{1, 2, 3\}$

065 ① $\{1, 3, 5, 7, 9, \cdots\}$: 무한집합
② $\varnothing$: 유한집합
③ $\{2, 4, 6, \cdots, 100\}$: 유한집합
④ $\{3, 4, 5, 6, 7, 8\}$: 유한집합
⑤ $\{10, 15, 20, 25, \cdots, 95\}$: 유한집합
따라서 유한집합이 아닌 것은 ①이다. 　🅐 ①

066 ① $\{1, 3, 5, 7, 9, \cdots\}$: 무한집합
② $\{1, 2, 3, 6, 9, 18\}$: 유한집합
③ $\{2, 4, 6, 8, 10, \cdots\}$: 무한집합
④ $\{1, 3, 5, 7, 9, 11, 13\}$: 유한집합
⑤ $\{3, 6, 9, 12, 15, 18, \cdots, 99\}$: 유한집합
따라서 무한집합인 것은 ①, ③이다. 　🅐 ①, ③

067 ① 원소가 0으로 1개 있으므로 공집합이 아니다.
③ $\{1, 2, 3, \cdots, 9\}$이므로 공집합이 아니다.
⑤ $\{11\}$이므로 공집합이 아니다.
따라서 공집합인 것은 ②, ④이다. 　🅐 ②, ④

068 A의 원소는 2, $\{3, 5\}$이므로 $n(A)=2$
B의 원소는 1, 2, 3, 4, 6, 12이므로 $n(B)=6$
$\therefore n(A)+n(B)=8$ 　🅐 ③

069 ① $n(\{0\})=1$ 　② $n(\varnothing)=0$ 　③ $n(\{3\})=1$
④ $n(\{1\})=1$ 　⑤ $n(\{\varnothing\})=1$
따라서 옳지 않은 것은 ③이다. 　🅐 ③

070 $A=\{3, 6, 9, 12\}$, $B=\{1, 2, 3, \cdots, n\}$이므로
$n(A)+n(B)=4+n=11$
$\therefore n=7$ 　🅐 7

071 집합 A의 부분집합은
$\varnothing$, $\{2\}$, $\{3\}$, $\{4\}$, $\{5\}$, $\{2, 3\}$, $\{2, 4\}$, $\{2, 5\}$, $\{3, 4\}$, $\{3, 5\}$,
$\{4, 5\}$, $\{2, 3, 4\}$, $\{2, 3, 5\}$, $\{2, 4, 5\}$, $\{3, 4, 5\}$, $\{2, 3, 4, 5\}$
이므로 ⑤ $\{2, 3, 6\}$은 집합 A의 부분집합이 아니다.　　**탑** ⑤

072 집합 A의 부분집합 중 원소의 개수가 2인 것은
$\{1, 3\}$, $\{1, 9\}$, $\{3, 9\}$이므로 모두 3개이다.　　**탑** ③

073 $A \subset B$이려면 집합 A의 원소 1, 2, 4가 집합 B에 포함되어야
한다.
따라서 B가 될 수 있는 집합은 ③ $\{1, 2, 4, 8\}$이다.　　**탑** ③

074 $A = \{1, 3, 9\}$
$B = \{x \mid x$는 18의 약수$\}$
　　$= \{1, 2, 3, 6, 9, 18\}$
이므로 두 집합 A, B의 포함 관계를
벤 다이어그램으로 나타내면 그림과
같다.

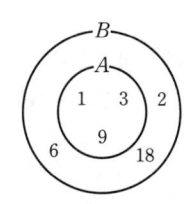

　　탑 ⑤

075 두 집합 A, B의 포함 관계를 벤 다이어
그램으로 나타내면 그림과 같다.
따라서 최소의 자연수는 9이다.

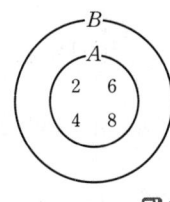

　　탑 9

076 $A = \{x \mid x$는 4의 약수$\} = \{1, 2, 4\}$,
$B = \{x \mid x$는 8의 약수$\} = \{1, 2, 4, 8\}$,
$C = \{x \mid x$는 16의 약수$\} = \{1, 2, 4, 8, 16\}$
$\therefore A \subset B \subset C$　　**탑** ①

077 ③ 공집합은 모든 집합의 부분집합이므로 $\varnothing \subset \{0\}$
④ 1, 2는 $\{2, 1\}$의 원소이므로 $\{1, 2\} \subset \{2, 1\}$
⑤ $\varnothing$은 $\{0, \varnothing\}$의 원소이므로 $\{\varnothing\} \subset \{0, \varnothing\}$
따라서 옳은 것은 ①, ②이다.　　**탑** ①, ②

078 $A = \{x \mid x$는 8의 약수$\} = \{1, 2, 4, 8\}$이므로 집합 A는 1, 2, 4,
8을 원소로 가진다.
ㄱ. $\varnothing$은 모든 집합의 부분집합이므로 $\varnothing \subset A$ (참)
ㄴ. 1은 집합 A의 원소이므로 $1 \in A$ (참)
ㄷ. 6은 집합 A의 원소가 아니므로 $\{6\} \not\subset A$ (거짓)
ㄹ. 4는 집합 A의 원소이므로 $\{4\} \subset A$ (거짓)
ㅁ. 집합 A는 A 자신의 부분집합이므로 $A \subset A$ (참)
따라서 옳은 것만을 있는 대로 고른 것은 ㄱ, ㄴ, ㅁ이다.
　　탑 ㄱ, ㄴ, ㅁ

079 ⑤ 집합 A는 $\{0\}$을 원소로 갖지 않으므로 $\{0\} \not\in A$이다.　　**탑** ⑤

080 $A = \{x \mid x$는 3 이하의 자연수$\} = \{1, 2, 3\}$
$B = \{1, 2, a, 6\}$
이므로 $A \subset B$이려면 $a = 3$이다.　　**탑** ③

081 두 집합 $A = \{1, 3, 5\}$, $B = \{1, 2, a, b\}$에서
$A \subset B$이므로
$a = 3, b = 5$ 또는 $a = 5, b = 3$
$\therefore a + b = 8$　　**탑** 8

082 두 집합 $A = \{6, a, a+1\}$, $B = \{3, 4, 6\}$에서 $A \subset B$이므로
$a = 3, a+1 = 4$이어야 한다.
$\therefore a = 3$　　**탑** 3

083 $A \subset B$이므로 $a = 3$
$B \subset C$이므로 $b = 4$
$\therefore a + b = 7$　　**탑** 7

084 $B \subset A$이므로 $2 = a - 1$ 또는 $2 = a^2 + 3$
이때, $2 = a^2 + 3$, 즉 $a^2 = -1$을 만족하는 실수 a는 존재하지 않
으므로
$2 = a - 1$　　$\therefore a = 3$　　**탑** 3

085 $A \subset B \subset C$가 되도록 각 집합을 수
직선 위에 나타내면 그림과 같다.
이때, $-2 \le a < 3$이므로
정수 a의 값은 $-2, -1, 0, 1, 2$
따라서 정수 a의 모든 값의 합은
$-2 + (-1) + 0 + 1 + 2 = 0$　　**탑** ③

086 ① $A = \{2, 3, 4\}$, $B = \{3, 4, 2\}$　　$\therefore A = B$
② $A = \{x \mid x$는 6의 약수$\} = \{1, 2, 3, 6\}$, $B = \{1, 3, 4, 6\}$
　　$\therefore A \ne B$
③ $A = \{x \mid x$는 4 이하의 자연수$\} = \{1, 2, 3, 4\}$,
　　$B = \{0, 1, 2, 3, 4\}$　　$\therefore A \ne B$
④ $A = \{x \mid x$는 2의 배수$\} = \{2, 4, 6, 8, \cdots\}$,
　　$B = \{2, 4, 6, 8, \cdots\}$　　$\therefore A = B$
⑤ $A = \{1, 3, 6, 9\}$, $B = \{x \mid x$는 9의 약수$\} = \{1, 3, 9\}$
　　$\therefore A \ne B$　　**탑** ①, ④

087 $A \subset B$이고 $B \subset A$이므로 $A = B$
$\{1, a, 5\} = \{1, 3, b\}$에서
$a = 3, b = 5$
$\therefore a + b = 8$　　**탑** 8

088 $A \subset B$이고 $B \subset A$이므로 $A = B$
이때, $A = \{x \mid x$는 8의 약수$\} = \{1, 2, 4, 8\}$이므로
$\{1, 2, 4, 8\} = \{1, a, a+2, 8\}$
따라서 $a = 2, a+2 = 4$이어야 한다.
$\therefore a = 2$　　**탑** ②

089 $B \subset A$이고 $B \ne A$이면 집합 B는 집합 A의 진부분집합이므로
집합 B는 $\varnothing$, $\{a\}$, $\{b\}$, $\{c\}$, $\{a, b\}$, $\{b, c\}$, $\{a, c\}$이다.
　　탑 $\varnothing$, $\{a\}$, $\{b\}$, $\{c\}$, $\{a, b\}$, $\{b, c\}$, $\{a, c\}$

090 ⑤ $\{1, 2, \{1, 2\}\} = A$이므로
집합 A의 진부분집합이 될 수 없다.　　**탑** ⑤

091 $A=\{x \mid x$는 5 이하의 자연수$\}=\{1, 2, 3, 4, 5\}$
이때, B가 A의 진부분집합이므로
$A \ne B$이고 $B \subset A$
따라서 a와 b가 될 수 있는 수를 순서쌍으로 나타내면
$(2, 3), (2, 5), (3, 5)$이므로 $a+b$의 최댓값은 8이다.   답 ①

092 집합 $A=\{1, 2, 4, 8\}$이므로 원소의 개수 $a=4$이고, 부분집합
의 개수 $b=2^4=16$이다.
$\therefore a+b=20$ 답 ④

093 $A=\{x \mid x$는 n 이하의 자연수$\}=\{1, 2, 3, \cdots, n\}$
이때, 집합 A의 진부분집합의 개수가 63이므로
$2^n-1=63, \ 2^n=64$
$\therefore n=6$ 답 6

094 집합 $A=\{6, 9, 12, 15, 18\}$이고 집합 A의 부분집합 X는 두
원소 12, 15를 모두 포함해야 한다.
이때, 원소의 개수가 n인 집합에서 특정한 원소 m개를 포함하
거나 포함하지 않는 부분집합의 개수는 2^{n-m}이므로
집합 X의 개수는 $2^{5-2}=8$ 답 ③

095 원소의 개수가 n인 집합에서 특정한 원소 m개를 포함하거나
포함하지 않는 부분집합의 개수는 2^{n-m}이므로 구하는 부분집
합의 개수는 $2^{4-2}=4$ 답 4

096 집합 A의 부분집합 중 원소 a, c는 반드시 포함하고, 원소 d는
포함하지 않는 부분집합은 집합 A에서 원소 a, c, d를 제외한
집합 $\{b, e\}$의 부분집합에 원소 a, c를 포함시키면 된다.
따라서 구하는 부분집합의 개수는 집합 $\{b, e\}$의 부분집합의 개
수와 같으므로 $2^2=4$ 답 ③

097 집합 A의 부분집합 중 원소 3 또는 6을 포함하는 부분집합의
개수는 집합 A의 부분집합의 개수에서 원소 3, 6을 포함하지
않는 부분집합의 개수를 뺀 것과 같다.
$\therefore 2^6-2^{6-2}=64-16=48$ 답 ④

098 집합 X의 개수는 집합 $\{1, 3, 5, 7\}$의 원소 중에서
1, 3을 포함하는 부분집합의 개수이므로
$2^{4-2}=4$ 답 ④

099 집합 X는 집합 B의 원소 a, b, e는 반드시 포함하고 집합 A의
원소 c는 포함하지 않는다.
따라서 집합 X의 개수는
$2^{6-3-1}=2^2=4$ 답 ②

100 $B \subset X \subset A$에서 집합 X는 집합 A의 부분집합 중 집합 B의
원소를 모두 포함하는 집합이다.
집합 A의 원소가 n개이므로 집합 B의 원소 3, 5를 반드시 포
함하는 부분집합의 개수는 2^{n-2}
이때, 집합 X의 개수는 32이므로
$2^{n-2}=32, \ 2^{n-2}=2^5$
따라서 $n-2=5$이므로 $n=7$ 답 7

101 '가까운', '사랑하는', '착한'은 기준이 명확하지 않으므로
집합이 아니다.
따라서 집합인 것은 ㄴ, ㄹ의 2개이다.   답 ②

102 ㄱ. $n(\{1, 2, 3\})-n(\{1, 2\})=3-2=1$ (참)
ㄴ. 집합 A의 원소는 $\varnothing$, 1, 2이므로 $n(A)=3$ (거짓)
ㄷ. $n(\{x \mid x$는 2보다 작은 짝수$\})=n(\varnothing)=0$ (거짓)
따라서 옳은 것만을 있는 대로 고른 것은 ㄱ이다.   답 ①

103 집합 X는 $\{1, 2, 3, 4\}$의 부분집합 중 원소 3, 4를 반드시 포함
하는 집합이므로 $\{3, 4\}, \{1, 3, 4\}, \{2, 3, 4\}, \{1, 2, 3, 4\}$
따라서 집합 X가 될 수 없는 것은 ②이다.   답 ②

104 $A \subset B$이려면 두 조건 $-a<-5$, $a>6$을 만족해야 하므로 자
연수 a의 최솟값은 7이다.   답 ④

105 ㄱ. $\varnothing$은 집합 A의 원소이므로 $\varnothing \in A$ (참)
ㄴ. $\varnothing$은 모든 집합의 부분집합이므로 $\varnothing \subset A$ (참)
ㄷ. 집합 A는 A 자신의 부분집합이므로 $A \subset A$ (참)
ㄹ. $\{a, b\}$는 집합 A의 원소이므로 $\{a, b\} \in A$ (참)
ㅁ. $\{a, b\}$는 집합 A의 부분집합이므로 $\{a, b\} \subset A$ (참)
따라서 옳은 것은 ㄱ, ㄴ, ㄷ, ㄹ, ㅁ의 5개이다.   답 ⑤

106 $A=B$이므로 $\{2, 4, 8\}=\{x, x+4, y\}$
$B=\{x, x+4, y\}$의 원소 x와 $x+4$는 두 수의 차가 4이므로
$x=4, \ x+4=8$에서 $x=4, \ y=2$
$\therefore x-y=2$ 답 2

107 $A \subset B$이고 $B \subset A$이므로 $A=B$
$a^2 \ne a^2-3$이므로 $a-1=a^2-3$
$a^2-a-2=0, \ (a+1)(a-2)=0$
$\therefore a=-1$ 또는 $a=2$
(i) $a=2$일 때,
$A=\{1, 3, 4\}, B=\{1, 3, 4\}$이므로 $A=B$
(ii) $a=-1$일 때,
$A=\{-2, 1, 3\}, B=\{-2, 3, 4\}$이므로 $A \ne B$
(i), (ii)에 의하여 $a=2$ 답 2

108 집합 $A=\{1, 2, \{3, 4, 5\}\}$의 원소의 개수 $a=3$이고, 부분집합
의 개수 $b=2^3=8$이다.
$\therefore b-a=5$ 답 ①

109 집합 A의 원소의 개수는 4이므로 집합 A의 부분집합 중 1은
포함하고 5는 포함하지 않는 것의 개수는 $2^{4-1-1}=4$ 답 ④

110 $B \subset X \subset A$, $X \ne A$를 만족시키는 집합 X는 집합 A의 진부
분집합 중 집합 B의 원소를 모두 포함하는 집합이다. 집합 A
의 원소가 n개이므로 A의 진부분집합의 개수는 2^n-1
여기서 집합 B의 원소 2, 4, 즉 특정한 원소 2개를 반드시 포함
하는 진부분집합의 개수는 $2^{n-2}-1$
$2^{n-2}-1=31, \ 2^{n-2}=2^5$
$n-2=5$에서 $n=7$ 답 7

111 정수 a, b에 대하여

(i) $a=0$일 때, $b=2$, 3, 4, 5로 순서쌍 (a, b)는 4개

(ii) $a=1$일 때, $b=3$, 4, 5로 순서쌍 (a, b)는 3개

(iii) $a=2$일 때, $b=4$, 5로 순서쌍 (a, b)는 2개

(iv) $a=3$일 때, $b=5$로 순서쌍 (a, b)는 1개

따라서 조건을 만족하는 순서쌍 (a, b)의 개수는

$4+3+2+1=10$ 답 10

112 A_1, A_2, A_3, $\cdots$, A_{31} 중 최소인 원소가 1, $\dfrac{1}{2}$, $\cdots$, $\dfrac{1}{2^4}$인 경우

를 나눈다.

집합 A_1, A_2, A_3, $\cdots$, A_{31} 중에서

(i) 최소인 원소가 1인 집합

1만 속하는 집합이므로 부분집합의 개수는

$2^0=1$

(ii) 최소인 원소가 $\dfrac{1}{2}$인 집합

$\dfrac{1}{2}$은 속하고 $\dfrac{1}{2^2}$, $\dfrac{1}{2^3}$, $\dfrac{1}{2^4}$은 속하지 않는 집합이므로

부분집합의 개수는

$2^1=2$

(iii) 최소인 원소가 $\dfrac{1}{2^2}$인 집합

$\dfrac{1}{2^2}$은 속하고 $\dfrac{1}{2^3}$, $\dfrac{1}{2^4}$은 속하지 않는 집합이므로

부분집합의 개수는

$2^2=4$

(iv) 최소인 원소가 $\dfrac{1}{2^3}$인 집합

$\dfrac{1}{2^3}$은 속하고 $\dfrac{1}{2^4}$은 속하지 않는 집합이므로

부분집합의 개수는

$2^3=8$

(v) 최소인 원소가 $\dfrac{1}{2^4}$인 집합

$\dfrac{1}{2^4}$이 속하는 집합이므로 부분집합의 개수는

$2^4=16$

(i)~(v)에 의하여 최소인 원소들의 합은

$1\times1+\dfrac{1}{2}\times2+\dfrac{1}{2^2}\times4+\dfrac{1}{2^3}\times8+\dfrac{1}{2^4}\times16=5$ 답 5

001 답

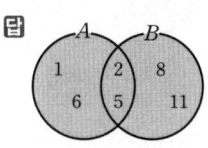

$A\cup B=\{1, 2, 5, 6, 8, 11\}$

002 답

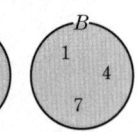

$A\cup B=\{1, 2, 4, 6, 7, 10\}$

003 답

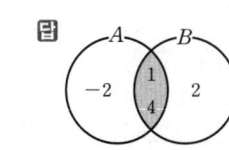

$A\cap B=\{3, 6\}$

004 답

$A\cap B=\{1, 4\}$

005 답 $\{1, 4, 5, 6, 7\}$

006 답 $\{2, 3, 4, 6, 12\}$

007 답 $\{1, 2, 3, 4, 5, 6, 7, 12\}$

008 답 $\{4, 6\}$

009 답 $\{1, 2, 3, 5, 7\}$

010 답 $\{a, b, c, d, e\}$

011 $A=\{1, 2, 3, 6\}$이므로 $A\cup B=\{1, 2, 3, 4, 6\}$

답 $\{1, 2, 3, 4, 6\}$

012 답 $\{0, 2, 4, 6\}$

013 답 $\{3\}$

014 답 $\{a, c\}$

015 $B=\{1, 3, 5, 7, 9, 11, 13, \cdots\}$이므로

$A\cap B=\{1, 3\}$ 답 $\{1, 3\}$

016 답 $\varnothing$

017 답

A: 1, 2, 4, 7 B: 4, 7, 3, 9, 5

018 답 {3, 4, 5, 7, 9}

[019-023] $A=\{1, 3, 5, 15\}$,
$B=\{1, 3, 5, 7, 9\}$, $C=\{5, 10, 15, 20\}$

019 답 {1, 3, 5}

020 답 {1, 3, 5, 7, 9, 15}

021 답 {5}

022 답 {1, 3, 5, 7, 9, 10, 15, 20}

023 답 {5}

024 $A=\{1, 2, 3\}$, $B=\{1, 2, 3, 6\}$이므로
$A \cap B=\{1, 2, 3\}$
따라서 두 집합 A, B는 서로소가 아니다. 답 ×

025 $A=\{1, 3, 5, 7, \cdots\}$, $B=\{2, 4, 6, 8, \cdots\}$이므로
$A \cap B=\varnothing$
따라서 두 집합 A, B는 서로소이다. 답 ○

026 $A \cap B=\varnothing$이므로 두 집합 A, B는 서로소이다. 답 ○

027 $A=\{1, 2, 4, 5, 10, 20\}$, $B=\{1, 2, 3, 4, 5, \cdots\}$이므로
$A \cap B=\{1, 2, 4, 5, 10, 20\}$
따라서 두 집합 A, B는 서로소가 아니다. 답 ×

[028-030] $U=\{1, 2, 3, 4, 5, 6, 7, 8, 9, 10\}$

028 답 {2, 4, 6, 8, 10}

029 답 {1, 4, 6, 8, 9, 10}

030 $C=\{5, 10\}$이므로 $C^C=\{1, 2, 3, 4, 6, 7, 8, 9\}$
답 {1, 2, 3, 4, 6, 7, 8, 9}

031 답 $A-B=\{5\}$, $B-A=\{2, 4\}$

032 $A=\{2, 4, 6, 8\}$, $B=\{2, 3, 5, 7\}$이므로
$A-B=\{4, 6, 8\}$, $B-A=\{3, 5, 7\}$
답 $A-B=\{4, 6, 8\}$, $B-A=\{3, 5, 7\}$

033 답 {4, 5, 6, 7, 8, 9}

034 답 {1, 3, 4, 5, 9}

035 답 {1, 3}

036 답 {4, 5, 9}

037 답 {1, 3, 4, 5, 6, 7, 8, 9}

038 답 {3, 5, 6, 7, 8}

039 답 {5}

040 $A^C=\{4, 6, 8\}$, $B^C=\{3, 4, 7\}$이므로
$A^C \cup B^C=\{3, 4, 6, 7, 8\}$ 답 {3, 4, 6, 7, 8}

041 $A^C=\{4, 6, 8\}$, $B^C=\{3, 4, 7\}$이므로
$A^C \cap B^C=\{4\}$ 답 {4}

042 $n(A \cup B)=n(A)+n(B)-n(A \cap B)$
$\qquad =3+6-1=8$ 답 8

043 $n(A \cup B)=n(A)+n(B)-n(A \cap B)$
$\qquad =16+7-5=18$ 답 18

044 $n(A \cup B)=n(A)+n(B)-n(A \cap B)$에서
$n(A \cap B)=n(A)+n(B)-n(A \cup B)$
$\qquad =13+10-20=3$ 답 3

045 $n(A \cap B)=n(A)+n(B)-n(A \cup B)$
$\qquad =25+14-32=7$ 답 7

046 $A \cap B=\varnothing$이면 $n(A \cup B)=n(A)+n(B)$이므로
$n(A \cup B)=6+14=20$ 답 20

047 $n(A^C)=n(U)-n(A)=10-6=4$ 답 4

048 $n(B^C)=n(U)-n(B)$에서
$n(B)=n(U)-n(B^C)$
$\qquad =24-13=11$ 답 11

049 $n(A-B)=n(A)-n(A \cap B)$
$\qquad =6-2=4$ 답 4

050 $n(B-A)=n(A \cup B)-n(A)$
$\qquad =17-8=9$ 답 9

051 $A \cup (B \cap C)=(A \cup B) \boxed{\cap} (A \cup C)$,
$A \cap (B \cup C)=(A \cap B) \boxed{\cup} (A \cap C)$ 답 $\cap$, $\cup$

052 $A \cup \varnothing=\boxed{A}$, $A \cap \varnothing=\boxed{\varnothing}$
$A \cup U=\boxed{U}$, $A \cap U=\boxed{A}$ 답 $A, \varnothing, U, A$

053
$U^c = \boxed{\varnothing}$, $\varnothing^c = \boxed{U}$
$A \cup A^c = \boxed{U}$, $A \cap A^c = \boxed{\varnothing}$ 　　　　답 $\varnothing, U, U, \varnothing$

054
$A \cup (A \cap B) = A$ 　　　　답 A

055
$A \cap (A \cup B) = A$ 　　　　답 A

056
$(A \cup B) \cap A^c = (A \cap A^c) \cup (B \cap A^c)$
$\qquad\qquad = \varnothing \cup (B \cap A^c)$
$\qquad\qquad = B \cap A^c (= B - A)$
답 $B \cap A^c (= B - A)$

[057-060] $A \subset B$인 포함 관계를 벤 다이어
그램으로 나타내면 그림과 같다.

057
$A \cap B = \boxed{A}$ 　　　　답 A

058
$A \cup B = \boxed{B}$ 　　　　답 B

059
$A - B = \boxed{\varnothing}$ 　　　　답 $\varnothing$

060
$B^c \boxed{\subset} A^c$ 　　　　답 $\subset$

061
$A = \{1, 2, 3, 4, 5\}$, $B = \{1, 2, 3, 4, 6, 12\}$
$\therefore A \cup B = \{1, 2, 3, 4, 5, 6, 12\}$ 　　　　답 ⑤

062
벤 다이어그램의 색칠한 부분은 $A \cap B$이고
$A = \{1, 2, 3, 4, 6, 12\}$, $B = \{1, 3, 5, 15\}$이므로
$A \cap B = \{1, 3\}$ 　　　　답 ②

063
벤 다이어그램에서 색칠한 부분은 $A \cup B$이고
$A = \{3, 5, 6, 7\}$, $B = \{3, 6, 9, 12, 15\}$이므로
$A \cup B = \{3, 5, 6, 7, 9, 12, 15\}$
따라서 구하는 집합의 모든 원소의 합은
$3 + 5 + 6 + 7 + 9 + 12 + 15 = 57$ 　　　　답 57

064
벤 다이어그램에서 두 집합 A, B 사이에 포함 관계는
$B \subset A$이므로
$A \cap B = B$, $A \cup B = A$, $B \subset (A \cup B)$, $(A \cap B) \subset A$
따라서 옳은 것은 ②이다. 　　　　답 ②

065
③ $A \cap \varnothing = \varnothing$ 　　　　답 ③

066
$A \subset B \subset C$이므로
ㄱ. $A \cap B = A$ (거짓) 　　ㄴ. $A \cup C = C$ (참)
ㄷ. $A \cup B = B$ (참) 　　ㄹ. $A \cap C = A$ (거짓)
따라서 옳은 것만을 있는 대로 고른 것은 ㄴ, ㄷ이다. 　　답 ③

067
$A \cap B = \{2, 4\}$에서 $4 \in A$, $2 \in B$이므로
$a = 4$, $b = 2$ 　　$\therefore a + b = 6$ 　　　　답 ③

068
$A = \{2, 2a+1, 4\}$, $B = \{3, 5, 3a+1\}$에서
$A \cup B = \{2, 3, 4, 5, 7\}$이므로
$2a+1 = 7$ 또는 $3a+1 = 7$
(i) $2a+1 = 7$일 때,
$\quad a = 3$이므로
$\quad A = \{2, 7, 4\}$, $B = \{3, 5, 10\}$
$\quad \therefore A \cup B = \{2, 3, 4, 5, 7, 10\}$
(ii) $3a+1 = 7$일 때,
$\quad a = 2$이므로
$\quad A = \{2, 5, 4\}$, $B = \{3, 5, 7\}$
$\quad \therefore A \cup B = \{2, 3, 4, 5, 7\}$
(i), (ii)에 의하여
$a = 2$ 　　　　답 2

069
두 집합 A, B를 벤 다이어그램으로 나
타내면 그림과 같다.
$\therefore B = \{1, 2, 5, 6\}$ 　　　　답 ②

070
두 집합 A, B가 서로소이면 $A \cap B = \varnothing$이다.
① $A \cap B = \{x \mid x > -2\}$
② $A \cap B = \{x \mid 1 < x < 3\}$
③ $A \cap B = \varnothing$
④ $A \cap B = \{3, 5, 7, 11, 13, 17, 19, 23, 29, \cdots\}$
⑤ $A \cap B = \{15, 30, 45, \cdots\}$
따라서 두 집합 A, B가 서로소인 것은 ③이다. 　　답 ③

071
두 집합 A, B가 서로소이면 $A \cap B = \varnothing$이다.
① $A \cap B = \{3, 5\} \cap \varnothing = \varnothing$
② $A \cap C = \{3, 5\} \cap \{-5, -3\} = \varnothing$
③ $A \cap D = \{3, 5\} \cap \{0, 1, 2\} = \varnothing$
④ $A \cap E = \{3, 5\} \cap \{1, 2, 5, 10\} = \{5\}$
⑤ $A \cap F = \{3, 5\} \cap \{2, 4, 6, \cdots\} = \varnothing$
따라서 집합 A와 서로소가 아닌 집합은 ④이다. 　　답 ④

072
$A \cap B = \varnothing$이고, $A \cup B = \{1, 2, 3, 4, 5\}$이므로
$B = \{3, 4, 5\}$
따라서 집합 B의 모든 원소의 합은
$3 + 4 + 5 = 12$ 　　　　답 12

073
$(A \cup B)^c = \{5, 7\}$ 　　　　답 ④

074
$U = \{1, 2, 3, 4, 5, 6\}$이고, $A = \{2, 3, 5\}$, $B = \{2, 4, 6\}$에서
$A^c = \{1, 4, 6\}$
$\therefore B \cap A^c = \{4, 6\}$
따라서 집합 $B \cap A^c$의 모든 원소의 합은
$4 + 6 = 10$ 　　　　답 10

075
$A = \{1, 2, 3\}$, $B = \{2, 3, 4\}$, $C = \{3, 4, 5\}$에서
$A - (B - C) = \{1, 2, 3\} - (\{2, 3, 4\} - \{3, 4, 5\})$
$\qquad\qquad = \{1, 2, 3\} - \{2\} = \{1, 3\}$ 　　　　답 ④

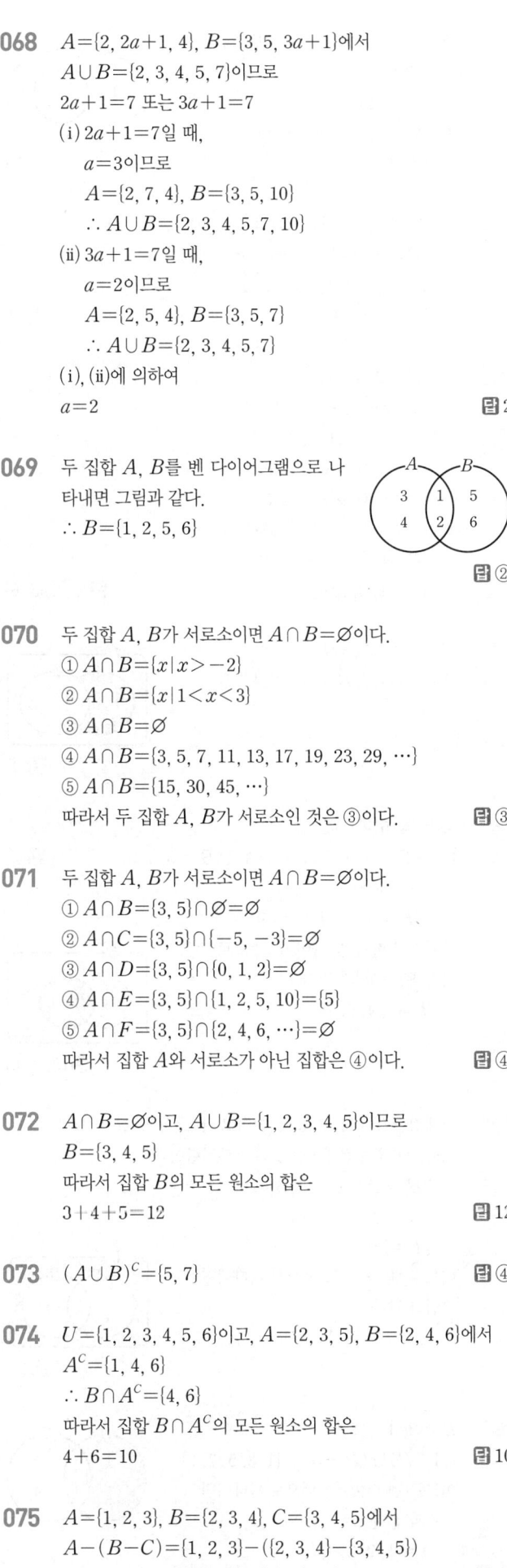

076 주어진 집합을 벤 다이어그램으로
나타내면 그림과 같다.

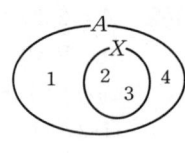

$\therefore X=\{2, 3\}$
따라서 X의 모든 원소의 합은
$2+3=5$

립 5

077 $A=\{1, 2, 3, a+1\}$, $B=\{4, 5, a\}$에서
$A-B=\{1, 2\}$이므로 $a=3$, $a+1=4$
$\therefore A=\{1, 2, 3, 4\}$, $B=\{3, 4, 5\}$
$\therefore A\cap B=\{3, 4\}$

립 ③

078 $A-B=\varnothing$에서 $A\subset B$
즉, $a\in B$이고 $a+2\in B$이다.
이때, 집합 $B=\{1, 2, 4\}$이므로
(i) $a=1$일 때, $a+2=3\notin B$
(ii) $a=2$일 때, $a+2=4\in B$
(iii) $a=4$일 때, $a+2=6\notin B$
(i), (ii), (iii)에 의하여 $A=\{2, 4\}$
$\therefore A^C=\{1, 3, 5, 6\}$

립 $\{1, 3, 5, 6\}$

079 벤 다이어그램에서
$A-B=A\cap B^C=A-(A\cap B)$

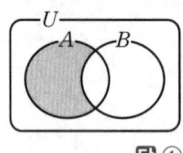

립 ①

080 $A^C=\{4, 5\}$이므로
$(A-B)^C=(A\cap B^C)^C=A^C\cup B=\{3, 4, 5\}$

립 ④

081 $A^C\cap B^C=(A\cup B)^C=\{5\}$
주어진 집합을 벤 다이어그램으로
나타내면 그림과 같다.
$\therefore B=\{3, 4, 6\}$

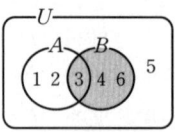

립 $\{3, 4, 6\}$

082 전체집합 $U=\{1, 2, 3, 4, 5\}$이고 $A\subset U$, $B\subset U$이므로
집합 A, B는 전체집합 U의 부분집합이다.
$A\cap B^C=A-B=\{1, 5\}$
$A^C\cap B=B-A=\{4\}$
$A\cap B=\{2\}$
이므로 벤 다이어그램으로 나타내면
그림과 같다.
$\therefore A^C\cap B^C=(A\cup B)^C=\{3\}$

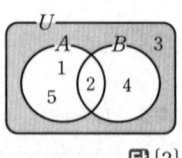

립 $\{3\}$

083 $B=\{2, 4, 7, 9\}$
$(A-B)\cup(B-A)=\{1, 3, 5, 7, 9\}$
이므로 벤 다이어그램으로 나타내면
그림과 같다.
$\therefore A=\{1, 2, 3, 4, 5\}$
따라서 집합 A의 모든 원소의 합은 15이다.

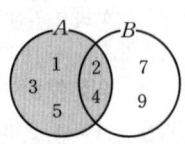

립 ②

084 $U=\{1, 2, 3, 4, 5\}$, $A=\{1, 2, 3, 4\}$, $B=\{1, 2\}$,
$C=\{1, 3, 5\}$에서
$A\blacktriangle B=(A-B)\cup(B-A)=\{3, 4\}\cup\varnothing=\{3, 4\}=D$
라 하면
$(A\blacktriangle B)\blacktriangle C=D\blacktriangle C$
$=(D-C)\cup(C-D)$
$=\{4\}\cup\{1, 5\}$
$=\{1, 4, 5\}$
따라서 집합 $(A\blacktriangle B)\blacktriangle C$의 모든 원소의 합은
$1+4+5=10$

립 10

085 ⑤ $U-A=A^C$

립 ⑤

086 전체집합 U의 부분집합 A와 집합 A의
부분집합 B를 벤 다이어그램으로 나타
내면 그림과 같다.

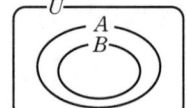

ㄱ. $(A^C)^C=A$ (거짓)
ㄴ. $A\cap B^C\neq\varnothing$ (거짓)
ㄷ. $A\cup B^C=U$ (참)
ㄹ. $A^C\cup B^C=B^C$ (참)
따라서 옳은 것만을 있는 대로 고른 것은 ㄷ, ㄹ이다.

립 ㄷ, ㄹ

087 $A\cap(A^C\cup B)=(A\cap A^C)\cup(A\cap B)$
$=A\cap B$
$\therefore A\cap B=\{3, 4\}$
따라서 구하는 모든 원소의 합은 7이다.

립 7

088 $(A\cap B^C)\cup(A\cap C^C)=A\cap(B^C\cup C^C)$
$=A\cap(B\cap C)^C$
$=A-(B\cap C)$
$=\{1, 4, 6, 7\}-\{5, 7\}$
$=\{1, 4, 6\}$
따라서 구하는 모든 원소의 합은 11이다.

립 11

089 $(A_3\cup A_8)\cap A_{36}=(A_3\cap A_{36})\cup(A_8\cap A_{36})$
$=A_{36}\cup A_{72}$
$=A_{36}$

립 ⑤

090 주어진 벤 다이어그램의 색칠한 부분은
$A\cap(B\cup C)$에서 $B\cap C$를 뺀 것과
같다.
$\therefore A\cap(B\cup C)-(B\cap C)$

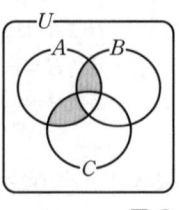

립 ①

091 $A\cap(A-B)^C$
$=A\cap(A\cap B^C)^C$
$=A\cap(A^C\cup B)$ (드 모르간의 법칙)
$=(A\cap A^C)\cup(A\cap B)$ (분배법칙)
$=\varnothing\cup(A\cap B)$
$=A\cap B$

립 ③

092 $(A\cup B)^C\cup(A^C\cap B)=(A^C\cap B^C)\cup(A^C\cap B)$
$=A^C\cap(B^C\cup B)$
$=A^C\cap U=A^C$ 　　　　　답 ②

093 $A-\{(A-B)\cup(A-B^C)\}$
$=A-[(A-B)\cup\{A\cap(B^C)^C\}]$
$=A-\{(A\cap B^C)\cup(A\cap B)\}$
$=A-\{A\cap(B^C\cup B)\}$
$=A-A=\varnothing$ 　　　　　답 ①

094 $A\cap B=A$이므로 $A\subset B$
따라서 A와 B의 포함 관계를 나타내는
벤 다이어그램은 그림과 같다.

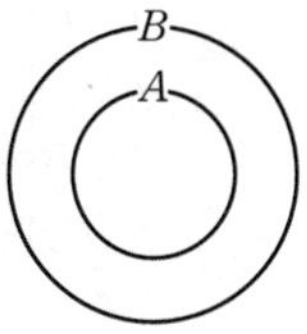

답 ②

095 $B\subset A$이므로
$A^C\cup B$를 벤 다이어그램으로
나타내면 그림과 같다.
따라서 ⑤ $A^C\cup B\neq U$이다.

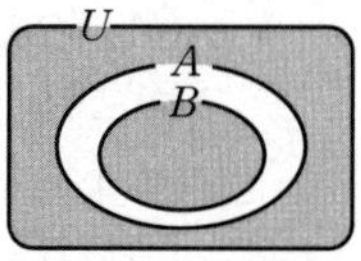

답 ⑤

096 $A\cup B=A$이므로 $B\subset A$
$\{4, b\}\subset\{1, 2, a\}$
$\therefore a=4$
따라서 $b=1$ 또는 $b=2$이므로 $a+b$의 최댓값은
$4+2=6$ 　　　　　답 6

097 $A^C\cup(A\cap B)=(A^C\cup A)\cap(A^C\cup B)$
$=U\cap(A^C\cup B)$
$=A^C\cup B=B$
따라서 $A^C\subset B$이므로 $A\cup B=U$ 　　　　　답 ⑤

098 $\{(A-B)\cup(A\cap B)\}-B$
$=\{(A\cap B^C)\cup(A\cap B)\}-B$
$=\{A\cap(B^C\cup B)\}-B$
$=(A\cap U)-B$
$=A-B=\varnothing$
따라서 $A-B=\varnothing$이므로 $A\subset B$ 　　　　　답 ①

099 $(A\cup B)\cap(A^C\cap B)^C=(A\cup B)\cap(A\cup B^C)$
$=A\cup(B\cap B^C)$
$=A\cup\varnothing=A$
$\therefore A=B$
이때, $a^2+2=3$이므로 $a=1$ 또는 $a=-1$
(ⅰ) $a=1$일 때,
$A=B=\{1, 2, 3\}$
(ⅱ) $a=-1$일 때,
$A=\{1, 2, 3\}$, $B=\{-1, 0, 3\}$이므로
$A\neq B$
(ⅰ), (ⅱ)에 의하여 $a=1$ 　　　　　답 1

100 $\{2, 3\}\cap A=\varnothing$에서 집합 A는 2, 3을 원소로 갖고 있지 않음을 알 수 있다.
따라서 집합 A는 원소 2와 3을 모두 포함하지 않는 U의 부분집합이므로 구하는 부분집합 A의 개수는 전체집합 U에서 원소 2, 3을 제외한 $\{1, 4, 5\}$의 부분집합의 개수와 같다.
$\therefore 2^3=8$ 　　　　　답 8

101 $A-B=\{1, 2\}$, $A\cup B=\{1, 2, 3, 4, 5, 6\}$이므로
집합 X의 개수는 $A\cup B$의 부분집합 중 원소 1, 2를 모두 포함하는 집합의 개수이다.
즉, 집합 $\{3, 4, 5, 6\}$의 부분집합의 개수와 같다.
따라서 구하는 집합의 개수는
$2^4=16$ 　　　　　답 16

102 $A\cap X=A$이므로 $A\subset X$
$(A\cup B)\cap X=X$이므로 $X\subset(A\cup B)$
$\therefore A\subset X\subset(A\cup B)$
즉, $\{a, b, f\}\subset X\subset\{a, b, c, d, e, f\}$이므로
집합 X는 $\{a, b, c, d, e, f\}$의 부분집합 중 원소 a, b, f를 반드시 포함하는 집합이다.
따라서 집합 X의 개수는
$2^{6-3}=2^3=8$ 　　　　　답 ③

103 $n(A\cup B)=n(A)+n(B)-n(A\cap B)$에서
$n(A\cap B)=n(A)+n(B)-n(A\cup B)$
$=13+9-16=6$ 　　　　　답 ⑤

104 $n(A\cup B)=n(A)+n(B)-n(A\cap B)$
$=15+11-0=26$ 　　　　　답 26

105 $n(A\cup B)=n(A)+n(B)-n(A\cap B)$에서
$n(B)=n(A\cup B)-n(A)+n(A\cap B)$
$=24-20+9=13$ 　　　　　답 13

106 $n(A\cup B)=n(A)+n(B)-n(A\cap B)$
$=14+16-5=25$
따라서 색칠한 부분의 원소의 개수는
$n(U)-n(A\cup B)=35-25=10$ 　　　　　답 10

107 $n(U)=40$, $n(A)=33$, $n(B)=25$이므로
(ⅰ) $n(A\cap B)$의 최댓값은
$n(A\cap B)=n(B)=25$
(ⅱ) $n(A\cap B)$의 최솟값은
$n(A\cup B)=n(U)=40$일 때이므로
$n(A\cap B)=n(A)+n(B)-n(A\cup B)$
$=33+25-40=18$
(ⅰ), (ⅱ)에서 $M=25$, $m=18$이므로
$M+m=43$ 　　　　　답 ③

108 $n(A\cup C)=n(A)+n(C)-n(A\cap C)$에서
$n(A\cap C)=n(A)+n(C)-n(A\cup C)$
$=5+3-7=1$

$n(B \cup C) = n(B) + n(C) - n(B \cap C)$에서
$n(B \cap C) = n(B) + n(C) - n(B \cup C)$
$= 4 + 3 - 5 = 2$
또 $A \cap B = \varnothing$이므로 $A \cap B \cap C = \varnothing$
$\therefore n(A \cup B \cup C)$
$= n(A) + n(B) + n(C) - n(A \cap B) - n(B \cap C)$
$\qquad - n(A \cap C) + n(A \cap B \cap C)$
$= 5 + 4 + 3 - 0 - 2 - 1 + 0$
$= 9$ 〖답〗9

109 $n(A-B) = n(A \cup B) - n(B)$
$= 21 - 10 = 11$ 〖답〗⑤

다른 풀이
$n(A) = 13$, $n(B) = 10$, $n(A \cup B) = 21$이므로
$n(A \cap B) = n(A) + n(B) - n(A \cup B)$
$= 13 + 10 - 21 = 2$
$n(A-B) = n(A) - n(A \cap B)$
$= 13 - 2 = 11$

110 $n(A \cup B) = n(A) + n(B) - n(A \cap B)$에서
$n(A \cap B) = n(A) + n(B) - n(A \cup B)$
$= 5 + 3 - 8 = 0$
$\therefore n(A^C \cup B^C) = n((A \cap B)^C)$
$= n(U) - n(A \cap B)$
$= 10 - 0 = 10$ 〖답〗10

111 $n(A-B) = n(A) - n(A \cap B) = 30 - n(A \cap B) = 15$
$\therefore n(A \cap B) = 15$
$n(A \cup B) = n(A) + n(B) - n(A \cap B)$
$= 30 + 23 - 15 = 38$
$\therefore n((A \cup B)^C) = n(U) - n(A \cup B) = 50 - 38 = 12$
따라서 색칠한 부분의 원소의 개수는
$n(A \cap B) + n((A \cup B)^C) = 15 + 12 = 27$ 〖답〗27

112 $n(A^C \cap B^C) = n((A \cup B)^C) = n(U) - n(A \cup B)$이므로
$n(A \cup B) = n(U) - n(A^C \cap B^C)$
$= 30 - 6 = 24$
또 $n(A-B) = n(A \cup B) - n(B)$이므로
$n(B) = n(A \cup B) - n(A-B)$
$= 24 - 10 = 14$ 〖답〗14

113 $n(B^C) = n(U) - n(B)$에서
$n(B) = n(U) - n(B^C) = 40 - 15 = 25$
$n(A \cup B) = n(A) + n(B) - n(A \cap B)$에서
$n(A) = n(A \cup B) - n(B) + n(A \cap B)$
$= 34 - 25 + 12 = 21$ 〖답〗①

114 $n(A^C \cap B^C) = n((A \cup B)^C)$
$= n(U) - n(A \cup B)$
$= 12$
$30 - n(A \cup B) = 12$
$\therefore n(A \cup B) = 18$

$n(B^C) = n(U) - n(B)$
$= 30 - n(B) = 18$
$\therefore n(B) = 12$
$\therefore n(A \cap B^C) = n(A \cup B) - n(B)$
$= 18 - 12 = 6$

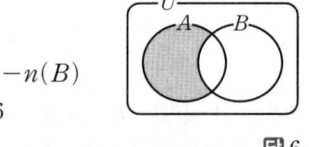
〖답〗6

115 글짓기를 희망하는 학생의 집합을 A,
포스터 그리기를 희망하는 학생의 집합을 B라 하면
글짓기와 포스터 그리기를 모두 희망하는 학생의 집합은
$A \cap B$이다.
글짓기 또는 포스터 그리기를 희망하는 학생의 집합은
$A \cup B$이다.
$\therefore n(A \cup B) = n(A) + n(B) - n(A \cap B)$
$= 27 + 10 - 4 = 33$ 〖답〗③

116 A, B 문제를 푼 학생의 집합을 각각 A, B라 하면
$n(A) = 18$, $n(B) = 23$
적어도 한 문제를 푼 학생 수는 $n(A \cup B) = 30$
따라서 두 문제를 모두 푼 학생 수는
$n(A \cap B) = n(A) + n(B) - n(A \cup B)$
$= 18 + 23 - 30 = 11$ 〖답〗③

117 야구부에 속해 있는 학생의 집합을 A, 배구부에 속해 있는 학생의 집합을 B라 하면 양쪽에 다 속해 있는 학생의 집합은 $A \cap B$, 야구부에만 속해 있는 학생의 집합은 $A \cap B^C$이다.
즉, $n(A) = 30$, $n(B) = 25$, $n(A \cap B) = 15$에서
$n(A \cap B^C) = n(A) - n(A \cap B)$
$= 30 - 15 = 15$ 〖답〗②

118 100 이하인 자연수 중 3의 배수의 집합을 A, 5의 배수의 집합을 B라 하면 $A \cap B$는 15의 배수의 집합이고
$n(A) = 33$, $n(B) = 20$, $n(A \cap B) = 6$
이때, 3의 배수 또는 5의 배수인 수의 개수는 $n(A \cup B)$이므로
$n(A \cup B) = n(A) + n(B) - n(A \cap B)$
$= 33 + 20 - 6 = 47$ 〖답〗⑤

119 학생 전체의 집합을 U, 영어를 선택한 학생의 집합을 A, 수학을 선택한 학생의 집합을 B라 하면
$n(U) = 30$, $n(A) = 20$, $n(B) = 18$, $n(A \cap B) = k$이므로
(ⅰ) $n(A \cap B)$의 최댓값은
$n(A \cap B) = n(B) = 18$
(ⅱ) $n(A \cap B)$의 최솟값은
$n(A \cup B) = n(U) = 30$일 때이므로
$n(A \cap B) = n(A) + n(B) - n(A \cup B)$
$= 20 + 18 - 30 = 8$
(ⅰ), (ⅱ)에서 k의 최댓값과 최솟값의 합은
$18 + 8 = 26$ 〖답〗26

120 $B = \{2, 3, 4, 5\}$, $C = \{1, 2, 3\}$에서
$B \cap C = \{2, 3\}$이므로
$A \cup (B \cap C) = \{1, 2, 3, 4\}$ 〖답〗④

121 $2 \in A \cap B$에서 $2 \in A$이므로 $a=2$

또 $2 \in A \cap B$에서 $2 \in B$이므로 $b=2$ 또는 $b+1=2$

(i) $b=2$일 때,

$\quad A=\{2, 3, 4\}$, $B=\{2, 3, 9\}$이므로

$\quad A \cap B=\{2, 3\}$ $\qquad \therefore c=3$

(ii) $b+1=2$, 즉 $b=1$일 때,

$\quad A=\{2, 3, 4\}$, $B=\{1, 2, 9\}$이므로

$\quad A \cap B=\{2\}$

$\quad$ 그런데 $A \cap B$의 원소가 2개이므로 옳지 않다.

(i), (ii)에 의하여 $a=2$, $b=2$, $c=3$

$\therefore a+b+c=7$ **답** 7

122 $A=\{x \mid 1 \leq x \leq a\}$, $B=\{x \mid x>6\}$에서 A와 B가 서로소이므로 $A \cap B=\varnothing$이다.

수직선에서 두 집합 A, B가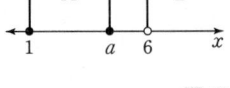
$A \cap B=\varnothing$이기 위해서는
$a \leq 6$이어야 한다.

따라서 a의 최댓값은 6이다. **답** ⑤

123 $\{3, 5\} \cap X=\{3, 5\}$이므로 $\{3, 5\} \subset X$

또 $X \cup A=A$이므로 $X \subset A$

따라서 $\{3, 5\} \subset X \subset A$이므로 집합 X는 원소 3, 5를 모두 포함하는 집합 A의 부분집합이다.

따라서 집합 X의 개수는 $2^{5-2}=2^3=8$ **답** ③

124 주어진 집합을 벤 다이어그램으로
나타내면 그림과 같다.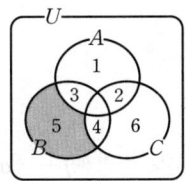
벤 다이어그램에서
$A^C \cap B=B-A=\{4, 5\}$이므로
$(A^C \cap B)-C=\{4, 5\}-\{2, 4, 6\}$
$\qquad =\{5\}$

답 ②

125 $(A-B) \cup (B-A)=\varnothing$에서

$A-B=\varnothing$이고 $B-A=\varnothing$

즉, $A \subset B$이고 $B \subset A$이므로 $A=B$

$A=\{3, 6, a\}$, $B=\{6, 9, b+2\}$이므로

$a=9$, $b+2=3$ $\qquad \therefore a=9$, $b=1$

$\therefore a+b=10$ **답** 10

126 $(A-B) \cup (A-B^C)=(A \cap B^C) \cup (A \cap B)$
$\qquad\qquad\qquad\qquad\quad =A \cap (B^C \cup B)$
$\qquad\qquad\qquad\qquad\quad =A \cap U=A$ **답** ②

127 $\{(A \cap B) \cup (A-B)\} \cap B$
$\quad =\{(A \cap B) \cup (A \cap B^C)\} \cap B$
$\quad =\{A \cap (B \cup B^C)\} \cap B$
$\quad =(A \cap U) \cap B$
$\quad =A \cap B=B$

$\therefore B \subset A$

따라서 집합 A, B의 포함 관계를 옳게 나타낸 것은 ②이다.

답 ②

128 $A \cap B^C=A-B=A$이므로

$A \cap B=\varnothing$

$\therefore n(A \cap B)=0$

$\therefore n(A \cup B)=n(A)+n(B)-n(A \cap B)$
$\qquad\qquad\quad =8+12=20$ **답** 20

129 축구와 야구 중계를 시청한 학생의 집합을 각각 A, B라 하면

$n(A)=23$, $n(B)=25$, $n(A \cup B)=33$

$\therefore n(A \cap B)=n(A)+n(B)-n(A \cup B)$
$\qquad\qquad\quad =23+25-33=15$(명) **답** 15명

130 집합 C와 집합 $A \cup B$의 교집합의 원소의 개수가 가장 클 때, $n(C-(A \cup B))$의 값이 최소이다.

$n(C-(A \cup B))$가 최소가 되도록 주어진 조건에 맞는 벤 다이어그램을 나타내면 그림과 같다.

따라서 $n(C-(A \cup B))$의 최솟값은 4이다. **답** 4

131 $(A \cup B) \cap X=X$에서

$X \subset (A \cup B)$ $\qquad \cdots\cdots$ ㉠

$(A \cap B^C) \cup X=X$에서

$(A \cap B^C) \subset X$ $\qquad \cdots\cdots$ ㉡

이때, $A \cap B^C=A-B$이므로

㉠, ㉡에서 $A-B \subset X \subset (A \cup B)$

$\therefore \{1, 2, 3\} \subset X \subset \{1, 2, 3, 4, 5\}$

즉, 집합 X는 $A \cup B$의 부분집합 중에서 원소 1, 2, 3을 반드시 포함하는 집합이므로 집합 X의 개수는

$2^{5-3}=2^2=4$

따라서 1, 2, 3은 4개의 집합에 모두 들어 있고, 4, 5는 각각 2번씩 들어 있으므로

$(1+2+3) \times 4 + (4+5) \times 2 = 24+18=42$ **답** 42

001 ㄱ, ㄷ, ㅁ. 참, 거짓을 판별할 수 있으므로 명제이다.

ㄴ. x의 값에 따라 참이 되기도 하고, 거짓이 되기도 하므로 명제가 아니다.

ㄹ, ㅂ. 기준이 명확하지 않으므로 명제가 아니다.

따라서 명제인 것은 ㄱ, ㄷ, ㅁ이다. **답** ㄱ, ㄷ, ㅁ

002 2는 8의 약수이므로 참인 명제이다. **답** 참

003 '많다.'는 기준이 명확하지 않으므로 명제가 아니다.

답 명제가 아니다.

004 $3+4=7$이므로 거짓인 명제이다. **답** 거짓

005 **답** 9는 소수가 아니다.

006 **답** $2x+6 \neq 2(3+x)$

007 **답** $2 \geq 5$

008 $x^2=4$에서 $x=-2$ 또는 $x=2$

따라서 조건 p의 진리집합 P는

$P=\{-2, 2\}$ **답** $P=\{-2, 2\}$

009 $x^2-4x+3=0$에서 $(x-1)(x-3)=0$

$\therefore x=1$ 또는 $x=3$

따라서 조건 q의 진리집합 Q는

$Q=\{1, 3\}$ **답** $Q=\{1, 3\}$

010 **답** $x<-2$ 또는 $x>3$

011 **답** a는 소수가 아니다.

012 **답** $x \neq 2$이고 $x \neq 6$

013 **답** $a \neq -5$ 또는 $b \neq -1$

014 **답** $4 \leq x \leq 9$

[015-017] 두 조건 p, q의 진리집합을 각각 P, Q라 하면

$p : x^2 \leq 1$에서 $-1 \leq x \leq 1$ $\therefore P=\{-1, 0, 1\}$

$q : x \geq 0$에서 $Q=\{0, 1, 2\}$

015 조건 $\sim p$의 진리집합은 P^C이므로

$P^C=\{-2, 2\}$ **답** $\{-2, 2\}$

016 조건 'p 또는 q'의 진리집합은 $P \cup Q$이므로

$P \cup Q=\{-1, 0, 1, 2\}$ **답** $\{-1, 0, 1, 2\}$

017 조건 'p이고 q'의 진리집합은 $P \cap Q$이므로

$P \cap Q=\{0, 1\}$ **답** $\{0, 1\}$

018 조건 'p 또는 q'의 진리집합은 $P \cup Q$이므로 벤 다이어그램으로 나타내면 그림과 같다.

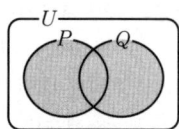

답 풀이 참조

019 조건 'p이고 $\sim q$'의 진리집합은 $P \cap Q^C$이므로 벤 다이어그램으로 나타내면 그림과 같다.

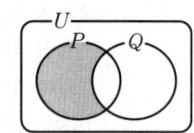

답 풀이 참조

020 조건 '$\sim p$이고 q'의 진리집합은 $P^C \cap Q$이므로 벤 다이어그램으로 나타내면 그림과 같다.

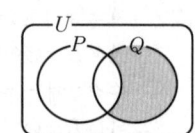

답 풀이 참조

021 조건 '$\sim p$이고 $\sim q$'의 진리집합은 $P^C \cap Q^C$이므로 벤 다이어그램으로 나타내면 그림과 같다.

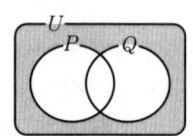

답 풀이 참조

022 **답** 가정 : $x=3$, 결론 : $2x-6=0$

023 **답** 가정 : a가 6의 배수이다.

결론 : a는 3의 배수이다.

024 명제 $p \longrightarrow q$가 참이므로 $P \subset Q$

이때, 세 집합 U, P, Q를 벤 다이어그램으로 나타내면 그림과 같다.

따라서 $P \cap Q=P$, $P \cup Q=Q$,

$P-Q=\varnothing$, $P^C \cup Q=U$이므로

옳은 것은 ㄱ, ㄴ, ㅁ, ㅂ, ㅇ이다.

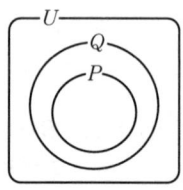

답 ㄱ, ㄴ, ㅁ, ㅂ, ㅇ

025 $P \not\subset R$이므로 명제 $p \longrightarrow r$는 거짓이다. **답** ×

026 $Q \subset P^C$이므로 명제 $q \longrightarrow \sim p$는 참이다. **답** ○

027 $R \not\subset Q$이므로 명제 $r \longrightarrow q$는 거짓이다. **답** ×

028 $R^C \subset Q^C$이므로 명제 $\sim r \longrightarrow \sim q$는 참이다. **답** ○

029 **답** 거짓

030 **답** 거짓

031 **답** 참

032 **답** 거짓

033 답 어떤 실수 x에 대하여 $x+5>7$이다.

034 답 모든 실수 x에 대하여 $x^2-9\leq0$이다.

035 답 모든 자연수 n에 대하여 n^2은 홀수이다.

036 답 $x^2=9$이면 $x=3$이다.

037 답 n이 4의 약수이면 n은 8의 약수이다.

038 답 $ac\neq bc$이면 $a\neq b$이다.

039 답 $x\leq0$ 또는 $y\leq0$이면 $xy\leq0$이다.

040 답 n이 4의 배수가 아니면 n은 홀수이다.

041 명제 $p\longrightarrow q$가 참이므로 반드시 참인 명제는 그 대우인
$\sim q\longrightarrow\sim p$이다. 답 ㄱ

042 명제 $\sim p\longrightarrow q$가 참이므로 반드시 참인 명제는 그 대우인
$\sim q\longrightarrow p$이다. 답 ㄷ

043 명제 $q\longrightarrow p$가 참이므로 반드시 참인 명제는 그 대우인
$\sim p\longrightarrow\sim q$이다. 답 ㄴ

044 $p:x>0$이고 $y>0$, $q:xy>0$에서 $p\Longrightarrow q$이고,
$x<0$이고 $y<0$일 때도 $xy>0$이므로 $q\not\Longrightarrow p$이다.
따라서 p는 q이기 위한 충분조건이다. 답 충분조건

045 $p:(x+5)(x-2)=0$, $q:x-2=0$에서 $q\Longrightarrow p$이고,
$x=-5$일 때, $p\not\Longrightarrow q$이므로
p는 q이기 위한 필요조건이다. 답 필요조건

046 $p:x^2=16$, $q:x=4$에서 $q\Longrightarrow p$이고,
$x=-4$일 때, $p\not\Longrightarrow q$이므로
p는 q이기 위한 필요조건이다. 답 필요조건

047 $p:\square$ABCD는 마름모, $q:\square$ABCD는 사다리꼴에서
$p\Longrightarrow q$이고,
사다리꼴이지만 마름모가 아닌 직사각형 ABCD가 존재하므
로 $q\not\Longrightarrow p$이다.
따라서 p는 q이기 위한 충분조건이다. 답 충분조건

048 $p:\overline{\text{AB}}/\!/\overline{\text{DC}}$이고 $\overline{\text{AB}}=\overline{\text{DC}}$인 사각형,
$q:\square$ABCD는 평행사변형
에서 p는 평행사변형이 되는 조건이므로 $p\Longleftrightarrow q$이다.
따라서 p는 q이기 위한 필요충분조건이다. 답 필요충분조건

049 $p:|x-3|=1$에서 $x=2$ 또는 $x=4$이고,
$q:x^2-6x+8=0$에서 $(x-2)(x-4)=0$
$\therefore x=2$ 또는 $x=4$
따라서 p는 q이기 위한 필요충분조건이다. 답 필요충분조건

050 p는 q이기 위한 충분조건이므로 $p\Longrightarrow q$
$\therefore P\subset Q$ 답 ㄱ

051 p는 q이기 위한 필요조건이므로 $q\Longrightarrow p$
$\therefore Q\subset P$ 답 ㄷ

052 q는 p이기 위한 필요충분조건이므로 $p\Longleftrightarrow q$
$\therefore P=Q$ 답 ㄴ

053 p는 $\sim q$이기 위한 충분조건이므로 $p\Longrightarrow\sim q$
$\therefore P\subset Q^C$ 답 ㄹ

054 ①, ②, ⑤는 기준이 명확하지 않으므로 명제가 아니다.
③은 x의 값에 따라 참이 되기도 하고 거짓이 되기도 하므로 명
제가 아니다.
④는 거짓인 명제이다. 답 ④

055 ①, ②는 참인 명제이고, ③, ⑤는 거짓인 명제이다.
④는 x의 값에 따라 참이 되기도 하고 거짓이 되기도 하므로 명
제가 아니다. 답 ④

056 ㄱ. 항상 참인 명제이다.
ㄴ. x의 값에 따라 참이 되기도 하고, 거짓이 되기도 하므로 명
제가 아니다.
ㄷ. $x^2=4$이면 $x=-2$ 또는 $x=2$이므로 거짓인 명제이다.
ㄹ. $x^2\geq0$이므로 $x^2+4=0$인 실수 x가 존재하지 않는다.
따라서 거짓인 명제이다.
그러므로 명제인 것은 ㄱ, ㄷ, ㄹ이다. 답 ⑤

057 명제의 부정이 참이므로 p, q, r, s, t 중 거짓인 명제를 찾으면
된다.
즉, p, q, s, t는 참인 명제이고, r는 거짓인 명제이므로 부정이
참인 명제는 r이다. 답 ③

058 조건 '$x\leq-4$ 또는 $x>2$'의 부정은
'$x>-4$이고 $x\leq2$'
$\therefore -4<x\leq2$ 답 ②

059 '$\sim p$ 또는 q'의 부정은 'p이고 $\sim q$'이므로
'$(-1<x\leq2)$이고 $(x\leq0$ 또는 $x>1)$'

$\therefore -1<x\leq0$ 또는 $1<x\leq2$ 답 ②

060 $x^2-x+3=3x$에서 $x^2-4x+3=0$
$(x-1)(x-3)=0$
$\therefore x=1$ 또는 $x=3$
따라서 조건 p를 만족하는 집합은
$\{1,3\}$ 답 ③

061 $|x|<3$에서 $-3<x<3$이므로 전체집합의 원소 중 조건
'$|x|<3$'을 만족하는 원소는 1, 2이다.
따라서 구하는 진리집합은 $\{1,2\}$이다. 답 ①

062 $\sim p : x \geq 4$이고 $x < 7$, 즉 $\sim p : 4 \leq x < 7$
이므로 $\sim p$의 진리집합은 $\{4, 5, 6\}$
따라서 $\sim p$의 진리집합의 모든 원소의 합은 15이다. **답** 15

다른 풀이
조건 p의 진리집합을 P라 하면
$P = \{1, 2, 3, 7, 8, 9, 10\}$
이므로 $\sim p$의 진리집합은 $P^C = \{4, 5, 6\}$
따라서 $\sim p$의 진리집합의 모든 원소의 합은 15이다.

063 주어진 조건에서 $U = \{1, 2, 3, 4, 5, 6\}$,
$P = \{2, 3, 4\}$, $Q = \{4, 5\}$
이므로 벤 다이어그램으로 나타내면 그림과 같다.
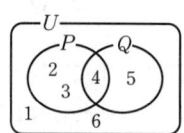
따라서 'p이고 q'의 진리집합은 $P \cap Q$
이므로
$P \cap Q = \{4\}$ **답** $\{4\}$

064 조건 p의 진리집합을 P, 조건 q의 진리집합을 Q라 하면
$P = \{2, 4, 6, 8, 10\}$, $Q = \{3, 6, 9\}$
따라서 '$\sim p$이고 q'를 만족하는 집합은
$P^C \cap Q = Q - P = \{3, 9\}$ **답** ②

065 $-2 < x \leq 5$에서 $x > -2$이고 $x \leq 5$ ······ ㉠
$p : x + 2 > 0$에서 $x > -2$이므로
$P = \{x \mid x > -2\}$
$q : x - 5 > 0$에서 $\sim q : x \leq 5$이므로
$Q^C = \{x \mid x \leq 5\}$
따라서 ㉠의 진리집합은
$P \cap Q^C$ **답** ②

066 주어진 명제가 거짓임을 보이는 반례는 3의 배수이면서 4의 배수가 아닌 것이므로 15이다. **답** ③

067 명제 $p \longrightarrow q$가 거짓인 경우는 p이지만 q가 아닌 것이 존재할 때이다.
따라서 구하는 반례의 집합은 $P \cap Q^C = P - Q$이다. **답** ③

068 두 조건 p, q의 진리집합을 각각 P, Q라 하고 수직선 위에 나타내면 그림과 같다.
이때, 반례가 될 수 있는 x가 속하는 집합은 $P \cap Q^C = P - Q$이므로 $\{x \mid -2 < x \leq 0\}$ **답** ②

069 ① [반례] 2는 소수이나 짝수이므로 거짓인 명제이다.
② 12의 약수는 1, 2, 3, 4, 6, 12이고,
6의 약수는 1, 2, 3, 6이다.
따라서 4, 12는 12의 약수이지만 6의 약수는 아니므로 거짓인 명제이다.
③ 크기가 다른 원은 합동이 아니므로 거짓인 명제이다.
④ [반례] $a = 3$, $b = 4$, $c = 0$일 때 $3 \cdot 0 = 4 \cdot 0$이지만 $3 \neq 4$이므로 거짓인 명제이다.
⑤ 2는 4와 6의 공약수이므로 참인 명제이다. **답** ⑤

070 ① 사각형의 포함 관계를 벤 다이어그램으로 나타내면 그림과 같다.
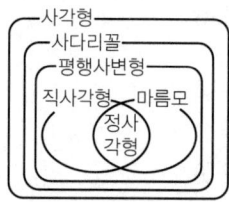
따라서 마름모는 평행사변형이다. (참)
② $x^2 = x$, $x(x-1) = 0$
$\therefore x = 0$ 또는 $x = 1$
따라서 $x^2 = x$이면 $x = 0$ 또는 $x = 1$이다. (거짓)
③ 4의 배수는 4, 8, 12, 16, …이고, 2의 배수는 2, 4, 6, 8, … 이므로 x가 4의 배수이면 x는 2의 배수이다. (참)
④ [반례] $x = 1$, $y = -1$이면 $x + y = 0$이지만 $x \neq 0$, $y \neq 0$이다. (거짓)
⑤ $x = y$의 양변에 z를 곱하면 $xz = yz$이므로 $x = y$이면 $xz = yz$이다. (참) **답** ②, ④

071 ① [반례] $a = -\sqrt{2}$, $b = 1$이면 $a + b\sqrt{2} = 0$이지만 $a \neq b$이다. (거짓)
② $x = 1$이면 $x^2 = 1^2 = 1$이다. (참)
③ [반례] $a = 3$, $b = -2$이면 $a + b > 0$이지만 $a > 0$이고 $b < 0$이다. (거짓)
④ [반례] $x = 1$, $y = -1$이면 $x + y = 0$이지만 $x^2 + y^2 \neq 0$이다. (거짓)
⑤ [반례] $x = -1$, $y = -1$이면 $xy > 0$이지만 $x < 0$이고 $y < 0$이다. (거짓) **답** ②

072 $U = \{1, 2, 3, 4, 5, 6, 7, 8, 9\}$에서 두 조건 p, q의 진리집합을 각각 P, Q라 하면
$P = \{1, 2, 5\}$, $Q = \{3, 6, 9\}$이므로
$P^C \supset Q$
따라서 $q \longrightarrow \sim p$가 참이다. **답** ④

073 두 조건 p, q의 진리집합을 각각 P, Q라 하면
$P = \{x \mid 2 \leq x \leq 5\}$, $Q = \{x \mid a-3 < x < a+3\}$
이때, 명제 $p \longrightarrow q$가 참이 되려면
$P \subset Q$이어야 한다.
즉, $a - 3 < 2$, $a + 3 > 5$이므로
$2 < a < 5$ **답** ③

074 두 조건 p, q의 진리집합을 각각 P, Q라 하면
$P^C = \{x \mid 1 \leq x < 2\}$, $Q = \{x \mid a < x \leq 4a\}$
이때, $\sim p \longrightarrow q$가 참이기 위해서는 $P^C \subset Q$이어야 하므로
그림에서 $a < 1$, $4a \geq 2$
$\therefore \dfrac{1}{2} \leq a < 1$
따라서 $m = \dfrac{1}{2}$, $n = 1$이므로
$2m + n = 2$ **답** 2

075 명제 $p \longrightarrow q$가 참이므로 $P \subset Q$이다.
따라서 항상 옳은 것은 ③ $P \cup Q = Q$이다. **답** ③

076 명제 $p \longrightarrow \sim q$가 참이므로 $P \subset Q^C$이다.
따라서 항상 옳은 것은 ② $Q \subset P^C$이다. **답** ②

077 $P \cap Q = P$이므로 $P \subset Q$이다.
따라서 명제 $p \longrightarrow q$가 참이다. **답** ①

078 $P^C \cup Q^C = U$에서 $P \cap Q = \varnothing$이므로 $P \subset Q^C$이다.
따라서 $p \longrightarrow \sim q$가 항상 참이다. **답** ④

079 ① $Q \not\subset R$이므로 $q \longrightarrow r$ (거짓)
② $P \subset R^C$이므로 $p \longrightarrow \sim r$ (참)
③ $(P \cap Q) \not\subset R$이므로 (p이고 q) $\longrightarrow r$ (거짓)
④ $(P \cup R) \not\subset Q$이므로 (p 또는 r) $\longrightarrow q$ (거짓)
⑤ $Q^C \not\subset P$이므로 $\sim q \longrightarrow p$ (거짓)
따라서 참인 명제는 ②이다. **답** ②

080 $P \cup Q = P$, $Q \cap R = R$에서 $Q \subset P$, $R \subset Q$이므로
$R \subset Q \subset P$, 즉 $R^C \supset Q^C \supset P^C$
따라서 $R^C \not\subset P^C$이므로 $\sim r \longrightarrow \sim p$는 거짓이다. **답** ⑤

081 '모든'의 부정은 '어떤'이고, '쓰고 있다.'의 부정은
'쓰고 있지 않다.'이므로 주어진 명제의 부정은
'어떤 학생은 안경을 쓰고 있지 않다.' **답** ⑤

082 '어떤'의 부정은 '모든'이고, '$2 \le x < 3$'의 부정은
'$x < 2$ 또는 $x \ge 3$'이므로 주어진 명제의 부정은
'모든 x에 대하여 $x < 2$ 또는 $x \ge 3$이다.' **답** ②

083 주어진 명제가 거짓이므로 그 부정은 참이다.
따라서 '어떤 x에 대하여 $\sim p$이다.'는 참이다. **답** ②

084 ① $x = 1, 2, 3, 4, 5$일 때, $x + 3 < 9$이므로
전체집합 $U = \{1, 2, 3, 4, 5\}$의 모든 x에 대하여
$x + 3 < 9$이다. (참)
② $x = 3$일 때, $x^2 = 9$이므로 전체집합 $U = \{1, 2, 3, 4, 5\}$의 어떤 x에 대하여 $x^2 = 9$이다. (참)
③ $x = 3, 4, 5$일 때, $x^2 - 4 > 0$이므로 전체집합
$U = \{1, 2, 3, 4, 5\}$의 어떤 x에 대하여 $x^2 - 4 > 0$이다. (참)
④ $x^2 + y^2$의 최댓값은 $x = 5, y = 5$일 때로서 $x^2 + y^2 = 50 < 52$이므로 전체집합 U의 모든 x, y에 대하여 $x^2 + y^2 < 52$이다. (참)
⑤ $x^2 + y^2$의 최솟값은 $x = 1, y = 1$일 때로서 $x^2 + y^2 = 2$이므로 $x^2 + y^2 < 2$인 x, y는 전체집합 U에 존재하지 않는다. (거짓)
답 ⑤

085 ① $x = 1$이면 모든 y에 대하여 $x^2 + y^2 > 0$ (참)
② [반례] $x = y = 0$이면 $x^2 + y^2 = 0$ (거짓)
③ $x = 0$이면 모든 y에 대하여 $x^2 < y^2 + 1$ (참)
④ [반례] $x = 0$이면 어떤 y에 대해서도 $x^2 < y^2 + 1$ (거짓)
⑤ 모든 x에 대하여 $x^2 \le y^2 + 1$을 만족시키는 특정한 값 y가 존재하지 않는다. (거짓)
따라서 참인 명제는 ①, ③이다. **답** ①, ③

086 두 조건을 $p : x < \sqrt{2}$, $q : x^2 < 2$라 하면
명제 $p \longrightarrow q$의 역은 $q \longrightarrow p$이므로
$x^2 \boxed{<} 2$이면 $x < \sqrt{2}$이다.

또 명제 $p \longrightarrow q$의 대우는 $\sim q \longrightarrow \sim p$이므로
$x^2 \boxed{\ge} 2$이면 $x \ge \sqrt{2}$이다. **답** ④

087 주어진 명제의 역은
① $3x < 9$이면 $x \le 3$이다.
$p : 3x < 9$, $x < 3 \Rightarrow P = \{x | x < 3\}$
$q : x \le 3 \Rightarrow Q = \{x | x \le 3\}$
$\therefore P \subset Q$ (참)
② 세 변의 길이가 a, b, c인 삼각형에서 직각삼각형이면
$a^2 + b^2 = c^2$이다.
$p :$ 직각삼각형
$\Rightarrow P = \{a^2 + b^2 = c^2, b^2 + c^2 = a^2, c^2 + a^2 = b^2\}$
$q : a^2 + b^2 = c^2 \Rightarrow Q = \{a^2 + b^2 = c^2\}$
$\therefore P \supset Q$ (거짓)
③ 두 삼각형의 넓이가 같으면 합동이다.
[반례] 밑변의 길이가 5, 높이가 4인 삼각형과 밑변의 길이가 10, 높이가 2인 삼각형의 넓이는 10으로 같지만 합동은 아니다. (거짓)
④ $x < 4$이면 $x + 2 = 5$이다.
$p : x < 4 \Rightarrow P = \{x | x < 4\}$, $q : x + 2 = 5 \Rightarrow Q = \{3\}$
$\therefore P \supset Q$ (거짓)
⑤ $x^2 > 0$이면 $x > 0$이다.
[반례] $x = -2$일 때, $x^2 > 0$이지만 $x < 0$이다. (거짓)
따라서 명제의 역이 참인 것은 ①이다. **답** ①

088 '모두'의 부정은 '적어도 하나가'이므로 주어진 명제의 대우를 구하면 '네 개의 면 중 적어도 하나가 정삼각형이 아니면 정사면체가 아니다.'
즉, '네 개의 면 중 정삼각형이 아닌 면이 있으면 정사면체가 아니다.' **답** ⑤

089 명제 $\sim p \longrightarrow q$가 참이면 그 대우도 참이다.
따라서 반드시 참인 명제는 $\sim q \longrightarrow p$이다. **답** ⑤

090 명제와 그 대우의 참, 거짓은 일치하므로 주어진 명제가 거짓인 것을 찾아보면
① $x > 2$이면 $x \ge 4$이다. (참)
② $p : x$는 8의 약수 $\Rightarrow P = \{1, 2, 4, 8\}$
$q : x$는 16의 약수 $\Rightarrow Q = \{1, 2, 4, 8, 16\}$
$\therefore P \subset Q$ (참)
③ [반례] $a = -1$, $b = -2$이면 $a > b$이지만 $a^2 < b^2$이다. (거짓)
④ $x = 3$이면 $x^2 = 9$이다. (참)
⑤ 12와 18의 최대공약수는 6이므로 짝수이다. (참)
따라서 주어진 명제의 대우가 거짓인 것은 ③이다. **답** ③

091 명제가 참이면 그 대우도 참이므로 주어진 명제의 대우 '실수 x에 대하여 $x = 1$이면 $x^2 + ax - 2 = 0$이다.'가 참이다.
따라서 $x = 1$을 $x^2 + ax - 2 = 0$에 대입하면
$1 + a - 2 = 0$ $\therefore a = 1$ **답** 1

092 명제 $p \longrightarrow \sim q$와 $\sim q \longrightarrow r$가 참이므로 삼단논법에 의해
$p \longrightarrow r$가 항상 참이다. **답** ②

093 명제 $\sim q \longrightarrow \sim p$와 $q \longrightarrow \sim r$가 참이므로
각각의 대우 $p \longrightarrow q$와 $r \longrightarrow \sim q$도 참이다.
또한, $p \longrightarrow q$와 $q \longrightarrow \sim r$가 참이므로 삼단논법에 의해
$p \longrightarrow \sim r$와 그 대우 $r \longrightarrow \sim p$도 참이다.
따라서 반드시 참이라고 할 수 없는 것은 ④이다.　　　답 ④

094 $P \cap Q = P$에서 $P \subset Q$이므로 $p \longrightarrow q$가 참이다.
$Q \cap R = \varnothing$에서 $Q \subset R^C$, $R \subset Q^C$이므로
$q \longrightarrow \sim r$와 $r \longrightarrow \sim q$가 참이다.
삼단논법에 의해 $p \longrightarrow \sim r$가 참이므로 그 대우 $r \longrightarrow \sim p$도
참이다.
따라서 반드시 참이라고 할 수 없는 것은 ②이다.　　　답 ②

095 $p \longrightarrow q$가 참이므로 $P \subset Q$　　……㉠
$r \longrightarrow \sim q$가 참이므로 그 대우 $q \longrightarrow \sim r$도 참이다.
∴ $R \subset Q^C$, $Q \subset R^C$　　……㉡
㉠, ㉡의 관계를 벤 다이어그램으로
나타내면 그림과 같다.

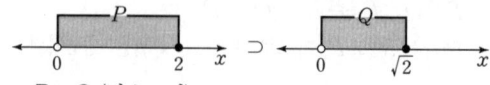

ㄱ. $P - Q = \varnothing$ (참)
ㄴ. $P \subset R^C$이므로
　$P \cap R^C = P$ (참)
ㄷ. $P \cap R = \varnothing$이므로
　$(P \cap R)^C = \varnothing^C = U$ (거짓)
따라서 옳은 것은 ㄱ, ㄴ이다.　　　답 ㄱ, ㄴ

096 명제 $A \longrightarrow B$, $\sim A \longrightarrow C$, $\sim D \longrightarrow \sim C$가 모두 참이므로
각각의 대우인 $\sim B \longrightarrow \sim A$, $\sim C \longrightarrow A$, $C \longrightarrow D$도 모두
참이다.
이때, 삼단논법에 의해 $\sim D \longrightarrow A$가 참이므로 $\sim D \longrightarrow B$도
참이고 그 대우인 $\sim B \longrightarrow D$도 참이다.
따라서 'B가 아니면 D이다.' 가 옳다.　　　답 ①

097 주어진 규칙에서 조건 p, q, r를 각각
'p : A가 독서실에 간다.', 'q : B가 독서실에 간다.',
'r : C가 독서실에 간다.' 라 하면
㈎에서 $p \longrightarrow q$가 참이므로 그 대우인 $\sim q \longrightarrow \sim p$도 참이다.
㈏에서 $\sim p \longrightarrow r$가 참이므로 그 대우인 $\sim r \longrightarrow p$도 참이고,
삼단논법에 의해 $\sim q \longrightarrow r$가 참이므로 그 대우인 $\sim r \longrightarrow q$도
참이다.
따라서 옳은 추론은 ③이다.　　　답 ③

098 ① $p : x \geq 1$이고 $y \geq 1 \xrightarrow[\times]{\circ} q : xy \geq 1$ (충분조건)
　　[반례] $x = 3$, $y = \dfrac{1}{3}$이면 $xy \geq 1$이지만
　　$x \geq 1$이고 $y < 1$이다.
② $p : x^2 = xy \xrightarrow[\circ]{\times} q : x = y$ (필요조건)
　　[반례] $x = 0$, $y = 1$이면 $x^2 = xy$이지만 $x \neq y$이다.
③ $p : x, y$는 유리수 $\xrightarrow[\times]{\circ} q : xy$는 유리수 (충분조건)
　　[반례] $x = \sqrt{2}$, $y = -\sqrt{2}$이면 xy는 유리수이지만
　　x, y는 무리수이다.
④ $p : x^2 + y^2 = 0 \xrightarrow[\circ]{\circ} q : x = 0, y = 0$ (필요충분조건)

⑤ $p : x = y \xrightarrow[\times]{\circ} q : x^2 = y^2$ (충분조건)
　　[반례] $x = 1$, $y = -1$이면 $x^2 = y^2$이지만 $x \neq y$이다.
따라서 조건 p는 조건 q이기 위한 필요조건이지만 충분조건은
아닌 것은 ②이다.　　　답 ②

099 ㄱ. $p : x > 0$ 또는 $y > 0 \xrightarrow[\circ]{\times} q : x + y > 0$ (필요조건)
　　[반례] $x = 3$이고 $y = -4$이면 $x + y = -1 < 0$이다.
ㄴ. $p : \angle A = 90^\circ \xrightarrow[\times]{\circ} q : \triangle ABC$는 직각삼각형
　　　　　　　　　　　　　　　　　　　　　(충분조건)
　　[반례] $\angle B = 90^\circ$이면 $\triangle ABC$는 직각삼각형이지만
　　$\angle A = 90^\circ$가 아니다.
ㄷ. 주어진 조건 p, q의 진리집합을 각각 P, Q라고 하면
　　$P = \{x | 0 < x \leq 2\}$　　　　$Q = \{x | 0 < x \leq \sqrt{2}\}$

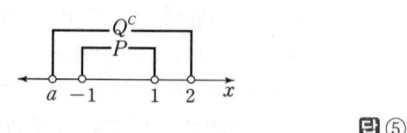

　　∴ $P \supset Q$ (필요조건)
따라서 조건 p는 조건 q이기 위한 충분조건이지만 필요조건이
아닌 것은 ㄴ뿐이다.　　　답 ②

100 $p : x - a \neq 0$, $q : x^2 + 2x - 3 \neq 0$에서
p는 q이기 위한 필요조건이므로 $q \longrightarrow p$이다.
이때, 대우 $\sim p \longrightarrow \sim q$가 참이므로
$x - a = 0$이면 $x^2 + 2x - 3 = 0$이다.
즉, $x = a$를 $x^2 + 2x - 3 = 0$에 대입하면
$a^2 + 2a - 3 = 0$, $(a + 3)(a - 1) = 0$
∴ $a = -3$ 또는 $a = 1$
따라서 모든 실수 a의 값의 합은 -2이다.　　　답 -2

101 $\sim q : a < x < 2$
p는 $\sim q$이기 위한 충분조건일 때, 두 조건 $p, \sim q$의 진리집합
을 각각 P, Q^C라고 하면 $P \subset Q^C$이므로 수직선 위에 나타내
면 그림과 같다.

$$\overset{\displaystyle Q^C}{\underset{\displaystyle P}{\longleftrightarrow}}$$

∴ $a \leq -1$　　　답 ⑤

102 $-1 \leq x - a \leq 2$에서 $a - 1 \leq x \leq a + 2$이고,
p는 q이기 위한 충분조건일 때, 두 조건 p, q의 진리집합을 각
각 P, Q라고 하면 $P \subset Q$이므로 수직선 위에 나타내면 그림과
같다.

즉, $a - 1 \leq 1$, $a + 2 \geq 3$이므로 $1 \leq a \leq 2$
따라서 정수 a는 1, 2로 2개이다.　　　답 2

103 세 조건을 각각
$p : -2 \leq x \leq 4$, $q : |x| \leq a$, $r : |x| \leq b$
라 하고 각 조건의 진리집합을 각각 P, Q, R라 하면
$P = \{x | -2 \leq x \leq 4\}$, $Q = \{x | -a \leq x \leq a\}$,

$R=\{x\,|\,-b\le x\le b\}$

이때, q는 p이기 위한 충분조건이므로

$q\Longrightarrow p$ $\therefore Q\subset P$

또 r는 p이기 위한 필요조건이므로

$p\Longrightarrow r$ $\therefore P\subset R$

이를 수직선 위에 나타내면 그림과 같다.

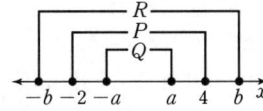

따라서 a의 최댓값은 2이고 b의 최솟값은 4이므로

$2+4=6$ 🔲 6

104 Ⅰ. $x\ge0$, $y\ge0$이면 $xy\ge0$

[반례] $x=-2$, $y=-3$일 때, $xy\ge0$이지만

$x<0$, $y<0$ $\therefore$ 충분조건

Ⅱ. $x^2+y^2=0$에서 $x^2\ge0$, $y^2\ge0$이므로 $x=y=0$이고,

$|x|+|y|=0$에서 $|x|=0$, $|y|=0$이므로 $x=y=0$이다.

$\therefore$ 필요충분조건

$\therefore$ ㈎ : 충분, ㈏ : 필요충분   🔲 ②

105 ㄱ. $a+b+abi=0\Longleftrightarrow a+b=0$, $ab=0$

$\qquad\qquad\qquad\quad\Longleftrightarrow a=0$, $b=0$

ㄴ. [반례] $a=2$, $b=-\sqrt2$이면 $a+b\sqrt2=0$이지만 $a\ne0$, $b\ne0$

ㄷ. $a^2+ab+b^2=\left(a+\dfrac{b}{2}\right)^2+\dfrac{3}{4}b^2=0$

$\qquad\Longleftrightarrow a+\dfrac{b}{2}=0$, $b=0$

$\qquad\Longleftrightarrow a=0$, $b=0$

ㄹ. $|a|+|b|=0\Longleftrightarrow a=0$, $b=0$

따라서 $a=0$, $b=0$이기 위한 필요충분조건인 것은

ㄱ, ㄷ, ㄹ이다.   🔲 ④

106 $A=\{x\,|\,-a\le x\le a\}$, $B=\{x\,|\,1-b\le x\le1+b\}$에서

$A\cap B=\varnothing$이기 위해서는

$a<1-b$

$\therefore a+b<1$ 🔲 ④

107 $P\subset Q$이면 명제 $p\longrightarrow q$가 참이므로

p는 q이기 위한 충분조건이고, q는 p이기 위한 필요조건이다.

따라서 옳은 것은 ②, ③이다.   🔲 ②, ③

108 주어진 벤 다이어그램에서

① $P\not\subset Q$, $Q\not\subset P$이므로 p는 q이기 위한 아무 조건도 아니다.

② $R\subset P^C$에서 $r\Longrightarrow {\sim}p$이므로 r는 ${\sim}p$이기 위한 충분조건이다.

③ $R^C\not\subset Q$, $Q\not\subset R^C$이므로 q는 ${\sim}r$이기 위한 아무 조건도 아니다.

④ $Q\subset P^C$에서 $q\Longrightarrow {\sim}p$이므로 q는 ${\sim}p$이기 위한 충분조건이다.

⑤ $R\subset Q$, $Q\not\subset R$에서 $r\Longrightarrow q$이므로 r는 q이기 위한 충분조건이다.

따라서 옳은 것은 ④이다.   🔲 ④

109 p는 ${\sim}q$이기 위한 충분조건이므로

$p\Longrightarrow {\sim}q$ $\therefore P\subset Q^C$ ……㉠

㉠을 벤 다이어그램으로 나타내면 그림과 같다.

따라서 두 집합 P, Q 사이의 관계로 옳은 것은 ⑤ $P\cap Q=\varnothing$

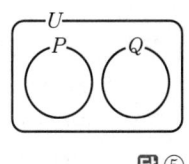

🔲 ⑤

110 p는 ${\sim}q$이기 위한 충분조건이므로

$p\Longrightarrow {\sim}q$ $\therefore P\subset Q^C$ ……㉠

또 ${\sim}r$는 ${\sim}q$이기 위한 필요조건이므로

${\sim}q\Longrightarrow {\sim}r$ $\therefore Q^C\subset R^C$ ……㉡

㉠, ㉡을 벤 다이어그램으로 나타내면 그림과 같다.

따라서 항상 옳은 것은 ④ $P\cap R=\varnothing$이다.

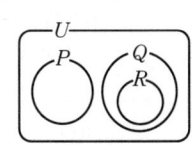

🔲 ④

111 $(P-Q)\cup Q=P\Longleftrightarrow(P\cap Q^C)\cup Q=P$

$\qquad\qquad\qquad\quad\Longleftrightarrow(P\cup Q)\cap(Q^C\cup Q)=P$

$\qquad\qquad\qquad\quad\Longleftrightarrow(P\cup Q)\cap U=P$

$\qquad\qquad\qquad\quad\Longleftrightarrow(P\cup Q)=P$

$\qquad\qquad\qquad\quad\Longleftrightarrow Q\subset P$

따라서 $q\Longrightarrow p$이므로 p는 q이기 위한 필요조건이다.   🔲 ①

112 $P\subset R$, $R\subset Q$, $Q\subset S$, $S\subset R$에서

$P\subset R=Q=S$이므로

$p\Longrightarrow q$, $r\Longleftrightarrow s$

따라서 p는 q이기 위한 $\boxed{충분}$조건이고, r는 s이기 위한

$\boxed{필요충분}$조건이다.   🔲 ④

113 $x^2-5x+6=0$에서

$(x-2)(x-3)=0$

$\therefore x=2$ 또는 $x=3$

따라서 조건 p의 진리집합 P는 $P=\{2,3\}$이므로 옳은 것은 ③이다.   🔲 ③

114 주어진 명제가 참이 되려면

$\{x\,|\,-2\le x\le a\}\subset\{x\,|\,x\le2\}$이므로

그림에서 $-2\le a\le2$이어야 한다.

🔲 ④

115 $p\longrightarrow {\sim}q$가 참이므로 $P\subset Q^C$

즉, $P\cap Q^C=P$이므로 $P-Q=P$

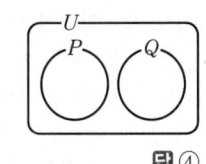

🔲 ④

116 주어진 명제가 참이 되려면 $0<x<1$인 모든 실수 x가

$a-1<x<a+1$이어야 하므로

수직선 위에 나타내면 그림과 같다.

따라서 $a-1\leq0$, $a+1\geq1$이므로
$0\leq a\leq1$ 답 $0\leq a\leq1$

117 ①, ②, ③ 주어진 명제가 참이므로 대우도 참이다.
④ $x\neq0$이고 $y\neq0$이면 $x+y\neq0$이다.
　[반례] $x=-1$, $y=1$이면 $x\neq0$이고 $y\neq0$이지만 $x+y=0$
　이다. (거짓)
　역 : $x+y\neq0$이면 $x\neq0$이고 $y\neq0$이다.
　[반례] $x=1$, $y=0$이면 $x+y\neq0$이지만 $x\neq0$이고 $y=0$이
　다. (거짓)
　따라서 역, 대우 모두 거짓이다.
⑤ $xy>0$이면 $x>0$이고 $y>0$이다.
　[반례] $x=-1$, $y=-1$이면 $xy>0$이지만 $x<0$, $y<0$이
　다. (거짓)
　역 : $x>0$이고 $y>0$이면 $xy>0$이다. (참)
　따라서 역은 참이고 대우는 거짓이다.
그러므로 구하는 명제는 ⑤이다.   답 ⑤

118 $\sim q\longrightarrow\sim p$가 참이므로 그 대우 $p\longrightarrow q$도 참이다.
$\therefore P\subset Q$
$r\longrightarrow\sim q$가 참이므로 그 대우 $q\longrightarrow\sim r$도 참이다.
$\therefore Q\subset R^C$
이때, $p\longrightarrow q$와 $q\longrightarrow\sim r$가 참이므로 삼단논법에 의해
$p\longrightarrow\sim r$와 그 대우 $r\longrightarrow\sim p$도 참이다.
$\therefore P\subset R^C$, $R\subset P^C$
따라서 옳지 않은 것은 ②이다.   답 ②

119 명제 $\sim q\longrightarrow\sim p$, $r\longrightarrow\sim q$, $\sim s\longrightarrow r$가 모두 참이므로 각
각의 대우인 $p\longrightarrow q$, $q\longrightarrow\sim r$, $\sim r\longrightarrow s$도 모두 참이다.
이때, 삼단논법에 의해 $p\longrightarrow\sim r$가 참이므로 $p\longrightarrow s$도 참이
다.   답 ①

120 ㄱ. $p : x+y=xy$에서 x, y가 0이 아니므로 양변을 xy로 나누
　　면 $\dfrac{1}{x}+\dfrac{1}{y}=1$
　　$q : \dfrac{1}{x}+\dfrac{1}{y}=1$에서 양변에 xy를 곱하면 $x+y=xy$
　　따라서 p는 q이기 위한 필요충분조건이다.
ㄴ. $0<x<y$에서 x, y가 양수이므로 각 항을 xy로 나누면
　　$0<\dfrac{1}{y}<\dfrac{1}{x}$
　　$0<\dfrac{1}{y}<\dfrac{1}{x}$에서 x, y가 양수이므로 각 항에 xy를 곱하면
　　$0<x<y$
　　따라서 p는 q이기 위한 필요충분조건이다.
ㄷ. $x=2$, $y=2$, $z=1$이면 $(x-y)(y-z)(z-x)=0$이지만
　　$x=y\neq z$이다.
　　$x=y=z$이면 $(x-y)(y-z)(z-x)=0$
　　따라서 p는 q이기 위한 필요조건이지만 충분조건은 아니다.
그러므로 p는 q이기 위한 필요충분조건인 것은 ㄱ, ㄴ이다.
                                                                            답 ③

121 p는 q이기 위한 필요조건이므로 $Q\subset P$이다.

이때, 두 집합 P, Q를 수직선 위에
나타내면 그림과 같다.
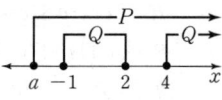
$\therefore a\leq-1$
따라서 a의 최댓값은 -1이다.   답 -1

122 네 조건 p, q, r, s의 진리집합을 각각 P, Q, R, S라 하면
$P=\{x\,|\,x\leq a\}$, $Q=\{x\,|\,x\leq-3\}$,
$R=\{x\,|\,x\geq5\}$, $S=\{x\,|\,x\geq b\}$
이때, p는 q이기 위한 충분조건이므로
$p\Longrightarrow q$　$\therefore P\subset Q$
또 r는 s이기 위한 필요조건이므로
$s\Longrightarrow r$　$\therefore S\subset R$
이를 수직선 위에 나타내면 그림과 같다.
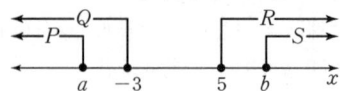
따라서 $a\leq-3$, $b\geq5$이므로
$M=-3$, $N=5$
$\therefore M+N=2$ 답 2

123 (ⅰ) $p\ \xrightarrow[\times]{\circ}\ q$
[반례]
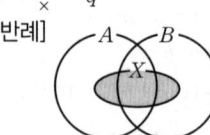
　$X\subset(A\cup B)$이지만
　$X\not\subset(A\cap B)$이다.

따라서 p는 q이기 위한 충분조건이므로
$\langle p,\,q\rangle=1$
(ⅱ) $q\ \xrightarrow[\circ]{\times}\ r$
[반례]
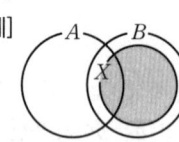
　$X\subset(A\cup B)$이지만
　$X\not\subset A$, $X\not\subset B$이다.

따라서 q는 r이기 위한 필요조건이므로
$\langle q,\,r\rangle=-1$
(ⅲ) $r\ \xrightarrow[\circ]{\times}\ p$
[반례]

　$X\subset B$이지만
　$X\not\subset(A\cap B)$이다.

따라서 r는 p이기 위한 필요조건이므로
$\langle r,\,p\rangle=-1$
(ⅰ), (ⅱ), (ⅲ)에 의하여
$\langle p,\,q\rangle-2\langle q,\,r\rangle-3\langle r,\,p\rangle=1+2+3=6$ 답 6

001　　　　　　　　　　　　　답 정리

002　　　　　　　　　　　　　답 정의

003　　　　　　　　　　　　　답 정리

004　　　　　　　　　　　　　답 정의

005 $\overline{BC}$의 중점을 M이라 하고 $\overline{AM}$을 그으면
$\overline{AB}=\overline{AC}$, $\overline{BM}=\overline{CM}$, $\overline{AM}$은 공통
이므로
$\triangle ABM \equiv \triangle ACM$ (SSS 합동)
따라서 $\overline{AB}=\overline{AC}$이면
$\angle B = \boxed{\angle C}$　　……㉠
마찬가지로 $\overline{BC}=\boxed{\overline{AC}}$이면
$\angle B = \boxed{\angle A}$　　……㉡
㉠, ㉡에서 $\angle A = \angle B = \angle C$이다.　답 $\angle C$, $\overline{AC}$, $\angle A$

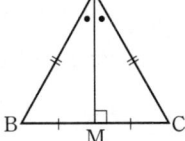

006 $\triangle ABM$과 $\triangle CDM$에서
$\overline{AB} /\!/ \overline{CD}$이므로
$\angle MAB = \boxed{\angle MCD}$ ($\because$ 엇각)
　　　　　　　　……㉠
$\angle MBA = \angle MDC$ ($\because$ 엇각) ……㉡
가정에 의하여 $\boxed{\overline{AB}=\overline{CD}}$ ……㉢
㉠, ㉡, ㉢에 의해
$\triangle ABM \equiv \triangle CDM$ (ASA 합동)
$\therefore \overline{AM}=\boxed{\overline{CM}}$, $\overline{BM}=\overline{DM}$
답 $\angle MCD$, $\overline{AB}=\overline{CD}$, $\overline{CM}$

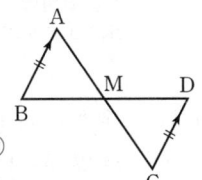

007 답 a가 3의 배수가 아니면 a는 6의 배수가 아니다.

008 답 a와 b가 자연수이면 $a+b$가 자연수이다.

009 답 자연수 n에 대하여 n이 홀수이면 n^2도 홀수이다.

010 명제의 $\boxed{대우}$가 'm 또는 n이 짝수이면 mn이 짝수이다.'이므로
$m=2a$, $n=2b+1$ (a는 자연수, b는 0 또는 자연수)로 놓으면
$mn=2a(2b+1)=4ab+2a=2(2ab+a)$
즉, mn은 $\boxed{짝수}$이다.
따라서 명제 'mn이 홀수이면 m과 n이 홀수이다.'는 $\boxed{참}$이다.
답 대우, 짝수, 참

011 $\sqrt{5}$가 유리수라고 $\boxed{가정}$하면
$\sqrt{5}=\dfrac{n}{m}$ ($m \neq 0$이고 m, n은 서로소인 정수)인 m, n이 존재
한다.

$\sqrt{5}=\dfrac{n}{m}$의 양변을 $\boxed{제곱}$하면
$5=\dfrac{n^2}{m^2}$　$\therefore n^2=5m^2$　……㉠
따라서 n^2이 5의 배수이므로 n도 5의 배수이다.
$n=5k$ (k는 정수)로 놓고 ㉠에 대입하면
$(5k)^2=5m^2$　$\therefore m^2=5k^2$
m^2이 5의 $\boxed{배수}$이므로 m도 5의 배수이다.
따라서 m, n이 $\boxed{서로소}$라는 $\boxed{가정}$에 모순이므로 $\sqrt{5}$는 유리수
가 아니다. 즉, $\sqrt{5}$는 무리수이다.
답 가정, 제곱, 배수, 서로소, 가정

012 $c>0$이므로 부등호의 방향이 바뀌지 않는다.　답 ㄱ, ㄷ, ㄹ

013 $(a+b)^2-4ab=a^2-2ab+b^2=(a-b)^2\boxed{\geq}0$
$(a+b)^2\boxed{\geq}4ab$ (단, 등호는 $\boxed{a=b}$일 때 성립)
답 $\geq$, $\geq$, $a=b$

014 ㄷ. [반례] $a=-6$일 때,
　　$a+5=-6+5=-1<0$
ㄹ. [반례] $a=0$, $b=0$일 때,
　　$a^2+2ab+b^2=0$　　답 ㄱ, ㄴ, ㅁ, ㅂ, ㅅ, ㅇ, ㅈ

015 $a>0$, $\dfrac{1}{a}>0$이므로 산술평균과 기하평균의 관계에 의하여
$a+\dfrac{1}{a}\geq 2\sqrt{a\cdot\dfrac{1}{a}}=2$
따라서 $a=1$일 때, 최솟값 2를 갖는다.　답 2

016 $2a>0$, $\dfrac{8}{a}>0$이므로 산술평균과 기하평균의 관계에 의하여
$2a+\dfrac{8}{a}\geq 2\sqrt{2a\cdot\dfrac{8}{a}}=2\cdot4=8$
따라서 $a=2$일 때, 최솟값 8을 갖는다.　답 8

017 $\dfrac{b}{a}>0$, $\dfrac{a}{b}>0$이므로 산술평균과 기하평균의 관계에 의하여
$\dfrac{b}{a}+\dfrac{a}{b}\geq 2\sqrt{\dfrac{b}{a}\cdot\dfrac{a}{b}}=2$ (단, 등호는 $a=b$일 때 성립)
따라서 $\dfrac{b}{a}+\dfrac{a}{b}$는 최솟값 2를 갖는다.　답 2

018 $4a>0$, $\dfrac{1}{2a}>0$이므로 산술평균과 기하평균의 관계에 의하여
$4a+\dfrac{1}{2a}\geq 2\sqrt{4a\cdot\dfrac{1}{2a}}=2\sqrt{2}$ (단, 등호는 $4a=\dfrac{1}{2a}$일 때 성립)
따라서 $4a+\dfrac{1}{2a}+3$은 최솟값 $3+2\sqrt{2}$를 갖는다.　답 $3+2\sqrt{2}$

019 $\left(a+\dfrac{1}{b}\right)\left(b+\dfrac{4}{a}\right)=ab+4+1+\dfrac{4}{ab}=5+ab+\dfrac{4}{ab}$
$ab>0$, $\dfrac{4}{ab}>0$이므로 산술평균과 기하평균의 관계에 의하여
$ab+\dfrac{4}{ab}\geq 2\sqrt{ab\cdot\dfrac{4}{ab}}=4$ (단, 등호는 $ab=\dfrac{4}{ab}$일 때 성립)

따라서 $\left(a+\dfrac{1}{b}\right)\left(b+\dfrac{4}{a}\right)$는 최솟값 9를 갖는다.   답 9

020 $a>0$, $b>0$이므로 산술평균과 기하평균의 관계에 의하여
$$a+b\geq 2\sqrt{ab}=2\sqrt{16}=8$$
따라서 $a+b$는 $a=b$일 때 최솟값 8을 갖는다.   답 8

021 $2a>0$, $2b>0$이므로 산술평균과 기하평균의 관계에 의하여
$$2a+2b\geq 2\sqrt{2a\cdot 2b}=4\sqrt{ab}=4\sqrt{16}=16$$
따라서 $2a+2b$는 $a=b$일 때 최솟값 16을 갖는다.   답 16

022   답 ㄴ, ㄷ, ㅂ

023 ㄱ. $x^2+x+1>0$에서 (이차항의 계수)>0이고, 판별식 D는
$D=-3<0$이므로 절대부등식이다.
ㄴ. $-a^2+1>2a$에서 $-a^2-2a+1>0$
(이차항의 계수)<0이고, 판별식 D는 $\dfrac{D}{4}=2>0$이므로 절대부등식이 아니다.
ㄷ. $x^2+2x+3>0$에서 (이차항의 계수)>0이고, 판별식 D는
$\dfrac{D}{4}=-2<0$이므로 절대부등식이다.
ㄹ. $-x^2+3x-5<0$에서 (이차항의 계수)<0이고, 판별식 D는
$D=-11<0$이므로 절대부등식이다.
ㅁ. $4a^2+3a+5>0$에서 (이차항의 계수)>0이고, 판별식 D는
$D=-71<0$이므로 절대부등식이다.
ㅂ. $x^2-6x+10>0$에서 (이차항의 계수)>0이고, 판별식 D는
$\dfrac{D}{4}=-1<0$이므로 절대부등식이다.
ㅅ. $-x^2+2x+5>0$에서 (이차항의 계수)<0이고, 판별식 D는
$\dfrac{D}{4}=6>0$이므로 절대부등식이 아니다.
ㅇ. $x^2+4x>-4$에서 $x^2+4x+4>0$
(이차항의 계수)>0이고, 판별식 D는 $\dfrac{D}{4}=0$이므로 절대부등식이 아니다.   답 ㄱ, ㄷ, ㄹ, ㅁ, ㅂ

024 ② 예각삼각형은 세 내각의 크기가 모두 $90°$ 미만인 삼각형이다.   답 ②

025 ⑤는 합동의 정의이다.   답 ⑤

026 $\angle a$와 $\boxed{\angle c}$는 서로 맞꼭지각이다.
$\angle a+\angle b=\boxed{180°}$
$\angle b+\angle c=\boxed{180°}$
이므로 $\angle a+\angle b=\angle b+\angle c$
$\therefore \angle a=\boxed{\angle c}$
$\therefore$ (가) : $\angle c$, (나) : $180°$, (다) : $180°$, (라) : $\angle c$ 답 ④

027 명제와 대우의 참, 거짓은 일치하므로 주어진 명제가 참임을 보이기 위하여 주어진 명제의 대우인 'x와 y가 모두 짝수이면 $x+y$도 짝수이다.'가 참임을 증명해도 된다.   답 ③

028 (i) $n=3k+1$일 때,
$$n^2=(3k+1)^2=9k^2+6k+1$$
$$=3(3k^2+2k)+\boxed{1}$$
(ii) $n=3k+2$일 때,
$$n^2=(3k+2)^2=9k^2+12k+4$$
$$=3(3k^2+4k+1)+\boxed{1}$$
$\therefore$ (가) : 1, (나) : 1
$\therefore$ (가)$+$(나)$=2$ 답 ②

029 $a=2k+1$, $b=2l+1$ (k, l은 0 또는 자연수)로 놓으면
$$ab=(2k+1)(2l+1)$$
$$=4kl+2k+2l+1$$
$$=2(2kl+k+l)+1$$
$2kl+k+l$은 0 또는 $\boxed{자연수}$이므로 ab는 $\boxed{홀수}$이다.
따라서 주어진 명제의 대우가 $\boxed{참}$이므로 주어진 명제도 $\boxed{참}$이다.
$\therefore$ (가) : 자연수, (나) : 홀수, (다) : 참   답 ⑤

030 주어진 명제의 대우는
'두 실수 x, y에 대하여 $(x+y)^2<4$이면 $x+y<2$이다.'
즉, $(x+y)^2<4$에서 $-2<x+y<2$이므로 주어진 명제의 대우는 참이다.
따라서 주어진 명제도 참이다.   답 풀이 참조

031 a와 b가 모두 $\boxed{짝수}$라고 가정하면
$a=2k$, $b=2l$ (k, l은 자연수)
로 나타낼 수 있다. 그러면 2는 a와 b의 $\boxed{공약수}$이다.
이것은 a와 b가 서로소라는 가정에 모순이다.
따라서 주어진 명제는 참이다.
$\therefore$ (가) : 짝수, (나) : 공약수   답 ②

032 $5+\sqrt{2}$를 $\boxed{유리수}$라고 가정하면 $5+\sqrt{2}$와 -5는 $\boxed{유리수}$이고 $(5+\sqrt{2})+(-5)=\sqrt{2}$는 $\boxed{유리수}$이다.
그런데 이것은 $\sqrt{2}$가 $\boxed{무리수}$라는 사실에 모순이다.
따라서 $5+\sqrt{2}$는 $\boxed{무리수}$이다.
$\therefore$ (가) : 유리수, (나) : 유리수, (다) : 유리수, (라) : 무리수,
(마) : 무리수   답 ④

033 $b\neq 0$이라고 가정하면 $a+b\sqrt{2}=0$에서
$$\sqrt{2}=-\dfrac{a}{b}$$
이때, $\sqrt{2}$는 $\boxed{무리수}$, $-\dfrac{a}{b}$는 $\boxed{유리수}$이다.
즉, (무리수)$=$(유리수)가 되어 모순이므로 $b=0$
$b=0$을 $a+b\sqrt{2}=0$에 대입하면 $a=\boxed{0}$
따라서 유리수 a, b에 대하여 $a+b\sqrt{2}=0$이면 $a=b=0$이다.
$\therefore$ (가) : 무리수, (나) : 유리수, (다) : 0   답 ①

034 n이 2의 배수라고 가정하면 $n=2k$ (k는 자연수)로 나타낼 수 있으므로

$n^2+2n=(2k)^2+2\cdot2k=4k^2+4k=4(\boxed{k^2+k})$ ······ ㉠

여기서 ㉠이 4의 배수이므로 n^2+2n은 4의 배수이다.

이것은 n^2+2n이 4의 배수가 아니라는 주어진 명제의 가정에 모순이다.

따라서 n은 $\boxed{2의 \ 배수}$가 아니다.

∴ (가): k^2+k, (나): 2의 배수 **답** ③

035 ① 부등식의 양변에 같은 수를 더하여도 부등호의 방향은 바뀌지 않으므로 $a+1>b+1$ (참)

② 부등식의 양변에서 같은 수를 빼도 부등호의 방향은 바뀌지 않으므로 $a-2>b-2$ (참)

③ 부등식의 양변을 양수로 나누어도 부등호의 방향은 바뀌지 않으므로 $\dfrac{a}{3}>\dfrac{b}{3}$ (참)

④ 부등식의 양변에 음수를 곱하면 부등호의 방향은 바뀌므로 $-4a<-4b$, 즉 $-4b>-4a$ (참)

⑤ [반례] $a=1$, $b=-2$이면 $a>b$이지만 $a^2<b^2$이다. (거짓)

답 ⑤

036 ㄱ. $|a|\geq0$이므로 $|a|\geq a$가 항상 성립한다. (참)

ㄴ. [반례] $a=-1$, $b=0$이면 $a<b$이지만 $a^2>b^2$이다. (거짓)

ㄷ. $a>b$이면 $a-b>0$이고, $b>c$이면 $b-c>0$이므로

$a-c=a-c-b+b$

$\quad\ \ =(a-b)+(b-c)>0$

∴ $a>c$ (참)

ㄹ. [반례] $a=-2$, $b=-1$이면 $a<b<0$이지만

$\dfrac{1}{a}>\dfrac{1}{b}$이다. (거짓)

따라서 옳은 것은 ㄱ, ㄷ이다. **답** ④

037 ① [반례] $-2>-3$이지만 $(-2)^2<(-3)^2$ (거짓)

② [반례] $3>2$이지만 $\dfrac{1}{3}<\dfrac{1}{2}$ (거짓)

③ 부등식의 양변에 같은 수를 더하여도 부등호의 방향은 바뀌지 않는다. (참)

④, ⑤ [반례] $a=3$, $b=2$, $c=-1$일 때,

$3\cdot(-1)<2\cdot(-1)$, $\dfrac{3}{-1}<\dfrac{2}{-1}$ (거짓) **답** ③

038 $a>b$, $c>d$에서 $a-b>0$, $c-d>0$

ㄱ. $(a+c)-(b+d)=(a-b)+(c-d)>0$이므로

$a+c>b+d$ (참)

ㄴ. [반례] $a=2$, $b=1$, $c=6$, $d=3$이면

$a-c<b-d$ (거짓)

ㄷ, ㄹ. [반례] $a=3$, $b=1$, $c=-1$, $d=-2$이면

$ac<bd$, $\dfrac{a}{c}<\dfrac{b}{d}$ (거짓)

따라서 옳은 것은 ㄱ뿐이다. **답** ①

039 ㄱ. $ac>bc$에서 $c<0$이면 $a<b$ (거짓)

ㄴ. [반례] $a=1$, $b=-1$, $c=1$이라 하면

$\dfrac{c^2}{a}>\dfrac{c^2}{b}$이지만 $a>b$ (거짓)

ㄷ. $c^2>0$ ($\because c\neq0$)이므로 $\dfrac{a}{c^2}>\dfrac{b}{c^2}$의 양변에 c^2을 곱하면

$a>b$ (참)

따라서 옳은 것은 ㄷ뿐이다. **답** ③

040 $a^2+ab+b^2=a^2+ab+\dfrac{b^2}{4}+\dfrac{3}{4}b^2$

$=\left(a+\dfrac{b}{2}\right)^2+\boxed{\dfrac{3}{4}b^2}$

이때, $\left(a+\dfrac{b}{2}\right)^2\geq0$, $\boxed{\dfrac{3}{4}b^2}\geq0$이므로

$a^2+ab+b^2\geq0$이다.

단, 등호는 $a+\dfrac{b}{2}=0$, $b=0$, 즉 $\boxed{a=b=0}$일 때 성립한다.

∴ (가): $\dfrac{3}{4}b^2$, (나): $a=b=0$ **답** ④

041 $(|a+b|)^2-(|a|+|b|)^2$

$=a^2+2ab+b^2-(a^2+2|a||b|+b^2)$

$=a^2+2ab+b^2-(a^2+2|ab|+b^2)$

$=2ab-2|ab|$

$=2(\boxed{ab-|ab|})\leq0$ ($\because |ab|\geq ab$)

∴ $(|a+b|)^2\leq(|a|+|b|)^2$

그런데 $|a+b|\boxed{\geq}0$, $|a|+|b|\boxed{\geq}0$이므로

$|a+b|\leq|a|+|b|$ (단, 등호는 $ab\geq0$일 때 성립)

∴ (가): $ab-|ab|$, (나): $\geq$, (다): $\geq$, (라): $ab\geq0$

답 (가): $ab-|ab|$, (나): $\geq$, (다): $\geq$, (라): $ab\geq0$

042 ㄱ. $a^2+b^2+ab=\left(a^2+ab+\dfrac{b^2}{4}\right)+\dfrac{3}{4}b^2$

$=\left(a+\dfrac{b}{2}\right)^2+\dfrac{3}{4}b^2\geq0$

∴ $a^2+b^2+ab\geq0$ (단, 등호는 $a=b=0$일 때 성립)

ㄴ. $a^2-a+1=\left(a^2-a+\dfrac{1}{4}\right)+\dfrac{3}{4}=\left(a-\dfrac{1}{2}\right)^2+\dfrac{3}{4}>0$

∴ $a^2-a+1>0$

ㄷ. $(\sqrt{a+b})^2-(\sqrt{a}+\sqrt{b})^2=a+b-(a+b+2\sqrt{ab})$

$=-2\sqrt{ab}<0$ ($\because \sqrt{ab}>0$)

∴ $\sqrt{a+b}<\sqrt{a}+\sqrt{b}$

따라서 항상 성립하는 것은 ㄱ, ㄴ이다. **답** ②

043 $(a^2+c^2)(b^2+d^2)=a^2b^2+a^2d^2+b^2c^2+c^2d^2$

$=a^2b^2+2abcd+c^2d^2+a^2d^2-2abcd+b^2c^2$

$=(\boxed{ab+cd})^2+(\boxed{ad-bc})^2$ ······ ㉠

a, b, c, d는 실수이므로

$(\boxed{ad-bc})^2\geq0$

따라서 ㉠에서

$(a^2+c^2)(b^2+d^2)=(ab+cd)^2+(ad-bc)^2$

$\geq(ab+cd)^2$

이때, 등호는 $ad-bc=0$, 즉 $\boxed{ad=bc}$일 때 성립한다.

∴ (가): $ab+cd$, (나): $ad-bc$, (다): $ad=bc$ **답** ③

044 $x^2-kxy+4y^2=\left(x-\dfrac{k}{2}y\right)^2+\left(4-\dfrac{k^2}{4}\right)y^2\geq0$

이 부등식이 항상 성립하려면

$4-\dfrac{k^2}{4}\geq 0$, 즉 $k^2-4^2\leq 0$

$(k+4)(k-4)\leq 0$ $\therefore -4\leq k\leq 4$

따라서 실수 k의 최댓값은 4이다. **답** 4

045 $a>0$, $b>0$에서 $\dfrac{3b}{a}>0$, $\dfrac{12a}{b}>0$이므로 산술평균과 기하평균의 관계에 의하여

$\dfrac{3b}{a}+\dfrac{12a}{b}\geq 2\sqrt{\dfrac{3b}{a}\cdot\dfrac{12a}{b}}=2\sqrt{36}=12$

$\left(\text{단, 등호는 } \dfrac{3b}{a}=\dfrac{12a}{b}, \text{ 즉 } b=2a\text{일 때 성립}\right)$

따라서 구하는 최솟값은 12이다. **답** 12

046 $x>2$에서 $x-2>0$이므로 산술평균과 기하평균의 관계에 의하여

$x-2+\dfrac{16}{x-2}\geq 2\sqrt{(x-2)\cdot\dfrac{16}{x-2}}=8$

$\left(\text{단, 등호는 } x-2=\dfrac{16}{x-2}, \text{ 즉 } x=6\text{일 때 성립}\right)$

따라서 구하는 최솟값은 8이다. **답** 8

047 $x>0$, $y>0$, $\dfrac{1}{x}>0$, $\dfrac{9}{y}>0$이므로 산술평균과 기하평균의 관계에 의하여

$x+\dfrac{1}{x}\geq 2\sqrt{x\cdot\dfrac{1}{x}}=2$ (단, 등호는 $x=1$일 때 성립)

$y+\dfrac{9}{y}\geq 2\sqrt{y\cdot\dfrac{9}{y}}=6$ (단, 등호는 $y=3$일 때 성립)

$\therefore x+y+\dfrac{1}{x}+\dfrac{9}{y}\geq 2+6=8$

따라서 구하는 최솟값은 8이다. **답** ③

048 $a>0$, $b>0$이므로 산술평균과 기하평균의 관계에 의하여

$(a+2b)\left(\dfrac{1}{a}+\dfrac{2}{b}\right)=1+\dfrac{2a}{b}+\dfrac{2b}{a}+4$

$=5+\dfrac{2a}{b}+\dfrac{2b}{a}$

$\geq 5+2\sqrt{\dfrac{2a}{b}\cdot\dfrac{2b}{a}}=9$

$\left(\text{단, 등호는 } \dfrac{2a}{b}=\dfrac{2b}{a}, \text{ 즉 } a=b\text{일 때 성립}\right)$

따라서 구하는 최솟값은 9이다. **답** ④

049 $x>5$에서 $x-5>0$이므로 산술평균과 기하평균의 관계에 의하여

$x+\dfrac{9}{x-5}=x-5+\dfrac{9}{x-5}+5$

$\geq 2\sqrt{(x-5)\cdot\dfrac{9}{x-5}}+5$

$=2\cdot 3+5=11$

$\left(\text{단, 등호는 } x-5=\dfrac{9}{x-5}, \text{ 즉 } x=8\text{일 때 성립}\right)$

따라서 주어진 식은 $x=8$일 때 최솟값 11을 갖는다.

$\therefore a=8$, $m=11$

$\therefore a+m=19$ **답** ⑤

050 $a>0$, $b>0$, $a+b=1$이므로 산술평균과 기하평균의 관계에 의하여

$\dfrac{2}{a}+\dfrac{1}{2b}=\dfrac{2a+2b}{a}+\dfrac{a+b}{2b}$

$=2+\dfrac{2b}{a}+\dfrac{a}{2b}+\dfrac{1}{2}$

$=\dfrac{5}{2}+\dfrac{2b}{a}+\dfrac{a}{2b}$

$\geq \dfrac{5}{2}+2\sqrt{\dfrac{2b}{a}\cdot\dfrac{a}{2b}}=\dfrac{9}{2}$

$\left(\text{단, 등호는 } a=\dfrac{2}{3}, b=\dfrac{1}{3}\text{일 때 성립}\right)$

따라서 $k\leq\dfrac{9}{2}$이므로 상수 k의 최댓값은 $\dfrac{9}{2}$이다. **답** ⑤

051 직사각형의 가로의 길이를 x, 세로의 길이를 y라 하면

(둘레의 길이)$=2x+2y=80$ $\therefore x+y=40$

(넓이)$=xy$

산술평균과 기하평균의 관계에 의하여

$x+y\geq 2\sqrt{xy}$, $40\geq 2\sqrt{xy}$

$20\geq\sqrt{xy}$ (단, 등호는 $x=y=20$일 때 성립)

양변을 제곱하면 $xy\leq 400$

따라서 직사각형의 넓이의 최댓값은 400이다. **답** 400

052 우리의 바깥쪽 직사각형의 가로의 길이를 $x\,\text{m}$, 세로의 길이를 $y\,\text{m}$로 놓으면 전체 우리의 둘레의 길이는 $2x+5y$이고, 넓이는 xy이다.

산술평균과 기하평균의 관계에 의하여

$2x+5y\geq 2\sqrt{2x\cdot 5y}=2\sqrt{10xy}$ $\cdots\cdots$ ㉠

㉠의 등호는 $2x=5y$일 때 성립하고, 이때 xy도 최댓값을 가지므로 $y=70(\text{m})$이다. 즉,

$2x=5\cdot 70$

$\therefore x=175(\text{m})$

따라서 철망의 길이는

$2x+5y=2\cdot 175+5\cdot 70=700(\text{m})$ **답** ③

053 두 점 B, C의 좌표는 각각 $(a, 0)$, $(0, b)$이므로

삼각형 OBC의 넓이를 S라 하면 $S=\dfrac{1}{2}ab$ $\cdots\cdots$ ㉠

또 점 $\mathrm{A}(4, 6)$이 직선 $\dfrac{x}{a}+\dfrac{y}{b}=1$ 위의 점이므로

$\dfrac{4}{a}+\dfrac{6}{b}=1$

이때, $a>0$, $b>0$이므로 산술평균과 기하평균의 관계에 의하여

$\dfrac{4}{a}+\dfrac{6}{b}\geq 2\sqrt{\dfrac{4}{a}\cdot\dfrac{6}{b}}=2\sqrt{\dfrac{24}{ab}}$

그런데 $\dfrac{4}{a}+\dfrac{6}{b}=1$이므로

$1\geq 2\sqrt{\dfrac{24}{ab}}$ (단, 등호는 $3a=2b$일 때 성립)

양변을 제곱하면 $1\geq 4\cdot\dfrac{24}{ab}$

$\dfrac{1}{ab}\leq\dfrac{1}{96}$ $\therefore ab\geq 96$ $\cdots\cdots$ ㉡

㉠, ㉡에서 $S=\dfrac{1}{2}ab\geq\dfrac{1}{2}\cdot 96=48$

따라서 △OBC의 넓이의 최솟값은 48이다. **답** 48

054 이차부등식 $x^2-kx+2k>0$에서 이차항의 계수가 양수이므로
이 부등식이 모든 실수 x에 대하여 항상 성립하려면 판별식
$D<0$이어야 한다.
$D=(-k)^2-4\cdot2k<0,\ k(k-8)<0$
$\therefore\ 0<k<8$
따라서 모든 정수 k의 값의 합은
$1+2+3+\cdots+7=28$　　　　　　　　　　　目 28

055 $f(x)\geq g(x)$에서 $x^2+4\geq2ax-3a$
$x^2-2ax+3a+4\geq0$
이차항의 계수가 양수이므로 이 부등식이 모든 실수 x에 대하여 성립하려면 판별식 $D\leq0$이어야 하므로
$\dfrac{D}{4}=(-a)^2-(3a+4)\leq0$
$a^2-3a-4\leq0,\ (a+1)(a-4)\leq0$
$\therefore\ -1\leq a\leq4$
따라서 정수 a의 최댓값은 4이다.　　　　　　目 ③

056 이차부등식 $ax^2+4x+a+3<0$이 모든 실수 x에 대하여 성립하려면
(ⅰ) $a<0$
(ⅱ) $\dfrac{D}{4}=2^2-a(a+3)<0$
　　$a^2+3a-4>0,\ (a+4)(a-1)>0$
　　$\therefore\ a<-4$ 또는 $a>1$
따라서 (ⅰ), (ⅱ)에 의하여 $a<-4$　　　目 ①

057 $a,\ b,\ x,\ y$가 실수이므로 코시-슈바르츠의 부등식에 의하여
$(a^2+b^2)(x^2+y^2)\geq(ax+by)^2$
$a^2+b^2=4,\ x^2+y^2=9$이므로
$(ax+by)^2\leq36\left(\text{단, 등호는 }\dfrac{x}{a}=\dfrac{y}{b}\text{일 때 성립}\right)$
$\therefore\ -6\leq ax+by\leq6$
따라서 $ax+by$의 최댓값은 6, 최솟값은 -6이다.
　　　　　　　　　　　　目 최댓값 : 6, 최솟값 : -6

058 $x,\ y$가 실수이므로 코시-슈바르츠의 부등식에 의하여
$(1^2+2^2)(x^2+y^2)\geq(x+2y)^2$
$x^2+y^2=5$이므로
$25\geq(x+2y)^2\left(\text{단, 등호는 }x=\dfrac{y}{2}\text{일 때 성립}\right)$
$\therefore\ -5\leq x+2y\leq5$
따라서 $M=5,\ m=-5$이므로
$M-m=10$　　　　　　　　　　　目 10

059 $a,\ b$가 실수이므로 코시-슈바르츠의 부등식에 의하여
$\left\{\left(\dfrac{1}{2}\right)^2+\left(\dfrac{1}{3}\right)^2\right\}(a^2+b^2)\geq\left(\dfrac{a}{2}+\dfrac{b}{3}\right)^2$
$\dfrac{a}{2}+\dfrac{b}{3}=\sqrt{13}$이므로
$\dfrac{13}{36}(a^2+b^2)\geq13$
$\therefore\ a^2+b^2\geq36$ (단, 등호는 $2a=3b$일 때 성립)
따라서 a^2+b^2의 최솟값은 36이다.　　　目 ④

060 주어진 명제의 대우는
'두 자연수 $a,\ b$에 대하여 ab가 홀수이면 a^2+b^2이 $\boxed{\text{짝수}}$ 이다.'
ab가 홀수이면 $a,\ b$는 모두 $\boxed{\text{홀수}}$ 이므로
$a=2m+1,\ b=2n+1$ ($m,\ n$은 0 또는 자연수)
로 놓으면
$a^2+b^2=(2m+1)^2+(2n+1)^2$
　　　　$=2(2m^2+2n^2+2m+2n+1)$
이때, $2m^2+2n^2+2m+2n+1$은 자연수이므로 a^2+b^2은
$\boxed{\text{짝수}}$ 이다.
따라서 주어진 명제의 대우가 참이므로 주어진 명제도 참이다.
$\therefore$ (가) : 짝수, (나) : 홀수, (다) : 짝수　　목 ④

061 $\sqrt{2}+\sqrt{3}$을 유리수라고 가정하면 어떤 유리수 r에 대하여
$\sqrt{2}+\sqrt{3}=r$이다.
이 등식의 양변을 제곱하면
$2+2\sqrt{6}+3=r^2$
$\therefore\ \sqrt{6}=\dfrac{r^2-5}{2}$　　　$\cdots\cdots$ ㉠
이때, 유리수에 대하여 사칙연산을 한 수는 다시 유리수이므로
㉠의 우변은 $\boxed{\text{유리수}}$ 이다. 이것은 $\sqrt{6}$이 $\boxed{\text{무리수}}$ 라는 사실에 모순이다.
따라서 $\sqrt{2}+\sqrt{3}$은 $\boxed{\text{무리수}}$ 이다.
$\therefore$ (가) : 유리수, (나) : 무리수, (다) : 무리수　　목 ④

062 ㄱ. [반례] $a=5,\ b=c=3,\ d=1$이면 $\dfrac{5}{3}<\dfrac{3}{1}$이지만
　　　$5+1=3+3$ (거짓)
ㄴ. $\dfrac{a}{b}<\dfrac{c}{d}$이므로 $ad<bc$
　　양변에 cd를 더하면
　　$ad+cd<bc+cd$
　　$d(a+c)<c(b+d)$
　　양변을 $d(b+d)$로 나누면
　　$\dfrac{a+c}{b+d}<\dfrac{c}{d}$ (참)
ㄷ. [반례] $a=1,\ b=c=2,\ d=3$이면 $\dfrac{1}{2}<\dfrac{2}{3}$이지만
　　　$\dfrac{2-1}{3-2}>\dfrac{2}{3}$ (거짓)
따라서 옳은 것은 ㄴ뿐이다.　　　　　　목 ②

063 ㄱ. $a^2-ab+b^2=\left(a-\dfrac{b}{2}\right)^2+\dfrac{3}{4}b^2\geq0$ (참)
ㄴ. $(a^2+b^2)(x^2+y^2)-(ax+by)^2=a^2y^2-2abxy+b^2x^2$
　　　　　　　　　　　　　　　　　$=(ay-bx)^2\geq0$
　　$\therefore\ (a^2+b^2)(x^2+y^2)\geq(ax+by)^2$ (참)
ㄷ. $(|a|+|b|)^2-|a+b|^2=2(|ab|-ab)\geq0$
　　$\therefore\ |a|+|b|\geq|a+b|$ (참)
따라서 ㄱ, ㄴ, ㄷ 모두 항상 성립한다.　　목 ⑤

064 $a>0,\ b>0$이므로 산술평균과 기하평균의 관계에 의하여
ㄱ. $a+\dfrac{1}{a}\geq2\sqrt{a\cdot\dfrac{1}{a}}=2$ (단, 등호는 $a=1$일 때 성립) (참)
ㄴ. $b+\dfrac{4}{b}\geq2\sqrt{b\cdot\dfrac{4}{b}}=4$ (단, 등호는 $b=2$일 때 성립) (참)

ㄷ. $\dfrac{b}{2a}+\dfrac{4a}{b}\geq 2\sqrt{\dfrac{b}{2a}\cdot\dfrac{4a}{b}}=2\sqrt{2}$

(단, 등호는 $b=2\sqrt{2}\,a$일 때 성립) (거짓)

따라서 항상 옳은 것은 ㄱ, ㄴ이다. **답 ㄱ, ㄴ**

065 $a>0$이므로 산술평균과 기하평균의 관계에 의하여

$$\left(a+\dfrac{4}{a}\right)\left(9a+\dfrac{1}{a}\right)=9a^2+1+36+\dfrac{4}{a^2}$$
$$=37+9a^2+\dfrac{4}{a^2}$$
$$\geq 37+2\sqrt{9a^2\cdot\dfrac{4}{a^2}}$$
$$=37+2\cdot 6=49$$

$\left(\text{단, 등호는 } 9a^2=\dfrac{4}{a^2}, \text{ 즉 } a=\dfrac{\sqrt{6}}{3}\text{일 때 성립}\right)$

따라서 구하는 최솟값은 49이다. **답 ④**

참고

이 문제를 풀 때, 다음과 같이 풀지 않도록 주의한다.

$a+\dfrac{4}{a}\geq 2\sqrt{a\cdot\dfrac{4}{a}}=4$ ······ ㉠

$9a+\dfrac{1}{a}\geq 2\sqrt{9a\cdot\dfrac{1}{a}}=6$ ······ ㉡

으로 놓고 ㉠, ㉡을 변끼리 곱하면

$\left(a+\dfrac{4}{a}\right)\left(9a+\dfrac{1}{a}\right)\geq 24$

따라서 최솟값은 24이다.

이와 같은 풀이는 ㉠, ㉡의 등호가 동시에 성립하는 것은 아니므로 잘못된 것이다.

066 사다리와 x축의 교점을 $(a,0)$, y축과의 교점을 $(0,b)$라 하면 $(a>0, b>0)$ 사다리의 직선의 방정식은 $\dfrac{x}{a}+\dfrac{y}{b}=1$이고,

점 $(3,4)$를 지나므로

$\dfrac{3}{a}+\dfrac{4}{b}=1$, 즉 $ab=4a+3b$

산술평균과 기하평균의 관계에 의하여

$ab=4a+3b$
$\geq 2\sqrt{12ab}$ (단, 등호는 $4a=3b$일 때 성립)

양변을 제곱하면 $a^2b^2\geq 48ab$

$ab(ab-48)\geq 0$

$\therefore ab\geq 48$ ($\because a>0, b>0$)

따라서 구하는 넓이는 $\dfrac{1}{2}ab$이고, 그 최솟값은

$\dfrac{1}{2}\cdot 48=24$ **답 24**

067 이차부등식 $2x^2+2ax+a+4>0$의 이차항의 계수가 양수이므로 이 부등식이 절대부등식이 되기 위해서는 판별식 D가 $D<0$이어야 한다.

$\dfrac{D}{4}=a^2-2(a+4)<0$

$a^2-2a-8<0$, $(a+2)(a-4)<0$

$\therefore -2<a<4$ ······ ㉠

따라서 ㉠을 만족시키는 정수 a의 값은 $-1, 0, 1, 2, 3$의 5개이다. **답 ②**

068 x에 대한 부등식 $(a-1)x^2-2(a-1)x+1>0$이 항상 성립하려면

(i) $a>1$일 때,

$\dfrac{D}{4}=\{-(a-1)\}^2-(a-1)<0$

$a^2-3a+2<0$, $(a-1)(a-2)<0$

$\therefore 1<a<2$

(ii) $a=1$일 때,

$1>0$이므로 항상 성립한다.

따라서 (i), (ii)에 의하여 $1\leq a<2$ **답 ②**

069 $ac=2, bd=2$에서 $c=\dfrac{2}{a}, d=\dfrac{2}{b}, a+b=4$이므로

$c+d+2cd=\dfrac{2}{a}+\dfrac{2}{b}+2\cdot\dfrac{4}{ab}$
$=\dfrac{2a+2b+8}{ab}=\dfrac{16}{ab}$

이때, $a>0, b>0$이므로 산술평균과 기하평균의 관계에 의하여

$\dfrac{a+b}{2}\geq\sqrt{ab}$이므로 $2\geq\sqrt{ab}$ (단, 등호는 $a=b$일 때 성립)

$0<ab\leq 4$ $\therefore \dfrac{1}{ab}\geq\dfrac{1}{4}$

$\therefore c+d+2cd=\dfrac{16}{ab}\geq 16\cdot\dfrac{1}{4}=4$

따라서 $c+d+2cd$의 최솟값은 4이다. **답 ③**

070 a, b가 실수이므로 코시-슈바르츠의 부등식에 의하여

$\{1^2+(\sqrt{2})^2\}(a^2+b^2)\geq(a+\sqrt{2}b)^2$

$3(a^2+b^2)\geq(a+\sqrt{2}b)^2$ $\left(\text{단, 등호는 } a=\dfrac{\sqrt{2}}{2}b\text{일 때 성립}\right)$

이때, $a+\sqrt{2}b=3-x, a^2+b^2=9-x^2$이므로

$3(9-x^2)\geq(3-x)^2$, $27-3x^2\geq 9-6x+x^2$

$2x^2-3x-9\leq 0$, $(2x+3)(x-3)\leq 0$

$\therefore -\dfrac{3}{2}\leq x\leq 3$

따라서 x의 최댓값은 3이다. **답 ④**

001 $f(0)=2 \cdot 0-3=-3$ 　　　　　답 -3

002 $f(-3)=2 \cdot(-3)-3=-9$ 　　　답 -9

003 $f\left(\dfrac{1}{2}\right)=2 \cdot \dfrac{1}{2}-3=-2$ 　　　답 -2

004 $f(1)=\dfrac{4}{1}=4$ 　　　　　　답 4

005 $f(2)=\dfrac{4}{2}=2$ 　　　　　　답 2

006 $f(-4)=\dfrac{4}{-4}=-1$ 　　　　답 -1

007 ㄴ. X의 원소 2에 대응하는 Y의 원소가 없으므로 함수가 아니다.
ㄹ. X의 원소 -1에 대응하는 Y의 원소가 없고, X의 원소 -2에 대응하는 Y의 원소가 0, 4의 2개이므로 함수가 아니다.
따라서 함수인 것만을 있는 대로 고르면 ㄱ, ㄷ이다.
답 ㄱ, ㄷ

008 　　　　　　　　　　　　　답 b

009 　　　　　　　　　　답 $\{1, 2, 3, 4\}$

010 　　　　　　　　　　　답 $\{a, b, c\}$

011 　　　　　　　　　　　　답 $\{a, b\}$

012 　　　　　　　答 $\{-6, -3, 3, 6\}$

013 　　　　　　答 $\left\{-3, -\dfrac{3}{2}, \dfrac{3}{2}, 3\right\}$

014 　　　　　　　　　　　답 $\{-1, 2\}$

015 　　　　　　　　　　　答 $\{1, 2\}$

016 답

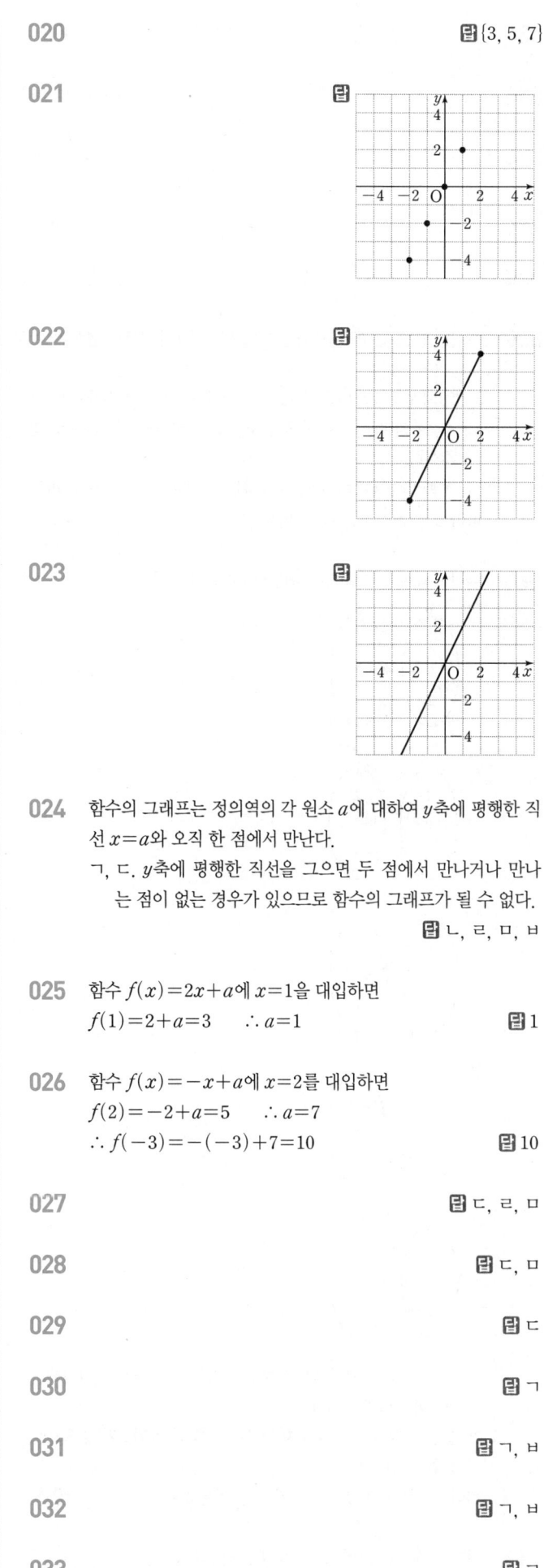

017 　　　　　　　　　　답 $\{1, 2, 3\}$

018 　　　　　　　　답 $\{3, 4, 5, 6, 7\}$

019 　　　　　　　　　　　　　답 3

020 　　　　　　　　　　答 $\{3, 5, 7\}$

021 답

022 답

023 답

024 함수의 그래프는 정의역의 각 원소 a에 대하여 y축에 평행한 직선 $x=a$와 오직 한 점에서 만난다.
ㄱ, ㄷ. y축에 평행한 직선을 그으면 두 점에서 만나거나 만나는 점이 없는 경우가 있으므로 함수의 그래프가 될 수 없다.
답 ㄴ, ㄹ, ㅁ, ㅂ

025 함수 $f(x)=2x+a$에 $x=1$을 대입하면
$f(1)=2+a=3$ 　　∴ $a=1$ 　　　　답 1

026 함수 $f(x)=-x+a$에 $x=2$를 대입하면
$f(2)=-2+a=5$ 　　∴ $a=7$
∴ $f(-3)=-(-3)+7=10$ 　　　　답 10

027 　　　　　　　　　　　答 ㄷ, ㄹ, ㅁ

028 　　　　　　　　　　　　答 ㄷ, ㅁ

029 　　　　　　　　　　　　　答 ㄷ

030 　　　　　　　　　　　　　答 ㄱ

031 　　　　　　　　　　　　答 ㄱ, ㅂ

032 　　　　　　　　　　　　答 ㄱ, ㅂ

033 　　　　　　　　　　　　　答 ㄱ

034 답 ㄴ

035 답 ㄴ, ㄷ, ㅂ

036 답 ㄴ, ㄷ, ㅂ

037 답 ㄴ

038 답 ㄹ

039 ㄱ. X의 원소 1에 대응하는 Y의 원소가 2개이므로 함수가 아니다.
ㄴ. X의 원소 4에 대응하는 Y의 원소가 없으므로 함수가 아니다.
ㄷ, ㄹ. X의 각 원소에 Y의 원소가 오직 하나씩 대응하므로 함수이다.
ㅁ. X의 원소 3에 대응하는 Y의 원소가 없으므로 함수가 아니다.
따라서 함수인 것은 ㄷ, ㄹ의 2개이다. 답 ②

040 주어진 대응을 그림으로 나타내면 다음과 같다.
①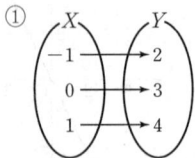
②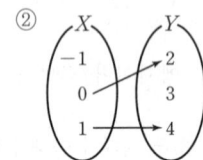
③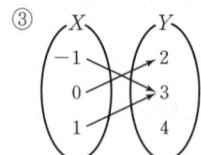
④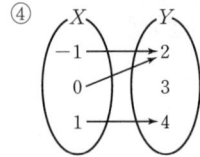
⑤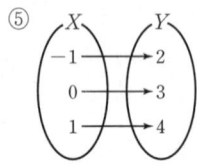

①, ③, ④, ⑤ 집합 X의 각 원소에 집합 Y의 원소가 하나씩만 대응하므로 함수이다.
② 집합 X의 원소 -1에 대응하는 집합 Y의 원소가 없으므로 함수가 아니다.
따라서 X에서 Y로의 함수가 아닌 것은 ②이다. 답 ②

041 보기의 대응을 그림으로 나타내면 다음과 같다.

ㄱ.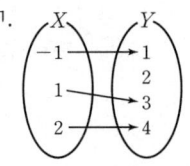

ㄴ.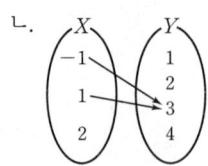

ㄷ.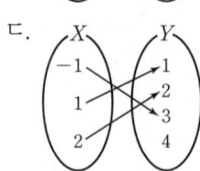

ㄴ. 집합 X의 원소 2에 대응하는 6이 집합 Y의 원소에 없으므로 함수가 아니다.
따라서 함수인 것만을 있는 대로 고르면 ㄱ, ㄷ이다.
답 ㄱ, ㄷ

042 $f(1)=2+a$, $f(2)=4+a$, $f(3)=6+a$이므로
f가 X에서 Y로의 함수가 되기 위해서는
$a=3$ 답 3

043 주어진 각 그래프 위에 직선 $x=a$ (a는 상수)를 그어 나타내면 그림과 같다.
①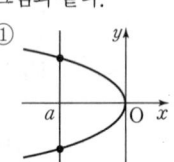
②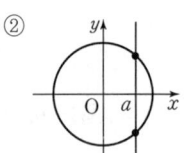
③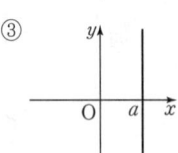
④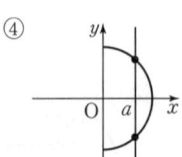
⑤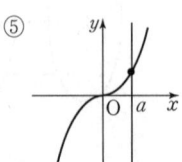

①, ②, ③, ④ 직선 $x=a$와 주어진 그래프가 두 점 이상에서 만나거나 만나는 점이 없는 경우가 있으므로 함수가 아니다.
⑤ 직선 $x=a$와 주어진 그래프가 오직 한 점에서 만난다.
따라서 함수인 것은 ⑤이다. 답 ⑤

044 $f(4)=3\times4+a=8$ $\therefore a=-4$
따라서 $f(x)=3x-4$이므로
$f(5)=3\times5-4=11$ 답 ④

045 $f(x)=3x-1$에서
$f(2)=3\times2-1=5$
$\therefore a=5$
$f(b)=3b-1=-7$에서
$3b=-6$
$\therefore b=-2$
$\therefore a-b=5-(-2)$
$\qquad=7$ 답 7

046 $f(2)=\dfrac{a}{2}=4$에서 $a=8$이므로
$f(x)=\dfrac{8}{x}$
$f(1)=\dfrac{8}{1}=8$
$f(-4)=\dfrac{8}{-4}=-2$
$\therefore f(1)+f(-4)=8+(-2)$
$\qquad=6$ 답 ①

047 $f(a)=-a+6$이므로
$2a=-a+6, 3a=6$ $\therefore a=2$
$g(a)=g(2)=-6+b=4$ $\therefore b=10$
$\therefore a+b=2+10$
$\qquad=12$ 답 ⑤

048 $f(x)=\begin{cases}2x-3 & (x\geq1)\\ -x & (x<1)\end{cases}$에서
$3\geq1$이므로 $x=3$을 $f(x)=2x-3$에 대입하면
$f(3)=6-3=3$
$-1<1$이므로 $x=-1$을 $f(x)=-x$에 대입하면
$f(-1)=-(-1)=1$
$\therefore f(3)+f(-1)=3+1$
$\qquad=4$ 답 4

049 5는 유리수이고, $1-\sqrt{5}$는 무리수이므로
$f(5)+f(1-\sqrt{5})=2\sqrt{5}+(1-\sqrt{5})^2$
$\qquad=2\sqrt{5}+(1-2\sqrt{5}+5)$
$\qquad=6$ 답 ⑤

050 정의역 $A=\{-1, 1, 3\}$, 공역 $B=\{1, 2, 3, 4\}$,
치역 $C=\{1, 3, 4\}$이므로
$A\cup B\cup C=\{-1, 1, 2, 3, 4\}$
따라서 구하는 모든 원소의 합은 9이다. 답 9

051 정의역 $X=\{-1, 0, 1\}$일 때, 함수 $f(x)=x^2$에서
정의역 X의 모든 원소에 대하여 함숫값을 구하면
$f(-1)=1, f(0)=0, f(1)=1$
따라서 함수 f의 치역은 $\{0, 1\}$이다. 답 ①

052 $y=-1$일 때 $2x-1=-1$이므로
$2x=0$ $\therefore x=0$
$y=1$일 때 $2x-1=1$이므로
$2x=2$ $\therefore x=1$
$y=3$일 때 $2x-1=3$이므로
$2x=4$ $\therefore x=2$
따라서 정의역은 $\{0, 1, 2\}$이다. 답 $\{0, 1, 2\}$

053 $y=-2x$는 x의 값이 증가할 때 y의 값은 감소하는 함수이다.
정의역이 $\{x|-1\leq x\leq3\}$이므로
$x=-1$일 때, $y=2$
$x=3$일 때, $y=-6$
따라서 치역은 $\{y|-6\leq y\leq2\}$이므로
$a=-6, b=2$
$\therefore b-a=8$ 답 ⑤

054 $a>0$이므로 조건에 의하여
$f(2)=-2, f(6)=10$
즉, $f(2)=2a+b=-2, f(6)=6a+b=10$
$\therefore a=3, b=-8$
$\therefore a+b=-5$ 답 ③

055 $X=\{2, 3, 5, 7\}$인 함수 $f:X\longrightarrow Y$에 대하여
$x\leq5$일 때, $f(x)=x^2-1$이므로
$f(2)=3, f(3)=8, f(5)=24$
$x>5$일 때, $f(x)=x+2$이므로
$f(7)=9$
따라서 치역은 $\{3, 8, 9, 24\}$이므로 치역의 모든 원소의 합은
$3+8+9+24=44$ 답 44

056 $f(x+y)=f(x)+f(y)$ ······㉠
㉠에 $x=1, y=1$을 대입하면
$f(2)=f(1)+f(1)=3(\because f(2)=3)$
$2f(1)=3$ $\therefore f(1)=\dfrac{3}{2}$
㉠에 $x=0, y=0$을 대입하면
$f(0)=f(0)+f(0)$
$\therefore f(0)=0$
㉠에 $x=1, y=-1$을 대입하면
$f(0)=f(1)+f(-1)$
$0=\dfrac{3}{2}+f(-1)$
$\therefore f(-1)=-\dfrac{3}{2}$
㉠에 $x=-1, y=-1$을 대입하면
$f(-2)=f(-1)+f(-1)$
$\qquad=-\dfrac{3}{2}+\left(-\dfrac{3}{2}\right)$
$\qquad=-3$ 답 -3

057 $f(xy)=f(x)+f(y)$ ······㉠
㉠에 $x=2, y=2$를 대입하면
$f(4)=f(2)+f(2)$
$\qquad=1+1=2(\because f(2)=1)$

$\bigcirc$에 $x=4$, $y=2$를 대입하면
$$f(8)=f(4)+f(2)$$
$$=2+1=3$$ 답 3

058 $f(x+y)-f(y)=f(x)+xy$에서
$$f(x+y)=f(x)+f(y)+xy \quad \cdots\cdots \bigcirc$$
$\bigcirc$에 $x=1$, $y=1$을 대입하면
$$f(2)=f(1)+f(1)+1$$
$$=5 \ (\because f(1)=2)$$
$\bigcirc$에 $x=2$, $y=1$을 대입하면
$$f(3)=f(2)+f(1)+2$$
$$=9$$
$\bigcirc$에 $x=3$, $y=2$를 대입하면
$$f(5)=f(3)+f(2)+6$$
$$=20$$
$\bigcirc$에 $x=5$, $y=5$를 대입하면
$$f(10)=f(5)+f(5)+25$$
$$=65$$ 답 65

059 정의역이 $X=\{-1,\ 0,\ 1\}$일 때,
ㄱ. $f(-1)=g(-1)=-1$, $f(0)=g(0)=0$,
    $f(1)=g(1)=1$
    $\therefore f=g$
ㄴ. $f(-1)=g(-1)=1$, $f(0)=g(0)=0$, $f(1)=g(1)=1$
    $\therefore f=g$
ㄷ. $f(-1)=-2$, $g(-1)=2$이므로
    $f(-1)\neq g(-1)$
    $\therefore f\neq g$
따라서 $f=g$인 것만을 있는 대로 고른 것은 ㄱ, ㄴ이다.
답 ④

060 $f(0)=g(0)$에서 $0-0-6=0+b$
$\therefore b=-6 \quad \cdots\cdots \bigcirc$
$f(1)=g(1)$에서 $1-a-6=3+b$
$\therefore a+b=-8 \quad \cdots\cdots \bigcirc$
$\bigcirc$을 $\bigcirc$에 대입하면
$a=-2$
$\therefore ab=12$ 답 12

061 집합 X의 모든 원소 x에 대하여 $f(x)=g(x)$이어야 하므로
$x^2=x^3-2x$, $x^3-x^2-2x=0$
$x(x+1)(x-2)=0$
$\therefore x=-1$ 또는 $x=0$ 또는 $x=2$
따라서 집합 X는 공집합을 제외한 $\{-1,\ 0,\ 2\}$의 부분집합이므로 집합 X의 개수는
$2^3-1=7$ 답 7

062 주어진 조건을 만족하는 함수는 일대일함수이다.
ㄹ. [반례] $x_1=1$, $x_2=2$이면 $x_1\neq x_2$이지만
    $f(x_1)=f(x_2)=q$이므로 일대일함수가 아니다.
따라서 일대일함수인 것만을 있는 대로 고르면 ㄱ, ㄴ, ㄷ이다.
답 ㄱ, ㄴ, ㄷ

063 주어진 조건을 만족하는 함수는 일대일함수이다.
① [반례] $x_1=1$, $x_2=2$이면 $x_1\neq x_2$이지만
    $f(x_1)=f(x_2)=1$이므로 $y=1$은 일대일함수가 아니다.
③ [반례] $x_1=-1$, $x_2=1$이면 $x_1\neq x_2$이지만
    $f(x_1)=3\cdot(-1)^2=3$, $f(x_2)=3\cdot 1^2=3$
    따라서 $y=3x^2$은 일대일함수가 아니다.
④ [반례] $x_1=-2$, $x_2=0$이면 $x_1\neq x_2$이지만
    $f(x_1)=|-2+1|=1$, $f(x_2)=|0+1|=1$
    따라서 $y=|x+1|$은 일대일함수가 아니다.
⑤ [반례] $x_1=-1$, $x_2=1$이면 $x_1\neq x_2$이지만
    $f(x_1)=(-1)^2-2=-1$, $f(x_2)=1^2-2=-1$
    따라서 $y=x^2-2$는 일대일함수가 아니다.
따라서 조건을 만족하는 함수는 ②이다. 답 ②

064 함수 $f(x)$가 일대일함수가 되려면 함수 $y=f(x)$의 그래프가 그림과 같아야 한다.

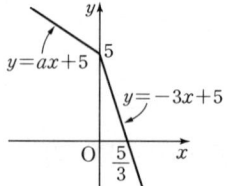

즉, $x\geq 0$에서 직선 $y=-3x+5$의 기울기가 음수이므로 $x<0$에서 직선의 기울기도 음수이어야 한다.
$\therefore a<0$ 답 ①

065 함수 $y=3x-4a$의 그래프는 기울기가 양수인 직선이므로 집합 $S=\{x|x\geq 4\}$에 대하여 S에서 S로의 함수 $y=3x-4a$가 일대일함수가 되려면 $x=4$일 때의 함숫값이 공역 안에 포함되어야 한다. 즉,
$12-4a\geq 4 \quad \therefore a\leq 2$

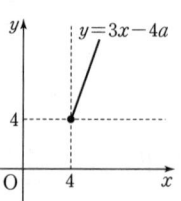

답 ④

066 $f(x)=x^2-4x=(x-2)^2-4$
이므로 함수 $y=f(x)$의 그래프는 그림과 같다.

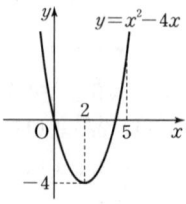

함수 $f(x)$는 집합 $X=\{x|x\geq k\}$에 대하여 X에서 X로의 일대일함수이므로
(i) $x\geq k$인 범위에서 x의 값이 증가할 때 y의 값이 항상 증가 또는 항상 감소해야 한다.
    함수 $y=f(x)$의 그래프에서 $x\geq 2$일 때 y의 값도 증가하므로 $k\geq 2$
(ii) 치역이 공역의 부분집합이어야 하므로
    $f(k)=k^2-4k\geq k$
    $k^2-5k\geq 0$, $k(k-5)\geq 0$
    $\therefore k\leq 0$ 또는 $k\geq 5$

(i), (ii)에 의하여 $k \geq 5$

따라서 실수 k의 최솟값은 5이다. 　　　　　답 5

067 주어진 그래프 위에 직선 $y=k$ (k는 상수)를 그어 나타내면 그림과 같다.

①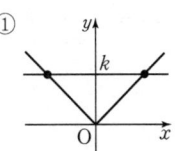

②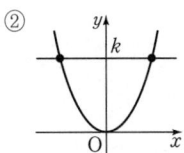

③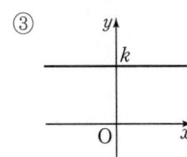

④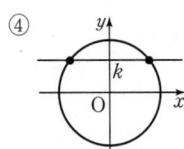

⑤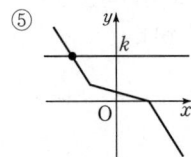

①, ②, ③, ④ (치역)≠(공역)이고, 직선 $y=k$와 주어진 그래프의 교점이 2개 이상이므로 일대일대응이 아니다.

⑤ (치역)=(공역)이고, 직선 $y=k$와 주어진 그래프의 교점이 1개이므로 일대일대응이다.

따라서 일대일대응인 것은 ⑤이다. 　　　　　답 ⑤

068 $X=\{1, 2, 3, 4\}$에 대하여 함수 f는 X에서 X로의 일대일대응이고, $f(4)=3$이므로

$\{f(1), f(2), f(3)\}=\{1, 2, 4\}$

이때, $f(1)>f(2)>f(3)$이어야 하므로

$f(1)=4, f(2)=2, f(3)=1$

$\therefore f(1)-f(2)-f(3)=4-2-1$
$=1$ 　　　　　답 1

069 그림에서 함수 $f(x)$가 일대일대응이려면 공역과 치역이 같아야 하므로

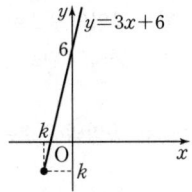

$f(k)=3k+6=k$

$\therefore k=-3$ 　　　　　답 ①

070 함수 $f(x)$가 일대일대응이려면 그림과 같이 $x<0$일 때, 직선 $y=ax+2$의 기울기가 양수이어야 한다.

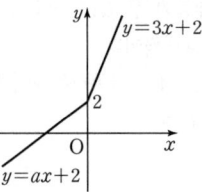

$\therefore a>0$

따라서 정수 a의 최솟값은 1이다. 　　　　　답 ④

071 $f(x)=x^2-2x+a$
$=(x-1)^2+a-1$

$x \geq 3$일 때, x의 값이 증가하면 $f(x)$의 값도 증가하므로 함수 f가 일대일대응이려면 $f(3)=2$이어야 한다. 즉,

$f(3)=(3-1)^2+a-1=2$

$\therefore a=-1$ 　　　　　답 -1

072 $f(x)$가 상수함수이고, $f(2)=3$이므로 $f(x)=3$이다.

$\therefore f(1)=f(3)=f(5)=\cdots=f(99)=3$

$\therefore f(1)+f(3)+f(5)+\cdots+f(99)=3 \cdot 50=150$

답 150

073 f는 항등함수이므로 $f(x)=x$

$\therefore f(10)=10$

$g(x)=-4$이므로 g는 상수함수이다.

$\therefore g(-1)=-4$

$\therefore f(10)+g(-1)=10+(-4)$
$=6$ 　　　　　답 ③

074 f가 항등함수이므로 $f(2)=2$

$\therefore g(2)=f(2)=2$

이때, $g(x)$가 상수함수이므로 $g(x)=2$

$\therefore f(3)+g(4)=3+2=5$ 　　　　　답 5

075 정의역 $X=\{1, 2, 3\}$의 각 원소에 대응할 수 있는 공역 $Y=\{a, b, c\}$의 원소는 a, b, c로 3개씩이므로 함수의 개수 p는

$p=3 \times 3 \times 3=3^3=27$

또한, 일대일대응은 치역과 공역이 같고,

정의역의 서로 나른 원소에 대응하는 함숫값이 다르므로

1에 대응할 수 있는 공역의 원소는 a, b, c로 3가지

2에 대응할 수 있는 공역의 원소는 1에 대응한 원소를 제외한 2가지

3에 대응할 수 있는 공역의 원소는 1, 2에 대응한 원소를 제외한 1가지

따라서 일대일대응의 개수 q는

$q=3 \times 2 \times 1=6$

$\therefore p+q=33$ 　　　　　답 ③

다른 풀이

정의역의 원소의 개수가 3, 공역의 원소의 개수가 3이므로

$p=3^3=27$, $q=3 \times 2 \times 1=6$

$\therefore p+q=33$

076 $f(1)=1$을 만족하는 함수는 정의역의 원소 1에 대응하는 공역의 원소는 1로 정해져 있으므로 정의역 $A=\{1, 2, 3, 4\}$의 원소 2, 3, 4에 대응할 수 있는 공역 $A=\{1, 2, 3, 4\}$의 원소는 1, 2, 3, 4로 모두 4개씩이다.
따라서 $f(1)=1$을 만족하는 함수의 개수는
$4\times4\times4=4^3=64$ 답 64

다른 풀이
$f(1)=1$이므로 정의역이 $\{2, 3, 4\}$, 공역이 $\{1, 2, 3, 4\}$인 함수의 개수를 구하면 된다.
$\therefore 4^3=64$

077 $f(1)$의 값이 될 수 있는 것은 $-1, 0, 1$로 3가지이고, $f(-1)=f(1)$이므로 $-1, 1$에 대응할 수 있는 공역의 원소는 그림과 같이 3가지이다.

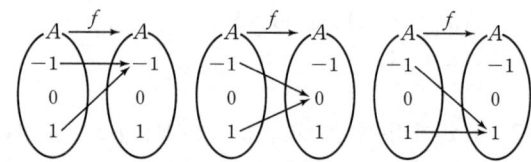

또 $f(-0)=f(0)$이므로 위의 각각의 경우에 대하여 $f(0)$의 값이 될 수 있는 것은 $-1, 0, 1$로 3가지이다.
따라서 구하는 함수 f의 개수는
$3\times3=9$ 답 9

078 $f(1)=3+a$, $f(3)=9+a$, $f(5)=15+a$이므로 f가 X에서 Y로의 함수가 되기 위해서는
$a=2$ 답 2

참고
$3+a<9+a<15+a$이므로
$3+a=5$, $9+a=11$, $15+a=17$

079 $g(3)=3+2=a$ $\quad\therefore a=5$
$\therefore f(a)=f(5)=2\times5-3=7$ 답 ④

080 $0\le x\le4$일 때, $f(x)=x+1$이므로
$f(3)=3+1=4$
$x>4$일 때, $f(x)=f(x-4)$이므로
$f(27)=f(23)=\cdots=f(7)=f(3)=4$
$\therefore f(3)+f(27)=4+4=8$ 답 8

081 $f(x)=mx+2m-1$ $(m>0)$이 함수가 되려면 그림과 같이 정의역 $\{x\,|\,0\le x\le2\}$의 모든 원소에 대응하는 치역의 원소가 $\{y\,|\,1\le y\le7\}$에 속해야 한다.

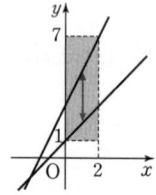

즉, $f(0)\ge1$, $f(2)\le7$이어야 하므로
$f(0)\ge1$에서 $2m-1\ge1$
$\therefore m\ge1$ $\quad\cdots\cdots\,\bigcirc$

$f(2)\le7$에서 $4m-1\le7$
$\therefore m\le2$ $\quad\cdots\cdots\,\bigcirc$
$\bigcirc$, $\bigcirc$에 의하여 실수 m의 값의 범위는
$1\le m\le2$ 답 $1\le m\le2$

082 $f(a+b)=f(a)+f(b)+3$ $\quad\cdots\cdots\,\bigcirc$
$\bigcirc$에 $a=b=0$을 대입하면
$f(0)=f(0)+f(0)+3$
$\therefore f(0)=-3$
$\bigcirc$에 $a=3$, $b=-3$을 대입하면
$f(0)=f(3)+f(-3)+3$
$\therefore f(3)+f(-3)=f(0)-3$
$\qquad\qquad\qquad\quad =-6$ 답 ①

083 $f(2)=g(2)$에서
$4-6+3=-4+b$
$\therefore b=5$
$f(a)=g(a)$에서
$a^2-3a+3=-2a+5$
$a^2-a-2=0$, $(a-2)(a+1)=0$
$\therefore a=-1$ $(\because a\ne2)$
$\therefore a+b=4$ 답 ③

084 $f(x)$는 x의 값이 증가할 때 함숫값도 증가하는 함수이므로 $f(1)\ge5$를 만족하면 일대일함수가 된다.
즉, $f(1)=2+k\ge5$ $\quad\therefore k\ge3$
따라서 k의 최솟값은 3이다. 답 3

085 $a>0$이므로 $f(x)=ax+b$가 일대일대응이려면
$f(0)=b=1$, $f(1)=a+b=3$
$\therefore a=2$, $b=1$
따라서 $f(x)=2x+1$이므로
$f\left(\dfrac{1}{2}\right)=2\times\dfrac{1}{2}+1=2$ 답 ①

086 함수 f가 항등함수이므로 $f(x)=x$
$\therefore f(1)=1$, $f(5)=5$
함수 g가 상수함수이고, $f(1)=g(3)$이므로
$g(3)=1$
즉, $g(x)=1$이므로 $g(5)=1$
$\therefore f(5)+g(5)=6$ 답 6

087 집합 X에서 집합 Y로의 함수 중 $x_1, x_2\in X$에 대하여 $x_1\ne x_2$이면 $f(x_1)\ne f(x_2)$를 만족하는 함수는 정의역의 서로 다른 원소에 대응하는 함숫값이 다르므로
a에 대응할 수 있는 공역의 원소는 1, 2, 3, 4로 4가지
b에 대응할 수 있는 공역의 원소는 a에 대응한 원소를 제외한 3가지
c에 대응할 수 있는 공역의 원소는 a, b에 대응한 원소를 제외한 2가지
따라서 조건을 만족하는 함수의 개수는
$4\times3\times2=24$ 답 24

다른 풀이

주어진 조건을 만족하는 함수는 일대일함수이므로 정의역의 원소의 개수가 3, 공역의 원소의 개수가 4일 때 일대일함수의 개수는

$4 \times 3 \times 2 = 24$

088 (i) $f(1) = 1$일 때,

2에 대응할 수 있는 공역의 원소는 2, 3, 4의 3가지
3, 4에 나머지 두 원소가 일대일대응하는 경우 2가지
따라서 일대일대응의 개수는

$3 \times 2 = 6$

(ii) $f(1) = 2$일 때,

2에 대응할 수 있는 공역의 원소는 3, 4의 2가지
3, 4에 나머지 두 원소가 일대일대응하는 경우 2가지
따라서 일대일대응의 개수는

$2 \times 2 = 4$

(iii) $f(1) = 3$일 때,

2에 대응할 수 있는 공역의 원소가 4의 1가지
3, 4에 나머지 두 원소가 일대일대응하는 경우 2가지
따라서 일대일대응의 개수는

$1 \times 2 = 2$

(iv) $f(1) = 4$일 때,

2에 대응할 수 있는 공역의 원소가 없다.

(i)~(iv)에서 구하는 일대일대응의 개수는

$6 + 4 + 2 = 12$ **📖 12**

089 (i) $x < 1$일 때,

$$f(x) = a(-x+1) + x - 1$$
$$= (1-a)x + a - 1$$

(ii) $x \geq 1$일 때,

$$f(x) = a(x-1) + x - 1$$
$$= (a+1)x - a - 1$$

이때, 함수 $f(x)$가 일대일대응이려면 위의 두 직선의 기울기가 모두 양수이거나 모두 음수이어야 하므로

$(1-a)(a+1) > 0$, $(a-1)(a+1) < 0$

$\therefore -1 < a < 1$ **📖 $-1 < a < 1$**

001 $g(f(3)) = g(a) = 2$ **📖 2**

002 $(g \circ f)(1) = g(f(1)) = g(b) = 4$ **📖 4**

003 $(f \circ g)(a) = f(g(a)) = f(2) = c$ **📖 c**

004 $(g \circ f)(x) = g(f(x)) = 1$
$f(x) = c$ $\therefore x = 2$ **📖 2**

005 $(f \circ g)(x) = f(g(x)) = c$
$g(x) = 2$ $\therefore x = a$ **📖 a**

006 $(g \circ f)(1) = g(f(1)) = g(b) = 4$
$(g \circ f)(2) = g(f(2)) = g(c) = 1$
$(g \circ f)(3) = g(f(3)) = g(a) = 2$
$(g \circ f)(4) = g(f(4)) = g(d) = 3$
이므로 합성함수 $g \circ f$의 치역은 $\{1, 2, 3, 4\}$이다.

📖 $\{1, 2, 3, 4\}$

007 $(f \circ g)(a) = f(g(a)) = f(2) = c$
$(f \circ g)(b) = f(g(b)) = f(4) = d$
$(f \circ g)(c) = f(g(c)) = f(1) = b$
$(f \circ g)(d) = f(g(d)) = f(3) = a$
이므로 합성함수 $f \circ g$의 치역은 $\{a, b, c, d\}$이다.

📖 $\{a, b, c, d\}$

008 $(g \circ f)(1) = g(f(1)) = g(2) = 4$ **📖 4**

009 $(f \circ g)(-2) = f(g(-2)) = f(-4) = -3$ **📖 -3**

010 $(f \circ f)(6) = f(f(6)) = f(7) = 8$ **📖 8**

011 $(g \circ f)(x) = g(f(x)) = g(x+1) = 2x+2$
📖 $(g \circ f)(x) = 2x+2$

012 $(f \circ g)(x) = f(g(x)) = f(2x) = 2x+1$
📖 $(f \circ g)(x) = 2x+1$

013 $((f \circ g) \circ h)(2) = (f \circ g)(h(2)) = (f \circ g)(6)$
$= f(g(6)) = f(5) = 16$ **📖 16**

014 $f((g \circ h)(1)) = f(g(h(1)))$
$= f(g(3)) = f(2) = 7$ **📖 7**

015 $(f \circ (g \circ h))(x) = f((g \circ h)(x)) = f(g(h(x)))$
$= f(g(x^2+2)) = f(x^2+1) = 3x^2+4$
📖 $(f \circ (g \circ h))(x) = 3x^2+4$

016 **📖 ㄱ, ㄹ, ㅂ**

017 역함수가 존재하려면 일대일대응이어야 한다.

답 ㄱ, ㄹ, ㅂ

018 역함수가 존재하려면 일대일대응이어야 한다.

답 ㄷ, ㅂ

019 답 c

020 답 1

021 $f^{-1}(1)=a$, $f^{-1}(2)=c$, $f^{-1}(3)=b$
이므로 함수 f^{-1}의 치역은 $\{a, b, c\}$이다. 답 $\{a, b, c\}$

022 $(f^{-1} \circ f)(b) = f^{-1}(f(b))$
$= f^{-1}(3) = b$ 답 b

023 $(f \circ f^{-1})(3) = f(f^{-1}(3))$
$= f(b) = 3$ 답 3

024 $f^{-1}(1)=a$에서 $f(a)=1$이므로
$-a+3=1$
$\therefore a=2$ 답 2

025 $f^{-1}(b)=7$에서 $f(7)=b$이므로
$-7+3=b$
$\therefore b=-4$ 답 -4

026 함수 $y=x+5$는 실수 전체의 집합 R에서 R로의 일대일대응
이므로 역함수가 존재한다.
$y=x+5$를 x에 대하여 풀면
$x=y-5$
x와 y를 바꿔 쓰면 $y=x-5$
$\therefore f^{-1}(x)=x-5$ 답 $f^{-1}(x)=x-5$

027 함수 $y=-2x+1$은 실수 전체의 집합 R에서 R로의 일대일대
응이므로 역함수가 존재한다.
$y=-2x+1$을 x에 대하여 풀면
$x=\dfrac{-y+1}{2}=-\dfrac{1}{2}y+\dfrac{1}{2}$

x와 y를 바꿔 쓰면 $y=-\dfrac{1}{2}x+\dfrac{1}{2}$

$\therefore f^{-1}(x)=-\dfrac{1}{2}x+\dfrac{1}{2}$ 답 $f^{-1}(x)=-\dfrac{1}{2}x+\dfrac{1}{2}$

028 함수 $y=\dfrac{1}{2}x-4$는 실수 전체의 집합 R에서 R로의 일대일대
응이므로 역함수가 존재한다.
$y=\dfrac{1}{2}x-4$를 x에 대하여 풀면
$x=2y+8$
x와 y를 바꿔 쓰면 $y=2x+8$
$\therefore f^{-1}(x)=2x+8$ 답 $f^{-1}(x)=2x+8$

029 함수 $y=2x-5$의 정의역이 $\{x|x\geq0\}$이므로 치역은
$\{y|y\geq-5\}$이다.
따라서 역함수의 정의역은 $\{x|x\geq-5\}$, 치역은 $\{y|y\geq0\}$이다.
답 정의역 : $\{x|x\geq-5\}$, 치역 : $\{y|y\geq0\}$

030 함수 $y=-x+3$의 정의역이 $\{x|x\geq1\}$이므로 치역은
$\{y|y\leq2\}$이다.
따라서 역함수의 정의역은 $\{x|x\leq2\}$, 치역은 $\{y|y\geq1\}$이다.
답 정의역 : $\{x|x\leq2\}$, 치역 : $\{y|y\geq1\}$

031 함수 $y=\dfrac{1}{2}x+2$의 정의역이 $\{x|x\geq2\}$이므로 치역은
$\{y|y\geq3\}$이다.
따라서 역함수의 정의역은 $\{x|x\geq3\}$, 치역은 $\{y|y\geq2\}$이다.
답 정의역 : $\{x|x\geq3\}$, 치역 : $\{y|y\geq2\}$

032 답 1

033 $(f^{-1})^{-1}(3) = f(3) = b$ 답 b

034 $(g^{-1})^{-1}(c) = g(c) = 1$ 답 1

035 $(g^{-1} \circ f^{-1})(a) = g^{-1}(f^{-1}(a)) = g^{-1}(1) = c$ 답 c

036 $(f \circ g)^{-1}(c) = (g^{-1} \circ f^{-1})(c) = g^{-1}(f^{-1}(c))$
$= g^{-1}(2) = a$ 답 a

037 $(f^{-1} \circ g^{-1})(1) = f^{-1}(g^{-1}(1)) = f^{-1}(c) = 2$ 답 2

038 $(g \circ f)^{-1}(3) = (f^{-1} \circ g^{-1})(3) = f^{-1}(g^{-1}(3))$
$= f^{-1}(b) = 3$ 답 3

039 $(g \circ f)^{-1}(1) = (f^{-1} \circ g^{-1})(1) = f^{-1}(g^{-1}(1))$
$= f^{-1}(3) = 1$ 답 1

040 $(f \circ g)^{-1}(2) = (g^{-1} \circ f^{-1})(2) = g^{-1}(f^{-1}(2))$
$= g^{-1}(3) = 2$ 답 2

041 $(g^{-1} \circ f)(1) = g^{-1}(f(1)) = g^{-1}(3) = 2$ 답 2

042 $(g \circ f^{-1})(2) = g(f^{-1}(2)) = g(3) = 1$ 답 1

043 $(f^{-1} \circ g)(2) = f^{-1}(g(2)) = f^{-1}(3) = 1$ 답 1

044 $(f \circ g^{-1})(3) = f(g^{-1}(3)) = f(2) = 1$ 답 1

045 $y=3x+3$에서 $x=\dfrac{y-3}{3}=\dfrac{1}{3}y-1$

x와 y를 바꿔 쓰면 $y=\dfrac{1}{3}x-1$

$\therefore f^{-1}(x)=\dfrac{1}{3}x-1$ 답 $f^{-1}(x)=\dfrac{1}{3}x-1$

046 $y=-x-1$에서 $x=-y-1$
x와 y를 바꿔 쓰면 $y=-x-1$
$\therefore g^{-1}(x)=-x-1$ 　　　답 $g^{-1}(x)=-x-1$

047 $(f^{-1})^{-1}(x)=f(x)=3x+3$ 　　답 $(f^{-1})^{-1}(x)=3x+3$

048 $(g^{-1}\circ f^{-1})(x)=g^{-1}(f^{-1}(x))=g^{-1}\left(\dfrac{1}{3}x-1\right)$
$\qquad\qquad =-\left(\dfrac{1}{3}x-1\right)-1=-\dfrac{1}{3}x$
$\qquad\qquad\qquad$ 답 $(g^{-1}\circ f^{-1})(x)=-\dfrac{1}{3}x$

049 $(f\circ g)(x)=f(g(x))=f(-x-1)$
$\qquad\qquad =3(-x-1)+3=-3x$
$y=-3x$에서 $x=-\dfrac{1}{3}y$
x와 y를 바꿔 쓰면 $y=-\dfrac{1}{3}x$
$\therefore (f\circ g)^{-1}(x)=-\dfrac{1}{3}x$ 　　답 $(f\circ g)^{-1}(x)=-\dfrac{1}{3}x$

050 $(f^{-1}\circ g^{-1})(x)=f^{-1}(g^{-1}(x))=f^{-1}(-x-1)$
$\qquad\qquad =\dfrac{1}{3}(-x-1)-1$
$\qquad\qquad =-\dfrac{1}{3}x-\dfrac{4}{3}$
$\qquad\qquad$ 답 $(f^{-1}\circ g^{-1})(x)=-\dfrac{1}{3}x-\dfrac{4}{3}$

051 두 점 P와 P′은 직선 $y=x$에 대하여 대칭이므로
점 P′의 좌표는 (b,a) 　　　　　答 (b,a)

052 두 점 P와 P′은 직선 $y=x$에 대하여 대칭이므로
점 P′의 좌표는 $(3,1)$ 　　　　　答 $(3,1)$

[053-055] 함수 $y=f(x)$와 그 역함수 $y=f^{-1}(x)$의 그래프는 직선 $y=x$에 대하여 대칭이 되도록 좌표평면 위에 나타내면 된다.

053 답
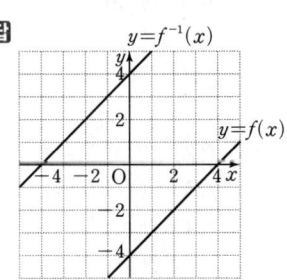

054 답
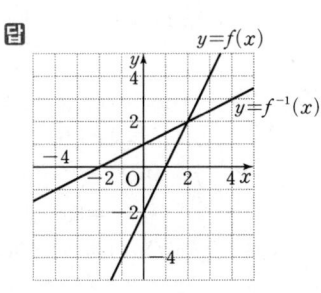

055 답
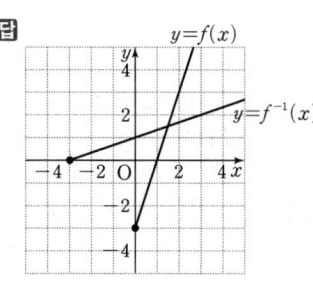

056 주어진 그래프는 x절편이 -4, y절편이 2인 직선이므로
$\dfrac{x}{-4}+\dfrac{y}{2}=1$
$\therefore y=\dfrac{1}{2}x+2$ 　　　　답 $f(x)=\dfrac{1}{2}x+2$

057 $y=\dfrac{1}{2}x+2$에서 $x=2y-4$
x와 y를 바꿔 쓰면 $y=2x-4$
$\therefore f^{-1}(x)=2x-4$ 　　　답 $f^{-1}(x)=2x-4$

058 답
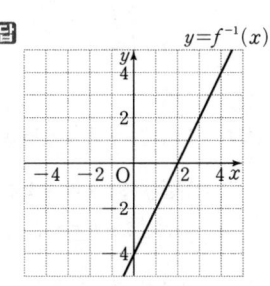

059 주어진 그래프는 $x\geq 1$일 때, 기울기가 2이고, 점 $(1,0)$을 지나는 직선이므로
$y=2(x-1)=2x-2 \ (x\geq 1)$
$\qquad\qquad$ 답 $f(x)=2x-2 \ (x\geq 1)$

060 $y=2x-2$에서 $x=\dfrac{y+2}{2}=\dfrac{1}{2}y+1$
x와 y를 바꿔 쓰면 $y=\dfrac{1}{2}x+1$
$\therefore f^{-1}(x)=\dfrac{1}{2}x+1 \ (x\geq 0)$
$\qquad\qquad$ 답 $f^{-1}(x)=\dfrac{1}{2}x+1 \ (x\geq 0)$

061 함수 $f(x)$의 정의역이 $\{x\,|\,x\geq 1\}$이므로 치역은 $\{y\,|\,y\geq 0\}$이다.
따라서 역함수의 정의역은 $\{x\,|\,x\geq 0\}$, 치역은 $\{y\,|\,y\geq 1\}$이다.
$\qquad\qquad$ 답 정의역 : $\{x\,|\,x\geq 0\}$, 치역 : $\{y\,|\,y\geq 1\}$

062 $(f\circ g)(1)=f(g(1))=f(2)=6$
$(g\circ f)(1)=g(f(1))=g(4)=11$
$\therefore (f\circ g)(1)-(g\circ f)(1)=6-11=-5$ 　　答 ①

063 $(f\circ g)(x)=f(g(x))=f(x^2+1)$
$\qquad\qquad =3(x^2+1)-1$
$\qquad\qquad =3x^2+2$ 　　답 $(f\circ g)(x)=3x^2+2$

064 $h(x)=(g\circ f)(x)=g(f(x))$이므로

$h(1)=g(f(1))$
주어진 그림에서 $f(1)=2$이므로
$g(f(1))=g(2)=-1$
$\therefore h(1)=-1$　　　　　　　　　답 -1

065 $(g \circ f)(1)+(f \circ g)(2)=g(f(1))+f(g(2))$
　　　　　　　　　　　　$=g(3)+f(5)$
　　　　　　　　　　　　$=10+3=13$　　답 ⑤

066 $(f \circ g)(2)=f(g(2))=f(6+b)$
　　　　　　　　　$=2(6+b)+a$
　　　　　　　　　$=12+2b+a=4$
$\therefore a+2b=-8$ ……㉠
$(g \circ f)(2)=g(f(2))=g(4+a)$
　　　　　　　　　$=3(4+a)+b$
　　　　　　　　　$=12+3a+b=3$
$\therefore 3a+b=-9$ ……㉡
㉠, ㉡을 연립하여 풀면
$a=-2, b=-3$
$\therefore a+b=-5$　　　　　　　답 -5

067 $2x+3=t$로 놓으면 $x=\dfrac{t-3}{2}$
이를 $f(2x+3)=2x+1$에 대입하면
$f(t)=2\left(\dfrac{t-3}{2}\right)+1=t-2$
따라서 $f(x)=x-2$이므로
$f(1)=1-2=-1$　　　　　　　답 -1
다른 풀이
$2x+3=1$로 놓으면 $x=-1$
이를 $f(2x+3)=2x+1$에 대입하면
$f(1)=2 \cdot (-1)+1=-1$

068 $f(x)=x^2-1, g(x)=2x+1, h(x)=3x-5$이므로
$((h \circ g) \circ f)(2)=(h \circ g)(f(2))=h(g(f(2)))$
　　　　　　　　　　　$=h(g(3))=h(7)=16$　답 ③

069 합성함수에서는 결합법칙이 성립하므로
$((h \circ g) \circ f)(x)=(h \circ (g \circ f))(x)=h((g \circ f)(x))$
　　　　　　　　　　　$=h(x+2)=3(x+2)+2$
　　　　　　　　　　　$=3x+8$
$((h \circ g) \circ f)(x)=5$에서
$3x+8=5$
$\therefore x=-1$　　　　　　　답 -1

070 $(g \circ f)(x)=g(f(x))=g(3x+2)$
　　　　　　　　$=2(3x+2)+a$
　　　　　　　　$=6x+a+4$
$(f \circ g)(x)=f(g(x))=f(2x+a)$
　　　　　　　　$=3(2x+a)+2$
　　　　　　　　$=6x+3a+2$
이때, $(g \circ f)(x)=(f \circ g)(x)$이므로

$6x+a+4=6x+3a+2$
$\therefore a=1$　　　　　　　답 ④

071 $(f \circ h)(x)=f(h(x))=h(x)+3$
$(f \circ h)(x)=g(x)$이므로 $h(x)+3=2x-1$
$\therefore h(x)=2x-4$
$\therefore h(1)=2 \cdot 1-4=-2$　　　답 -2
다른 풀이
$(f \circ h)(x)=g(x)$에 $x=1$을 대입하면
$f(h(1))=g(1)$
$g(1)=2 \cdot 1-1=1$이므로 $h(1)=k$라 하면
$f(k)=1$　　$\therefore k=-2$
$\therefore h(1)=-2$

072 $(h \circ g \circ f)(x)=((h \circ g) \circ f)(x)$
　　　　　　　　　　$=(h \circ g)(f(x))$
　　　　　　　　　　$=2f(x)-3$
$(h \circ g \circ f)(x)=-x+5$이므로
$2f(x)-3=-x+5$
$2f(x)=-x+8$
$\therefore f(x)=-\dfrac{1}{2}x+4$
$\therefore f(4)=-\dfrac{1}{2} \cdot 4+4=2$　　답 ②

073 $(g \circ f)(x)=g(f(x))=3(x+2)+1=3x+7$
$h(x)=ax+b$라 하면
$(h \circ g \circ f)(x)=h(g(f(x)))=h(3x+7)$
　　　　　　　　　　$=a(3x+7)+b=3ax+7a+b$
$(h \circ g \circ f)(x)=f(x)$이므로
$3ax+7a+b=x+2$
모든 실수 x에 대하여 이 식이 성립하려면
$3a=1, 7a+b=2$
$\therefore a=\dfrac{1}{3}, b=-\dfrac{1}{3}$
따라서 $h(x)=\dfrac{1}{3}x-\dfrac{1}{3}$이므로
$h(3)=\dfrac{2}{3}$　　　　　　　답 ②

074 $f(2)=3, f(3)=4, f(4)=5, f(5)=6, f(6)=2$이므로
$f(3)+(f \circ f)(4)+(f \circ f \circ f)(5)$
$=4+f(f(4))+f(f(f(5)))$
$=4+f(5)+f(f(6))$
$=4+6+f(2)$
$=4+6+3=13$　　　　　　　답 13

075 $(f \circ f)(x)=f(f(x))=2(2x-3)-3$
　　　　　　　　$=4x-9$
$(f \circ f \circ f)(x)=f((f \circ f)(x))=2(4x-9)-3$
　　　　　　　　　　$=8x-21$
$(f \circ f \circ f)(x)=-1$에서 $8x-21=-1$
$\therefore x=\dfrac{5}{2}$　　　　　　　답 ④

076 $f(x)=x+10$에서

$f^2(x)=f(f(x))=(x+10)+10=x+20$

$f^3(x)=f(f^2(x))=(x+20)+10=x+30$

$\vdots$

$f^{10}(x)=f(f^9(x))=(x+90)+10=x+100$

$\therefore f^{10}(1)=1+100=101$

답 101

077 $f(1)=2$, $f(2)=3$, $f(3)=1$, $f(4)=4$이므로

$f^2(1)=(f\circ f)(1)=f(f(1))=f(2)=3$

$f^3(1)=(f\circ f^2)(1)=f(f^2(1))=f(3)=1$

$f^4(1)=(f\circ f^3)(1)=f(f^3(1))=f(1)=2$

$f^5(1)=(f\circ f^4)(1)=f(f^4(1))=f(2)=3$

$f^6(1)=(f\circ f^5)(1)=f(f^5(1))=f(3)=1$

$f^7(1)=(f\circ f^6)(1)=f(f^6(1))=f(1)=2$

$\vdots$

따라서 $f^n(1)$의 함숫값은 2, 3, 1의 값이 반복되므로

$f^{2014}(1)=f^{3\times671+1}(1)=2$

$f^{2015}(1)=f^{3\times671+2}(1)=3$

$\therefore f^{2014}(1)-f^{2015}(1)=-1$

답 -1

078 주어진 그래프에 의하여

$f(x)=\begin{cases} 1 & (0\le x<1) \\ 2 & (1\le x<2) \\ 3 & (2\le x<3) \\ 0 & (x=3) \end{cases}$ 이므로

$f(0)=1$

$f^2(0)=f(f(0))=f(1)=2$

$f^3(0)=f(f^2(0))=f(2)=3$

$f^4(0)=f(f^3(0))=f(3)=0$

$f^5(0)=f(f^4(0))=f(0)=1$

$\vdots$

이 성립하므로

$f^{4n}(0)=0$ (단, n은 자연수)

$\therefore f^{100}(0)=f^{4\times25}(0)=0$

답 0

079 $f^1(1)=f(1)=2$

$f^2(1)=f(f(1))=f(2)=3$

$f^3(1)=f(f^2(1))=f(3)=4$

$f^4(1)=f(f^3(1))=f(4)=1$

$f^5(1)=f(f^4(1))=f(1)=2$

$f^6(1)=f(f^5(1))=f(2)=3$

$\vdots$

$\therefore f^{n+4}(1)=f^n(1)$ $(n=1, 2, 3, \cdots)$

$\therefore f^{2015}(1)=f^{2011}(1)=f^{2007}(1)=\cdots=f^3(1)=4$

답 ④

080 $(g\circ f)(2)=g(f(2))=g(5)=2$

답 ①

081 $f(x)=c$를 만족하는 x의 값은 d,

$(f\circ f)(x)=f(f(x))=c$를 만족하는

$f(x)$의 값은 d이므로

$f(x)=d$를 만족하는 x의 값은 e이다.

답 ⑤

082 $(f\circ g)(d)+(g\circ g)(c)$

$=f(g(d))+g(g(c))$

$=f(c)+g(b)$

$=d+a$

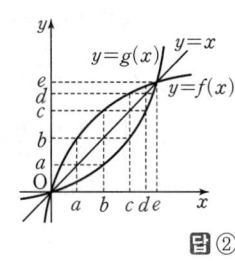

답 ②

083 $f(x)=\begin{cases} 2x+2 & (x<0) \\ 2 & (x\ge0) \end{cases}$ 이므로

(ⅰ) $x<0$일 때

$(f\circ f)(x)=f(f(x))=f(2x+2)$

$=\begin{cases} 2(2x+2)+2 & (x<-1) \\ 2 & (-1\le x<0) \end{cases}$

$=\begin{cases} 4x+6 & (x<-1) \\ 2 & (-1\le x<0) \end{cases}$

(ⅱ) $x\ge0$일 때

$(f\circ f)(x)=f(f(x))=f(2)$

$=2$

따라서 $y=(f\circ f)(x)$의 그래프는 그림과 같다.

답 ④

084 $f(4)=1$, $f(1)=3$이므로

$f^{-1}(1)=4$, $f^{-1}(3)=1$

$\therefore f^{-1}(1)+f^{-1}(3)=5$

답 5

085 $(f^{-1}\circ g)(3)=f^{-1}(g(3))=f^{-1}(1)$

이때, $f(2)=1$이므로

$f^{-1}(1)=2$

$\therefore (f^{-1}\circ g)(3)=2$

답 2

086 $a=(f\circ f)(3)=f(f(3))=f(2)=1$

$f^{-1}(a)=f^{-1}(1)=k$로 놓으면

$f(k)=1$ $\therefore k=2$

$\therefore f^{-1}(a)=2$

답 ④

087 $y=-2x-1$은 실수 전체의 집합 R에서 R로의 일대일대응이므로 역함수가 존재한다.

$y=-2x-1$에서 $x=-\dfrac{1}{2}y-\dfrac{1}{2}$

x와 y를 서로 바꾸면

$y=-\dfrac{1}{2}x-\dfrac{1}{2}$

따라서 x절편은 $a=-1$, y절편은 $b=-\dfrac{1}{2}$이므로

$a-4b=(-1)-4\left(-\dfrac{1}{2}\right)$

$=1$

답 1

088 $f(x)=ax+b$를 $y=ax+b$로 놓으면

$x=\dfrac{1}{a}y-\dfrac{b}{a}$

x와 y를 서로 바꾸면 $y=\dfrac{1}{a}x-\dfrac{b}{a}$

$\therefore f^{-1}(x)=\dfrac{1}{a}x-\dfrac{b}{a}$

즉, $\dfrac{1}{a}=\dfrac{1}{2}$, $-\dfrac{b}{a}=-3$이므로

$a=2$, $b=6$ $\quad\therefore a+b=8$ 　답 ④

다른 풀이

$f(x)=ax+b$이므로 $a+b$의 값은 $f(1)$의 값과 같다.

$f(1)=k$라 하면 $f^{-1}(k)=1$이므로

$\dfrac{1}{2}k-3=1$ $\quad\therefore k=8$

$\therefore a+b=8$

089 $y=x^2-4x$에서 x와 y를 서로 바꾸면

$x=y^2-4y$, 즉 $y^2-4y-x=0$

$\therefore y=2\pm\sqrt{x+4}$

이때, 함수 f의 정의역이 $X=\{x|x\geq2\}$이므로 역함수의 치역은 $\{y|y\geq2\}$이어야 한다.

따라서 구하는 역함수는 $y=2+\sqrt{x+4}\ (x\geq-4)$

답 $y=2+\sqrt{x+4}\ (x\geq-4)$

090 역함수가 존재하려면 주어진 함수는 일대일대응이어야 한다. 일대일대응인 함수의 그래프는 증가하거나 감소하는 모양이므로 각각의 그래프를 그려 확인한다.

ㄱ.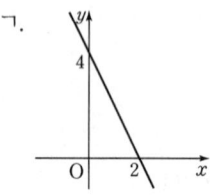

ㄴ.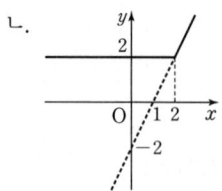

ㄷ.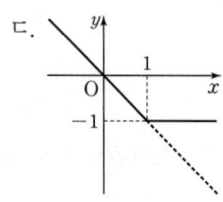

ㄹ.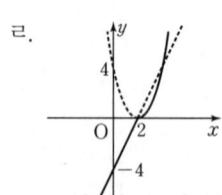

ㄱ은 감소함수, ㄹ은 증가함수이므로 역함수가 존재하는 것만을 있는 대로 고르면 ㄱ, ㄹ이다. 　답 ㄱ, ㄹ

091 함수 f의 역함수가 존재하므로 f는 일대일대응이다.

직선 $y=f(x)$의 기울기가 양수이므로

$f(1)=a$, $f(3)=b$

$f(1)=2\cdot1-5=-3$, $f(3)=2\cdot3-5=1$

$\therefore a=-3$, $b=1$

$\therefore a^2+b^2=(-3)^2+1^2=10$ 　답 10

092 $f(x)=x^2-2x$

$\qquad\quad =(x-1)^2-1$

함수 $f(x)$의 역함수가 존재하면 함수 f는 일대일대응이므로

$a\geq1$, $f(a)=a$

$f(a)=a$에서 $a^2-2a=a$

$a^2-3a=0$, $a(a-3)=0$

$\therefore a=3\ (\because a\geq1)$

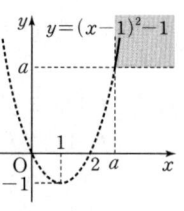

답 ③

093 $f^{-1}(10)=3$에서 $f(3)=10$이므로

$2\cdot3+a=10$ $\quad\therefore a=4$

$g^{-1}(5)=1$에서 $g(1)=5$이므로

$3\cdot1+b=5$ $\quad\therefore b=2$

$\therefore a+b=6$ 　답 6

094 $f^{-1}(0)=3$에서 $f(3)=0$이고, $f(2)=1$이므로

$\begin{cases} 3a+b=0 \\ 2a+b=1 \end{cases}$

위의 두 식을 연립하여 풀면 $a=-1$, $b=3$

$\therefore a+b=2$ 　답 ②

095 $(g\circ f)(x)=g(f(x))=a(x+a)+b$

$\qquad\qquad\qquad\qquad =ax+a^2+b=2x+1$

에서 $a=2$, $a^2+b=1$ $\quad\therefore b=-3$

$\therefore g(x)=2x-3$

$g^{-1}(1)=k$로 놓으면 $g(k)=1$

$2k-3=1$ $\quad\therefore k=2$ 　답 ⑤

096 $f^{-1}(3)=0$이므로 $f(0)=3$

$\therefore b=3$ ……㉠

$f(f(0))=f(3)=-6$이므로

$3a+3=-6\ (\because ㉠)$

$\therefore a=-3$

$\therefore a+b=0$ 　답 ①

097 $g^{-1}(1)=k$로 놓으면 $g(k)=1=f(2k+1)$

한편, $f^{-1}(1)=3$에서 $f(3)=1$이므로

$2k+1=3$ $\quad\therefore k=1$

$\therefore g^{-1}(1)=1$ 　답 1

098 $(g^{-1}\circ f)(3)=g^{-1}(f(3))=g^{-1}(5)$이므로

$g^{-1}(5)=k$로 놓으면 $g(k)=5$

(i) $k\geq0$이면 $k^2+1=5$에서 $k^2=4$

$\therefore k=2\ (\because k\geq0)$

(ii) $k<0$이면 $k+1=5$에서 $k=4$

그런데 $k<0$이므로 조건에 맞지 않는다.

(i), (ii)에 의하여 $k=2$

$\therefore (g^{-1}\circ f)(3)=2$ 　답 ③

099 $f(x)=f^{-1}(x)$이면 $(f \circ f)(x)=(f \circ f^{-1})(x)=x$이므로

$$\begin{aligned}(f \circ f)(x) &= f(f(x)) \\ &= f(ax+1) \\ &= a(ax+1)+1 \\ &= a^2 x + a + 1 = x\end{aligned}$$

따라서 $a^2=1$, $a+1=0$이므로

$a=-1$ 　　　　　　　　　　　　　　　　답 -1

100 $f(g(x))=x$에서 $g(x)=f^{-1}(x)$

$g(1)=a$로 놓으면 $f^{-1}(1)=a$

$f(a)=1$에서 $2a+5=1$

$\therefore a=-2$ 　　　　　　　　　　　　　　답 ②

101 $f^{-1} \circ h = g$에서 $f \circ f^{-1} \circ h = f \circ g$

$\therefore h = f \circ g$

$$\begin{aligned}(f \circ g)(x) &= f(g(x)) = f\left(\frac{1}{2}x+1\right) \\ &= \frac{3}{2}x+3 = ax+b\end{aligned}$$

에서 $a=\dfrac{3}{2}$, $b=3$

$\therefore a+b=\dfrac{9}{2}$ 　　　　　　　　　　답 $\dfrac{9}{2}$

다른 풀이

$f^{-1}(x)=\dfrac{1}{3}x$이므로

$$\begin{aligned}(f^{-1} \circ h)(x) &= f^{-1}(h(x)) = f^{-1}(ax+b) \\ &= \frac{a}{3}x + \frac{b}{3} = \frac{1}{2}x+1\end{aligned}$$

에서 $\dfrac{a}{3}=\dfrac{1}{2}$, $\dfrac{b}{3}=1$

$\therefore a=\dfrac{3}{2}$, $b=3$

$\therefore a+b=\dfrac{9}{2}$

102
$$\begin{aligned}(g \circ f)^{-1}(x) &= f^{-1} \circ g^{-1}(x) \\ &= f^{-1}(g^{-1}(x)) \\ &= f^{-1}(x+3) \\ &= 2(x+3)-1 \\ &= 2x+5\end{aligned}$$
　답 $(g \circ f)^{-1}(x)=2x+5$

103
$$\begin{aligned}(g \circ f)^{-1}(2) &= (f^{-1} \circ g^{-1})(2) \\ &= f^{-1}(g^{-1}(2)) \quad \cdots\cdots \text{㉠}\end{aligned}$$

$g^{-1}(2)=a$라 하면

$g(a)=-a-1=2$ 　　$\therefore a=-3$

㉠에서 $f^{-1}(g^{-1}(2))=f^{-1}(-3)$

$f^{-1}(-3)=b$라 하면

$f(b)=2b+5=-3$ 　　$\therefore b=-4$

$\therefore (g \circ f)^{-1}(2)=-4$ 　　　　　　답 -4

104 $(g^{-1} \circ f)^{-1}(1)=(f^{-1} \circ g)(1)=f^{-1}(g(1))=f^{-1}(2)$

이때, $f^{-1}(2)=t$라 하면 $f(t)=2$

$2t-4=2$ 　　$\therefore t=3$

$\therefore (g^{-1} \circ f)^{-1}(1)=3$ 　　　　　　답 ③

105 $(f^{-1} \circ g)^{-1}=g^{-1} \circ f$이므로

$$\begin{aligned}((f^{-1} \circ g)^{-1} \circ f)(-1) &= (g^{-1} \circ f \circ f)(-1) \\ &= g^{-1}(f(f(-1))) \\ &= g^{-1}(f(2 \cdot (-1)+1)) \\ &= g^{-1}(f(-1)) \\ &= g^{-1}(-1)\end{aligned}$$

이때, $g^{-1}(-1)=k$로 놓으면 $g(k)=-1$

$k-3=-1$ 　　$\therefore k=2$

$\therefore ((f^{-1} \circ g)^{-1} \circ f)(-1)=2$ 　　　답 2

106
$$\begin{aligned}(f \circ (g \circ f)^{-1})(2) &= (f \circ f^{-1} \circ g^{-1})(2) \\ &= (I \circ g^{-1})(2) \ (I는 \ 항등함수) \\ &= g^{-1}(2)\end{aligned}$$

이때, $g^{-1}(2)=t$라 하면 $g(t)=2$

$2t-1=2$ 　　$\therefore t=\dfrac{3}{2}$

$\therefore (f \circ (g \circ f)^{-1})(2)=\dfrac{3}{2}$ 　　　답 ②

107
$$\begin{aligned}((g \circ f)^{-1} \circ f)(a) &= (g \circ f)^{-1}(f(a)) \\ &= (g \circ f)^{-1}(3a-1)\end{aligned}$$

이때, $(g \circ f)^{-1}(3a-1)=1$이므로

$(g \circ f)(1)=3a-1$

$(g \circ f)(1)=g(f(1))=g(2)=4$이므로

$3a-1=4$

$\therefore a=\dfrac{5}{3}$ 　　　　　　　　　　　답 ②

108 $(f \circ f)(e)=f(f(e))$에서

$f(e)=m$이라 하면 $f^{-1}(m)=e$

$\therefore m=d$

$f(f(e))=f(d)=n$이라 하면

$f^{-1}(n)=d$ 　　$\therefore n=c$

$\therefore (f \circ f)(e)=c$

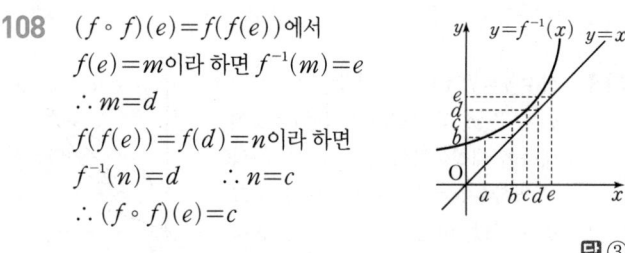

　　　　　　　　　　　　　　　　　　답 ③

109 함수 $f(x)=ax+b$의 그래프와 그 역함수의 그래프가 모두 점 $(1, -5)$를 지나므로

$f(1)=-5$, $f^{-1}(1)=-5$

$\therefore f(1)=a+b=-5$ 　　　$\cdots\cdots$ ㉠

$f^{-1}(1)=-5$에서 $f(-5)=1$이므로

$f(-5)=-5a+b=1$ 　　　$\cdots\cdots$ ㉡

㉠, ㉡을 연립하여 풀면 $a=-1$, $b=-4$

$\therefore f(x)=-x-4$

$\therefore f(0)=-4$ 　　　　　　　　　　답 -4

110 함수 $y=f(x)$와 그 역함수 $y=f^{-1}(x)$의 그래프의 교점은 함수 $y=f(x)$의 그래프와 직선 $y=x$의 교점과 같다.

$f(x)=\dfrac{1}{2}x+2$이므로

$\dfrac{1}{2}x+2=x$ 　　$\therefore x=4$

따라서 함수 $y=f(x)$의 그래프와 직선 $y=x$의 교점의 좌표가 $(4, 4)$이므로

$a=4$, $b=4$
$\therefore ab=16$ 　　　　　　　　　　　　　　　　答 16

111 두 함수 $y=f(x)$, $y=g(x)$의 그래프의 두 교점은 함수 $y=f(x)$의 그래프와 직선 $y=x$의 교점과 같으므로
$x^2-6x+12=x$, $x^2-7x+12=0$
$(x-3)(x-4)=0$
$\therefore x=3$ 또는 $x=4$
따라서 두 함수 $y=f(x)$, $y=g(x)$의 그래프의 두 교점은 $(3,\,3)$, $(4,\,4)$이므로 두 교점 사이의 거리는
$\sqrt{(4-3)^2+(4-3)^2}=\sqrt{2}$ 　　　　　　답 ②

다른 풀이
$x^2-6x+12=x$, 즉 $x^2-7x+12=0$의 두 근을 α, β라 하면 이차방정식의 근과 계수의 관계에 의하여
$\alpha+\beta=7$, $\alpha\beta=12$
따라서 두 함수 $y=f(x)$, $y=g(x)$의 그래프의 두 교점 $(\alpha,\,\alpha)$, $(\beta,\,\beta)$ 사이의 거리는
$\sqrt{(\alpha-\beta)^2+(\alpha-\beta)^2}=\sqrt{2}\sqrt{(\alpha+\beta)^2-4\alpha\beta}$
$=\sqrt{2}\sqrt{7^2-4\cdot12}=\sqrt{2}$

112 그림과 같이 두 함수 $y=f(x)$, $y=f^{-1}(x)$의 그래프는 직선 $y=x$에 대하여 대칭이므로 함수 $y=f^{-1}(x)$의 그래프와 y축 및 $y=k$로 둘러싸인 도형의 넓이도 S이다.
따라서 구하는 넓이는
$k\times2-S=2k-S$ 　　　　　　답 ③

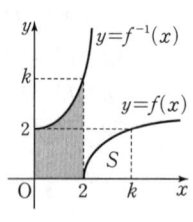

113 함수 $y=f(x)$와 그 역함수 $y=f^{-1}(x)$의 그래프는 직선 $y=x$에 대하여 대칭이므로 함수 $y=f(x)$와 그 역함수 $y=f^{-1}(x)$의 그래프는 그림과 같다. 이때, 구하는 넓이를 S라 하면 S는 $0\le x\le2$에서 함수 $y=f(x)$의 그래프와 직선 $y=x$로 둘러싸인 부분의 넓이인 S_1+S_2의 두 배이다.

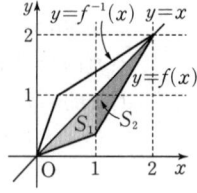

$S_1=\dfrac{1}{2}\times\dfrac{1}{2}\times1=\dfrac{1}{4}$
$S_2=\dfrac{1}{2}\times\dfrac{1}{2}\times1=\dfrac{1}{4}$
$\therefore S=2(S_1+S_2)=2\left(\dfrac{1}{4}+\dfrac{1}{4}\right)=1$ 　　답 1

114 $(f\circ g)(-2)=f(g(-2))=f(-5)$
$=-5a+3$
즉, $-5a+3=18$에서 $a=-3$ 　　　　　　답 ③

115 $(g\circ f)(1)=g(f(1))=g(2)$에서
$(g\circ f)(1)=2$이므로 $g(2)=2$
$(g\circ f)(3)=g(f(3))=3$에서
$f(3)=2,\,3,\,4$이면 g는 함수가 아니므로
$f(3)=1$, $g(1)=3$
$(g\circ f)(4)=g(f(4))=4$에서

$g(4)=4$이므로 $f(4)=4$
따라서 두 함수 f, g의 대응 관계는 다음과 같다.

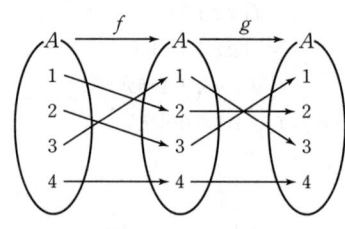

$\therefore g(2)+f(3)+f(4)=2+1+4=7$ 　　답 ②

116 $(f\circ h)(x)=f(h(x))=-h(x)+3$
$(f\circ h)(x)=g(x)$이므로
$-h(x)+3=x^2+3x-2$
$\therefore h(x)=-x^2-3x+5$
$\therefore h(2)=-5$ 　　　　　　　　　　　답 -5

117 $(f\circ(f\circ f))(x)=f(f(f(x)))$
$=f(f(-3x+6))$
$=f(-3(-3x+6)+6)$
$=f(9x-12)$
$=-3(9x-12)+6$
$=-27x+42$
$(f\circ(f\circ f))(x)=15$이므로
$-27x+42=15$
$\therefore x=1$ 　　　　　　　　　　　　답 ①

118 $(f\circ g)(2)+(g\circ f)(4)=f(g(2))+g(f(4))$
$=f(1)+g(4)$
$=2+4=6$ 　　　　　답 ③

119 $f(-2)=3$이므로
$-2a+b=3$ 　　……㉠
$f^{-1}(1)=-3$이므로 $f(-3)=1$
$-3a+b=1$ 　　……㉡
㉠, ㉡을 연립하여 풀면
$a=2$, $b=7$
$\therefore f(x)=2x+7$
$\therefore f(10)=27$ 　　　　　　　　　　답 27

120 함수 f의 역함수가 존재하므로 함수 f는 일대일대응이어야 한다.
함수 f가 일대일대응이려면 (치역)=(공역)이어야 하므로 그림과 같이 직선 $y=2x+1$과 이차함수 $y=x^2+a$의 그래프가 $x=1$에서 만나야 한다.

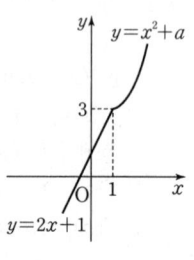

$1^2+a=2\cdot1+1$
$\therefore a=2$
$f^{-1}(6)=m$이라 하면 $f(m)=6$이므로
$f(m)=m^2+2=6$, $m^2=4$
$\therefore m=2$ ($\because m\ge1$)
즉, $f^{-1}(6)=2$이므로

$(f^{-1} \circ f^{-1})(6) = f^{-1}(f^{-1}(6)) = f^{-1}(2)$
$f^{-1}(2) = n$이라 하면 $f(n) = 2$이므로
$f(n) = 2n+1 = 2$ ∴ $n = \dfrac{1}{2}$
∴ $(f^{-1} \circ f^{-1})(6) = f^{-1}(2) = \dfrac{1}{2}$ 답 $\dfrac{1}{2}$

121 $(g \circ f)(x) = g(f(x)) = g(ax+b)$
$\qquad\qquad\qquad = ax+b+c$
이때, $(g \circ f)(x) = 3x-2$이므로
$ax+b+c = 3x-2$
∴ $a=3, b+c=-2$ ······ ㉠
$f^{-1}(2) = 1$이므로 $f(1) = 2$
∴ $f(1) = a+b = 2$ ······ ㉡
$a=3$을 ㉡에 대입하면 $b=-1$
$b=-1$을 ㉠에 대입하면 $c=-1$
∴ $a+b-c = 3+(-1)-(-1) = 3$ 답 ③

122 $(g \circ f)^{-1} = f^{-1} \circ g^{-1}$이므로
$(f \circ (g \circ f)^{-1} \circ f)(1) = (f \circ f^{-1} \circ g^{-1} \circ f)(1)$
$\qquad\qquad\qquad\qquad = (I \circ g^{-1} \circ f)(1)$ (I는 항등함수)
$\qquad\qquad\qquad\qquad = g^{-1}(f(1))$
$\qquad\qquad\qquad\qquad = g^{-1}(4)$
$g^{-1}(4) = a$라 하면 $g(a) = 4$이므로
$2a-4 = 4$ ∴ $a = 4$
∴ $(f \circ (g \circ f)^{-1} \circ f)(1) = 4$ 답 4

123 $f^{-1}(d) = k$라 하면 $f(k) = d$
∴ $k = c$
$g(c) = b, f(b) = c$이므로
$(f \circ g \circ f^{-1})(d)$
$= f(g(f^{-1}(d)))$
$= f(g(c))$
$= f(b) = c$ 답 ③

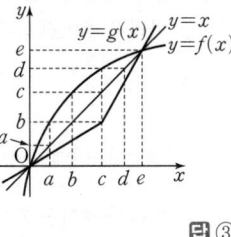

124 $f^2(x) = (f \circ f)(x) = f(f(x))$
$\qquad\quad = f(2x+1)$
$\qquad\quad = 2(2x+1)+1$
$\qquad\quad = 2^2 x + (2+1)$
$f^3(x) = (f^2 \circ f)(x) = f^2(f(x))$
$\qquad\quad = f^2(2x+1)$
$\qquad\quad = 2^2(2x+1) + (2+1)$
$\qquad\quad = 2^3 x + (2^2 + 2 + 1)$
이와 같이 계속하면
$f^{10}(x) = 2^{10} x + (2^9 + 2^8 + \cdots + 2 + 1)$
∴ $a = 2^{10}, b = 2^9 + 2^8 + \cdots + 2 + 1$
이때, $b = (2-1)(2^9 + 2^8 + \cdots + 1) = 2^{10} - 1$
∴ $b-a = 2^{10} - 1 - 2^{10} = -1$ 답 -1

125 $(f \circ f)(x) - f(x) = 0$에서
$f(f(x)) = f(x)$ ······ ㉠

그림에서 방정식 $f(x) = x$의 해는
$x=a$ 또는 $x=0$ 또는 $x=d$
이므로 ㉠에서
$f(x) = a$ 또는 $f(x) = 0$ 또는
$f(x) = d$
따라서 $f(x) = a$의 해는 1개,
$f(x) = 0$의 해는 3개, $f(x) = d$의 해는 2개이므로 구하는 해의 개수는
$1+3+2 = 6$ 답 6

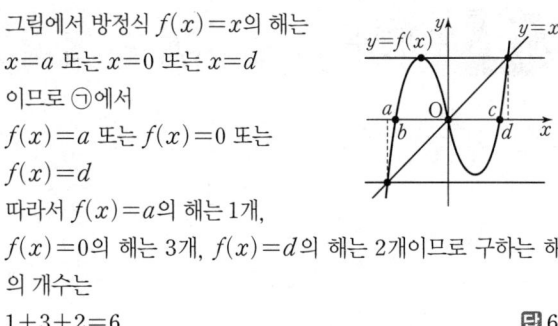

001 $\dfrac{x}{x^2-1}-\dfrac{1}{x^2-1}=\dfrac{x-1}{x^2-1}$

$\qquad\qquad =\dfrac{x-1}{(x-1)(x+1)}$

$\qquad\qquad =\dfrac{1}{x+1}$ 　　답 $\dfrac{1}{x+1}$

002 $\dfrac{1}{a-2}-\dfrac{1}{a+2}-\dfrac{1}{a^2-4}$

$\quad =\dfrac{(a+2)-(a-2)-1}{(a-2)(a+2)}$

$\quad =\dfrac{3}{(a-2)(a+2)}$ 　答 $\dfrac{3}{(a-2)(a+2)}$

003 $\dfrac{x^2-x+2}{x-1}-\dfrac{x^2+x+2}{x+1}$

$\quad =\dfrac{x(x-1)+2}{x-1}-\dfrac{x(x+1)+2}{x+1}$

$\quad =\left\{\dfrac{x(x-1)}{x-1}+\dfrac{2}{x-1}\right\}-\left\{\dfrac{x(x+1)}{x+1}+\dfrac{2}{x+1}\right\}$

$\quad =\left(x+\dfrac{2}{x-1}\right)-\left(x+\dfrac{2}{x+1}\right)$

$\quad =\dfrac{2}{x-1}-\dfrac{2}{x+1}=\dfrac{2(x+1)-2(x-1)}{(x-1)(x+1)}$

$\quad =\dfrac{4}{(x-1)(x+1)}$ 　答 $\dfrac{4}{(x-1)(x+1)}$

004 $\dfrac{x}{x+1}+\dfrac{3x-1}{x^2-2x-3}=\dfrac{x}{x+1}+\dfrac{3x-1}{(x+1)(x-3)}$

$\qquad\qquad =\dfrac{x(x-3)+3x-1}{(x+1)(x-3)}$

$\qquad\qquad =\dfrac{x^2-1}{(x+1)(x-3)}$

$\qquad\qquad =\dfrac{(x+1)(x-1)}{(x+1)(x-3)}$

$\qquad\qquad =\dfrac{x-1}{x-3}$ 　答 $\dfrac{x-1}{x-3}$

005 $\dfrac{x}{x^2-1}\times\dfrac{x-1}{x+1}=\dfrac{x}{(x+1)(x-1)}\times\dfrac{x-1}{x+1}$

$\qquad\qquad =\dfrac{x}{(x+1)^2}$ 　答 $\dfrac{x}{(x+1)^2}$

006 $\dfrac{x+3}{x^2+x}\times\dfrac{x+1}{x^2+2x-3}=\dfrac{x+3}{x(x+1)}\times\dfrac{x+1}{(x-1)(x+3)}$

$\qquad\qquad =\dfrac{1}{x(x-1)}$ 　答 $\dfrac{1}{x(x-1)}$

007 $\dfrac{a^2-2a}{a+1}\div\dfrac{a^2-4}{a^2-1}=\dfrac{a(a-2)}{a+1}\times\dfrac{(a-1)(a+1)}{(a-2)(a+2)}$

$\qquad\qquad =\dfrac{a(a-1)}{a+2}$ 　答 $\dfrac{a(a-1)}{a+2}$

008 $\dfrac{1}{x(x+1)}=\dfrac{1}{(x+1)-x}\left(\dfrac{1}{x}-\dfrac{1}{x+1}\right)$

$\qquad\qquad =\dfrac{1}{x}-\dfrac{1}{x+1}$ 　答 $\dfrac{1}{x}-\dfrac{1}{x+1}$

009 $\dfrac{4}{(x+2)(x+4)}=\dfrac{4}{(x+4)-(x+2)}\left(\dfrac{1}{x+2}-\dfrac{1}{x+4}\right)$

$\qquad\qquad =2\left(\dfrac{1}{x+2}-\dfrac{1}{x+4}\right)$

　答 $2\left(\dfrac{1}{x+2}-\dfrac{1}{x+4}\right)$

010 $\dfrac{1}{1\cdot2}+\dfrac{1}{2\cdot3}+\dfrac{1}{3\cdot4}=\left(1-\dfrac{1}{2}\right)+\left(\dfrac{1}{2}-\dfrac{1}{3}\right)+\left(\dfrac{1}{3}-\dfrac{1}{4}\right)$

$\qquad\qquad =1-\dfrac{1}{4}=\dfrac{3}{4}$ 　答 $\dfrac{3}{4}$

011 $\dfrac{1}{(x+1)(x+2)}+\dfrac{1}{(x+2)(x+3)}+\dfrac{1}{(x+3)(x+4)}$

$=\left(\dfrac{1}{x+1}-\dfrac{1}{x+2}\right)+\left(\dfrac{1}{x+2}-\dfrac{1}{x+3}\right)$

$\qquad\qquad +\left(\dfrac{1}{x+3}-\dfrac{1}{x+4}\right)$

$=\dfrac{1}{x+1}-\dfrac{1}{x+4}=\dfrac{3}{(x+1)(x+4)}$ 　答 $\dfrac{3}{(x+1)(x+4)}$

012 　答 $\{x\,|\,x\neq0$인 실수$\}$

013 $x-4=0$에서 $x=4$

따라서 주어진 함수의 정의역은 $\{x\,|\,x\neq4$인 실수$\}$

　答 $\{x\,|\,x\neq4$인 실수$\}$

014 $2x+5=0$에서 $x=-\dfrac{5}{2}$

따라서 주어진 함수의 정의역은 $\left\{x\,\middle|\,x\neq-\dfrac{5}{2}$인 실수$\right\}$

　答 $\left\{x\,\middle|\,x\neq-\dfrac{5}{2}$인 실수$\right\}$

015 答

x	$\cdots$	-2	-1	$-\dfrac{1}{2}$	$\cdots$	$\dfrac{1}{2}$	1	2	$\cdots$
y	$\cdots$	$-\dfrac{1}{2}$	-1	-2	$\cdots$	2	1	$\dfrac{1}{2}$	$\cdots$

016 答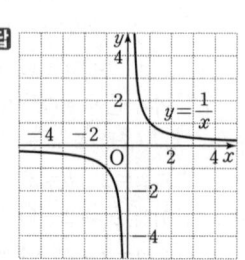

017 答

x	$\cdots$	-3	-1	$-\dfrac{1}{3}$	$\cdots$	$\dfrac{1}{3}$	1	3	$\cdots$
y	$\cdots$	1	3	9	$\cdots$	-9	-3	-1	$\cdots$

018

답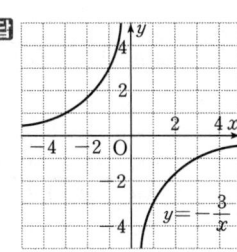

$y = -\dfrac{3}{x}$

019

답 $y = \dfrac{4}{x-1} - 2$

020

답 $y = -\dfrac{5}{x-6} + 1$

021

답 $y = -\dfrac{1}{x+1} - 3$

022

답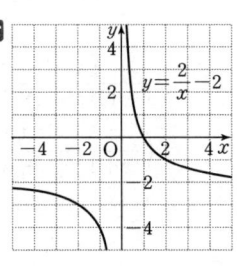

$y = \dfrac{2}{x} - 2$

023

답 $x = 0, y = -2$

024

답 정의역 : $\{x \,|\, x \neq 0\text{인 실수}\}$, 치역 : $\{y \,|\, y \neq -2\text{인 실수}\}$

025

답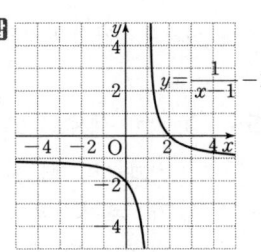

$y = \dfrac{1}{x-1} - 1$

026

답 $x = 1, y = -1$

027

답 정의역 : $\{x \,|\, x \neq 1\text{인 실수}\}$, 치역 : $\{y \,|\, y \neq -1\text{인 실수}\}$

028

답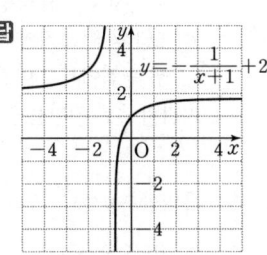

$y = -\dfrac{1}{x+1} + 2$

029

답 $x = -1, y = 2$

030

답 정의역 : $\{x \,|\, x \neq -1\text{인 실수}\}$, 치역 : $\{y \,|\, y \neq 2\text{인 실수}\}$

031 $y = \dfrac{x+2}{x+3} = \dfrac{(x+3)-1}{x+3} = -\dfrac{1}{x+3} + 1$

답 $y = -\dfrac{1}{x+3} + 1$

032 $y = \dfrac{5x-4}{x-3} = \dfrac{5(x-3)+11}{x-3} = \dfrac{11}{x-3} + 5$

답 $y = \dfrac{11}{x-3} + 5$

033 $y = \dfrac{-x+4}{x-2} = \dfrac{-(x-2)+2}{x-2} = \dfrac{2}{x-2} - 1$

답 $y = \dfrac{2}{x-2} - 1$

034 $y = \dfrac{-3x+4}{x-1} = \dfrac{-3(x-1)+1}{x-1} = \dfrac{1}{x-1} - 3$

답 $y = \dfrac{1}{x-1} - 3$

035 $y = \dfrac{2x-5}{-x+2} = \dfrac{2(x-2)-1}{-(x-2)} = \dfrac{-2(x-2)+1}{x-2}$

$= \dfrac{1}{x-2} - 2$ 답 $y = \dfrac{1}{x-2} - 2$

036 $y = \dfrac{2x+5}{x+1} = \dfrac{2(x+1)+3}{x+1} = \dfrac{3}{x+1} + 2$

답 $y = \dfrac{3}{x+1} + 2$

037

답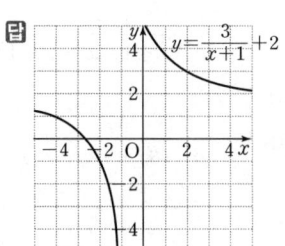

$y = \dfrac{3}{x+1} + 2$

038

답 $x = -1, y = 2$

039

답 정의역 : $\{x \,|\, x \neq -1\text{인 실수}\}$, 치역 : $\{y \,|\, y \neq 2\text{인 실수}\}$

040 $y = \dfrac{-3x+4}{x-1} = \dfrac{-3(x-1)+1}{x-1} = \dfrac{1}{x-1} - 3$

답 $y = \dfrac{1}{x-1} - 3$

041

답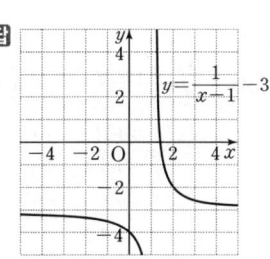

$y = \dfrac{1}{x-1} - 3$

042 답 $x=1, y=-3$

043 답 정의역 : $\{x \,|\, x \neq 1$인 실수$\}$, 치역 : $\{y \,|\, y \neq -3$인 실수$\}$

044 답 $(1, -3)$

045 주어진 등식의 좌변을 통분하고, 우변을 인수분해하면
$$\frac{2x+4}{(x+1)(x+3)} = \frac{ax+b}{(x+1)(x+3)}$$
이 식은 x에 대한 항등식이므로 $a=2, b=4$
$\therefore ab=8$ 답 ④

046
$$\frac{x+1}{x+2} - \frac{x+3}{x+4} = \frac{(x+2)-1}{x+2} - \frac{(x+4)-1}{x+4}$$
$$= \left(1 - \frac{1}{x+2}\right) - \left(1 - \frac{1}{x+4}\right)$$
$$= -\frac{1}{x+2} + \frac{1}{x+4}$$
$$= \frac{-(x+4)+(x+2)}{(x+2)(x+4)}$$
$$= \frac{-2}{(x+2)(x+4)}$$
답 ①

047
$$\frac{1}{x+1} + \frac{x}{x^2-x+1} - \frac{x^2+x}{x^3+1}$$
$$= \frac{x^2-x+1+x(x+1)}{(x+1)(x^2-x+1)} - \frac{x^2+x}{x^3+1}$$
$$= \frac{2x^2+1}{x^3+1} - \frac{x^2+x}{x^3+1} = \frac{x^2-x+1}{x^3+1}$$
$$= \frac{x^2-x+1}{(x+1)(x^2-x+1)} = \frac{1}{x+1}$$
답 ①

048
$$\frac{x^2-9y^2}{x^2-6xy+9y^2} \times \frac{x-3y}{x^2+3xy}$$
$$= \frac{(x-3y)(x+3y)}{(x-3y)^2} \times \frac{x-3y}{x(x+3y)}$$
$$= \frac{1}{x}$$
답 ②

049
$$\frac{x-1}{x+2} \div \frac{x^2+5x-6}{x^2-4}$$
$$= \frac{x-1}{x+2} \div \frac{(x-1)(x+6)}{(x-2)(x+2)}$$
$$= \frac{x-1}{x+2} \times \frac{(x-2)(x+2)}{(x-1)(x+6)}$$
$$= \frac{x-2}{x+6}$$
답 $\dfrac{x-2}{x+6}$

050
$$\frac{1-x^2}{1+y} \div \frac{x+x^2}{1-y^2} \times \left(1 + \frac{x}{1-x}\right)$$
$$= \frac{(1+x)(1-x)}{1+y} \div \frac{x(1+x)}{(1+y)(1-y)} \times \frac{(1-x)+x}{1-x}$$
$$= \frac{(1+x)(1-x)}{1+y} \times \frac{(1+y)(1-y)}{x(1+x)} \times \frac{1}{1-x}$$
$$= \frac{1-y}{x}$$
답 $\dfrac{1-y}{x}$

051
$$\frac{1}{a(a+1)} + \frac{1}{(a+1)(a+2)} + \frac{1}{(a+2)(a+3)}$$
$$+ \frac{1}{(a+3)(a+4)}$$
$$= \left(\frac{1}{a} - \frac{1}{a+1}\right) + \left(\frac{1}{a+1} - \frac{1}{a+2}\right) + \left(\frac{1}{a+2} - \frac{1}{a+3}\right)$$
$$+ \left(\frac{1}{a+3} - \frac{1}{a+4}\right)$$
$$= \frac{1}{a} - \frac{1}{a+4} = \frac{4}{a(a+4)}$$
답 ⑤

052 $f(x) = \dfrac{1}{x(x+1)} = \dfrac{1}{x} - \dfrac{1}{x+1}$ 이므로
$$f(1) + f(2) + \cdots + f(100)$$
$$= \left(\frac{1}{1} - \frac{1}{2}\right) + \left(\frac{1}{2} - \frac{1}{3}\right) + \cdots + \left(\frac{1}{100} - \frac{1}{101}\right)$$
$$= 1 - \frac{1}{101} = \frac{100}{101}$$
답 $\dfrac{100}{101}$

053
$$\frac{1}{(x+1)(x+2)} + \frac{2}{(x+2)(x+4)} + \frac{4}{(x+4)(x+8)}$$
$$= \left(\frac{1}{x+1} - \frac{1}{x+2}\right) + 2 \cdot \frac{1}{2}\left(\frac{1}{x+2} - \frac{1}{x+4}\right)$$
$$+ 4 \cdot \frac{1}{4}\left(\frac{1}{x+4} - \frac{1}{x+8}\right)$$
$$= \frac{1}{x+1} - \frac{1}{x+8} = \frac{7}{(x+1)(x+8)}$$
$\therefore k=7$ 답 7

054 유리함수 $y=\dfrac{2}{x}$의 정의역은 0을 제외한 실수 전체의 집합이다.
따라서 옳지 않은 것은 ①이다. 답 ①

055 ㄱ. $y=\dfrac{k}{x}$에서 $k>0$일 때에는 그림의
①과 같이 제1, 3사분면에 그래프가 그려지고, $k<0$일 때에는 그림의 ②와 같이 제2, 4사분면에 그래프가 그려진다. (참)

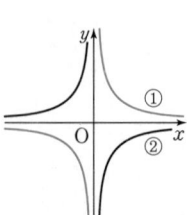

ㄴ. $|x|$의 값이 커질 때, $|y|$의 값은 작아지면서 한없이 x축에 가까워진다. 또한, $|x|$의 값이 작아질 때, $|y|$의 값은 커지면서 한없이 y축에 가까워진다. 따라서 점근선의 방정식은 $x=0, y=0$이다. (참)

ㄷ. $|k|$의 값이 작아지면 원점에 가까워지고, $|k|$의 값이 커지면 원점에서 멀어진다. (거짓)

따라서 옳은 것만을 있는 대로 고른 것은 ㄱ, ㄴ이다. 답 ④

056 유리함수 $y=\dfrac{k}{x}$ $(k \neq 0)$의 그래프가 제2, 4사분면에 있으려면 $k<0$이어야 한다.
ㄱ. $1>0$
ㄴ. $-3<0$
ㄷ. $\dfrac{7}{3} > 0$
따라서 그 그래프가 제2, 4사분면에 있는 유리함수는 ㄴ이다.
답 ㄴ

057 유리함수 $y=\dfrac{k}{x-p}+q\ (k\neq0)$의 그래프에서 점근선은 두 직선 $x=p,\ y=q$이므로 주어진 유리함수의 점근선의 방정식은

$x=-2,\ y=1$

$\therefore m=-2,\ n=1$

$\therefore m+n=-1$　　　　　　　　　답 ②

058 ㄱ. $y=\dfrac{1}{x-3}+2$의 점근선의 방정식은 $x=3,\ y=2$이므로 점 $(3,\ 2)$에 대하여 대칭이다. (참)

ㄴ. 그래프가 그림과 같으므로 제1, 2, 4사분면을 지난다.

(거짓)

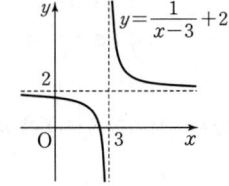

ㄷ. $y=\dfrac{1}{x-3}+2$에 $y=0$을 대입하면

$\dfrac{1}{x-3}+2=0$

$\dfrac{1}{x-3}=-2,\ x-3=-\dfrac{1}{2}$

$\therefore x=\dfrac{5}{2}$

즉, 그래프와 x축의 교점의 좌표는 $\left(\dfrac{5}{2},\ 0\right)$이다. (참)

따라서 옳은 것만을 있는 대로 고른 것은 ㄱ, ㄷ이다.

답 ㄱ, ㄷ

059 유리함수 $y=\dfrac{a}{x+3}-2$의 점근선의 방정식이 $x=-3,\ y=-2$이므로 이 그래프가 모든 사분면을 지나기 위해서는 그림과 같이 $a>0$

또 $x=0$에서의 y의 값이 양수이어야 하므로

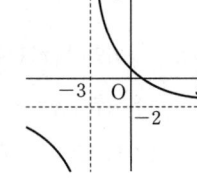

$\dfrac{a}{0+3}-2>0,\ a-6>0$

$\therefore a>6$　　　　　　　　　답 $a>6$

060 $f(x)=\dfrac{x+2}{x+1}=\dfrac{(x+1)+1}{x+1}=\dfrac{1}{x+1}+1$

이때, 점근선의 방정식이 $x=-1,\ y=1$이므로

$a=-1,\ b=1$

$\therefore a+b=0$　　　　　　　　　답 ③

061 $y=\dfrac{-2x+1}{x-1}=\dfrac{-2(x-1)-1}{x-1}=-\dfrac{1}{x-1}-2$

이므로 정의역은 $\{x\,|\,x\neq1$인 실수$\}$이고, 치역은 $\{y\,|\,y\neq-2$인 실수$\}$이다.

$\therefore a=1,\ b=-2$

$\therefore a-b=3$　　　　　　　　　답 3

062 $y=\dfrac{x-1}{x-2}=\dfrac{(x-2)+1}{x-2}=\dfrac{1}{x-2}+1$

이므로 점근선의 방정식은

$x=2,\ y=1$

또 $x=0$일 때, $y=\dfrac{1}{2}$이므로 주어진 유리함수의 그래프는 그림과 같다.

따라서 그래프는 제1, 2, 4사분면을 지난다.

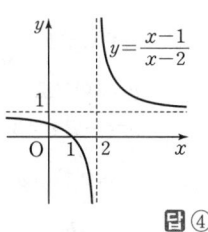

답 ④

063 $y=\dfrac{-x-6}{x+1}=\dfrac{-(x+1)-5}{x+1}=\dfrac{-5}{x+1}-1$

이므로 점근선의 방정식은 $x=-1,\ y=-1$

$y=\dfrac{3x+2}{2x-1}=\dfrac{\frac{3}{2}(2x-1)+\frac{7}{2}}{2x-1}=\dfrac{\frac{7}{2}}{2x-1}+\dfrac{3}{2}$

이므로 점근선의 방정식은

$x=\dfrac{1}{2},\ y=\dfrac{3}{2}$

따라서 점근선으로 둘러싸인 도형은 그림과 같은 직사각형이므로 구하는 둘레의 길이는

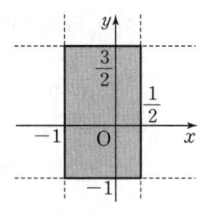

$2\left(\dfrac{3}{2}+\dfrac{5}{2}\right)=8$　　　　답 8

064 $y=\dfrac{ax+1}{-x+b}=\dfrac{a(x-b)+ab+1}{-(x-b)}=\dfrac{ab+1}{-(x-b)}-a$

이때, 점근선의 방정식이 $x=2,\ y=-1$이므로

$-a=-1,\ b=2$　　$\therefore a=1,\ b=2$　　답 $a=1,\ b=2$

065 점근선의 방정식이 $x=1,\ y=-2$인 유리함수는

$y=\dfrac{k}{x-1}-2\ (k\neq0)$로 나타낼 수 있다.

이 그래프가 점 $(3,\ 0)$을 지나므로

$0=\dfrac{k}{2}-2$

$\therefore k=4$

$y=\dfrac{4}{x-1}-2=\dfrac{-2x+6}{x-1}$이므로

$a=-2,\ b=6,\ c=-1$

$\therefore a+b+c=3$　　　　　　　　답 ⑤

다른 풀이

$y=\dfrac{ax+b}{x+c}=\dfrac{a(x+c)-ac+b}{x+c}=\dfrac{b-ac}{x+c}+a$

점근선의 방정식이 $x=1,\ y=-2$이므로

$c=-1,\ a=-2$

또 이 그래프가 점 $(3,\ 0)$을 지나므로

$0=\dfrac{b-(-2)(-1)}{3-1}-2,\ b-2=4$

$\therefore b=6$

$\therefore a+b+c=3$

066 유리함수 $y=-\dfrac{1}{x-p}+q$의 그래프의 점근선의 방정식이

$x=-1,\ y=2$이므로

$p=-1,\ q=2$

$\therefore pq=-2$　　　　　　　　　답 -2

067 유리함수 $y=\dfrac{b}{x+a}+c$의 그래프의 점근선의 방정식이 $x=2$, $y=3$이므로

$a=-2,\ c=3$

또 유리함수 $y=\dfrac{b}{x-2}+3$의 그래프가 점 $(0,2)$를 지나므로

$2=-\dfrac{b}{2}+3$

$\therefore b=2$

$\therefore a+b+c=3$ 　　　　　　　　　　　답 ③

068 주어진 그래프에서 점근선의 방정식이 $x=2$, $y=3$이므로

$y=\dfrac{k}{x-2}+3\ (k\neq0)$ 　　……㉠

이때, ㉠의 그래프가 점 $(0,4)$를 지나므로

$4=\dfrac{k}{0-2}+3$

$\therefore k=-2$

$k=-2$를 ㉠에 대입하면

$y=\dfrac{-2}{x-2}+3=\dfrac{-2+3(x-2)}{x-2}=\dfrac{3x-8}{x-2}$

따라서 $a=-2,\ b=3,\ c=-8$이므로

$a+b+c=-7$ 　　　　　　　　　답 -7

069 $y=\dfrac{3x+2}{x-1}=\dfrac{3(x-1)+5}{x-1}=\dfrac{5}{x-1}+3$

이므로 점근선의 방정식은 $x=1$, $y=3$이다.

따라서 주어진 유리함수의 그래프는 두 점근선의 교점 $(1,3)$에 대하여 대칭이므로

$a=1,\ b=3$

$\therefore a+b=4$ 　　　　　　　　　　답 ④

070 $y=\dfrac{3}{2x+4}+a=\dfrac{\frac{3}{2}}{x+2}+a$

이므로 이 함수의 그래프는 두 점근선 $x=-2$, $y=a$의 교점 $(-2,a)$를 지나고 기울기가 1 또는 -1인 직선에 대하여 대칭이다. 즉, 직선 $y=x+10$이 점 $(-2,a)$를 지나므로

$a=-2+10$

$\therefore a=8$ 　　　　　　　　　　답 8

071 함수 $y=\dfrac{1}{x+2}+2$의 그래프는 기울기가 ±1이고, 점 $(-2,2)$를 지나는 직선에 대하여 대칭이다.

$a>0$이므로 기울기가 1이고 점 $(-2,2)$를 지나는 직선은

$y-2=x+2,\ y=x+4$

$\therefore a=1,\ b=4$

$\therefore b-a=3$ 　　　　　　　　　답 ③

072 유리함수 $y=\dfrac{3}{x}$의 그래프를 x축의 방향으로 1만큼, y축의 방향으로 -2만큼 평행이동하면

$y=\dfrac{3}{x-1}-2=\dfrac{3-2(x-1)}{x-1}=\dfrac{-2x+5}{x-1}$

$\therefore a=-2,\ b=5,\ c=1,\ d=-1$

$\therefore a+b+c+d=3$ 　　　　　　　答 3

073 $y=\dfrac{-x+5}{x-2}=\dfrac{-(x-2)+3}{x-2}=\dfrac{3}{x-2}-1$

따라서 $y=\dfrac{-x+5}{x-2}$의 그래프는 $y=\dfrac{3}{x}$의 그래프를 x축의 방향으로 2만큼, y축의 방향으로 -1만큼 평행이동한 것이다.

$\therefore a=3,\ b=2,\ c=-1$

$\therefore a+b+c=4$ 　　　　　　　答 4

074 보기의 함수식을 $y=\dfrac{k}{x-p}+q$의 꼴로 변형했을 때, $k=3$이어야 한다.

ㄱ. $y=\dfrac{x+3}{x}=\dfrac{3}{x}+1$

ㄴ. $y=\dfrac{x-4}{x-1}=\dfrac{(x-1)-3}{x-1}=\dfrac{-3}{x-1}+1$

ㄷ. $y=\dfrac{4x+5}{2x+1}=\dfrac{2(2x+1)+3}{2x+1}$

$=\dfrac{3}{2x+1}+2=\dfrac{\frac{3}{2}}{x+\frac{1}{2}}+2$

따라서 $y=\dfrac{3}{x}$의 그래프와 일치할 수 있는 것은 ㄱ이다.

답 ①

075 정의역이 $\{x\,|\,1\le x\le4\}$일 때, 유리함수 $y=-\dfrac{2}{x}$의 그래프는 그림과 같으므로

$x=1$일 때, $y=-2$

$x=4$일 때, $y=-\dfrac{1}{2}$

따라서 치역은 $\left\{y\,\Big|-2\le y\le-\dfrac{1}{2}\right\}$이므로

$a=-2,\ b=-\dfrac{1}{2}$

$\therefore a+b=-\dfrac{5}{2}$ 　　　　　　答 ①

076 $y=\dfrac{x-1}{x+2}=\dfrac{(x+2)-3}{x+2}=\dfrac{-3}{x+2}+1$

이므로 $-1\le x\le2$일 때, 주어진 함수의 그래프는 그림과 같다.

따라서 $x=2$일 때 최댓값 $\dfrac{1}{4}$을 가지고, $x=-1$일 때 최솟값 -2를 가지므로 구하는 합은

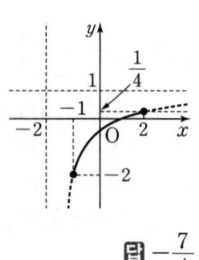

$\dfrac{1}{4}-2=-\dfrac{7}{4}$ 　　　　　　答 $-\dfrac{7}{4}$

077 $y=\dfrac{-2x+1}{x+1}=\dfrac{-2(x+1)+3}{x+1}=\dfrac{3}{x+1}-2$

이므로 $a\leq x\leq -2$에서 유리함수의
그래프는 그림과 같다. 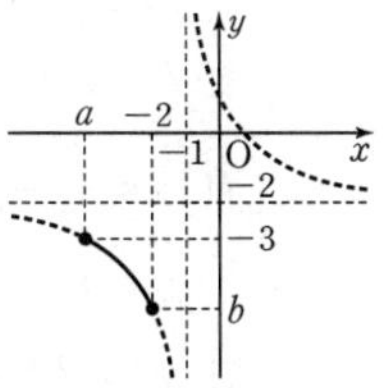
따라서 $x=a$일 때, 최댓값 -3을
가지므로
$$\frac{3}{a+1}-2=-3 \quad \therefore a=-4$$
$x=-2$일 때, 최솟값 b를 가지므로
$$\frac{3}{-2+1}-2=b \quad \therefore b=-5$$
$$\therefore ab=20 \qquad \qquad \qquad 답 ④$$

078 함수 $y=\dfrac{k}{x}$의 그래프와 직선 $y=-x+4$가 접하므로
$$\frac{k}{x}=-x+4, k=-x^2+4x$$
$$\therefore x^2-4x+k=0 \quad \cdots\cdots ㉠$$
㉠의 판별식을 D라 하면
$$\frac{D}{4}=4-k=0$$
$$\therefore k=4 \qquad \qquad \qquad 답 4$$

079 $y=\dfrac{2x+4}{x}=\dfrac{4}{x}+2$
직선 $y=ax+2$는 a의 값에
관계없이 점 $(0,2)$를 지나는
직선이므로 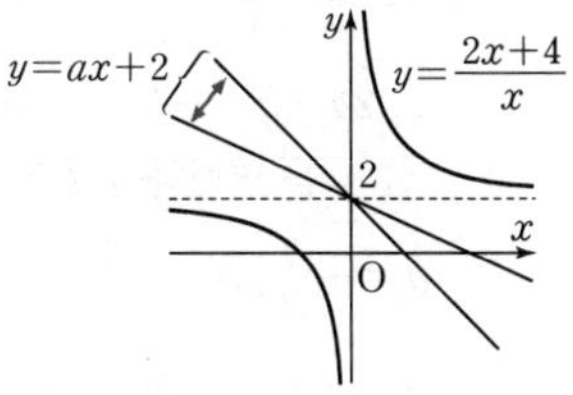
$y=\dfrac{2x+4}{x}$와 $y=ax+2$의
그래프는 그림과 같다.
따라서 그림에서 곡선과 직선이 만나지 않도록 하는 a의 값의
범위는 $a\leq 0$ $\qquad \qquad 답 a\leq 0$

080 $\dfrac{2x-3}{x-1}=x+a, 2x-3=x^2+(a-1)x-a$
$$\therefore x^2+(a-3)x+3-a \quad \cdots\cdots ㉠$$
㉠의 판별식을 D라 하면 유리함수의 그래프와 직선이 만나지
않아야 하므로
$$D=(a-3)^2-4(3-a)<0$$
$$a^2-2a-3<0$$
$$(a+1)(a-3)<0$$
$$\therefore -1<a<3$$
따라서 정수 a의 최댓값은 2이다. $\qquad 답 2$

다른 풀이

$y=\dfrac{2x-3}{x-1}=\dfrac{2(x-1)-1}{x-1}=\dfrac{-1}{x-1}+2$
의 그래프는 그림과 같다. 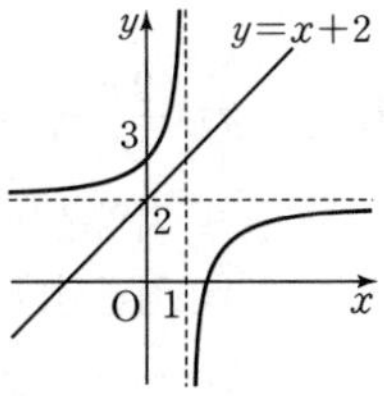
이때, a가 직선 $y=x+a$의 y절편이
고 정수이므로 $y=\dfrac{2x-3}{x-1}$의 그래프
와 직선 $y=x+a$가 만나지 않을 때
정수 a의 최댓값은 2이다.

081 $(f\circ g)(3)=f(g(3))=f(4)=\dfrac{2\cdot 4+2}{4-1}=\dfrac{10}{3}$

$(g\circ f)(3)=g(f(3))=g(4)=\dfrac{4+1}{4-2}=\dfrac{5}{2}$
$$\therefore (f\circ g)(3)+(g\circ f)(3)=\frac{10}{3}+\frac{5}{2}=\frac{35}{6} \qquad 답 ②$$

082 $f(1)=\dfrac{a+3}{1+b}=2$이므로 $a+3=2+2b$
$$a-2b=-1 \quad \cdots\cdots ㉠$$
$(f\circ f)(1)=f(f(1))=f(2)=\dfrac{2a+3}{2+b}=3$이므로
$$2a+3=6+3b$$
$$\therefore 2a-3b=3 \quad \cdots\cdots ㉡$$
㉠, ㉡을 연립하여 풀면
$$a=9, b=5$$
$$\therefore f(x)=\frac{9x+3}{x+5}$$
$$\therefore (f\circ f\circ f)(1)=f(f(f(1)))=f(f(2))=f(3)$$
$$=\frac{9\cdot 3+3}{3+5}=\frac{15}{4} \qquad 답 \frac{15}{4}$$

083 $f(x)=\dfrac{x-1}{x}=1-\dfrac{1}{x}$에서
$$f^2(x)=f(f(x))=f\left(1-\frac{1}{x}\right)=1-\frac{1}{1-\frac{1}{x}}=1-\frac{1}{\frac{x-1}{x}}$$
$$=1-\frac{x}{x-1}=\frac{1}{1-x}$$
$$f^3(x)=f(f^2(x))=f\left(\frac{1}{1-x}\right)=1-\frac{1}{\frac{1}{1-x}}$$
$$=1-(1-x)=x$$
$$\vdots$$
$$\therefore f^3(x)=f^6(x)=f^9(x)=\cdots=f^{99}(x)=x$$
따라서 $f^{100}(x)=f(f^{99}(x))=f(x)$이므로
$$f^{100}\left(\frac{1}{2}\right)=f\left(\frac{1}{2}\right)=-1 \qquad 답 -1$$

084 함수 $y=\dfrac{2x+1}{x+1}$의 역함수는 $y=\dfrac{ax+b}{x+c}$이므로
$y=\dfrac{2x+1}{x+1}$을 x에 대하여 정리하면
$$xy+y=2x+1, x(y-2)=1-y$$
$$\therefore x=\frac{-y+1}{y-2}$$
x와 y를 서로 바꾸면 $y=\dfrac{-x+1}{x-2}$
따라서 $a=-1, b=1, c=-2$이므로
$$a+b+c=-2 \qquad 답 -2$$

085 $y=\dfrac{ax+1}{x-1}$로 놓고 x에 대하여 정리하면
$$xy-y=ax+1, x(y-a)=y+1$$
$$\therefore x=\frac{y+1}{y-a}$$
x와 y를 서로 바꾸면
$$y=\frac{x+1}{x-a} \qquad \therefore f^{-1}(x)=\frac{x+1}{x-a}$$

이때, $f(x)=f^{-1}(x)$이므로

$\dfrac{ax+1}{x-1}=\dfrac{x+1}{x-a}$ ∴ $a=1$ 📖 1

086 $f(x)=\dfrac{2x}{x+a}=\dfrac{2(x+a)-2a}{x+a}=\dfrac{-2a}{x+a}+2$

$y=f(x)$의 그래프를 x축의 방향으로 b만큼, y축의 방향으로 7만큼 평행이동하면

$y=\dfrac{-2a}{x-b+a}+9$ ……㉠

한편, 함수 $f(x)$의 역함수 $f^{-1}(x)$는 $y=\dfrac{2x}{x+a}$를 x에 대하여 정리하면

$xy+ay=2x,\ x(y-2)=-ay$

$x=\dfrac{-ay}{y-2}$에서 x와 y를 서로 바꾸면 $y=\dfrac{-ax}{x-2}$

∴ $f^{-1}(x)=\dfrac{-ax}{x-2}$

$=\dfrac{-2a}{x-2}-a$ ……㉡

㉠과 ㉡의 그래프가 일치해야 하므로

$-b+a=-2,\ 9=-a$

∴ $a=-9,\ b=-7$

∴ $a+b=-16$ 📖 -16

다른 풀이

$f(x)=\dfrac{2x}{x+a}=\dfrac{2(x+a)-2a}{x+a}=\dfrac{-2a}{x+a}+2$

에서 점근선의 방정식은 $x=-a,\ y=2$이므로 역함수 $f^{-1}(x)$에서 점근선의 방정식은

$x=2,\ y=-a$ ……㉠

이때, 유리함수의 그래프를 평행이동하면 점근선도 똑같이 평행이동되므로 $f(x)$의 그래프의 점근선 $x=-a,\ y=2$를 x축의 방향으로 b만큼, y축의 방향으로 7만큼 평행이동한 점근선의 방정식은

$x=-a+b,\ y=9$ ……㉡

㉠과 ㉡의 방정식이 일치해야 하므로

$-a+b=2,\ 9=-a$

∴ $a=-9,\ b=-7$

∴ $a+b=-16$

087 $f^{-1}\left(\dfrac{3}{2}\right)=k$라 하면 $f(k)=\dfrac{3}{2}$이므로

$\dfrac{2k-1}{k+1}=\dfrac{3}{2},\ 4k-2=3k+3$

∴ $k=5$ 📖 ⑤

088 $(g\circ f)(x)=x$에서 $g(x)=f^{-1}(x)$

이때, $g(1)=t$로 놓으면 $f^{-1}(1)=t$, 즉 $f(t)=1$

$\dfrac{t+2}{2t-1}=1,\ t+2=2t-1$ ∴ $t=3$

∴ $g(1)=3$ 📖 ⑤

089 $f^{-1}(2)=6$에서 $f(6)=2$이므로

$f(6)=\dfrac{6b+4}{6a-1}=2$

∴ $2a-b=1$ ……㉠

또 $f^{-1}(7)=1$에서 $f(1)=7$이므로

$f(1)=\dfrac{b+4}{a-1}=7$

∴ $7a-b=11$ ……㉡

㉠, ㉡을 연립하여 풀면

$a=2,\ b=3$

∴ $f(x)=\dfrac{3x+4}{2x-1}$

∴ $f(2)=\dfrac{3\cdot2+4}{2\cdot2-1}=\dfrac{10}{3}$ 📖 $\dfrac{10}{3}$

090 점 $(2,1)$이 함수 $y=\dfrac{bx-1}{ax+2}$의 그래프 위의 점이므로

$1=\dfrac{2b-1}{2a+2}$

∴ $2a-2b=-3$ ……㉠

또 점 $(2,1)$이 $f(x)$의 역함수 $g(x)$의 그래프 위의 점이므로 $y=f(x)$의 그래프는 점 $(1,2)$를 지난다.

즉, 점 $(1,2)$는 함수 $y=\dfrac{bx-1}{ax+2}$의 그래프 위의 점이므로

$2=\dfrac{b-1}{a+2}$

∴ $2a-b=-5$ ……㉡

㉠, ㉡을 연립하여 풀면

$a=-\dfrac{7}{2},\ b=-2$

∴ $a-b=-\dfrac{3}{2}$ 📖 $-\dfrac{3}{2}$

091 $f^{-1}(2)=1$에서 $f(1)=2$이므로

$\dfrac{a+1}{1+b}=2$ ∴ $a-2b=1$ ……㉠

$f(f(1))=5$에서 $f(2)=5$이므로

$\dfrac{2a+1}{2+b}=5$ ∴ $2a-5b=9$ ……㉡

㉠, ㉡을 연립하여 풀면

$a=-13,\ b=-7$

∴ $a+b=-20$ 📖 -20

092 $f(x)=\dfrac{x+3}{x-1}$에서 $f^{-1}(x)=\dfrac{x+3}{x-1}$

$f(g(x))=x+2$에서 $g(x)=f^{-1}(x+2)=\dfrac{x+5}{x+1}$

∴ $a=1,\ b=5$

∴ $a+b=6$ 📖 ④

093 $y=\dfrac{2x+1}{x-1}=\dfrac{2(x-1)+3}{x-1}=\dfrac{3}{x-1}+2$

ㄱ. 치역은 $\{y\,|\,y\neq2$인 실수$\}$이다. (참)

ㄴ. 점근선의 방정식은 $x=1,\ y=2$이다. (거짓)

ㄷ. 주어진 함수의 그래프는 $y=\dfrac{3}{x}$의 그래프를 x축의 방향으로 1만큼, y축의 방향으로 2만큼 평행이동한 것이다. (참)

따라서 옳은 것만을 있는 대로 것은 ㄱ, ㄷ이다. 📖 ④

094 정의역이 $\{x \mid -1 \le x \le 1\}$일 때,

유리함수 $y = \dfrac{3}{x+2} - 1$의 그래프는

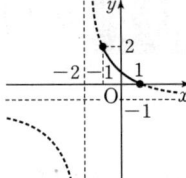

그림과 같으므로

$x = -1$일 때, $y = \dfrac{3}{-1+2} - 1 = 2$

$x = 1$일 때, $y = \dfrac{3}{1+2} - 1 = 0$

따라서 치역은 $\{y \mid 0 \le y \le 2\}$이므로

$a = 0,\ b = 2$

$\therefore a + b = 2$

답 ②

095 점근선의 방정식이 $x = 1,\ y = -2$인 유리함수는

$y = \dfrac{k}{x-1} - 2\ (k \ne 0)$로 나타낼 수 있다.

$y = \dfrac{k}{x-1} - 2 = \dfrac{k - 2x + 2}{x-1}$

$\quad = \dfrac{-2x + 2 + k}{x-1}$

$\dfrac{-2x+2+k}{x-1} = \dfrac{ax+1}{x-b}$이므로

$a = -2,\ b = 1$

답 ②

096 유리함수 $y = \dfrac{ax+b}{x+c}$의 그래프의 점근선의 방정식이

$x = -4,\ y = 2$이므로

$y = \dfrac{k}{x+4} + 2\ (k \ne 0)\quad \cdots\cdots \bigcirc$

로 나타낼 수 있다.

이때, $\bigcirc$의 그래프가 점 $(0, 4)$를 지나므로

$4 = \dfrac{k}{0+4} + 2 \quad \therefore k = 8$

$k = 8$을 $\bigcirc$에 대입하여 정리하면

$y = \dfrac{8}{x+4} + 2 = \dfrac{8 + 2(x+4)}{x+4} = \dfrac{2x+16}{x+4}$

$\dfrac{2x+16}{x+4} = \dfrac{ax+b}{x+c}$이므로

$a = 2,\ b = 16,\ c = 4$

$\therefore a + b + c = 22$

답 22

097 $y = \dfrac{2x+1}{x-a} = \dfrac{2(x-a)+2a+1}{x-a} = \dfrac{2a+1}{x-a} + 2$

이므로 이 함수의 그래프는 두 점근선 $x = a,\ y = 2$의 교점

$(a, 2)$를 지나고 기울기가 1 또는 -1인 직선에 대하여 대칭이

다. 즉, 직선 $y = x + 1$이 점 $(a, 2)$를 지나므로

$2 = a + 1$

$\therefore a = 1$

답 1

098 $y = \dfrac{2x+5}{x+1} = \dfrac{2(x+1)+3}{x+1} = \dfrac{3}{x+1} + 2$

이므로 이 그래프를 x축의 방향으로 1만큼, y축의 방향으로

-2만큼 평행이동하면 $y = \dfrac{3}{x}$의 그래프와 일치한다.

따라서 $a = 1,\ b = -2,\ k = 3$이므로

$a + b + k = 2$

답 ②

099 $y = \dfrac{2x-1}{x-1} = \dfrac{1}{x-1} + 2$

이므로 $a \le x \le 4$에서 유리함수의

그래프는 그림과 같다.

따라서 $x = a$일 때, 최댓값 $\dfrac{5}{2}$를 가

지므로

$\dfrac{1}{a-1} + 2 = \dfrac{5}{2}$

$\therefore a = 3$

$x = 4$일 때, 최솟값 b를 가지므로

$\dfrac{1}{4-1} + 2 = b$

$\therefore b = \dfrac{7}{3}$

$\therefore ab = 7$

답 7

100 직선 $y = m(x+1) + 1$은 m의

값에 관계없이 점 $(-1, 1)$을 지

나는 직선이고, $y = \dfrac{2}{x+1} + 1$의

그래프와 만나도록 하는 m의

값의 범위는 $m > 0$

따라서 m의 값으로 적당한 것은 $\dfrac{1}{2}$이다.

답 ⑤

101 $f^1(x) = f(x) = \dfrac{x}{1-x}$

$f^2(x) = (f \circ f)(x) = f(f(x)) = \dfrac{f(x)}{1 - f(x)}$

$\quad = \dfrac{\dfrac{x}{1-x}}{1 - \dfrac{x}{1-x}} = \dfrac{x}{1-2x}$

$f^3(x) = (f \circ f \circ f)(x) = f((f \circ f)(x))$

$\quad = \dfrac{\dfrac{x}{1-2x}}{1 - \dfrac{x}{1-2x}} = \dfrac{x}{1-3x}$

$\quad \vdots$

$f^{10}(x) = \dfrac{x}{1-10x}$

$\dfrac{x}{1-10x} = \dfrac{ax+b}{cx+1}$이므로 $a = 1,\ b = 0,\ c = -10$

$\therefore a + b + c = -9$

답 -9

102 $f^{-1}(1) = 3$에서 $f(3) = 1$이고, $f(1) = 3$이므로

$\dfrac{3a+3}{3b-3} = 1,\ \dfrac{a+3}{b-3} = 3$

$3a+3 = 3b-3$에서

$a - b = -2\quad \cdots\cdots \bigcirc$

$a+3 = 3b-9$에서

$a - 3b = -12\quad \cdots\cdots \bigcirc\!\!\bigcirc$

$\bigcirc,\ \bigcirc\!\!\bigcirc$을 연립하여 풀면

$a = 3,\ b = 5$

$\therefore a + b = 8$

답 ②

103 점 P의 좌표를 $\left(a, \dfrac{4}{a}\right)$라 하면

$\overline{PQ}=\dfrac{4}{a}$, $\overline{PR}=a$

$a>0$이므로 산술평균과 기하평균의 관계에 의하여

$\overline{PQ}+\overline{PR}=\dfrac{4}{a}+a\geq 2\sqrt{\dfrac{4}{a}\cdot a}=2\sqrt{4}=4$

$\left(\text{단, 등호는 }\dfrac{4}{a}=a,\text{ 즉 }a=2\text{일 때 성립}\right)$

따라서 $\overline{PQ}+\overline{PR}$의 최솟값은 4이다.　　🖺 4

104 $y=\dfrac{3x+2}{x-1}=\dfrac{5}{x-1}+3$

$2\leq x\leq 6$에서 함수 $y=\dfrac{3x+2}{x-1}$의
그래프와 직선 $y=ax+1$이 한 점에서
만나려면 그림과 같아야 한다.
따라서 직선 $y=ax+1$이 점 $(2,8)$을
지날 때, a의 최댓값은 $M=\dfrac{7}{2}$,

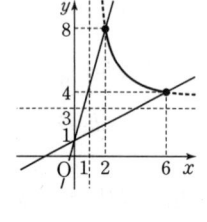

점 $(6,4)$를 지날 때, 최솟값은 $m=\dfrac{1}{2}$이므로

$M+m=4$　　🖺 4

---

11 무리함수

본책 167~180쪽

001 $x<0$이므로 $\sqrt{x^2}=|x|=-x$　　🖺 $-x$

002 $x>2$이면 $2-x<0$이므로

$\sqrt{(2-x)^2}=|2-x|=-(2-x)=x-2$　　🖺 $x-2$

003 $0<a<1$이면 $1-a>0$이므로

$\sqrt{(1-a)^2}=|1-a|=1-a$　　🖺 $1-a$

004 $\sqrt{x}-2$가 실수의 값을 갖기 위한 범위는

$x\geq 0$　　🖺 $x\geq 0$

005 $\dfrac{3}{\sqrt{x-4}}$이 실수의 값을 갖기 위한 범위는

$x-4>0$　　∴ $x>4$　　🖺 $x>4$

006 $\sqrt{2x+1}-\sqrt{5-x}$가 실수의 값을 갖기 위한 범위는

$2x+1\geq 0$에서 $x\geq -\dfrac{1}{2}$

$5-x\geq 0$에서 $x\leq 5$

∴ $-\dfrac{1}{2}\leq x\leq 5$　　🖺 $-\dfrac{1}{2}\leq x\leq 5$

007 $(\sqrt{3}+\sqrt{2})(\sqrt{3}-\sqrt{2})=(\sqrt{3})^2-(\sqrt{2})^2=1$　　🖺 1

008 $(\sqrt{x+1}-\sqrt{x})(\sqrt{x+1}+\sqrt{x})=(\sqrt{x+1})^2-(\sqrt{x})^2$
$=(x+1)-x=1$　　🖺 1

009 $\dfrac{1}{\sqrt{2}+1}=\dfrac{\sqrt{2}-1}{(\sqrt{2}+1)(\sqrt{2}-1)}=\sqrt{2}-1$　　🖺 $\sqrt{2}-1$

010 $\dfrac{\sqrt{a}-\sqrt{b}}{\sqrt{a}+\sqrt{b}}=\dfrac{(\sqrt{a}-\sqrt{b})^2}{(\sqrt{a}+\sqrt{b})(\sqrt{a}-\sqrt{b})}$
$=\dfrac{a+b-2\sqrt{ab}}{a-b}$　　🖺 $\dfrac{a+b-2\sqrt{ab}}{a-b}$

011 $\dfrac{4}{\sqrt{x+2}+\sqrt{x-2}}$

$=\dfrac{4(\sqrt{x+2}-\sqrt{x-2})}{(\sqrt{x+2}+\sqrt{x-2})(\sqrt{x+2}-\sqrt{x-2})}$

$=\dfrac{4(\sqrt{x+2}-\sqrt{x-2})}{4}$

$=\sqrt{x+2}-\sqrt{x-2}$　　🖺 $\sqrt{x+2}-\sqrt{x-2}$

012 $x+2\geq 0$에서 $x\geq -2$
따라서 주어진 함수의 정의역은 $\{x|x\geq -2\}$　🖺 $\{x|x\geq -2\}$

013 $2x+4\geq 0$에서 $x\geq -2$
따라서 주어진 함수의 정의역은 $\{x|x\geq -2\}$　🖺 $\{x|x\geq -2\}$

014 $3-x\geq 0$에서 $x\leq 3$
따라서 주어진 함수의 정의역은 $\{x|x\leq 3\}$　🖺 $\{x|x\leq 3\}$

015 $-2x+1 \geq 0$에서 $x \leq \dfrac{1}{2}$

따라서 주어진 함수의 정의역은 $\left\{ x \,\middle|\, x \leq \dfrac{1}{2} \right\}$　　**답** $\left\{ x \,\middle|\, x \leq \dfrac{1}{2} \right\}$

016 **답**

x	0	1	2	3	4	5	$\cdots$
y	0	1	$\sqrt{2}$	$\sqrt{3}$	2	$\sqrt{5}$	$\cdots$

017 **답**
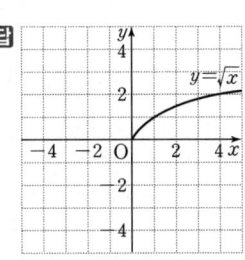

018 **답**

x	0	1	2	3	4	5	$\cdots$
y	0	-1	$-\sqrt{2}$	$-\sqrt{3}$	-2	$-\sqrt{5}$	$\cdots$

019 **답**
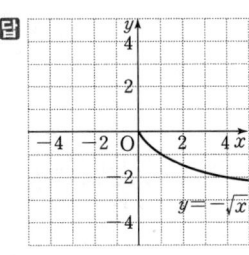

020
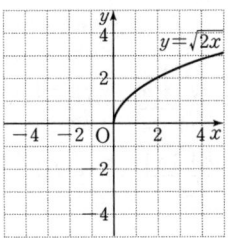

정의역 : $\{x \,|\, x \geq 0\}$, 치역 : $\{y \,|\, y \geq 0\}$　　**답** 풀이 참조

021
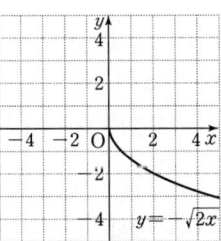

정의역 : $\{x \,|\, x \geq 0\}$, 치역 : $\{y \,|\, y \leq 0\}$　　**답** 풀이 참조

022
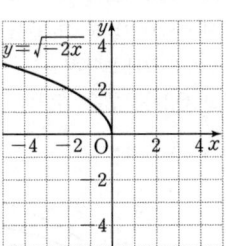

정의역 : $\{x \,|\, x \leq 0\}$, 치역 : $\{y \,|\, y \geq 0\}$　　**답** 풀이 참조

023
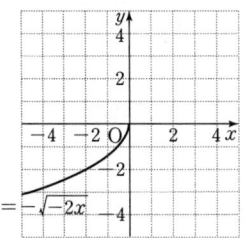

정의역 : $\{x \,|\, x \leq 0\}$, 치역 : $\{y \,|\, y \leq 0\}$　　**답** 풀이 참조

024 $y=\sqrt{x}$ 의 그래프를 y축의 방향으로 2만큼 평행이동하면
$y=\sqrt{x}+2$　　**답** $y=\sqrt{x}+2$

025 $y=\sqrt{-x}$ 의 그래프를 x축의 방향으로 1만큼 평행이동하면
$y=\sqrt{-(x-1)}=\sqrt{-x+1}$　　**답** $y=\sqrt{-x+1}$

026 $y=\sqrt{x}$ 의 그래프를 x축의 방향으로 1만큼, y축의 방향으로 2만큼 평행이동하면
$y=\sqrt{x-1}+2$　　**답** $y=\sqrt{x-1}+2$

027 $y=-\sqrt{x}$ 의 그래프를 x축의 방향으로 2만큼, y축의 방향으로 1만큼 평행이동하면
$y=-\sqrt{x-2}+1$　　**답** $y=-\sqrt{x-2}+1$

028 $y=-\sqrt{-x}$ 의 그래프를 x축의 방향으로 -1만큼, y축의 방향으로 -3만큼 평행이동하면
$y=-\sqrt{-(x+1)}-3=-\sqrt{-x-1}-3$
　　답 $y=-\sqrt{-x-1}-3$

029 $y=\sqrt{2(x-1)}-1$의 그래프는 $y=\sqrt{2x}$ 의 그래프를 x축의 방향으로 1만큼, y축의 방향으로 -1만큼 평행이동한 것이므로 좌표평면 위에 나타내면 그림과 같다.
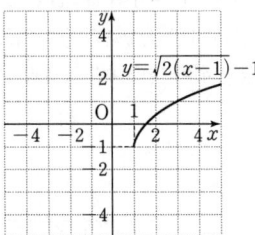

답 풀이 참조

030 **답** 정의역 : $\{x \,|\, x \geq 1\}$, 치역 : $\{y \,|\, y \geq -1\}$

031 $y=-\sqrt{x+2}+1$의 그래프는 $y=-\sqrt{x}$ 의 그래프를 x축의 방향으로 -2만큼, y축의 방향으로 1만큼 평행이동한 것이므로 좌표평면 위에 나타내면 그림과 같다.
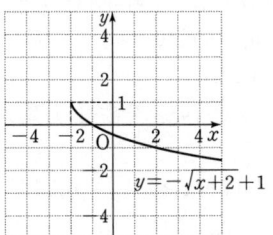

답 풀이 참조

032 **답** 정의역 : $\{x \,|\, x \geq -2\}$, 치역 : $\{y \,|\, y \leq 1\}$

033 $y=\sqrt{3x+6}+1=\sqrt{3(x+2)}+1$ 답 $y=\sqrt{3(x+2)}+1$

034 $y=\sqrt{2x+3}-1=\sqrt{2\left(x+\dfrac{3}{2}\right)}-1$

$$\text{답 } y=\sqrt{2\left(x+\dfrac{3}{2}\right)}-1$$

035 $y=\sqrt{6-2x}+2=\sqrt{-2(x-3)}+2$

$$\text{답 } y=\sqrt{-2(x-3)}+2$$

036 $y=-\sqrt{5x+15}-1=-\sqrt{5(x+3)}-1$

$$\text{답 } y=-\sqrt{5(x+3)}-1$$

037 $y=\sqrt{2x+4}+1=\sqrt{2(x+2)}+1$ 답 $y=\sqrt{2(x+2)}+1$

038 $y=\sqrt{2(x+2)}+1$의 그래프는 $y=\sqrt{2x}$ 의 그래프를 x축의 방향으로 -2만큼, y축의 방향으로 1만큼 평행이동한 것이므로 좌표평면 위에 나타내면 그림과 같다.

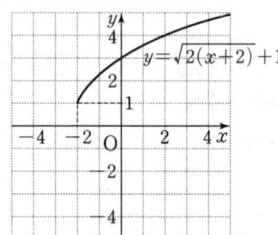

답 풀이 참조

039   답 정의역 : $\{x\,|\,x\geq-2\}$, 치역 : $\{y\,|\,y\geq1\}$

040 $y=-\sqrt{2-2x}+1=-\sqrt{-2(x-1)}+1$

$$\text{답 } y=-\sqrt{-2(x-1)}+1$$

041 $y=-\sqrt{-2(x-1)}+1$의 그래프는 $y=-\sqrt{-2x}$ 의 그래프를 x축의 방향으로 1만큼, y축의 방향으로 1만큼 평행이동한 것이므로 좌표평면 위에 나타내면 그림과 같다.

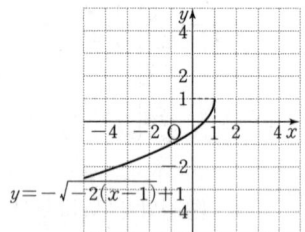

답 풀이 참조

042   답 정의역 : $\{x\,|\,x\leq1\}$, 치역 : $\{y\,|\,y\leq1\}$

043 무리식의 값이 실수가 되려면 (근호 안의 값)≥0이어야 하므로
$6+3x\geq0$, $3-x\geq0$
$\therefore -2\leq x\leq3$
따라서 이를 만족하는 자연수는 1, 2, 3의 3개이다.   답 ②

044 $\sqrt{5-x}$ 에서 $5-x\geq0$ $\therefore x\leq5$ $\cdots\cdots$ ㉠
$\dfrac{1}{\sqrt{2+x}}$ 에서 $2+x>0$ $\therefore x>-2$ $\cdots\cdots$ ㉡
따라서 ㉠, ㉡에서 $-2<x\leq5$ 답 $-2<x\leq5$

045 $\dfrac{\sqrt{4-x}}{x-2}$ 가 정의되어야 하므로 $4-x\geq0$, $x-2\neq0$
$\therefore x<2$ 또는 $2<x\leq4$
따라서 모든 자연수 x의 값의 합은
$1+3+4=8$ 답 8

046
$\dfrac{\sqrt{x}+\sqrt{y}}{\sqrt{x}-\sqrt{y}}+\dfrac{\sqrt{x}-\sqrt{y}}{\sqrt{x}+\sqrt{y}}$

$=\dfrac{(\sqrt{x}+\sqrt{y})^2}{(\sqrt{x}-\sqrt{y})(\sqrt{x}+\sqrt{y})}+\dfrac{(\sqrt{x}-\sqrt{y})^2}{(\sqrt{x}+\sqrt{y})(\sqrt{x}-\sqrt{y})}$

$=\dfrac{(\sqrt{x}+\sqrt{y})^2}{x-y}+\dfrac{(\sqrt{x}-\sqrt{y})^2}{x-y}$

$=\dfrac{x+2\sqrt{x}\sqrt{y}+y+x-2\sqrt{x}\sqrt{y}+y}{x-y}$

$=\dfrac{2(x+y)}{x-y}$ 답 ⑤

047
$\dfrac{\sqrt{x+1}-\sqrt{1-x}}{\sqrt{x+1}+\sqrt{1-x}}=\dfrac{(\sqrt{x+1}-\sqrt{1-x})^2}{(\sqrt{x+1}+\sqrt{1-x})(\sqrt{x+1}-\sqrt{1-x})}$

$=\dfrac{x+1+1-x-2\sqrt{x+1}\sqrt{1-x}}{x+1-(1-x)}$

$=\dfrac{1-\sqrt{x+1}\sqrt{1-x}}{x}$

$\dfrac{\sqrt{x+1}+\sqrt{1-x}}{\sqrt{x+1}-\sqrt{1-x}}=\dfrac{(\sqrt{x+1}+\sqrt{1-x})^2}{(\sqrt{x+1}-\sqrt{1-x})(\sqrt{x+1}+\sqrt{1-x})}$

$=\dfrac{x+1+1-x+2\sqrt{x+1}\sqrt{1-x}}{x+1-(1-x)}$

$=\dfrac{1+\sqrt{x+1}\sqrt{1-x}}{x}$

$\therefore \dfrac{\sqrt{x+1}-\sqrt{1-x}}{\sqrt{x+1}+\sqrt{1-x}}+\dfrac{\sqrt{x+1}+\sqrt{1-x}}{\sqrt{x+1}-\sqrt{1-x}}$

$=\dfrac{1-\sqrt{x+1}\sqrt{1-x}}{x}+\dfrac{1+\sqrt{x+1}\sqrt{1-x}}{x}$

$=\dfrac{2}{x}=\dfrac{a}{x}$

$\therefore a=2$ 답 2

048 $f(n)=\sqrt{n-1}-\sqrt{n}$ 이므로
$f(1)+f(2)+f(3)+\cdots+f(100)$
$=(0-1)+(1-\sqrt{2})+(\sqrt{2}-\sqrt{3})+\cdots+(\sqrt{99}-\sqrt{100})$
$=-\sqrt{100}=-10$ 답 -10

049 ③ $\sqrt{ax}\geq0$이므로 치역은 $\{y\,|\,y\geq0\}$이다.   답 ③

050 ㄱ. $y=-\sqrt{ax}$ 의 정의역은 $ax\geq0$을 만족하는 x의 값의 범위이다. 그런데 $a<0$이므로 정의역은 $\{x\,|\,x\leq0\}$이다. (거짓)
ㄴ. $y=-\sqrt{ax}$ 의 그래프에서 $a>0$이면 제4사분면을 지나고, $a<0$이면 제3사분면을 지난다. (참)
ㄷ.

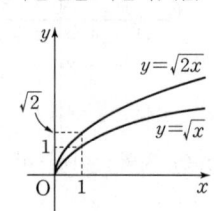

그림에서 $y=\sqrt{2x}$의 그래프가 $y=\sqrt{x}$의 그래프보다 y축에 더 가깝다.

즉, $|a|$의 값이 클수록 그래프가 y축에 가까워진다. (거짓)

따라서 옳은 것은 ㄴ뿐이다.

탭 ㄴ

051 주어진 그래프에서 a의 값의 부호는 $a<0$

이때, 직선 $x+ay-3=0$에서

$y=-\dfrac{1}{a}x+\dfrac{3}{a}$ ······ ㉠

㉠의 기울기와 y절편의 부호를 구하면

(기울기)$=-\dfrac{1}{a}>0$, (y절편)$=\dfrac{3}{a}<0$

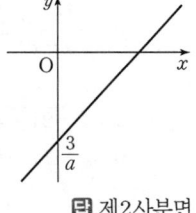

따라서 직선 $x+ay-3=0$은 기울기가 양수이고, y절편이 음수이므로 그래프는 그림과 같다.

따라서 이 직선은 제2사분면을 지나지 않는다.

탭 제2사분면

052 $y=\sqrt{-2x+4}-1=\sqrt{-2(x-2)}-1$

즉, $y=\sqrt{-2x+4}-1$의 그래프는 $y=\sqrt{-2x}$의 그래프를 x축의 방향으로 2만큼, y축의 방향으로 -1만큼 평행이동한 것이므로 그림과 같다.

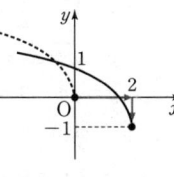

따라서 주어진 무리함수의 그래프가 지나지 않는 사분면은 제3사분면이다.

탭 ④

053 $y=\sqrt{-2x+6}+1=\sqrt{-2(x-3)}+1$의 그래프는 그림과 같다.

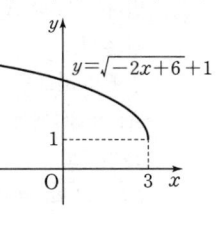

ㄱ. 정의역은 $\{x|x\le 3\}$,

　치역은 $\{y|y\ge 1\}$이다. (참)

ㄴ. $y=\sqrt{-2x}$의 그래프를 x축의

　방향으로 3만큼, y축의 방향으로 1만큼 평행이동한 것이다.

　(거짓)

ㄷ. 주어진 함수의 그래프는 제3, 4사분면을 지나지 않는다. (참)

따라서 옳은 것은 ㄱ, ㄷ이다.

탭 ⑤

054 $y=\sqrt{2x+a}+3$에서 $2x+a\ge 0$이므로 정의역은

$\left\{x\,\middle|\,x\ge -\dfrac{a}{2}\right\}=\{x|x\ge -3\}$

$-\dfrac{a}{2}=-3$ ∴ $a=6$

한편, $y=\sqrt{2x+a}+3$에서 $\sqrt{2x+a}\ge 0$이므로 치역은

$\{y|y\ge 3\}=\{y|y\ge b\}$

∴ $b=3$

∴ $a+b=9$

탭 9

055 무리함수 $y=-\sqrt{ax+4}+b$의 정의역이 $\{x|x\le 2\}$이므로

$ax+4\ge 0$에서 $a<0$

∴ $x\le -\dfrac{4}{a}$

즉, $-\dfrac{4}{a}=2$에서 $a=-2$

또 $y=-\sqrt{-2x+4}+b$의 그래프가 점 $(0, -1)$을 지나므로

$-1=-2+b$ ∴ $b=1$

따라서 무리함수 $y=-\sqrt{-2x+4}+1$에서 $-\sqrt{-2x+4}\le 0$

이므로 치역은

$\{y|y\le 1\}$

탭 ①

056 $f(x)=\sqrt{ax+b}+c$에서 $\sqrt{ax+b}\ge 0$이므로 $f(x)$의 최솟값은 c이다.

∴ $c=1$

즉, $f(x)=\sqrt{ax+b}+1$이 $x=-1$에서 최솟값 1을 가지므로

$f(-1)=\sqrt{-a+b}+1=1$

$-a+b=0$ ······ ㉠

또 $f(1)=3$이므로

$f(1)=\sqrt{a+b}+1=3$

$\sqrt{a+b}=2$, $a+b=4$ ······ ㉡

㉠, ㉡을 연립하여 풀면

$a=b=2$

∴ $a+b+c=5$

탭 ①

057 $f(x)=\sqrt{a(x-p)}+q$에서 정의역이 $\{x|x\le 3\}$이므로

$a(x-p)\ge 0$에서 $a<0$

∴ $p=3$

치역이 $\{y|y\ge 4\}$이므로 $q=4$

∴ $f(x)=\sqrt{a(x-3)}+4$

이때, $f(1)=6$이므로

$\sqrt{a(1-3)}+4=6$, $\sqrt{-2a}=2$

$-2a=4$ ∴ $a=-2$

∴ $a+p+q=-2+3+4=5$

탭 5

058 주어진 그래프는 $y=\sqrt{ax}\,(a>0)$의 그래프를 x축의 방향으로 -2만큼, y축의 방향으로 3만큼 평행이동한 것이므로

$y=\sqrt{a(x+2)}+3$

이 그래프가 점 $(0, 5)$를 지나므로

$5=\sqrt{a(0+2)}+3$, $\sqrt{2a}=2$

$2a=4$ ∴ $a=2$

따라서 주어진 무리함수는

$y=\sqrt{2(x+2)}+3=\sqrt{2x+4}+3$

이므로 $b=4$, $c=3$

∴ $a+b+c=2+4+3=9$

탭 9

059 주어진 그래프는 $y=-\sqrt{ax}\,(a>0)$의 그래프를 x축의 방향으로 -2만큼, y축의 방향으로 1만큼 평행이동한 것이므로

$y=-\sqrt{a(x+2)}+1$

이 그래프가 점 $(0, -1)$을 지나므로

$-1=-\sqrt{2a}+1$, $\sqrt{2a}=2$ ∴ $a=2$

따라서 주어진 무리함수는

$y=-\sqrt{2(x+2)}+1=-\sqrt{2x+4}+1$

이므로 $b=4$, $c=1$

∴ $a+b+c=2+4+1=7$

탭 7

060 주어진 그래프는 $y=\sqrt{ax}\,(a<0)$의 그래프를 x축의 방향으로 1만큼, y축의 방향으로 -1만큼 평행이동한 것이므로

$y=\sqrt{a(x-1)}-1$

이 그래프가 점 $(0, 1)$을 지나므로
$1=\sqrt{-a}-1$, $\sqrt{-a}=2$
$\therefore a=-4$
따라서 주어진 무리함수는
$y=\sqrt{-4(x-1)}-1=\sqrt{-4x+4}-1$
이므로 $b=4$, $c=-1$
$\therefore y=\sqrt{cx+a}+b=\sqrt{-x-4}+4$
$\quad\quad =\sqrt{-(x+4)}+4$
무리함수 $y=\sqrt{-(x+4)}+4$의 그
래프는 $y=\sqrt{-x}$의 그래프를 x축의
방향으로 -4만큼, y축의 방향으로
4만큼 평행이동한 것이므로 그래프
는 그림과 같이 제2사분면을 지난다.

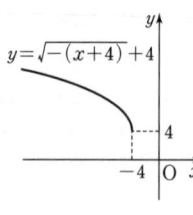

답 ②

061 무리함수 $y=-a\sqrt{bx}$의 그래프가 제2사분면 위에 있으므로
$x\leq0$, $y\geq0$
또 $bx\geq0$이므로 $b<0$ $(\because b\neq0)$
$-a\sqrt{bx}\geq0$이므로 $a<0$ $(\because a\neq0)$
$\therefore a<0$, $b<0$

답 ①

062 $y=\sqrt{ax+b}+c=\sqrt{a\left(x+\dfrac{b}{a}\right)}+c$

이므로 그래프의 시작점은 $\left(-\dfrac{b}{a}, c\right)$

그런데 주어진 그림에서 시작점은 제1사분면에 있으므로
$-\dfrac{b}{a}>0$, $c>0$

이때, 주어진 직선 $ax+by+bc=0$에서

$y=-\dfrac{a}{b}x-c$ $\quad\cdots\cdots$ ㉠

㉠의 기울기와 y절편의 부호를 구하면

(기울기)$=-\dfrac{a}{b}>0$, (y절편)$=-c<0$

따라서 직선 $ax+by+bc=0$은 기울
기가 양수이고, y절편이 음수이므로 그
래프는 그림과 같다.

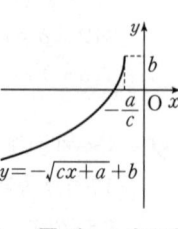

답 ②

063 $y=\dfrac{b}{x+a}+c$의 점근선의 방정식은 $x=-a$, $y=c$

이때, 주어진 그림에서 $-a>0$, $c<0$이므로
$a<0$, $c<0$ $\quad\cdots\cdots$ ㉠
또 주어진 그림에서 그래프는 제1, 3사분면에 있는 그래프를
평행이동한 것이므로
$b>0$ $\quad\cdots\cdots$ ㉡

한편, $y=-\sqrt{cx+a}+b=-\sqrt{c\left(x+\dfrac{a}{c}\right)}+b$이므로

그래프의 시작점은 $\left(-\dfrac{a}{c}, b\right)$

이때, ㉠, ㉡에 의해 $-\dfrac{a}{c}<0$, $b>0$이
므로 시작점은 제2사분면에 있고,
$c<0$이므로 $y=-\sqrt{cx+a}+b$의 그
래프는 그림과 같이 제2, 3사분면만
지난다.

답 제2, 3사분면

064 $y=\sqrt{ax+b}+c=\sqrt{a\left(x+\dfrac{b}{a}\right)}+c$의 그래프는 $y=\sqrt{ax}$의 그
래프를 평행이동한 것이고, 그래프의 시작점은 $\left(-\dfrac{b}{a}, c\right)$이므
로 주어진 그림에서
$a<0$, $b<0$, $c<0$ $\quad\cdots\cdots$ ㉠
$y=\dfrac{ax+b}{x+c}=\dfrac{a(x+c)-ac+b}{x+c}=\dfrac{-ac+b}{x+c}+a$ $\quad\cdots\cdots$ ㉡
㉡의 그래프를 점근선의 방정식은 $x=-c$, $y=a$이고 ㉠에 의
하여 $-c>0$, $a<0$

한편, ㉡의 y절편은 $\dfrac{-ac+b}{c}+a=\dfrac{b}{c}>0$이므로

$y=\dfrac{ax+b}{x+c}$의 그래프의 개형으로 옳은 것은 ①이다. **답** ①

065 $y=\sqrt{-2x+4}-3$에 $y=0$을 대입하면
$0=\sqrt{-2x+4}-3$, $3=\sqrt{-2x+4}$
$-2x+4=9$ $\quad\therefore x=-\dfrac{5}{2}$

$\therefore A\left(-\dfrac{5}{2}, 0\right)$

$y=\sqrt{-2x+4}-3$에 $x=0$을 대입하면
$y=\sqrt{4}-3=-1$
$\therefore B(0, -1)$

$\therefore \triangle OAB=\dfrac{1}{2}\cdot\dfrac{5}{2}\cdot1=\dfrac{5}{4}$ **답** $\dfrac{5}{4}$

066 x축에 평행한 직선이 y축,
$y=\sqrt{x}$, $y=\sqrt{kx}$의 그래프와
만나는 세 점 A, B, C는 그림
과 같다.
점 B의 좌표를 a라 하면
$\overline{AB}=\overline{BC}$에서 점 C의 좌표는
$2a$이므로
$\sqrt{a}=\sqrt{2ka}$, $a=2ka$
$\therefore k=\dfrac{1}{2}$

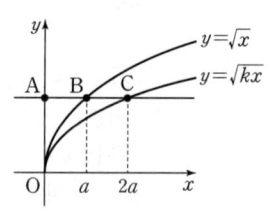

답 ③

067

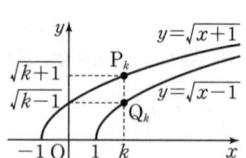

그림에서 $\overline{P_kQ_k}=\sqrt{k+1}-\sqrt{k-1}$
$\therefore \overline{P_1Q_1}+\overline{P_2Q_2}+\overline{P_3Q_3}+\cdots+\overline{P_{99}Q_{99}}$
$=(\sqrt{2}-0)+(\sqrt{3}-1)+(\sqrt{4}-\sqrt{2})+\cdots$
$\quad\quad\quad\quad +(\sqrt{99}-\sqrt{97})+(\sqrt{100}-\sqrt{98})$
$=-1+\sqrt{99}+\sqrt{100}=9+3\sqrt{11}$
따라서 $a=9$, $b=3$이므로 $a+b=12$ **답** 12

068 ㄱ. $y=2\sqrt{-x}$의 그래프를 y축에 대하여 대칭이동하면
$\quad\quad y=2\sqrt{x}$의 그래프와 일치한다.
ㄴ. $y=-2\sqrt{x}+1=-(2\sqrt{x}-1)$의 그래프를 x축에 대하여
$\quad\quad$ 대칭이동한 후 y축의 방향으로 1만큼 평행이동하면
$\quad\quad y=2\sqrt{x}$의 그래프와 일치한다.

ㄷ. $y=-2\sqrt{-x}-1=-(2\sqrt{-x}+1)$의 그래프를 원점에
대하여 대칭이동한 후 y축의 방향으로 -1만큼 평행이동하
면 $y=2\sqrt{x}$의 그래프와 일치한다.
따라서 $y=2\sqrt{x}$의 그래프와 일치하는 것은 ㄱ, ㄴ, ㄷ이다.
답 ⑤

069 $y=\sqrt{4x-12}+7=\sqrt{4(x-3)}+7=2\sqrt{x-3}+7$이므로
$y=\sqrt{4x-12}+7$의 그래프는 $y=2\sqrt{x}$의 그래프를 x축의 방향
으로 3만큼, y축의 방향으로 7만큼 평행이동한 것이다.
$\therefore a=2,\ p=3,\ q=7$
$\therefore a+p+q=12$
답 12

070 $y=\sqrt{-ax}$의 그래프가 점 $(-2, 2)$를 지나므로
$2=\sqrt{2a}$ $\therefore a=2$
$y=\sqrt{-2x}$의 그래프를 y축의 방향으로 b만큼 평행이동하면
$y=\sqrt{-2x}+b$
이 그래프를 x축에 대하여 대칭이동하면
$-y=\sqrt{-2x}+b$ $\therefore y=-\sqrt{-2x}-b$
이 그래프가 점 $(-8, -3)$을 지나므로
$-3=-\sqrt{-2(-8)}-b$ $\therefore b=-1$
$\therefore a+b=1$
답 ①

071 $y=\sqrt{2x-3}+1=\sqrt{2\left(x-\dfrac{3}{2}\right)}+1$
이므로 주어진 함수의 그래프는 $y=\sqrt{2x}$의 그래프를 x축의 방
향으로 $\dfrac{3}{2}$만큼, y축의 방향으로 1만큼 평행이동한 것이다.
이때, $2\le x\le 6$에서 $y=\sqrt{2x-3}+1$
의 그래프는 그림과 같으므로
$x=2$일 때 $y=2$, $x=6$일 때 $y=4$
따라서 치역은 $\{y\,|\,2\le y\le 4\}$
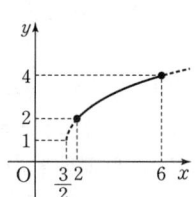
답 $\{y\,|\,2\le y\le 4\}$

072 $y=-\sqrt{x+a}+1$의 그래프는 $y=-\sqrt{x}$의 그래프를 x축의 방
향으로 $-a$만큼, y축의 방향으로 1만큼 평행이동한 것이므로
x의 값이 증가할 때, y의 값은 감소한다.
따라서 $-4\le x\le 4$에서 $x=4$일 때 최솟값 -2를 가지므로
$-2=-\sqrt{4+a}+1$, $\sqrt{4+a}=3$ $\therefore a=5$
$\therefore y=-\sqrt{x+5}+1$
그러므로 최댓값은 $x=-4$일 때 $-\sqrt{-4+5}+1=0$ 답 ①

073 정의역이 $\{x\,|\,x\le 3\}$이므로 $ax+6\ge 0$에서 $a<0$
$\therefore x\le -\dfrac{6}{a}$
즉, $-\dfrac{6}{a}=3$에서 $a=-2$
$\therefore f(x)=-\sqrt{-2x+6}+b$
따라서 주어진 함수는 x의 값이 증가할 때, y의 값도 증가한다.
$-5\le x\le 1$에서 $x=1$일 때, 최댓값 -1을 가지므로
$f(1)=-\sqrt{-2+6}+b=-2+b=-1$
$\therefore b=1$
$\therefore f(x)=-\sqrt{-2x+6}+1$

그러므로 최솟값은 $x=-5$일 때,
$f(-5)=-\sqrt{10+6}+1=-3$
답 -3

074 $-\sqrt{x+3}=x-3$의 양변을 제곱하면
$x+3=x^2-6x+9$, $x^2-7x+6=0$
$(x-1)(x-6)=0$
$\therefore x=1$ 또는 $x=6$
이때, $x+3\ge 0$이므로 $x\ge -3$ ……㉠
$-\sqrt{x+3}\le 0$이므로 $x-3\le 0$ $\therefore x\le 3$ ……㉡
㉠, ㉡에 의하여 $-3\le x\le 3$
따라서 $x=1$이므로 이를 $y=x-3$에 대입하면 $y=-2$
그러므로 교점의 좌표는 $(1, -2)$
답 $(1, -2)$

075 그림과 같이 무리함수 $y=\sqrt{4-x}$
의 그래프와 직선 $y=x+k$가 만
나려면 직선 $y=x+k$의 위치는
점 $(4, 0)$을 지나는 직선이거나
그보다 위쪽이어야 한다.
따라서 직선 $y=x+k$에 $x=4$,
$y=0$을 대입하면
$0=4+k$ $\therefore k=-4$
따라서 구하는 k의 값의 범위는
$k\ge -4$
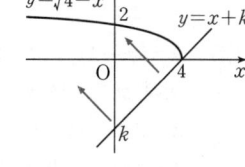
답 $k\ge -4$

076 그림과 같이 무리함수
$y=\sqrt{2x-4}$의 그래프와 직선
$y=x+k$가 서로 다른 두 점에서
만나려면 직선 $y=x+k$의 위치
는 (i), (ii)의 사이 또는 (ii)이어야
한다.
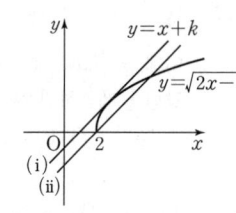
(i) 직선 $y=x+k$가 무리함수 $y=\sqrt{2x-4}$의 그래프에 접할 때,
$\sqrt{2x-4}=x+k$에서 양변을 제곱하면
$2x-4=(x+k)^2$, $x^2+2kx-2x+k^2+4=0$
$\therefore x^2+2(k-1)x+k^2+4=0$
이 이차방정식의 판별식을 D라 하면
$\dfrac{D}{4}=(k-1)^2-(k^2+4)=0$
$-2k-3=0$ $\therefore k=-\dfrac{3}{2}$
(ii) 직선 $y=x+k$가 점 $(2, 0)$을 지날 때,
$0=2+k$ $\therefore k=-2$
(i), (ii)에서 무리함수 $y=\sqrt{2x-4}$의 그래프와 직선 $y=x+k$
가 서로 다른 두 점에서 만나려면
$-2\le k<-\dfrac{3}{2}$
따라서 $\alpha=-2$, $\beta=-\dfrac{3}{2}$이므로
$\alpha\beta=3$
답 3

077 $f^{-1}(5)=k$라 하면 $f(k)=5$이므로
$\sqrt{k-1}+3=5$, $\sqrt{k-1}=2$
양변을 제곱하면
$k-1=4$ $\therefore k=5$
$\therefore f^{-1}(5)=5$
답 ②

078 $y=\sqrt{x-2}+1$에서 $y-1=\sqrt{x-2}$
양변을 제곱하면
$(y-1)^2=x-2$ $\therefore x=(y-1)^2+2$
x와 y를 서로 바꾸면
$y=(x-1)^2+2=x^2-2x+3$
$\therefore a=-2,\ b=3$
함수 $y=\sqrt{x-2}+1$의 치역은 $\{y|y\geq1\}$이므로 역함수의 정의역은 $\{x|x\geq1\}$이다. $\therefore c=1$
$\therefore a+b+c=2$ 目 ②

079 역함수 $g(x)$의 정의역은 함수 $f(x)$의 치역이므로
$f(x)=-\sqrt{x-2}+5$
$\therefore a=-2,\ b=5$
$\therefore a+b=3$ 目 3

080 $y=(x-2)^2+3$이라 하면 $(x-2)^2=y-3$
이때, $x\leq2$에서 $x-2\leq0$이므로
$x-2=-\sqrt{y-3}$ $\therefore x=-\sqrt{y-3}+2$
x와 y를 서로 바꾸면
$y=-\sqrt{x-3}+2$, 즉 $f^{-1}(x)=-\sqrt{x-3}+2$
$\therefore a=-3,\ b=2$
$\therefore a+b=-1$ 目 ②

081 $(g^{-1}\circ f)(2)=g^{-1}(f(2))=g^{-1}\left(\dfrac{2+3}{2-1}\right)=g^{-1}(5)$
이때, $g^{-1}(5)=k$라 하면 $g(k)=5$이므로 $\sqrt{2k-1}=5$
양변을 제곱하면 $2k-1=25$ $\therefore k=13$
$\therefore (g^{-1}\circ f)(2)=13$ 目 ⑤

082 $f\circ(g\circ f)^{-1}\circ f=f\circ(f^{-1}\circ g^{-1})\circ f$
$\qquad\qquad\qquad =(f\circ f^{-1})\circ g^{-1}\circ f$
$\qquad\qquad\qquad =I\circ g^{-1}\circ f\ (\because I\text{는 항등함수})$
$\qquad\qquad\qquad =g^{-1}\circ f$
이므로
$(f\circ(g\circ f)^{-1}\circ f)(1)=(g^{-1}\circ f)(1)$
$\qquad\qquad\qquad\qquad =g^{-1}(f(1))=g^{-1}(2)$
$g^{-1}(2)=k$라 하면 $g(k)=2$이므로
$\sqrt{2k+1}=2$
양변을 제곱하면 $2k+1=4$ $\therefore k=\dfrac{3}{2}$
$\therefore (f\circ(g\circ f)^{-1}\circ f)(1)=g^{-1}(2)=\dfrac{3}{2}$ 目 ③

083 무리함수 $f(x)=\sqrt{k-x}$의 역함수의 그래프가 점 $(3,4)$를 지나므로 주어진 무리함수의 그래프는 점 $(4,3)$을 지난다.
$\sqrt{k-4}=3,\ k-4=9$ $\therefore k=13$
$\therefore f(x)=\sqrt{13-x}$
$\therefore f(9)=\sqrt{13-9}=2$ 目 2

084 두 무리함수는 서로 역함수 관계에 있으므로
$y=\sqrt{2-x}$와 $x=\sqrt{2-y}$의 그래프의 교점은 $y=\sqrt{2-x}$의 그래프와 직선 $y=x$의 교점과 같다.
$\sqrt{2-x}=x$에서 양변을 제곱하면

$2-x=x^2,\ x^2+x-2=0$
$(x+2)(x-1)=0$ $\therefore x=-2$ 또는 $x=1$
이때, $y=\sqrt{2-x}$에서 $2-x\geq0$ $\therefore x\leq2$ $\cdots\cdots$ ㉠
$x=\sqrt{2-y}$에서 $\sqrt{2-y}\geq0$이므로 $x\geq0$ $\cdots\cdots$ ㉡
㉠, ㉡에서 $0\leq x\leq2$
따라서 교점의 좌표는 $(1,1)$이다.
$\therefore ab=1\cdot1=1$ 目 ④

085 $y=\sqrt{ax+b}$의 그래프가 점 $(1,2)$를 지나므로
$2=\sqrt{a+b}$에서 $a+b=4$ $\cdots\cdots$ ㉠
또 역함수의 그래프가 점 $(1,2)$를 지나므로
$y=\sqrt{ax+b}$의 그래프는 점 $(2,1)$을 지난다.
$1=\sqrt{2a+b}$에서 $2a+b=1$ $\cdots\cdots$ ㉡
㉠, ㉡을 연립하여 풀면 $a=-3,\ b=7$
$\therefore ab=-21$ 目 ①

086 함수 $y=\sqrt{2x+3}$의 그래프와 그 역함수의 그래프는 직선 $y=x$에 대하여 대칭이므로 교점 A는 직선 $y=x$ 위에 있다.
$\sqrt{2x+3}=x$에서 양변을 제곱하면
$2x+3=x^2,\ x^2-2x-3=0$
$(x+1)(x-3)=0$ $\therefore x=-1$ 또는 $x=3$
그런데 그림에서 교점은 제1사분면 위에 있으므로
A$(3,3)$이다.
$\therefore \overline{\text{OA}}=\sqrt{3^2+3^2}=3\sqrt{2}$ 目 ⑤

087 무리함수 $y=\sqrt{x-2}+2$의 그래프와 그 역함수 $y=f^{-1}(x)$의 그래프의 교점은 함수 $y=\sqrt{x-2}+2$의 그래프와 직선 $y=x$의 교점과 같다.
$\sqrt{x-2}+2=x$에서 $\sqrt{x-2}=x-2$
양변을 제곱하면
$x-2=(x-2)^2,\ x-2=x^2-4x+4$
$x^2-5x+6=0,\ (x-2)(x-3)=0$
$\therefore x=2$ 또는 $x=3$
따라서 두 교점 P, Q의 좌표는 $(2,2),\ (3,3)$이므로
$\overline{\text{PQ}}=\sqrt{(2-3)^2+(2-3)^2}=\sqrt{2}$ 目 $\sqrt{2}$

088 $y=2\sqrt{x}$의 그래프를 x축의 방향으로 a만큼 평행이동하면
$y=2\sqrt{x-a}$ $\therefore f(x)=2\sqrt{x-a}$
이때, $y=f(x)$와 $y=f^{-1}(x)$의 그래프가 접하면 $y=f(x)$의 그래프와 직선 $y=x$가 접하므로
$2\sqrt{x-a}=x$에서 양변을 제곱하면
$4(x-a)=x^2,\ x^2-4x+4a=0$
이 이차방정식의 판별식을 D라 하면
$\dfrac{D}{4}=4-4a=0$ $\therefore a=1$ 目 1

089 ① $y=\sqrt{6-3x}+1=\sqrt{-3(x-2)}+1$
이므로 $y=\sqrt{-3x}$의 그래프를 x축의 방향으로 2만큼, y축의 방향으로 1만큼 평행이동한 것이다.

② $y=-\sqrt{3x}$ 의 그래프를 x축의 방향으로 2만큼 평행이동하면
$$y=-\sqrt{3(x-2)}$$
이 그래프를 직선 $y=0$, 즉 x축에 대하여 대칭이동하면
$$-y=-\sqrt{3(x-2)} \quad \therefore y=\sqrt{3(x-2)}$$
③ $y=\sqrt{6-3x}+1$에 점 $(0, 1+\sqrt{6})$을 대입하면
$$1+\sqrt{6}=\sqrt{6-3\cdot0}+1$$
따라서 점 $(0, 1+\sqrt{6})$을 지난다.
④, ⑤ $y=\sqrt{6-3x}+1$의 그래프는 그림과 같으므로 정의역과 치역을 구하면
정의역 : $\{x\,|\,x\leq2\}$
치역 : $\{y\,|\,y\geq1\}$
따라서 옳지 않은 것은 ②이다.

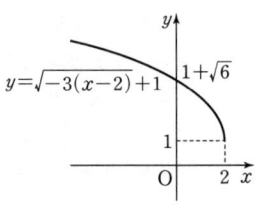

답 ②

090 $y=\sqrt{ax+b}+c=\sqrt{a\left(x+\dfrac{b}{a}\right)}+c$에서 정의역이 $\{x\,|\,x\leq2\}$, 치역이 $\{y\,|\,y\geq-1\}$이므로
$$y=\sqrt{a(x-2)}-1$$
이 그래프가 점 $(1, 1)$을 지나므로
$$1=\sqrt{-a}-1 \quad \therefore a=-4$$
$$\therefore y=\sqrt{-4(x-2)}-1=\sqrt{-4x+8}-1$$
$$\therefore a+b+c=-4+8+(-1)=3$$

답 ③

091 주어진 그래프는 $y=-\sqrt{ax}\,(a<0)$의 그래프를 x축의 방향으로 1만큼, y축의 방향으로 2만큼 평행이동한 것이므로
$$y=-\sqrt{a(x-1)}+2$$
이 그래프가 점 $(-1, 0)$을 지나므로
$$0=-\sqrt{-2a}+2, \ \sqrt{-2a}=2$$
$$\therefore a=-2$$
따라서 주어진 무리함수는
$$y=-\sqrt{-2(x-1)}+2=-\sqrt{-2x+2}+2$$
$$\therefore a=-2, b=2, c=2$$
$$\therefore a+b+c=2$$

답 2

092 두 점 P, Q의 x좌표를 각각 $a, b\,(0<a<b)$로 놓으면 두 점의 y좌표는 같으므로
$$\sqrt{2a}=\sqrt{b}=k$$에서 $b=2a$ ······ ㉠
두 점 P, Q 사이의 거리가 4이므로
$$b-a=4$$ ······ ㉡
㉠을 ㉡에 대입하면 $a=4$
$$\therefore k=\sqrt{2a}=2\sqrt{2}$$

답 ④

093 $y=\sqrt{x+4}-3$의 그래프는 $y=\sqrt{x}$의 그래프를 x축의 방향으로 -4만큼, y축의 방향으로 -3만큼 평행이동한 것이다. 또
$$y=\sqrt{-x+4}+3$$
$$\quad=\sqrt{-(x-4)}+3$$
의 그래프는 함수 $y=\sqrt{x}$의 그래프를 y축에 대하여 대칭이동한 후 x축의 방향으로 4만큼, y축의 방향으로 3만큼 평행이동한 것이다.
따라서 그림에서 어두운 두 부분

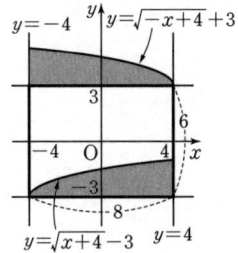

의 넓이가 같으므로 구하는 도형의 넓이는 굵은 선으로 표시된 직사각형의 넓이와 같다.
따라서 구하는 도형의 넓이는
$$6\times8=48$$

답 ⑤

094 $y=\sqrt{ax}$의 그래프를 x축의 방향으로 3만큼 평행이동하면
$$y=\sqrt{a(x-3)}$$
이 그래프를 y축에 대하여 대칭이동하면
$$y=\sqrt{a(-x-3)}$$
이 그래프가 점 $(1, 4)$를 지나므로
$$4=\sqrt{a(-1-3)}, \ 4=\sqrt{-4a}$$
$$16=-4a$$
$$\therefore a=-4$$

답 ②

095 $y=\sqrt{2x-4}-3=\sqrt{2(x-2)}-3$
이므로 주어진 함수의 그래프는 $y=\sqrt{2x}$의 그래프를 x축의 방향으로 2만큼, y축의 방향으로 -3만큼 평행이동한 것이다.

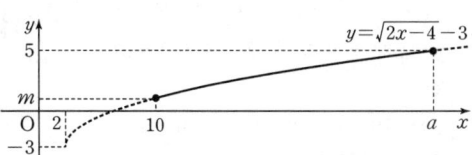

이때, $10\leq x\leq a$에서 $y=\sqrt{2x-4}-3$의 그래프는 그림과 같으므로 $x=10$일 때, 최솟값 m을 갖는다.
$$\therefore m=\sqrt{16}-3=1$$
한편, $x=a$일 때, 최댓값 5를 갖는다.
$$\sqrt{2a-4}-3=5$$에서 $\sqrt{2a-4}=8$
양변을 제곱하면
$$2a-4=64$$
$$\therefore a=34$$
$$\therefore a+m=35$$

답 35

096 $(f\circ(g\circ f)^{-1}\circ f)(2)=(f\circ f^{-1}\circ g^{-1}\circ f)(2)$
$$=(g^{-1}\circ f)(2)\ (\because f\circ f^{-1}=I)$$
$$=g^{-1}(f(2))$$
$$=g^{-1}\left(\frac{2-1}{2}\right)=g^{-1}\left(\frac{1}{2}\right)$$
이때, $g^{-1}\left(\dfrac{1}{2}\right)=k$라 하면 $g(k)=\dfrac{1}{2}$이므로
$$\sqrt{2k-1}=\frac{1}{2}$$
양변을 제곱하면 $2k-1=\dfrac{1}{4}$ $\quad \therefore k=\dfrac{5}{8}$
$$\therefore (f\circ(g\circ f)^{-1}\circ f)(2)=\frac{5}{8}$$

답 $\dfrac{5}{8}$

097 그림과 같이 무리함수 $y=\sqrt{x+1}$의 그래프와 직선 $y=x+k$의 위치 관계에 따라 교점의 개수가 정해진다.
(i) 직선 $y=x+k$가 무리함수 $y=\sqrt{x+1}$의 그래프에 접할 때,
$$\sqrt{x+1}=x+k$$에서 양변을 제곱하면
$$x+1=(x+k)^2, \ x^2+2kx-x+k^2-1=0$$

$\therefore x^2+(2k-1)x+k^2-1=0$

이 이차방정식의 판별식을 D라 하면

$D=(2k-1)^2-4(k^2-1)=0$

$-4k+5=0 \quad \therefore k=\dfrac{5}{4}$

(ii) 직선 $y=x+k$가 점 $(-1,0)$을 지날 때

$0=-1+k \quad \therefore k=1$

(i), (ii)에서 $\begin{cases} k>\dfrac{5}{4}\text{일 때, 교점의 개수는 }0 \\ 1\le k<\dfrac{5}{4}\text{일 때, 교점의 개수는 }2 \\ k<1 \text{ 또는 } k=\dfrac{5}{4}\text{일 때, 교점의 개수는 }1 \end{cases}$

$\therefore f(0)+f\left(\dfrac{1}{2}\right)+f(1)+f\left(\dfrac{3}{2}\right)=1+1+2+0=4$ 　답 4

098 무리함수 $f(x)=\sqrt{x+10}+a$의 그래프와 그 역함수의 그래프가 서로 다른 두 점에서 만나려면 그림과 같이 함수 $f(x)=\sqrt{x+10}+a$의 그래프와 직선 $y=x$가 서로 다른 두 점에서 만나야 한다.

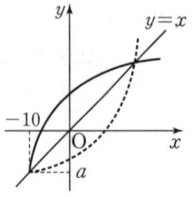

$\sqrt{x+10}+a=x$에서 $\sqrt{x+10}=x-a$

양변을 제곱하면

$x+10=x^2-2ax+a^2$

$x^2-(2a+1)x+a^2-10=0$

이 이차방정식의 판별식을 D라 하면

$D=(2a+1)^2-4(a^2-10)=4a+41>0$

$\therefore a>-10.25$

따라서 정수 a의 최솟값은 -10이다. 　답 ②

099 그림과 같이 무리함수 $y=\sqrt{x-3}$의 그래프와 직선 $y=mx+1$이 교점을 가지려면 직선 $y=mx+1$의 위치는 (i) 또는 (ii) 또는 (i), (ii)의 사이이어야 한다.

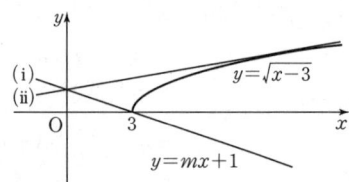

(i) 직선 $y=mx+1$이 점 $(3,0)$을 지날 때,

$0=3m+1 \quad \therefore m=-\dfrac{1}{3}$

(ii) 직선 $y=mx+1$이 무리함수 $y=\sqrt{x-3}$의 그래프에 접할 때,

$\sqrt{x-3}=mx+1$에서 양변을 제곱하면

$x-3=(mx+1)^2,\; x-3=m^2x^2+2mx+1$

$m^2x^2+(2m-1)x+4=0$

이 이차방정식의 판별식을 D라 하면

$D=(2m-1)^2-16m^2=0$

$12m^2+4m-1=0,\; (6m-1)(2m+1)=0$

$\therefore m=\dfrac{1}{6}\;(\because m>0)$

(i), (ii)에서 무리함수 $y=\sqrt{x-3}$의 그래프와 직선 $y=mx+1$이 교점을 가지려면

$-\dfrac{1}{3}\le m\le\dfrac{1}{6}$ 　답 $-\dfrac{1}{3}\le m\le\dfrac{1}{6}$

100 무리함수 $y=\sqrt{x-a}+1$의 그래프와 그 역함수 $y=f^{-1}(x)$의 그래프의 교점은 함수 $y=\sqrt{x-a}+1$의 그래프와 직선 $y=x$의 교점과 같다.

$\sqrt{x-a}+1=x$에서 $\sqrt{x-a}=x-1$

양변을 제곱하면

$x-a=(x-1)^2,\; x-a=x^2-2x+1$

$\therefore x^2-3x+a+1=0 \quad \cdots\cdots \ \bigcirc$

그런데 두 교점의 좌표는 직선 $y=x$ 위에 있으므로 두 교점의 x좌표를 α, β라 하면 두 교점은 (α,α), (β,β)

이때, 두 교점의 x좌표인 α, β는 방정식 $\bigcirc$의 두 근이므로 근과 계수의 관계에 의하여

$\alpha+\beta=3,\; \alpha\beta=a+1 \quad \cdots\cdots \ \bigcirc$

따라서 두 교점 (α,α), (β,β) 사이의 거리가 $\sqrt{2}$이므로

$\sqrt{(\alpha-\beta)^2+(\alpha-\beta)^2}=\sqrt{2}$

양변을 제곱하여 정리하면

$2(\alpha-\beta)^2=2 \quad \therefore (\alpha-\beta)^2=1$

이때, $(\alpha-\beta)^2=(\alpha+\beta)^2-4\alpha\beta$이므로

$3^2-4(a+1)=1\;(\because \bigcirc)$

$4(a+1)=8 \quad \therefore a=1$ 　답 ④

001 참고서 5종류와 소설책 3종류 중에서 한 종류의 책을 구입하는 방법의 수는

$5+3=8$ 　　　　　　　　　　　　　　　　**답** 8

002 3의 배수가 나오는 경우는 3, 6, 9의 3가지이다. 　　**답** 3

003 5의 배수가 나오는 경우는 5, 10의 2가지이다. 　　**답** 2

004 3의 배수가 나오는 경우의 수는 3,
5의 배수가 나오는 경우의 수는 2이고 두 사건은 동시에 일어날 수 없으므로 3 또는 5의 배수가 나오는 경우의 수는

$3+2=5$ 　　　　　　　　　　　　　　　　**답** 5

005 나오는 눈의 수의 합이 5가 되는 경우는
$(1, 4), (2, 3), (3, 2), (4, 1)$
의 4가지이다.　　　　　　　　　　　　　　　**답** 4

006 나오는 눈의 수의 합이 8이 되는 경우는
$(2, 6), (3, 5), (4, 4), (5, 3), (6, 2)$
의 5가지이다.　　　　　　　　　　　　　　　**답** 5

007 나오는 눈의 수의 합이 5가 되는 경우의 수는 4,
나오는 눈의 수의 합이 8이 되는 경우의 수는 5이고 두 사건은 동시에 일어날 수 없으므로 구하는 경우의 수는

$4+5=9$ 　　　　　　　　　　　　　　　　**답** 9

008 $y=1$일 때, $x+3=10$ 　 $\therefore x=7$
$y=2$일 때, $x+6=10$ 　 $\therefore x=4$
$y=3$일 때, $x+9=10$ 　 $\therefore x=1$
따라서 $x+3y=10$을 만족시키는 순서쌍 (x, y)의 개수는 3이다.　　　　　　　　　　　　　　　　　**답** 3

참고
미지수 앞의 계수가 큰 항을 기준으로 수를 대입하여 경우의 수를 생각한다.

009 두 자연수 x, y의 합이 4가 되는 경우는
$(1, 3), (2, 2), (3, 1)$의 3가지
두 자연수 x, y의 합이 6이 되는 경우는
$(1, 5), (2, 4), (3, 3), (4, 2), (5, 1)$의 5가지
두 사건은 동시에 일어날 수 없으므로 구하는 순서쌍의 개수는

$3+5=8$ 　　　　　　　　　　　　　　　　**답** 8

010 x, y가 모두 양의 정수이므로 $x+y\leq 4$를 만족시키는 $x+y$의 값은 2, 3, 4이다.
(i) $x+y=2$일 때, $(1, 1)$의 1개
(ii) $x+y=3$일 때, $(1, 2), (2, 1)$의 2개
(iii) $x+y=4$일 때, $(1, 3), (2, 2), (3, 1)$의 3개
따라서 $x+y\leq 4$를 만족시키는 순서쌍 (x, y)의 개수는

$1+2+3=6$ 　　　　　　　　　　　　　　　**답** 6

011
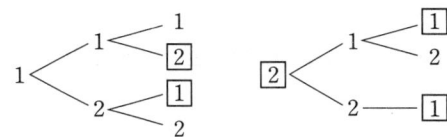
따라서 만들 수 있는 세 자리의 정수의 개수는 7이다.

답 풀이 참조

012 나머지가 1인 경우는 1, 5, 9, 13, 17의 5가지,
나머지가 3인 경우는 3, 7, 11, 15, 19의 5가지이고 두 사건은 동시에 일어날 수 없으므로 구하는 자연수의 개수는

$5+5=10$ 　　　　　　　　　　　　　　　**답** 10

013 $A\to C\to D\to B$인 경우는 2가지,
$A\to E\to F\to B$인 경우는 3가지
이므로 A지점에서 B지점으로 가는 방법의 수는

$2+3=5$

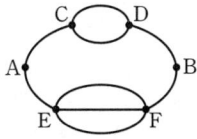

　　　　　　　　　　　　　　　　　　　　　답 5

014 동전 한 개를 던질 때 나올 수 있는 경우는 앞, 뒤의 2가지이다.

　　　　　　　　　　　　　　　　　　　　　답 2

015 주사위 한 개를 던질 때 나올 수 있는 경우는
1, 2, 3, 4, 5, 6의 6가지이다.　　　　　　　　**답** 6

016 동전 한 개와 주사위 한 개를 동시에 던질 때, 나올 수 있는 경우의 수는

$2\times 6=12$ 　　　　　　　　　　　　　　**답** 12

017 공책을 고르는 방법은 5가지이고, 그 각각에 대하여 연필을 고르는 방법이 3가지이므로 공책과 연필을 각각 하나씩 구입하는 방법의 수는

$5\times 3=15$ 　　　　　　　　　　　　　　**답** 15

018 두 자리의 자연수 중에서
십의 자리의 숫자가 2의 배수인 경우는 2, 4, 6, 8의 4가지,
일의 자리의 숫자가 홀수인 경우는 1, 3, 5, 7, 9의 5가지이므로 구하는 두 자리의 자연수의 개수는

$4\times 5=20$ 　　　　　　　　　　　　　　**답** 20

019 36을 소인수분해하면 $36=2^2\times 3^2$이므로 36의 약수의 개수는 2^2의 약수의 개수와 3^2의 약수의 개수를 곱한 것과 같다.
2^2의 약수는 1, 2, 2^2으로 3개이고, 3^2의 약수는 1, 3, 3^2으로 3개이므로 36의 약수의 개수는

$3\times 3=9$ 　　　　　　　　　　　　　　**답** 9

020 곱해지는 각 항이 모두 서로 다른 문자이므로 동류항이 생기지 않는다.
$(a+b+c)(x+y)$를 전개하면 a, b, c에 x, y를 각각 곱하여 항이 만들어지므로 항의 개수는

$3\times 2=6$ 　　　　　　　　　　　　　　**답** 6

021 A → C인 경우는 2가지,
C → B인 경우는 3가지
이므로 A지점에서 B지점으로 가는 방법의 수는
$2 \times 3 = 6$ **립** 6

022 A → C인 경우는 1가지,
C → B인 경우는 3가지
이므로 A지점에서 C지점을 거쳐 B지점으로 가는 방법의 수는
$1 \times 3 = 3$ **립** 3

023 A → D인 경우는 3가지,
D → B인 경우는 2가지
이므로 A지점에서 D지점을 거쳐 B지점으로 가는 방법의 수는
$3 \times 2 = 6$ **립** 6

024 A → C → B인 경우는 3가지,
A → D → B인 경우는 6가지
이므로 A지점에서 B지점으로 가는 방법의 수는
$3 + 6 = 9$ **립** 9

025 유리컵을 택하는 경우는 4가지,
플라스틱 컵을 택하는 경우는 3가지이므로 구하는 경우의 수는
$4 + 3 = 7$ **립** ②

026 (i) 눈의 수의 합이 6인 경우
$(1, 5), (2, 4), (3, 3), (4, 2), (5, 1)$의 5가지
(ii) 눈의 수의 합이 9인 경우
$(3, 6), (4, 5), (5, 4), (6, 3)$의 4가지
이때, 이들 두 사건은 동시에 일어날 수 없으므로 구하는 경우의 수는
$5 + 4 = 9$ **립** 9

027 (i) 눈의 수의 차가 3인 경우
$(1, 4), (2, 5), (3, 6), (4, 1), (5, 2), (6, 3)$의 6가지
(ii) 눈의 수의 합이 3인 경우
$(1, 2), (2, 1)$의 2가지
이때, 이들 두 사건은 동시에 일어날 수 없으므로 구하는 경우의 수는
$6 + 2 = 8$ **립** ②

028 눈의 수의 합이 5의 배수인 경우는 5, 10이다.
(i) 눈의 수의 합이 5인 경우
$(1, 4), (2, 3), (3, 2), (4, 1)$의 4가지
(ii) 눈의 수의 합이 10인 경우
$(4, 6), (5, 5), (6, 4)$의 3가지
이때, 이들 두 사건은 동시에 일어날 수 없으므로 구하는 경우의 수는
$4 + 3 = 7$ **립** ②

029 두 구슬에 적힌 수의 합이 7의 배수인 경우는 7, 14이다.
(i) 구슬에 적힌 수의 합이 7인 경우
$(1, 6)$의 1가지

(ii) 구슬에 적힌 수의 합이 14인 경우
$(4, 10), (5, 9)$의 2가지
이때, 이들 두 사건은 동시에 일어날 수 없으므로 구하는 경우의 수는
$1 + 2 = 3$ **립** 3

030 (i) 눈의 수의 곱이 2인 경우
$(1, 1, 2), (1, 2, 1), (2, 1, 1)$의 3가지
(ii) 눈의 수의 곱이 4인 경우
$(1, 1, 4), (1, 4, 1), (4, 1, 1),$
$(1, 2, 2), (2, 1, 2), (2, 2, 1)$의 6가지
이때, 이들 두 사건은 동시에 일어날 수 없으므로 구하는 경우의 수는
$3 + 6 = 9$ **립** ④

031 1부터 100까지의 자연수 중에서
4의 배수인 자연수는 25개
5의 배수인 자연수는 20개
4와 5의 최소공배수인 20의 배수인 자연수는 5개
따라서 4의 배수 또는 5의 배수인 자연수의 개수는
$25 + 20 - 5 = 40$ **립** ③

다른 풀이
4의 배수인 자연수의 집합을 A,
5의 배수인 자연수의 집합을 B라 하면
$n(A) = 25, n(B) = 20$
4의 배수 또는 5의 배수인 자연수의 집합은 $A \cup B$이고,
$A \cap B$는 4와 5의 최소공배수인 20의 배수인 자연수의 집합이므로 $n(A \cap B) = 5$
$\therefore n(A \cup B) = n(A) + n(B) - n(A \cap B)$
$= 25 + 20 - 5 = 40$

032 10부터 99까지의 자연수 중에서
2로 나누어떨어지는 자연수는 45개
3으로 나누어떨어지는 자연수는 30개
2와 3의 최소공배수 6으로 나누어떨어지는 자연수는 15개
따라서 2 또는 3으로 나누어떨어지는 자연수의 개수는
$45 + 30 - 15 = 60$ **립** 60

다른 풀이
10부터 99까지의 자연수 중에서
2로 나누어떨어지는 자연수의 집합을 A,
3으로 나누어떨어지는 자연수의 집합을 B라 하면
$n(A) = 45, n(B) = 30$
2 또는 3으로 나누어 떨어지는 자연수의 집합은 $A \cup B$이고,
$A \cap B$는 2와 3의 최소공배수인 6으로 나누어떨어지는 자연수의 집합이므로 $n(A \cap B) = 15$
$\therefore n(A \cup B) = n(A) + n(B) - n(A \cap B)$
$= 45 + 30 - 15 = 60$

033 (i) $a = b$인 경우
$(1, 1, X), (2, 2, X), \cdots, (6, 6, X)$
에서 X가 될 수 있는 것은 1, 2, 3, $\cdots$, 6이므로 모든 경우의 수는 $6 \times 6 = 36$

(ii) $b=c$인 경우

$(Y, 1, 1), (Y, 2, 2), \cdots, (Y, 6, 6)$

에서 Y가 될 수 있는 것은 $1, 2, 3, \cdots, 6$이므로 모든 경우의 수는 $6 \times 6 = 36$

그런데 (i), (ii)의 경우 모두

$(1, 1, 1), (2, 2, 2), (3, 3, 3), \cdots, (6, 6, 6)$

이 포함되어 있으므로 구하는 경우의 수는

$36 + 36 - 6 = 66$ **답** 66

034 **(i)** $z=1$일 때, $x+3y=13$을 만족하는 자연수 x, y의 순서쌍 (x, y)는

$(1, 4), (4, 3), (7, 2), (10, 1)$의 4개

(ii) $z=2$일 때, $x+3y=8$을 만족하는 자연수 x, y의 순서쌍 (x, y)는

$(2, 2), (5, 1)$의 2개

(i), (ii)에 의하여 구하는 순서쌍 (x, y, z)의 개수는

$4 + 2 = 6$ **답** 6

035 주사위를 3번 던져서 나오는 눈의 수를 차례로 a, b, c라 하면

$a+b+c=5$

(i) $a=1$일 때, $b+c=4$를 만족하는 순서쌍 (b, c)는

$(1, 3), (2, 2), (3, 1)$의 3가지

(ii) $a=2$일 때, $b+c=3$을 만족하는 순서쌍 (b, c)는

$(1, 2), (2, 1)$의 2가지

(iii) $a=3$일 때, $b+c=2$를 만족하는 순서쌍 (b, c)는

$(1, 1)$의 1가지

(i), (ii), (iii)에 의하여 구하는 경우의 수는

$3 + 2 + 1 = 6$ **답** 6

036 100원, 500원, 1000원인 우표를 각각 x개, y개, z개 산다고 하면

$100x + 500y + 1000z = 5000$ $(x \geq 1, y \geq 1, z \geq 1)$

$\therefore x + 5y + 10z = 50$

(i) $z=1$일 때, $x+5y=40$을 만족하는 순서쌍 (x, y)는

$(35, 1), (30, 2), (25, 3), (20, 4), (15, 5), (10, 6),$
$(5, 7)$의 7개

(ii) $z=2$일 때, $x+5y=30$을 만족하는 순서쌍 (x, y)는

$(25, 1), (20, 2), (15, 3), (10, 4), (5, 5)$의 5개

(iii) $z=3$일 때, $x+5y=20$을 만족하는 순서쌍 (x, y)는

$(15, 1), (10, 2), (5, 3)$의 3개

(iv) $z=4$일 때, $x+5y=10$을 만족하는 순서쌍 (x, y)는

$(5, 1)$의 1개

(i)~(iv)에 의하여 구하는 방법의 수는

$7 + 5 + 3 + 1 = 16$ **답** 16

037 두 양의 정수 x, y에 대하여

$y=1$일 때, $x \leq 4$이므로

$x = 1, 2, 3, 4$의 4개,

$y=2$일 때, $x \leq 2$이므로

$x = 1, 2$의 2개

이고 모든 사건은 동시에 일어날 수 없으므로 구하는 순서쌍의 개수는

$4 + 2 = 6$ **답** 6

038 **(i)** $a=1$일 때, $b \leq 8$이므로

$b = 1, 2, 3, 4, 5$의 5개

(ii) $a=2$일 때, $b \leq 4$이므로

$b = 1, 2, 3, 4$의 4개

(iii) $a=3$일 때, $b \leq \dfrac{8}{3}$이므로

$b = 1, 2$의 2개

(i), (ii), (iii)에 의하여 구하는 순서쌍 (a, b)의 개수는

$5 + 4 + 2 = 11$

답 11

039 이차방정식 $x^2 + 2ax + b = 0$이 실근을 가져야 하므로 판별식을 D라 하면

$\dfrac{D}{4} = a^2 - b \geq 0$

$\therefore a^2 \geq b$

(i) $a=1$일 때, $1 \geq b$이므로

$b = 1$의 1개

(ii) $a=2$일 때, $4 \geq b$이므로

$b = 1, 2, 3, 4$의 4개

(iii) $a=3, 4, 5, 6$일 때,

각각 $b = 1, 2, 3, 4, 5, 6$이 모두 가능하므로

$4 \times 6 = 24$(개)

(i), (ii), (iii)에 의하여 구하는 순서쌍 (a, b)의 개수는

$1 + 4 + 24 = 29$ **답** ④

040 만화 동호회를 고르는 방법은 4가지이고, 그 각각에 대하여 게임 동호회를 고르는 방법은 2가지이다.

따라서 구하는 방법의 수는 곱의 법칙에 의하여

$4 \times 2 = 8$ **답** ④

041 햄버거를 고르는 방법은 4가지이고, 그 각각에 대하여 감자 튀김을 고르는 방법은 2가지이다. 또 그 각각에 대하여 음료를 고르는 방법은 3가지이다.

따라서 만들 수 있는 세트 메뉴의 개수는 곱의 법칙에 의하여

$4 \times 2 \times 3 = 24$ **답** 24

042 ab의 값이 홀수가 되려면 a, b 모두 홀수이어야 하므로 a의 값이 될 수 있는 수는 $1, 3, 5$의 3개이고, b의 값이 될 수 있는 수는 $1, 3$의 2개이다.

따라서 구하는 순서쌍 (a, b)의 개수는 곱의 법칙에 의하여

$3 \times 2 = 6$ **답** 6

043 $(a+b)(x+y+z)(p+q+r+s)$를 전개할 때 생기는 서로 다른 항의 개수는

$2 \times 3 \times 4 = 24$ **답** ③

044 백의 자리에 올 수 있는 숫자는 $0, 1, 4$를 제외한 7개의 숫자이고, 십의 자리와 일의 자리에 올 수 있는 숫자는 각각 $1, 4$를 제외한 8개의 숫자이다.

따라서 구하는 자연수의 개수는

$7 \times 8 \times 8 = 448$

답 ④

045 면 ABCD에서 만들 수 있는 직각이등변삼각형은
$\triangle$ABC, $\triangle$ACD, $\triangle$BAD, $\triangle$BCD이다.
따라서 각 면에 4개씩 만들 수 있으므로 구하는 직각이등변삼
각형의 개수는
$4 \times 6 = 24$ 답 ③

참고
$\triangle$ABC, $\triangle$ACD, $\triangle$BAD, $\triangle$BCD 이외에는 직각이등변삼
각형이 안된다.

046 $(a+b+c)(p+q)$를 전개할 때 생기는 항의 개수는
$3 \times 2 = 6$
$(x+y)^2(z+w)^2 = (x^2+2xy+y^2)(z^2+2zw+w^2)$을 전개
할 때 생기는 항의 개수는
$3 \times 3 = 9$
따라서 주어진 식을 전개할 때 생기는 항의 개수는
$6 + 9 = 15$ 답 ②

047 어느 한 문으로 들어와서 다른 문을 통해 나갈 때
(i) A 또는 B로 들어오는 경우
 $2 \times 8 = 16$(가지)
(ii) A, B 이외의 출입문으로 들어오는 경우
 $8 \times 7 = 56$(가지)
(i), (ii)에 의하여 구하는 방법의 수는
$16 + 56 = 72$ 답 72

048 (i) a가 짝수, b가 홀수인 경우
 a는 2, 4, 6, 8의 4가지이고, 그 각각에 대하여 b는 1, 3, 5,
 7, 9의 5가지씩이므로
 $4 \times 5 = 20$
(ii) a가 홀수, b가 짝수인 경우
 a는 1, 3, 5, 7, 9의 5가지이고, 그 각각에 대하여 b는 2, 4,
 6, 8의 4가지씩이므로
 $5 \times 4 = 20$
(i), (ii)에 의하여 구하는 순서쌍 (a, b)의 개수는
$20 + 20 = 40$ 답 40

049 $a_1 \neq 1$이므로 a_1이 될 수 있는 것은 2, 3, 4이다.
각각의 경우를 수형도로 나타내면 다음과 같다.

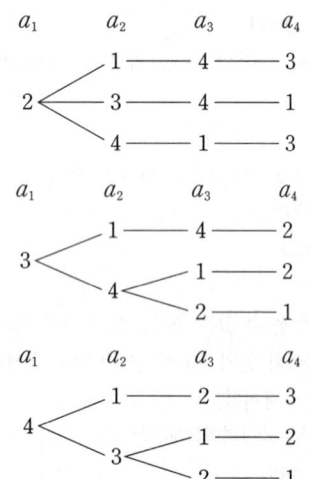

따라서 구하는 정수의 개수는 9이다.   답 9

050 다섯 명의 학생을 A, B, C, D, E라 하고 그 학생들의 답안지
를 각각 a, b, c, d, e라 하면 학생 A가 a를 뽑았을 때 나머지
학생이 모두 자신의 것이 아닌 답안지를 뽑는 경우를 수형도로
나타내면 다음과 같다.

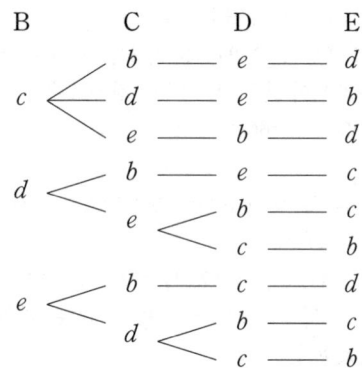

마찬가지로 학생 B, C, D, E가 자신의 답안지를 뽑는 경우도
각각 9가지씩이다.
따라서 구하는 경우의 수는
$5 \times 9 = 45$ 답 ⑤

051 조건을 만족하는 세 자리 자연수를 수형도로 나타내면 다음과
같다.

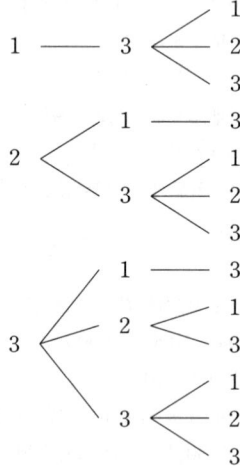

따라서 구하는 세 자리 자연수의 개수는 13이다.   답 13

052 세 주사위 A, B, C를 동시에 던졌을 때 나오는 눈의 수의 곱이
짝수인 경우의 수는 전체의 경우의 수에서 눈의 수의 곱이 홀수
인 경우의 수를 뺀 것과 같다.
세 주사위 A, B, C를 동시에 던졌을 때 일어나는 전체의 경우
의 수는
$6 \times 6 \times 6 = 216$
눈의 수의 곱이 홀수인 경우의 수는
$3 \times 3 \times 3 = 27$
따라서 구하는 경우의 수는
$216 - 27 = 189$ 답 189

053 세 자리의 자연수의 개수는 $999 - 99 = 900$
숫자 1이 하나도 들어 있지 않은 세 자리의 자연수의 개수는 백
의 자리에는 0, 1이 올 수 없고, 십의 자리와 일의 자리에는 각
각 1이 올 수 없으므로
$8 \times 9 \times 9 = 648$

따라서 숫자 1이 적어도 하나 들어 있는 세 자리의 자연수의 개수는

$900-648=252$ 답 ②

054 서로 다른 동전 5개를 동시에 던졌을 때 나오는 모든 경우의 수는 $2\times2\times2\times2\times2=32$

앞면이 1개 나오는 경우의 수는 5,

앞면이 나오지 않는 경우의 수는 1

따라서 앞면이 2개 이상 나오는 경우의 수는

$32-(5+1)=26$ 답 26

055 60 이하의 양의 정수 중에서 3의 배수의 집합을 A, 5의 배수의 집합을 B라 하면

$n(A)=20$, $n(B)=12$

이때, 3과 5의 최소공배수인 15의 배수의 집합은 $A\cap B$이므로

$n(A\cap B)=4$

$\therefore n(A\cup B)=n(A)+n(B)-n(A\cap B)$
$=20+12-4=28$

따라서 3의 배수도 5의 배수도 아닌 정수의 집합은 $(A\cup B)^C$이므로

$n((A\cup B)^C)=60-n(A\cup B)$
$=60-28=32$ 답 ③

056 1부터 500까지의 자연수 중에서 12와 서로소인 자연수의 개수는

500−(12와 서로소가 아닌 자연수의 개수)

로 구할 수 있다.

이때, $12=2^2\times3$이므로 12와 서로소가 아닌 수는 2의 배수 또는 3의 배수이다.

2의 배수의 집합을 A, 3의 배수의 집합을 B라 하면

$n(A)=250$, $n(B)=166$

2의 배수 또는 3의 배수의 집합은 $A\cup B$이고, $A\cap B$는 2와 3의 최소공배수인 6의 배수의 집합이므로 $n(A\cap B)=83$

$\therefore n(A\cup B)=n(A)+n(B)-n(A\cap B)$
$=250+166-83=333$

따라서 구하는 자연수의 개수는

$500-333=167$ 답 167

057 두 주사위 A, B를 동시에 던졌을 때 나오는 눈의 수 a, b가 $a+b\le10$을 만족하는 순서쌍 (a, b)의 개수는 전체 순서쌍 (a, b)의 개수에서 $a+b>10$을 만족하는 순서쌍 (a, b)의 개수를 뺀 것과 같다.

두 주사위 A, B를 동시에 던질 때 나올 수 있는 순서쌍 (a, b)의 개수는

$6\times6=36$

$a+b>10$을 만족하는 순서쌍 (a, b)는

$(5, 6)$, $(6, 5)$, $(6, 6)$의 3가지

따라서 구하는 순서쌍 (a, b)의 개수는

$36-3=33$ 답 33

058 산의 입구와 정상을 연결하는 등산로가 6가지이므로 산의 입구에서 정상으로 올라가는 방법은 6가지이고, 산의 정상에서 산의 입구까지 내려오는 방법도 6가지이다.

따라서 구하는 방법의 수는

$6\times6=36$ 답 ⑤

059 A도시에서 B도시로 가는 방법은 3가지, B도시에서 C도시로 가는 방법은 4가지이므로 구하는 방법의 수는

$3\times4=12$ 답 12

060 A지점에서 C지점까지 가는 경우는

$4\times3=12$(가지)

C지점에서 A지점으로 돌아오는 경우는 갈 때 지나간 도로는 지날 수 없으므로

$2\times3=6$(가지)

따라서 구하는 방법의 수는

$12\times6=72$ 답 72

061 (i) A→B→D인 경우

$3\times2=6$(가지)

(ii) A→C→D인 경우

$2\times4=8$(가지)

(i), (ii)에 의하여 구하는 방법의 수는

$6+8=14$ 답 14

062 (i) 매표소→공연장→박물관→매표소인 경우

$3\times2\times4=24$(가지)

(ii) 매표소→박물관→공연장→매표소인 경우

$4\times2\times3=24$(가지)

(i), (ii)에 의하여 구하는 방법의 수는

$24+24=48$ 답 48

063 B도시와 C도시를 잇는 도로를 x개라 하면

(i) A→B→D인 경우

$2\times4=8$(가지)

(ii) A→C→D인 경우

$3\times3=9$(가지)

(iii) A→B→C→D인 경우

$2\times x\times3=6x$(가지)

(iv) A→C→B→D인 경우

$3\times x\times4=12x$(가지)

(i)~(iv)에 의하여 A도시에서 D도시로 가는 방법의 수는

$8+9+6x+12x=17+18x$

이때, $17+18x\ge100$에서 $18x\ge83$

$\therefore x\ge4.61\times\times\times$

따라서 B도시와 C도시를 잇는 도로를 최소 5개 건설해야 한다.

답 ②

064 72를 소인수분해하면

$72=2^3\times3^2$

따라서 72의 약수의 개수는

$(3+1)\times(2+1)=12$ 답 ③

065 $x=2^2\times5^y\times7^y$이므로 x의 약수의 개수는

$(2+1)(y+1)(y+1)$이다.

즉, $3(y+1)^2=12$에서
$(y+1)^2=4$
$y+1=\pm 2$
$\therefore y=1\ (\because y>0)$
따라서 $x=2^2\times 5\times 7=140$이므로
$x+y=141$　　　　　　　　　　　　　答 ④

066 $120=2^3\times 3\times 5$
$140=2^2\times 5\times 7$
즉, 120과 140의 최대공약수는 $2^2\times 5$이다.
이때, 공약수는 최대공약수의 약수이므로 구하는 공약수의 개수는 $2^2\times 5$의 약수의 개수와 같다.
따라서 구하는 공약수의 개수는
$(2+1)\times(1+1)=6$　　　　　　　　　答 6

067 1000원짜리 지폐 4장으로 지불할 수 있는 방법은
0장, 1장, 2장, 3장, 4장의 5가지
500원짜리 동전 2개로 지불할 수 있는 방법은
0개, 1개, 2개의 3가지
100원짜리 동전 6개로 지불할 수 있는 방법은
0개, 1개, 2개, 3개, 4개, 5개, 6개의 7가지
따라서 지불할 수 있는 방법의 수는 0원을 지불하는 경우를 제외하므로
$5\times 3\times 7-1=104$　　　　　　　　答 104

068 10000원짜리 지폐 1장을 5000원짜리 지폐 2장으로 바꾸어서 생각하면 구하는 금액의 수는 5000원짜리 지폐 5장, 100원짜리 동전 4개로 지불할 수 있는 금액의 수와 같다.
5000원짜리 지폐 5장으로 지불할 수 있는 금액은
0원, 5000원, 10000원, 15000원, 20000원, 25000원의 6가지
100원짜리 동전 4개로 지불할 수 있는 금액은
0원, 100원, 200원, 300원, 400원의 5가지
따라서 지불할 수 있는 금액의 수는 0원을 지불하는 경우를 제외하므로
$6\times 5-1=29$　　　　　　　　　　答 29

069 (i) 1000원짜리 지폐 2장으로 지불할 수 있는 방법은
0장, 1장, 2장의 3가지
500원짜리 동전 3개로 지불할 수 있는 방법은
0개, 1개, 2개, 3개의 4가지
100원짜리 동전 3개로 지불할 수 있는 방법은
0개, 1개, 2개, 3개의 4가지
즉, 지불할 수 있는 방법의 수는 0원을 지불하는 경우를 제외하므로
$3\times 4\times 4-1=47$
(ii) 1000원짜리 지폐 2장을 500원짜리 동전 4개로 바꾸어서 생각하면 구하는 금액의 수는 500원짜리 동전 7개, 100원짜리 동전 3개로 지불할 수 있는 금액의 수와 같다.
500원짜리 동전 7개로 지불할 수 있는 금액은
0원, 500원, 1000원, 1500원, 2000원, 2500원, 3000원, 3500원의 8가지
100원짜리 동전 3개로 지불할 수 있는 금액은

0원, 100원, 200원, 300원의 4가지
즉, 지불할 수 있는 금액의 수는 0원을 지불하는 경우를 제외하므로
$8\times 4-1=31$
(i), (ii)에 의하여 $a=47$, $b=31$이므로
$a+b=78$　　　　　　　　　　　　　答 78

070 A를 칠할 수 있는 색은 4가지, B를 칠할 수 있는 색은 3가지,
C를 칠할 수 있는 색은 2가지, D를 칠할 수 있는 색은 1가지이므로 구하는 방법의 수는
$4\times 3\times 2\times 1=24$　　　　　　　　答 ①

071

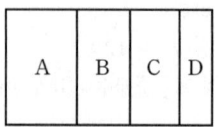

(i) A를 칠할 수 있는 색은 4가지
(ii) B에는 A에 칠한 색을 칠할 수 없으므로 칠할 수 있는 색은 3가지
(iii) C에는 B에 칠한 색을 칠할 수 없으므로 칠할 수 있는 색은 3가지
(iv) D에는 C에 칠한 색을 칠할 수 없으므로 칠할 수 있는 색은 3가지
(i)~(iv)에 의하여 구하는 방법의 수는
$4\times 3\times 3\times 3=108$　　　　　　　　答 108

072 B에 칠할 수 있는 색은 3가지
A에 칠할 수 있는 색은 B에 칠한 색을 제외한 2가지
(i) C, D의 영역에 다른 색을 칠하는 경우
C에 칠할 수 있는 색은 B에 칠한 색을 제외한 2가지
D에 칠할 수 있는 색은 B, C에 칠한 색을 제외한 1가지
E에 칠할 수 있는 색은 C, D에 칠한 색을 제외한 1가지
$\therefore 3\times 2\times 2\times 1\times 1=12$
(ii) C, D의 영역에 같은 색을 칠하는 경우
C에 칠할 수 있는 색은 B에 칠한 색을 제외한 2가지
D에 칠할 수 있는 색은 C와 같은 색이므로 1가지
E에 칠할 수 있는 색은 C(D)에 칠한 색을 제외한 2가지
$\therefore 3\times 2\times 2\times 1\times 2=24$
(i), (ii)에 의하여 구하는 방법의 수는
$12+24=36$　　　　　　　　　　　　答 36

073 (i) 눈의 수의 합이 3인 경우
$(1, 2)$, $(2, 1)$의 2가지
(ii) 눈의 수의 합이 8인 경우
$(2, 6)$, $(3, 5)$, $(4, 4)$, $(5, 3)$, $(6, 2)$의 5가지
이때, 이들 두 사건은 동시에 일어날 수 없으므로 구하는 경우의 수는
$2+5=7$　　　　　　　　　　　　　답 ②

074 1부터 100까지의 자연수 중 2로도 나누어떨어지지 않고, 5로도 나누어떨어지지 않는 자연수의 개수는
$100-(2$ 또는 5로 나누어떨어지는 자연수의 개수$)$
로 구할 수 있다.

2로 나누어떨어지는 자연수의 집합을 A,

5로 나누어떨어지는 자연수의 집합을 B라 하면

$n(A)=50, n(B)=20$

2 또는 5로 나누어떨어지는 자연수의 집합은 $A\cup B$이고,

$A\cap B$는 2와 5의 최소공배수인 10으로 나누어떨어지는 자연수의 집합이므로

$n(A\cap B)=10$

$\therefore n(A\cup B)=n(A)+n(B)-n(A\cap B)$

$\qquad\qquad\quad =50+20-10$

$\qquad\qquad\quad =60$

따라서 구하는 자연수의 개수는

$100-60=40$ 답 ③

075 (ⅰ) $z=1$일 때, $x+2y=17$을 만족하는 순서쌍 (x, y)는

$(1, 8), (3, 7), (5, 6), (7, 5), (9, 4), (11, 3),$

$(13, 2), (15, 1)$의 8개

(ⅱ) $z=2$일 때, $x+2y=8$을 만족하는 순서쌍 (x, y)는

$(2, 3), (4, 2), (6, 1)$의 3개

(ⅰ), (ⅱ)에서 구하는 순서쌍 (x, y, z)의 개수는

$8+3=11$ 답 ③

076 x, y는 자연수이므로

(ⅰ) $y=1$일 때, $x\leq 4$이므로

$x=1, 2, 3, 4$의 4개

(ⅱ) $y=2$일 때, $x\leq 3$이므로

$x=1, 2, 3$의 3개

(ⅲ) $y=3$일 때, $x\leq 2$이므로

$x=1, 2$의 2개

(ⅳ) $y=4$일 때, $x\leq 1$이므로

$x=1$의 1개

(ⅰ)~(ⅳ)에 의하여 구하는 순서쌍 (x, y)의 개수는

$4+3+2+1=10$ 답 ②

077 주어진 정육면체의 꼭짓점 A를 출발하여 꼭짓점 B로 움직인 후 꼭짓점 G에 도착하는 경우를 수형도로 나타내면 다음과 같다.

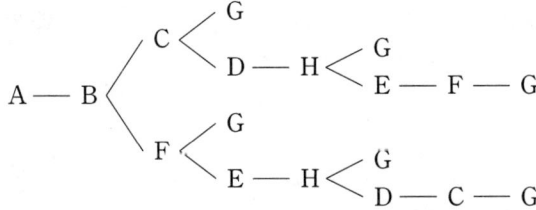

같은 방법으로 꼭짓점 A를 출발하여 꼭짓점 D 또는 E로 움직인 후 꼭짓점 G에 도착하는 경우도 각각 6가지씩이다.

따라서 구하는 방법의 수는

$6\times 3=18$ 답 ③

078 (ⅰ) A → B → D인 경우

$2\times 3=6$(가지)

(ⅱ) A → C → D인 경우

$3\times 3=9$(가지)

(ⅲ) A → B → C → D인 경우

$2\times 2\times 3=12$(가지)

(ⅳ) A → C → B → D인 경우

$3\times 2\times 3=18$(가지)

(ⅰ)~(ⅳ)에 의하여 구하는 방법의 수는

$6+9+12+18=45$ 답 45

079 $(a+b)(x+y+z)^2$

$=(a+b)(x^2+y^2+z^2+2xy+2yz+2zx)$

이므로 이를 전개할 때 생기는 항의 개수는

$2\times 6=12$ 답 ②

080 세 자리 정수이므로 백의 자리에는 0이 올 수 없고, 0을 제외한 1, 2, 3 중 1개가 올 수 있다.

또한, 짝수이므로 일의 자리에는 0, 2 중 1개가 올 수 있다.

(ⅰ) 일의 자리의 숫자가 0인 경우

백의 자리에 3가지, 십의 자리에 3가지의 숫자가 올 수 있으므로

$3\times 3=9$(개)

(ⅱ) 일의 자리의 숫자가 2인 경우

백의 자리에 2가지, 십의 자리에 2가지의 숫자가 올 수 있으므로

$2\times 2=4$(개)

(ⅰ), (ⅱ)에 의하여 구하는 짝수의 개수는

$9+4=13$ 답 ③

081 50을 소인수분해하면 $50=2\times 5^2$이므로 50과 서로소인 자연수는 2의 배수도 아니고 5의 배수도 아닌 수이다.

1부터 50까지의 자연수 중에서 2의 배수의 집합을 A, 5의 배수의 집합을 B라 하면 $A\cap B$는 2와 5의 최소공배수 10의 배수의 집합이므로

$n(A)=25, n(B)=10, n(A\cap B)=5$

$\therefore n(A\cup B)=n(A)+n(B)-n(A\cap B)$

$\qquad\qquad\quad =25+10-5=30$

따라서 구하는 자연수의 개수는

$n((A\cup B)^C)=n(U)-n(A\cup B)$

$\qquad\qquad\qquad =50-30=20$ 답 ①

082

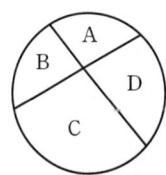

(ⅰ) A, C를 같은 색으로 칠하는 경우

A, C를 칠할 수 있는 색은 4가지이고, B, D는 A, C에 칠한 색을 칠할 수 없으므로 칠할 수 있는 색은 각각 3가지씩이다.

$\therefore 4\times 3\times 3=36$(가지)

(ⅱ) A, C를 다른 색으로 칠하는 경우

A를 칠할 수 있는 색은 4가지이고, C를 칠할 수 있는 색은 3가지이다. B, D는 A, C에 칠한 색을 칠할 수 없으므로 칠할 수 있는 색은 각각 2가지씩이다.

$\therefore 4\times 3\times 2\times 2=48$(가지)

(ⅰ), (ⅱ)에 의하여 구하는 방법의 수는 $36+48=84$ 답 84

083 이차방정식 $ax^2+bx+c=0$이 허근을 가져야 하므로 $a\neq0$이고, 판별식을 D라 하면

$D=b^2-4ac<0$

$\therefore ac>\dfrac{1}{4}b^2$

(i) $b=0$일 때, $ac>0$인 순서쌍 (a,c)는

$(1,3),(1,5),(3,1),(3,5),(5,1),(5,3)$의 6개

(ii) $b=1$일 때, $ac>\dfrac{1}{4}$인 순서쌍 (a,c)는

$(3,5),(5,3)$의 2개

(iii) $b=3$일 때, $ac>\dfrac{9}{4}$인 순서쌍 (a,c)는

$(1,5),(5,1)$의 2개

(iv) $b=5$일 때, $ac>\dfrac{25}{4}$인 순서쌍 (a,c)는 없다.

(i)~(iv)에 의하여 구하는 순서쌍 (a,b,c)의 개수는

$6+2+2=10$ 　　　답 10

084 카드에 적혀 있는 숫자를 곱하여 만들 수 있는 정수 N은

$N=1\times2^p\times3^q\times5^r=2^p\times3^q\times5^r$

$(p=0,1,2,\ q=0,1,2,3,\ r=0,1,2)$

과 같은 꼴로 나타낼 수 있다.

이때, 2장 이상의 카드를 뽑아야 하므로

$2^2\times3^3\times5^2$의 약수 중에서 1을 제외한 경우이다.

따라서 구하는 정수의 개수는

$(2+1)\times(3+1)\times(2+1)-1=35$ 　　답 35

---

13 순열

본책 197~208쪽

001 서로 다른 5장의 카드 중에서 2장을 택하는 순열의 수는

${}_5\mathrm{P}_2$ 　　　답 ${}_5\mathrm{P}_2$

002 20명의 학생 중에서 4명을 뽑아 일렬로 세우는 방법의 수는

${}_{20}\mathrm{P}_4$ 　　　답 ${}_{20}\mathrm{P}_4$

003 세 사람을 일렬로 나열하는 방법의 수는

${}_3\mathrm{P}_3$ 　　　답 ${}_3\mathrm{P}_3$

004 ${}_5\mathrm{P}_2=\dfrac{5!}{(\boxed{5}-\boxed{2})!}$ 　　답 5, 2

005 ${}_7\mathrm{P}_3=\dfrac{7!}{(7-3)!}=\dfrac{\boxed{7}!}{4!}$ 　　답 7

006 ${}_{10}\mathrm{P}_4=\dfrac{10!}{(10-4)!}=\dfrac{10!}{\boxed{6}!}$ 　　답 6

007 ${}_6\mathrm{P}_6=\dfrac{6!}{(6-6)!}=\boxed{6}!$ 　　답 6

008 　　　답 7

009 $5!=5\times4\times3\times2\times1=120$ 　　답 120

010 ${}_4\mathrm{P}_2=4\times3=12$ 　　답 12

011 ${}_5\mathrm{P}_3=5\times4\times3=60$ 　　답 60

012 ${}_4\mathrm{P}_4=4\times3\times2\times1=24$ 　　답 24

013 　　　답 n

014 　　　답 $n(n-1)$

015 　　　답 $n(n-1)(n-2)$

016 　　　답 $n=10$

017 $3\times2\times1=6$이므로 $n=3$ 　　답 $n=3$

018 ${}_n\mathrm{P}_2=n(n-1)=90$에서

$n^2-n-90=0$

$(n-10)(n+9)=0$

$\therefore n=10$ 또는 $n=-9$

그런데 $n\geq2$이므로 $n=10$ 　　답 $n=10$

019 ${}_6\mathrm{P}_r=30$에서 $30=6\times5$이므로

${}_6\mathrm{P}_r=6\times5={}_6\mathrm{P}_2$

$\therefore r=2$ 　　　답 $r=2$

020 $_7P_r=210$에서

$210=7\times6\times5$이므로

$_7P_r=7\times6\times5=_7P_3$

$\therefore r=3$ 　　　　　　　　　　　　　　目 $r=3$

021 서로 다른 4개에서 2개를 뽑아 일렬로 배열하는 방법의 수와 같으므로

$_4P_2=4\times3=12$ 　　　　　　　　　　目 12

022 서로 다른 6개를 일렬로 배열하는 방법의 수와 같으므로

$_6P_6=6!=6\times5\times4\times3\times2\times1=720$ 　　目 720

023 서로 다른 5개에서 3개를 뽑아 일렬로 배열하는 방법의 수와 같으므로

$_5P_3=5\times4\times3=60$ 　　　　　　　　　目 60

024 서로 다른 8개에서 3개를 뽑아 일렬로 배열하는 방법의 수와 같으므로

$_8P_3=8\times7\times6=336$ 　　　　　　　目 336

025 5명을 일렬로 앉히는 방법의 수이므로

$_5P_5=5\times4\times3\times2\times1=120$ 　　　目 120

026 5명 중에서 4명을 뽑아 일렬로 앉히는 방법의 수이므로

$_5P_4=5\times4\times3\times2=120$ 　　　　　目 120

027 처음에 A를 앉히고 마지막에 B를 앉힌 후 나머지 3명 중에서 2명을 뽑아 3개의 의자에 앉히면 되므로

$_3P_3=3\times2\times1=6$ 　　　　　　　　目 6

028 처음에 A를 앉히고 마지막에 B를 앉힌 후 나머지 3명 중에서 2명을 뽑아 2개의 의자에 앉히면 되므로

$_3P_2=3\times2=6$ 　　　　　　　　　　目 6

029 1, 2가 적힌 두 장의 카드를 묶어서 한 장의 카드로 생각하여 6장의 카드를 배열하는 경우의 수는

$6!=720$

1, 2가 적힌 두 장의 카드의 자리를 바꾸는 경우의 수는

$2!=2$

따라서 구하는 경우의 수는

$720\times2=1440$ 　　　　　　　　　目 1440

030 5, 6, 7이 적힌 세 장의 카드를 묶어서 한 장의 카드로 생각하여 5장의 카드를 배열하는 경우의 수는

$5!=120$

5, 6, 7이 적힌 세 장의 카드의 자리를 바꾸는 경우의 수는

$3!=6$

따라서 구하는 경우의 수는

$120\times6=720$ 　　　　　　　　　　目 720

031 여자 3명을 묶어서 한 명으로 생각하여 남자 2명과 함께 모두 3명을 일렬로 세우는 경우의 수는

$3!=6$

여자 3명이 서로 자리를 바꾸는 경우의 수는

$3!=6$

따라서 구하는 경우의 수는

$6\times6=36$ 　　　　　　　　　　　　目 36

032 S, N, A를 한 문자로 생각하여 4개의 문자를 일렬로 나열하는 경우의 수는

$4!=24$

3개의 문자 S, N, A의 자리를 바꾸는 경우의 수는

$3!=6$

따라서 구하는 경우의 수는

$24\times6=144$ 　　　　　　　　　　目 144

033 A와 E를 묶어서 한 명으로 생각하여 5명이 일렬로 좌석에 앉는 경우의 수는

$5!=120$

A와 E가 서로 자리를 바꾸는 경우의 수는

$2!=2$

따라서 구하는 경우의 수는

$120\times2=240$ 　　　　　　　　　　目 240

034 남학생만 □ 모양의 방석에 앉히는 방법의 수는 서로 다른 4개에서 4개를 뽑아 일렬로 배열하는 방법의 수와 같으므로

$4!=24$ 　　　　　　　　　　　　　　目 24

035 여학생만 ○ 모양의 방석에 앉히는 방법의 수는 서로 다른 5개에서 2개를 뽑아 일렬로 배열하는 방법의 수와 같으므로

$_5P_2=20$ 　　　　　　　　　　　　　目 20

036 남학생 4명은 □ 모양의 방석에 일렬로 앉히고, 여학생 2명은 5개의 ○ 모양의 방석에서 2개를 뽑아 일렬로 앉히면 되므로 구하는 방법의 수는

$4!\times_5P_2=24\times20=480$ 　　　　　目 480

037 잡지 4권을 일렬로 꽂는 방법의 수는

$4!=24$

잡지의 양 끝과 사이사이의 5개의 자리 중 2개의 자리에 동화책을 한 권씩 꽂는 방법의 수는

$_5P_2=20$

따라서 구하는 방법의 수는

$24\times20=480$ 　　　　　　　　　目 480

038 5개의 자음 f, s, t, v, l을 일렬로 배열하는 방법의 수는

$5!=120$

자음의 양 끝과 사이사이의 6개의 자리 중 3개의 자리에 모음 e, i, a를 하나씩 배열하는 방법의 수는

$_6P_3=120$

따라서 구하는 방법의 수는

$120\times120=14400$ 　　　　　　　目 14400

039 $_5P_2\times3!=(5\times4)\times(3\times2\times1)=120$ 　　目 ①

040
$_{n+2}P_2=(n+2)(n+1)=56$에서
$n^2+3n+2=56$
$n^2+3n-54=0$
$(n-6)(n+9)=0$
$\therefore n=6$ 또는 $n=-9$
그런데 $n\geq 0$이므로 $n=6$　　　　　　　　답 6

041
$_nP_3-_nP_2=24\cdot_nP_1$에서
$n(n-1)(n-2)-n(n-1)=24n$
$n\geq 3$이므로 양변을 n으로 나누면
$(n-1)(n-2)-(n-1)=24$
$n^2-4n-21=0,\ (n+3)(n-7)=0$
$\therefore n=7\ (\because n\geq 3)$　　　　　　　　답 ④

042
4명을 일렬로 세우는 순열의 수이므로
$4!=4\times 3\times 2\times 1=24$　　　　　　　　답 ③

043
8명의 선수 중 3명의 선수를 택하는 순열의 수이므로
$_8P_3=8\times 7\times 6=336$　　　　　　　　답 ③

044
6개의 좌석 중 4개의 좌석을 택하는 순열의 수이므로
$_6P_4=6\times 5\times 4\times 3=360$　　　　　　　　답 360

045
n명 중에서 2명을 택하는 순열의 수이므로
$_nP_2=n(n-1)=240$에서
$n^2-n-240=0,\ (n+15)(n-16)=0$
$\therefore n=16\ (\because n\geq 2)$　　　　　　　　답 ⑤

046
(i) 1부터 9까지의 숫자 중에서 홀수는 1, 3, 5, 7, 9로 5개 있으므로 두 개의 홀수를 뽑아서 두 자리 정수를 만드는 방법의 수는
　$_5P_2=20$
(ii) 1부터 9까지의 숫자 중에서 짝수는 2, 4, 6, 8로 4개이므로 두 개의 짝수를 뽑아서 두 자리 정수를 만드는 방법의 수는
　$_4P_2=12$
(i), (ii)에 의하여 구하는 방법의 수는
$20+12=32$　　　　　　　　답 32

047
(i) 남자 6명 중에서 대표와 부대표를 정하는 방법의 수는
　$_6P_2=30$
(ii) 여자 4명 중에서 대표와 부대표를 정하는 방법의 수는
　$_4P_2=12$
(i), (ii)에 의하여 구하는 방법의 수는
$30\times 12=360$　　　　　　　　답 ④

048
p, d를 묶어서 한 문자로 생각하여 4개의 문자를 배열하는 경우의 수는
$4!=24$
p와 d의 자리를 바꾸는 경우의 수는
$2!=2$
따라서 구하는 경우의 수는
$24\times 2=48$　　　　　　　　답 ④

049
3, 6, 9를 묶어서 하나로 생각하여 7개의 숫자를 나열하는 경우의 수는 7!
3, 6, 9의 자리를 바꾸는 경우의 수는 3!
따라서 구하는 경우의 수는
$7!\times 3!$　　　　　　　　답 ①

050
A, B, C가 적혀 있는 카드를 묶어서 한 장의 카드로 생각하여 3장의 카드를 나열하는 방법의 수는 $3!=6$
그런데 그 각각에 대하여 A, B, C의 순서대로 나열하여야 하므로 A, B, C가 적혀 있는 카드를 나열하는 방법의 수는 1이다.
따라서 구하는 방법의 수는
$6\times 1=6$　　　　　　　　답 6

051
3장의 카드 $\boxed{가}$, $\boxed{나}$, $\boxed{다}$ 를 묶어서 한 장의 카드로 생각하여 4장의 카드를 나열하는 방법의 수는 $4!=24$
그런데 그 각각에 대하여 카드 $\boxed{나}$ 의 양 옆에 카드 $\boxed{가}$ 와 $\boxed{다}$ 가 오도록 나열하여야 하므로 카드 $\boxed{가}$, $\boxed{나}$, $\boxed{다}$ 를 나열하는 방법의 수는 $2!=2$
따라서 구하는 방법의 수는
$24\times 2=48$　　　　　　　　답 ②

052
종류가 같은 책끼리 묶어서 한 권으로 생각하여 3권의 책을 일렬로 꽂는 방법의 수는 3!
소설책 3권, 수필집 2권, 시집 2권을 같은 종류의 책끼리 자리를 바꾸는 방법의 수
$3!\times 2!\times 2!$
따라서 구하는 방법의 수는
$3!\times (3!\times 2!\times 2!)=6\times 24=144$　　　　　　　　답 144

053
아이 n명을 묶어서 한 명으로 생각하여 5명을 일렬로 세우는 경우의 수는 $5!=120$
n명의 아이가 서로 자리를 바꾸는 경우의 수는 $n!$
즉, 구하는 경우의 수는
$120\times n!=720,\ n!=6$
$\therefore n=3$　　　　　　　　답 3

054
$$\vee\ 남\ \vee\ 남\ \vee\ 남\ \vee$$
남학생 3명이 일렬로 앉는 방법의 수는 3!
남학생의 양 끝과 사이사이의 4개의 자리 $\vee$ 에서 2개의 자리를 택하여 여학생이 앉는 방법의 수는 $_4P_2$
따라서 구하는 방법의 수는
$3!\times_4P_2=6\times 12=72$　　　　　　　　답 ③

055
c,d,e,f를 일렬로 나열하는 경우의 수는 4!
c,d,e,f의 양 끝과 사이사이의 5개의 자리에서 2개의 자리를 택하여 a,b를 나열하는 경우의 수는 $_5P_2$
따라서 구하는 경우의 수는
$4!\times_5P_2=24\times 20=480$　　　　　　　　답 ④

056
수학책을 제외한 나머지 3권의 책을 꽂는 방법의 수는 3!
수학책을 제외한 나머지 3권의 책의 양 끝과 사이사이의 4개의

자리에서 3개의 자리를 택하여 수학책을 꽂는 방법의 수는 $_4\mathrm{P}_3$
따라서 구하는 방법의 수는
$3! \times {_4\mathrm{P}_3} = 6 \times 24 = 144$

답 144

057 남학생끼리는 이웃하므로 남학생 3명을 묶어서 한 명으로 생각하여 여학생 2명과 일렬로 세우는 경우의 수는 $3!$
남학생 3명이 서로 자리를 바꾸는 경우의 수는 $3!$
선생님끼리는 이웃하지 않으므로 남학생 한 묶음과 여학생 2명의 양 끝과 사이사이의 4개의 자리에서 3개의 자리를 택하여 선생님 3명을 세우는 경우의 수는 $_4\mathrm{P}_3$
따라서 구하는 경우의 수는
$3! \times 3! \times {_4\mathrm{P}_3} = 6 \times 6 \times 24 = 864$

답 ⑤

058 빈 의자 4개가 놓여 있을 때, 그 양 끝과 사이사이의 5개의 자리에서 4개의 자리를 택하여 학생이 의자를 놓고 앉는 경우의 수와 같으므로
$_5\mathrm{P}_4 = 120$

답 120

다른 풀이

학생이 앉아 있는 의자를 ■, 빈 의자를 □로 생각하고 8개의 의자 중 4명의 학생을 이웃하지 않게 앉히는 경우는 다음과 같이 5가지이다.

이때, 각각의 경우 학생 4명의 자리를 바꾸는 경우의 수는 $4!$
따라서 구하는 경우의 수는
$5 \times 4! = 120$

059 빈 의자 4개가 놓여 있을 때, 그 양 끝과 사이사이의 5개의 자리에서 3개의 자리를 택하여 응시생이 앉을 의자를 배열하면 된다.
따라서 구하는 경우의 수는
$_5\mathrm{P}_3 = 60$

답 60

060 자음은 s, p, c, l의 4개이고, 모음은 e, i, a의 3개이므로 자음 4개를 일렬로 배열하고 그 사이사이에 모음 3개를 배열하면 된다. 즉,
(자, 모, 자, 모, 자, 모, 자)
자음은 자음끼리, 모음은 모음끼리 자리를 바꾸는 경우의 수는 각각 $4!$, $3!$이므로 구하는 경우의 수는
$4! \times 3! = 24 \times 6 = 144$

답 ③

061 6명의 남녀가 교대로 서서 산을 오르는 방법은
(남, 여, 남, 여, 남, 여) 또는 (여, 남, 여, 남, 여, 남)
남자는 남자끼리, 여자는 여자끼리 자리를 바꾸는 방법의 수는 각각 $3!$이므로 구하는 방법의 수는
$2 \times 3! \times 3! = 2 \times 6 \times 6 = 72$

답 72

062 특정한 한 쌍의 남녀를 제외한 6명을 교대로 세우는 방법은
(남, 여, 남, 여, 남, 여) 또는 (여, 남, 여, 남, 여, 남)
남자는 남자끼리, 여자는 여자끼리 자리를 바꾸는 방법의 수는 각각 $3!$이므로
$2 \times 3! \times 3! = 72$

이 각각에 대하여 특정한 한 쌍의 남녀를 6명의 남녀의 양 끝과 사이사이의 7개의 자리 중 한 자리에 배열하는 방법의 수는
$_7\mathrm{P}_1 = 7$
따라서 구하는 방법의 수는
$72 \times 7 = 504$

답 504

063 S를 맨 앞, Y를 맨 뒤에 고정하고 나머지 4개의 문자를 S와 Y 사이에 배열하는 경우의 수는 $4! = 24$

답 ①

064 남자 2명을 양 끝에 고정하고 여자 3명을 일렬로 세우는 방법의 수는 $3!$
남자 2명이 서로 자리를 바꾸는 방법의 수는 $2!$
따라서 구하는 방법의 수는 $3! \times 2! = 12$

답 12

065 (i) 첫 번째 카드와 다섯 번째 카드에 적힌 숫자가 3, 7인 경우
나머지 3자리에 5장의 카드 중 3장을 택하여 나열하는 방법의 수는 $_5\mathrm{P}_3$
3과 7의 자리를 바꾸는 방법의 수는 $2!$
$\therefore {_5\mathrm{P}_3} \times 2! = 60 \times 2 = 120$

(ii) 첫 번째 카드와 다섯 번째 카드에 적힌 숫자가 4, 6인 경우
(i)과 같은 방법으로 구하면
$_5\mathrm{P}_3 \times 2! = 120$

(i), (ii)에 의하여 구하는 방법의 수는
$120 + 120 = 240$

답 240

066 여자 2명 사이에 남자 2명을 세우는 경우의 수는 $_5\mathrm{P}_2$
(여, 남, 남, 여)를 한 묶음으로 생각하여 3명의 남자와 일렬로 세우는 경우의 수는 $4!$
여자 2명이 서로 자리를 바꾸는 경우의 수는 $2!$
따라서 구하는 경우의 수는
$_5\mathrm{P}_2 \times 4! \times 2! = 20 \times 24 \times 2 = 960$

답 ⑤

067 w와 a 사이에 3개의 문자를 나열하는 경우의 수는 $_5\mathrm{P}_3$
w○○○a를 한 묶음으로 생각하여 3개의 문자를 일렬로 나열하는 경우의 수는 $3!$
w와 a의 자리를 바꾸는 경우의 수는 $2!$
따라서 구하는 경우의 수는
$_5\mathrm{P}_3 \times 3! \times 2! = 60 \times 6 \times 2 = 720$

답 ⑤

068 (i) a와 e 사이에 b만 오는 경우
(a, b, e)를 한 묶음으로 생각하여 3개의 문자를 일렬로 배열하는 경우의 수는 $3!$
a와 e의 자리를 바꾸는 경우의 수는 $2!$
$\therefore 3! \times 2! = 6 \times 2 = 12$

(ii) a와 e 사이에 b를 포함한 2개의 문자가 오는 경우
a, e 사이에 c, d 중 한 문자를 택하여 일렬로 배열하는 경우의 수는 $_2\mathrm{P}_1$
$(a, b, ○, e)$를 한 묶음으로 생각하여 2개의 문자를 일렬로 배열하는 경우의 수는 $2!$
a와 e의 자리를 바꾸는 경우의 수는 $2!$
b와 ○의 자리를 바꾸는 경우의 수는 $2!$
$\therefore {_2\mathrm{P}_1} \times 2! \times 2! \times 2! = 16$

(iii) a와 e 사이에 b를 포함한 3개의 문자가 오는 경우
a, e를 제외한 3개의 문자를 일렬로 배열하는 경우의 수는
3!
a와 e의 자리를 바꾸는 경우의 수는 2!
$\therefore 3! \times 2! = 6 \times 2 = 12$
(i), (ii), (iii)에 의하여 구하는 경우의 수는
$12 + 16 + 12 = 40$ 　　　　　　답 40

다른 풀이

5개의 자리 중에서 2개의 자리에 c, d를 먼저 배열하는 경우의 수는 $_5P_2$
나머지 3개의 자리 중에서 가운데에는 반드시 b를 놓고 남은 자리에 a, e를 배열하는 경우의 수는 2!
따라서 구하는 경우의 수는
$_5P_2 \times 2! = 20 \times 2 = 40$

069 적어도 한 쪽 끝에 남학생을 세우는 경우의 수는 전체를 일렬로 세우는 경우의 수에서 양 끝에 여학생 2명을 세우는 경우의 수를 뺀 것과 같다.
5명의 학생을 일렬로 세우는 경우의 수는 5!
양 끝에 여학생 2명을 세우는 경우의 수는 $_3P_2$
나머지 남학생 2명과 여학생 1명을 일렬로 세우는 경우의 수는 3!
따라서 구하는 경우의 수는
$5! - _3P_2 \times 3! = 120 - 36 = 84$ 　　　답 ④

070 6개의 문자를 일렬로 배열하는 경우의 수는 6!
양 끝에 모음 a, e를 배열하는 경우의 수는 2!
자음 4개의 문자를 일렬로 배열하는 경우의 수는 4!
따라서 구하는 경우의 수는
$6! - 2! \times 4! = 720 - 48 = 672$ 　　　답 672

071 5개의 문자를 일렬로 배열하는 경우의 수는 5!
K, R, A 중 어느 것도 이웃하지 않는 경우의 수는 K, R, A를 일렬로 배열하고 그 사이사이에 O, E가 오도록 배열하는 경우의 수와 같으므로 $3! \times 2!$
따라서 구하는 경우의 수는
$5! - 3! \times 2! = 120 - 12 = 108$ 　　　답 108

072 전체 5명의 학생을 일렬로 세우는 방법의 수는 5!
영수와 주희 사이에 아무도 들어가지 않는 경우의 수는 영수와 주희가 이웃하여 서는 경우의 수와 같으므로
$4! \times 2!$
따라서 구하는 방법의 수는
$5! - 4! \times 2! = 120 - 24 \times 2 = 72$ 　　　답 ③

073 5개의 숫자 중 3개를 뽑아 세 자리 자연수를 만드는 경우의 수는 $_5P_3$
양 끝에 모두 홀수가 오는 경우의 수는 $_3P_2$
가운데 한 자리에 나머지 3개의 숫자 중 1개를 넣는 경우의 수는 3
$\therefore _5P_3 - _3P_2 \times 3 = 60 - 18 = 42$
따라서 구하는 자연수의 개수는 42이다. 　　　답 ③

074 5개의 알파벳을 일렬로 배열하는 경우의 수는 5!
자음의 개수를 n이라 하면 양쪽 끝에 모두 자음이 오는 경우의 수는 $_nP_2 \times 3!$
즉, $5! - _nP_2 \times 3! = 48$이므로
$120 - _nP_2 \times 6 = 48$, $_nP_2 = 12$
$n(n-1) = 4 \times 3$
$\therefore n = 4$
따라서 자음의 개수가 4이므로 모음의 개수는
$5 - 4 = 1$ 　　　　　　　　　　　　답 1

075 백의 자리에는 0이 올 수 없으므로
1□□ ➡ $_4P_2$
2□□ ➡ $_4P_2$
3□□ ➡ $_4P_2$
4□□ ➡ $_4P_2$
따라서 구하는 정수의 개수는 $4 \times _4P_2 = 48$ 　　　답 ④

076 $2000 \le x \le 3000$을 만족하는 x는 천의 자리의 숫자가 2이므로
2□□□ ➡ $_4P_3 = 24$
따라서 구하는 x의 개수는 24이다. 　　　답 24

077 (i) 일의 자리에 0이 오는 경우의 수
□□□0 ➡ $_4P_3 = 24$
(ii) 일의 자리에 2 또는 4가 오는 경우의 수
□□□2 ➡ $_3P_1 \times _3P_2$
□□□4 ➡ $_3P_1 \times _3P_2$
$\therefore 2 \times _3P_1 \times _3P_2 = 2 \times 3 \times 6 = 36$
(i), (ii)에서 구하는 짝수의 개수는 $24 + 36 = 60$ 　　　답 60

078 (i) a□□□□, b□□□□의 꼴인 단어의 개수는
$2 \times 4! = 48$
(ii) ca□□□의 꼴인 단어의 개수는 $3! = 6$
(iii) cba□□, cbd□□의 꼴인 단어의 개수는 $2 \times 2! = 4$
(iv) cbead의 1개
(i)~(iv)에서 $48 + 6 + 4 + 1 = 59$이므로
cbeda는 60번째에 오는 단어이다. 　　　답 ②

079 (i) a□□□□□, b□□□□□, c□□□□□,
d□□□□□의 꼴인 단어의 개수는
$4 \times 5! = 480$
(ii) eab□□□, eac□□□, ead□□□의 꼴인 단어의 개수는 $3 \times 3! = 18$
(iii) eafbcd의 1개
(i), (ii), (iii)에서 $480 + 18 + 1 = 499$이므로
500번째에 오는 단어는 eafbdc이다. 　　　답 ⑤

080 (i) 1□□, 2□□, 3□□의 꼴인 정수의 개수는
$3 \times _5P_2 = 60$
(ii) 41□, 42□의 꼴인 정수의 개수는
$2 \times _4P_1 = 8$
(i), (ii)에서 구하는 정수의 개수는
$60 + 8 = 68$ 　　　　　　　　　　　답 68

081 $_nP_3 = 2 \cdot {_nP_2} + 40 \cdot {_nP_1}$에서

$n(n-1)(n-2) = 2n(n-1) + 40n$

$n \geq 3$이므로 양변을 n으로 나누면

$(n-1)(n-2) = 2(n-1) + 40$

$n^2 - 5n - 36 = 0$

$(n-9)(n+4) = 0$

$\therefore n = 9 \ (\because n \geq 3)$ **답 ②**

082 10개의 역 중 2개의 역을 택하는 순열의 수이므로

$_{10}P_2 = 10 \times 9 = 90$ **답 90**

083 1, 3, 5, 7을 묶어서 하나로 생각하여 4개의 숫자를 나열하는 경우의 수는 4!

1, 3, 5, 7의 자리를 바꾸는 경우의 수는 4!

따라서 구하는 경우의 수는

$4! \times 4! = 24 \times 24 = 576$ **답 ③**

084 모음은 e, o, u의 3개이므로 양 끝에 모음 2개가 오는 경우의 수는 $_3P_2$

양 끝에 둔 2개의 모음을 제외한 3개의 문자를 일렬로 나열하는 경우의 수는 3!

따라서 구하는 순열의 개수는

$_3P_2 \times 3! = 6 \times 6 = 36$ **답 36**

085 w와 u 사이에 2개의 문자를 나열하는 경우의 수는 $_6P_2$

w○○u를 한 묶음으로 생각하여 5개의 문자를 일렬로 나열하는 경우의 수는 5!

w와 u의 자리를 바꾸는 경우의 수는 2!

따라서 구하는 경우의 수는

$_6P_2 \times 5! \times 2! = 30 \times 120 \times 2 = 7200$ **답 ③**

086 남학생과 여학생이 짝을 짓는 경우의 수는 2!

5줄의 의자 중 2줄을 선택하는 경우의 수는 $_5P_2$

짝지어진 남녀가 서로 자리를 바꾸는 경우의 수는 각각 2!

따라서 구하는 방법의 수는

$2! \times {_5P_2} \times 2! \times 2! = 160$ **답 160**

087 적어도 한 쪽 끝에 남학생을 세우는 방법의 수는 전체 6명을 일렬로 세우는 방법의 수에서 양 끝에 여학생 2명을 세우는 방법의 수를 뺀 것과 같다.

전체 6명의 학생을 일렬로 세우는 방법의 수는 6!

양 끝에 여학생 2명을 세우는 방법의 수는 2!

나머지 남학생 4명을 세우는 방법의 수는 4!

따라서 구하는 방법의 수는

$6! - 2! \times 4! = 720 - 48 = 672$ **답 ④**

088 일의 자리에 1 또는 3 또는 5가 올 수 있으므로

□□□1 ➡ $_4P_3$

□□□3 ➡ $_4P_3$

□□□5 ➡ $_4P_3$

따라서 구하는 홀수의 개수는

$3 \times {_4P_3} = 72$ **답 72**

089 a□□, b□□, c□□의 꼴인 문자열의 개수는

$3 \times {_4P_2} = 3 \times 12 = 36$

따라서 dab는 37번째에 오는 문자열이다. **답 ③**

090 $x_1 \neq x_2$이면 $f(x_1) \neq f(x_2)$이므로 f는 일대일함수이다.

즉, Y의 원소 a, b, c, d, e의 5개에서 서로 다른 4개를 뽑아 일렬로 나열하는 경우의 수와 같으므로 구하는 함수의 개수는

$_5P_4 = 120$ **답 120**

091 첫 번째 구슬과 다섯 번째 구슬에 적힌 숫자의 합이 짝수이면서 다섯 번째 구슬에 적힌 숫자가 5 이상인 경우는

(i) 짝□□□6의 꼴

맨 앞에 짝수가 오는 경우는 2, 4의 2가지

가운데 세 자리에 나머지 5개의 숫자 중 3개를 나열하는 방법의 수는 $_5P_3$

$\therefore 2 \times {_5P_3} = 2 \times 60 = 120$

(ii) 홀□□□5, 홀□□□7의 꼴

맨 앞에 홀수가 오는 경우는 각각 1, 3, 7과 1, 3, 5의 6가지

가운데 세 자리에 나머지 5개의 숫자 중 3개를 나열하는 방법의 수는 $_5P_3$

$\therefore 6 \times {_5P_3} = 6 \times 60 = 360$

(i), (ii)에서 구하는 방법의 수는

$120 + 360 = 480$ **답 480**

092 (i) 나와 야 사이에 도만 오는 경우

나, 도, 야를 한 묶음으로 생각하여 3장의 카드를 일렬로 나열하는 방법의 수는 3!

나와 야의 자리를 바꾸는 방법의 수는 2!

$\therefore 3! \times 2! = 6 \times 2 = 12$

(ii) 나와 야 사이에 도를 포함한 2장의 카드가 오는 경우

간, 다 중에서 한 장을 택하여 도와 일렬로 나열하는 방법의 수는 $2 \times 2!$

나, 도, 야와 택한 한 장의 카드를 한 묶음으로 생각하여 2장의 카드를 일렬로 나열하는 방법의 수는 2!

나와 야의 자리를 바꾸는 방법의 수는 2!

$\therefore 2 \times 2! \times 2! \times 2! = 16$

(iii) 나와 야 사이에 도를 포함한 3장의 카드가 오는 경우

도, 간, 다를 일렬로 나열하는 방법의 수는 3!

나와 야의 자리를 바꾸는 방법의 수는 2!

$\therefore 3! \times 2! = 6 \times 2 = 12$

(i), (ii), (iii)에 의하여 구하는 방법의 수는

$12 + 16 + 12 = 40$ **답 ⑤**

다른 풀이

5개의 자리 중에서 2개의 자리에 간, 다를 먼저 나열하는 경우의 수는 $_5P_2$

나머지 3개의 자리 중에서 가운데에는 반드시 도를 놓고 2개의 남은 자리에 나, 야를 나열하는 방법의 수는 2!

따라서 구하는 방법의 수는

$_5P_2 \times 2! = 20 \times 2 = 40$

14 조합

본책 211~220쪽

001 서로 다른 4개에서 3개를 택하는 조합의 수는

$_4C_3$

답 $_4C_3$

002 6명의 학생을 3명씩 2개의 조 A, B에 배정하는 방법의 수는

$_6C_3 \times _3C_3 (= _6C_3)$

답 $_6C_3 \times _3C_3 (= _6C_3)$

003 $_9C_2 = \dfrac{9!}{2!(9-2)!} = \dfrac{9!}{2!7!} = \dfrac{9 \times 8}{2 \times 1} = 36$

답 36

004 $_7C_4 = \dfrac{7!}{4!(7-4)!} = \dfrac{7!}{4!3!} = \dfrac{7 \times 6 \times 5}{3 \times 2 \times 1} = 35$

답 35

005

답 1

006

답 1

007 $_nC_2 = \dfrac{_nP_2}{2!} = \dfrac{n(n-1)}{2} = 15$

$n^2 - n - 30 = 0$, $(n-6)(n+5) = 0$

$\therefore n = 6 \ (\because n \geq 2)$

답 $n = 6$

008 $_nC_2 = _nC_{n-2} = _nC_5$ 이므로 $n - 2 = 5$

$\therefore n = 7$

답 $n = 7$

009 $_9C_r = _9C_{9-r} = _9C_{r+3}$ 이므로 $9 - r = r + 3$

$2r = 6$

$\therefore r = 3$

답 $r = 3$

010 $_5C_3 = _{5-1}C_{3-1} + _{5-1}C_3 = _4C_2 + _nC_r$ 이므로 $n = 4$, $r = 3$

또한, $_4C_3 = _4C_1$ 이므로 $n = 4$, $r = 1$

답 $n = 4$, $r = 3$ 또는 $n = 4$, $r = 1$

011 $_{12}C_5 + _{12}C_6 = _{13-1}C_{6-1} + _{13-1}C_6 = _{13}C_6 = _nC_r$ 이므로

$n = 13$, $r = 6$

또한, $_{13}C_6 = _{13}C_7$ 이므로 $n = 13$, $r = 7$

답 $n = 13$, $r = 6$ 또는 $n = 13$, $r = 7$

012 서로 다른 9개에서 순서를 생각하지 않고 4개를 택하는 방법의 수와 같으므로

$_9C_4 = \dfrac{9!}{4!5!} = \dfrac{9 \times 8 \times 7 \times 6}{4 \times 3 \times 2 \times 1} = 126$

답 126

013 서로 다른 8개에서 순서를 생각하지 않고 4개를 택하는 방법의 수와 같으므로

$_8C_4 = \dfrac{8!}{4!4!} = \dfrac{8 \times 7 \times 6 \times 5}{4 \times 3 \times 2 \times 1} = 70$

답 70

014 서로 다른 연필 10자루 중 3자루를 택하는 방법의 수는

$_{10}C_3 = \dfrac{10!}{3!7!} = \dfrac{10 \times 9 \times 8}{3 \times 2 \times 1} = 120$

2종류의 지우개 중 1종류를 택하는 방법의 수는

$_2C_1 = 2$

따라서 구하는 방법의 수는

$120 \times 2 = 240$

답 240

015 4, 8을 먼저 뽑으면 나머지 18개의 자연수 중에서 1개를 뽑는 경우의 수와 같으므로

$_{18}C_1 = 18$

답 18

016 $_nC_3 = _nC_{n-3} = _nC_4$ 에서

$n - 3 = 4$

$\therefore n = 7$

$\therefore _nP_2 = _7P_2 = 42$

답 ③

017 (i) $r + 2 = 2r + 4$ 일 때,

$r = -2$

그런데 $r > 0$ 이므로 부적합하다.

(ii) $r + 2 \neq 2r + 4$ 일 때,

$_{12}C_{r+2} = _{12}C_{12-(r+2)}$

$\quad = _{12}C_{10-r} = _{12}C_{2r+4}$

이므로

$10 - r = 2r + 4$

$\therefore r = 2$

(i), (ii)에 의하여 $r = 2$

답 2

018 $_nC_r = _{n-1}C_{r-1} + _{n-1}C_r$ 이므로

$_{n-1}C_2 + _{n-1}C_3 = _nC_3$

즉, $_nC_2 = _nC_3$ 에서

$_nC_2 = _nC_{n-3}$

$2 = n - 3$

$\therefore n = 5$

답 5

019 전체 학생 7명 중에서 4명을 뽑는 방법의 수이므로

$_7C_4 = _7C_3 = \dfrac{7 \times 6 \times 5}{3 \times 2 \times 1} = 35$

답 35

020 서로 다른 9개의 숫자에서 4개의 숫자를 택하는 조합의 수이므로

$_9C_4 = \dfrac{9 \times 8 \times 7 \times 6}{4 \times 3 \times 2 \times 1} = 126$(개)

답 126개

021 세 부분으로 나누기 위해서는 의자 다섯 개의 사이사이 네 곳 중에서 두 곳을 택하여 칸막이를 세우면 되므로 구하는 방법의 수는

$_4C_2 = \dfrac{4 \times 3}{2 \times 1} = 6$

답 6

022

∨ ⬤ ∨ ⬤ ∨ ⬤ ∨ ⬤ ∨ ⬤ ∨

그림과 같이 5개의 파란 공을 일렬로 배열한 후 그 양 끝과 사이사이의 6곳 중 3곳에 흰 공을 한 개씩 놓으면 된다.

따라서 구하는 방법의 수는

$_6C_3 = \dfrac{6 \times 5 \times 4}{3 \times 2 \times 1} = 20$

답 ④

023 $20<a<b<c<30$이므로 집합 S의 개수는 21, 22, 23, …, 29의 9개의 수 중에서 3개의 수를 택하는 조합의 수와 같다.

$\therefore {}_9C_3=\dfrac{9\times8\times7}{3\times2\times1}=84$ 　　　　　답 84

024 모임에 참석한 회원의 수를 n이라 하면 한 회원도 빠짐없이 악수를 한 횟수가 190이므로

${}_nC_2=190$

$\dfrac{n(n-1)}{2}=190$

$n(n-1)=380=20\times19$

$\therefore n=20$ 　　　　　답 ③

025 12명 중에서 회장 1명을 뽑는 방법의 수는

${}_{12}C_1=12$

나머지 11명 중에서 부회장 2명을 뽑는 방법의 수는

${}_{11}C_2=\dfrac{11\times10}{2\times1}=55$

따라서 구하는 방법의 수는

$12\times55=660$ 　　　　　답 ④

026 남자 6명 중에서 3명을 뽑는 방법의 수는

${}_6C_3=\dfrac{6\times5\times4}{3\times2\times1}=20$

여자 5명 중에서 2명을 뽑는 방법의 수는

${}_5C_2=\dfrac{5\times4}{2\times1}=10$

따라서 구하는 방법의 수는

$20\times10=200$ 　　　　　답 200

027 1학년 학생 4명 중에서 3명을 뽑는 경우의 수는

${}_4C_3={}_4C_1=4$

2학년 학생 7명 중에서 3명을 뽑는 경우의 수는

${}_7C_3=\dfrac{7\times6\times5}{3\times2\times1}=35$

따라서 구하는 경우의 수는

$4+35=39$ 　　　　　답 ④

028 (i) 남자끼리 악수를 한 횟수는

${}_5C_2=\dfrac{5\times4}{2\times1}=10$

(ii) 여자끼리 악수를 한 횟수는

${}_5C_2=\dfrac{5\times4}{2\times1}=10$

(i), (ii)에서 악수를 한 총 횟수는

$10+10=20$ 　　　　　답 ②

029 세 수의 총합이 홀수가 되는 경우는 세 수가 모두 홀수이거나 하나는 홀수, 두 수는 짝수이어야 한다.

(i) 세 수가 모두 홀수인 경우

11, 13, 15, 17, 19에서 3개를 뽑는 경우이므로

${}_5C_3={}_5C_2=\dfrac{5\times4}{2\times1}=10$

(ii) 하나는 홀수, 두 수는 짝수인 경우

11, 13, 15, 17, 19에서 1개를 뽑고, 12, 14, 16, 18에서 2개를 뽑는 경우이므로

${}_5C_1\times{}_4C_2=5\times\dfrac{4\times3}{2\times1}=30$

(i), (ii)에서 구하는 경우의 수는

$10+30=40$ 　　　　　답 40

030 경찰관 6명 중 3명을 뽑는 방법의 수는

${}_6C_3=\dfrac{6\times5\times4}{3\times2\times1}=20$

소방관 n명 중 3명을 뽑는 방법의 수는 ${}_nC_3$

따라서 $20+{}_nC_3=76$이므로

${}_nC_3=56$

$\dfrac{n(n-1)(n-2)}{3\times2\times1}=56$

$n(n-1)(n-2)=8\times7\times6$

$\therefore n=8$ 　　　　　답 ⑤

031 특정한 2명을 제외한 18명 중 2명의 임원을 뽑으면 되므로 구하는 방법의 수는

${}_{18}C_2=\dfrac{18\times17}{2\times1}=153$ 　　　　　답 ③

032 특정한 4명을 제외한 16명 중 5명을 뽑으면 되므로 구하는 경우의 수는

${}_{16}C_5$ 　　　　　답 ④

033 원소의 개수가 3이고 그중 가장 큰 수가 5인 집합 S의 부분집합의 개수는 집합 $\{1, 2, 3, 4\}$의 부분집합 중 원소의 개수가 2인 부분집합의 개수와 같으므로

${}_4C_2=\dfrac{4\times3}{2\times1}=6$ 　　　　　답 6

034 1부터 20까지의 자연수 중 6과 서로소인 수는

1, 5, 7, 11, 13, 17, 19

이 중 7을 반드시 포함해야 하므로 7을 제외한 6개의 자연수 중 2개를 택하면 된다.

따라서 구하는 경우의 수는

${}_6C_2=\dfrac{6\times5}{2\times1}=15$ 　　　　　답 ⑤

035 (i) 파스타 4가지 중에서 2가지를 주문하는 방법의 수는 ${}_4C_2$

피자 3가지 중에서 2가지를 주문하는 방법의 수는 ${}_3C_2$

$\therefore a={}_4C_2\times{}_3C_2=6\times3=18$

(ii) 특정한 스테이크 1가지, 파스타 1가지, 피자 2가지를 포함하여 7가지 메뉴를 주문하는 방법의 수는 특정한 스테이크 1가지, 파스타 1가지, 피자 2가지를 제외한 나머지 5가지의 메뉴 중에서 3가지를 주문하는 방법의 수와 같다.

$\therefore b={}_5C_3={}_5C_2=10$

(i), (ii)에서 $a+b=18+10=28$ 　　　　　답 28

036 (i) $n(X\cap B)=2$이므로 2, 3, 4 중 2개를 택하는 방법의 수는

${}_3C_2=3$

(ii) 집합 X가 집합 A의 부분집합이므로 1, 5, 6, 7은 포함해도 되고 포함하지 않아도 되므로 이 경우의 수는 $2^4=16$
(i), (ii)에서 구하는 집합의 개수는
$3\times16=48$ 　　　　　　　　　　　　　　　답 48

037 적어도 한 명이 남학생이어야 하므로 전체 경우의 수에서 모두 여학생인 경우의 수를 빼면 된다.
$\therefore {}_9C_3-{}_4C_3={}_9C_3-{}_4C_1=84-4=80$ 　　　답 ④

038 남학생의 수를 x라 하면 적어도 한 명의 여학생을 뽑아야 하므로 전체 경우의 수에서 모두 남학생을 뽑는 경우의 수를 빼면 된다.
즉, ${}_{15}C_3-{}_xC_3=455-{}_xC_3=445$에서
${}_xC_3=10$, $\dfrac{x(x-1)(x-2)}{6}=10$
$x(x-1)(x-2)=5\times4\times3$
$\therefore x=5$
따라서 남학생의 수는 5이다. 　　　　　　　　答 ②

039 7개의 과일 중에서 4개의 과일을 택하는 경우의 수는
${}_7C_4={}_7C_3=35$
이 중에서 빨간색 과일이 한 개도 없는 경우의 수는 ${}_4C_4=1$
노란색 과일이 한 개도 없는 경우의 수는 ${}_5C_4=5$
빨간색과 노란색 과일이 한 개도 없는 경우의 수는 0
따라서 구하는 경우의 수는
$35-(1+5)=29$ 　　　　　　　　　　　　답 29

040 5가지의 과일 중에서 3가지의 과일을 택하는 방법의 수는
${}_5C_3$
4가지의 야채 중에서 2가지의 야채를 택하는 방법의 수는
${}_4C_2$
5가지를 일렬로 진열하는 방법의 수는 5!
따라서 구하는 방법의 수는
${}_5C_3\times{}_4C_2\times5!=10\times6\times120=7200$ 　답 ⑤

041 부모가 모두 포함되도록 4명을 뽑는 경우의 수는 부모를 미리 뽑아 놓고, 나머지 3명 중에서 2명을 뽑는 경우의 수와 같으므로
${}_3C_2$
4명을 일렬로 세우는 경우의 수는 4!
따라서 구하는 경우의 수는
${}_3C_2\times4!=3\times24=72$ 　　　　　　　답 72

042 1과 5를 제외한 7개의 자연수 중 3개를 뽑는 방법의 수는 ${}_7C_3$
뽑힌 3개의 수와 1을 포함하여 4개의 수를 나열하는 방법의 수는 4!
따라서 구하는 자연수의 개수는
${}_7C_3\times4!=35\times24=840$ 　　　　　　답 ⑤

043 정육각형의 6개의 꼭짓점 중 어느 세 점도 한 직선 위에 있지 않으므로 만들 수 있는 직선의 개수는
${}_6C_2=15$ 　　　　　　　　　　　　　　答 ③

044 11개의 점에서 2개를 택하는 경우의 수는 ${}_{11}C_2$
한 직선 위에 있는 5개의 점에서 2개를 택하는 경우의 수는
${}_5C_2$
그런데 한 직선 위에 있는 점으로 만들 수 있는 직선은 1개뿐이므로 구하는 직선의 개수는
${}_{11}C_2-{}_5C_2+1=55-10+1=46$ 　　　答 ③

045 서로 다른 평행선 위의 점을 한 개씩 택하여 연결하면 한 개의 직선을 만들 수 있으므로
${}_4C_1\times{}_5C_1=4\times5=20$
이때, 주어진 평행선 2개를 포함하면 구하는 직선의 개수는
$20+2=22$ 　　　　　　　　　　　　　答 22

046 10개의 점 중 2개의 점을 택하는 경우의 수는 ${}_{10}C_2=45$
이때, 십각형의 변의 개수인 10을 빼야하므로 십각형의 대각선의 개수는
$45-10=35$ 　　　　　　　　　　　　　答 35

047 n각형에서 만들 수 있는 직선의 개수 ${}_nC_2$에서 n각형의 변의 개수인 n을 빼면 대각선의 개수이므로
${}_nC_2-n=54$, $\dfrac{n(n-1)}{2}-n=54$
$n^2-3n-108=0$
$(n-12)(n+9)=0$
$\therefore n=12\ (\because n>3)$
따라서 변의 개수는 12이다. 　　　　　　答 ①

048 8개의 점 중에서 3개를 택하는 경우의 수는 ${}_8C_3$
한 직선 위에 있는 4개의 점 중에서 3개를 택하는 경우의 수는
${}_4C_3$
그런데 한 직선 위에 있는 3개의 점으로는 삼각형을 만들 수 없으므로 구하는 삼각형의 개수는
${}_8C_3-{}_4C_3=56-4=52$ 　　　　　　答 52

049 10개의 점 중에서 3개를 택하는 경우의 수는 ${}_{10}C_3$
한 직선 위에 있는 4개의 점 중에서 3개를 택하는 경우의 수는
${}_4C_3$
그런데 한 직선 위에 있는 3개의 점으로는 삼각형을 만들 수 없으므로 구하는 삼각형의 개수는
${}_{10}C_3-5\times{}_4C_3=120-20=100$ 　　答 100

050

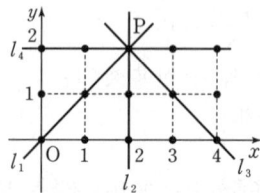

점 P를 제외한 14개의 점에서 2개를 택하는 경우의 수는 ${}_{14}C_2$
직선 l_1, l_2, l_3에서 2개의 점을 택하는 경우의 수는 $3\times{}_2C_2$
직선 l_4에서 2개의 점을 택하는 경우의 수는 ${}_4C_2$
그런데 한 직선 위에 있는 3개의 점으로는 삼각형을 만들 수 없으므로 구하는 삼각형의 개수는
${}_{14}C_2-(3\times{}_2C_2+{}_4C_2)=91-9=82$ 　答 82

051 12개의 점 중에서 4개를 택하는 경우의 수는 $_{12}C_4$

여기에서 사각형을 이루지 않는 다음 두 경우의 수를 빼주면 된다.

(ⅰ) 한 직선 위에 있는 6개의 점 중에서 4개를 택하는 경우의 수는 $_6C_4$

(ⅱ) 한 직선 위에 있는 6개의 점 중에서 3개를 택하고, 호 위의 6개의 점 중에서 1개를 택하는 경우의 수는
$$_6C_3 \times _6C_1$$

따라서 구하는 사각형의 개수는
$$_{12}C_4 - (_6C_4 + _6C_3 \times _6C_1) = 495 - (15 + 120)$$
$$= 360$$

目 360

052 (ⅰ) 3개의 평행선 중 2개, 4개의 평행선 중 2개를 택하여 만든 평행사변형의 개수는
$$_3C_2 \times _4C_2 = 3 \times 6 = 18$$

(ⅱ) 3개의 평행선 중 2개, 2개의 평행선 중 2개를 택하여 만든 평행사변형의 개수는
$$_3C_2 \times _2C_2 = 3 \times 1 = 3$$

(ⅲ) 2개의 평행선 중 2개, 4개의 평행선 중 2개를 택하여 만든 평행사변형의 개수는
$$_2C_2 \times _4C_2 = 1 \times 6 = 6$$

(ⅰ), (ⅱ), (ⅲ)에서 서로 다른 평행사변형의 개수는
$$18 + 3 + 6 = 27$$

目 27

053 (1) 서로 다른 4개에서 3개를 택하는 순열의 수와 같으므로
$$_4P_3 = 24$$

(2) 서로 다른 4개에서 3개를 택하여 작은 것부터 차례대로 $f(a)$, $f(b)$, $f(c)$에 대응시키면 되므로 함수 f의 개수는
$$_4C_3 = _4C_1 = 4$$

目 (1) 24 (2) 4

054 (가)에서 함수 f는 일대일함수이다.

(나)에서 $f(x)$의 최댓값은 5, 최솟값은 1이므로 정의역의 4개의 원소 중 2개를 뽑아 1, 5에 대응시키는 방법의 수는
$$_4C_2 \times 2!$$

나머지 정의역의 두 원소에 {2, 3, 4}가 대응하는 일대일함수의 개수는 $_3P_2$

따라서 구하는 함수의 개수는
$$_4C_2 \times 2! \times _3P_2 = 6 \times 2 \times 6 = 72$$

目 ②

055 $_nP_4 = 2k \cdot _nC_4$에서 $_nC_4 = \dfrac{_nP_4}{2k}$

이때, $_nC_4 = \dfrac{_nP_4}{4!}$이므로
$$2k = 4! = 24$$
$$\therefore k = 12$$

目 ②

056 서로 다른 12명의 선수 중에 2명을 택하는 조합의 수이므로
$$_{12}C_2 = \frac{12 \times 11}{2 \times 1} = 66$$

目 ④

057 배우 9명 중에서 주연 2명을 뽑는 방법의 수는
$$_9C_2 = 36$$

나머지 배우 7명 중에서 조연 3명을 뽑는 방법의 수는
$$_7C_3 = 35$$

따라서 구하는 방법의 수는
$$36 \times 35 = 1260$$

目 ②

058 구슬 5개 중에서 3개를 뽑는 방법의 수는
$$_5C_3 = 10$$

리본 6개 중에서 2개를 뽑는 방법의 수는
$$_6C_2 = 15$$

따라서 구하는 방법의 수는
$$10 \times 15 = 150$$

目 ②

059 A, B, C를 제외한 5명 중 2명을 뽑으면 되므로 구하는 경우의 수는
$$_5C_2 = \frac{5 \times 4}{2 \times 1} = 10$$

目 ①

060 (ⅰ) A와 B가 3인용 방을 사용하는 경우

A, B를 제외한 5명에서 한 명을 뽑아 3인용 방을 사용하도록 하면 나머지 4명은 자연스럽게 4인용 방을 사용하게 되므로 구하는 방법의 수는
$$_5C_1 = 5$$

(ⅱ) A와 B가 4인용 방을 사용하는 경우

A, B를 제외한 5명에서 두 명을 뽑아 4인용 방을 사용하도록 하면 나머지 3명은 자연스럽게 3인용 방을 사용하게 되므로 구하는 방법의 수는
$$_5C_2 = 10$$

(ⅰ), (ⅱ)에서 구하는 방법의 수는
$$5 + 10 = 15$$

目 15

061 특정한 2명 중 적어도 한 명을 포함하여 선발해야 하므로 전체 경우의 수에서 특정한 2명을 뺀 7명 중 4명을 뽑는 경우의 수를 빼면 된다.
$$\therefore {}_9C_4 - {}_7C_4 = {}_9C_4 - {}_7C_3 = 126 - 35 = 91$$

目 ⑤

062 5권의 교과서 중에서 3권을 고르는 방법의 수는 $_5C_3$

4권의 시집 중에서 1권을 고르는 방법의 수는 $_4C_1$

고른 4권의 책을 일렬로 꽂는 방법의 수는 4!

따라서 구하는 방법의 수는
$$_5C_3 \times _4C_1 \times 4! = 10 \times 4 \times 24 = 960$$

目 ④

063 피아니스트와 바이올리니스트가 모두 뽑히도록 3명을 뽑는 경우의 수는 피아니스트와 바이올리니스트를 미리 뽑아 놓고, 나머지 5명 중에서 1명을 뽑는 경우의 수와 같으므로
$$_5C_1$$

3명을 피아니스트와 바이올리니스트가 이웃하도록 일렬로 세우는 경우의 수는 피아니스트와 바이올리니스트를 한 묶음으로 생각하여 2명을 일렬로 세우는 경우의 수가 2!, 피아니스트와 바이올리니스트의 자리를 바꾸는 경우의 수가 2!이므로
$$2! \times 2!$$

따라서 구하는 경우의 수는
$$_5C_1 \times 2! \times 2! = 5 \times 2 \times 2 = 20$$

目 20

064 12개의 점 중에서 3개를 택하는 경우의 수는 $_{12}C_3$

한 직선 위에 있는 5개의 점 중에서 3개를 택하는 경우의 수는 $_5C_3$

한 직선 위에 있는 3개의 점 중에서 3개를 택하는 경우의 수는 $_3C_3$

그런데 한 직선 위에 있는 3개의 점으로는 삼각형을 만들 수 없으므로 구하는 삼각형의 개수는

$$_{12}C_3-(2\times{}_5C_3+2\times{}_3C_3)=220-(20+2)$$
$$=198$$

目 198

065 15개의 점으로 만들 수 있는 직선의 개수는

$_{15}C_2$

주어진 도형에는 5개의 점으로 이루어진 직선이 3개, 3개의 점으로 이루어진 직선이 13개가 있다.

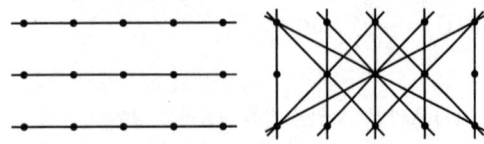

한 직선 위에 있는 점으로 만들 수 있는 직선은 1개뿐이므로 구하는 직선의 개수는

$$_{15}C_2-({}_5C_2\times3+{}_3C_2\times13)+3+13=105-(30+39)+16$$
$$=52$$

目 52

066 (i) $f=I$ (I는 항등함수)인 경우

1개

(ii) 그림과 같이 $f(a)=b$, $f(b)=a$이고 $f(c)=d$, $f(d)=c$인 경우

$$\frac{{}_4C_2}{2}=3$$

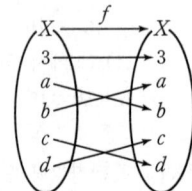

(iii) 그림과 같이 $f(a)=b$, $f(b)=a$이고 $f(c)=c$, $f(d)=d$인 경우

$$_4C_2=6$$

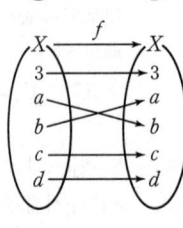

(i), (ii), (iii)에서 구하는 함수 f의 개수는

$$1+3+6=10$$

目 10

memo

memo